O Fim do Mundo e o impiedoso País das Maravilhas

Haruki Murakami

O Fim do Mundo e o impiedoso País das Maravilhas

tradução do japonês
Jefferson José Teixeira

Copyright © 1985 by Harukimurakami Archival Labyrinth

Grafia atualizada segundo o Acordo Ortográfico da Língua Portuguesa de 1990,
que entrou em vigor no Brasil em 2009.

Todos os esforços foram feitos para determinar a origem das imagens publicadas neste livro,
porém isso nem sempre foi possível. Teremos prazer em creditar as fontes, caso se manifestem.

Título original
世界の終わりとハードボイルド・ワンダーランド
[Sekai no Owari to Hādoboirudo Wandārando]

Capa
Alceu Chiesorin Nunes

Imagem de capa
Luciana Gnoatto

Mapa
Alessandro Meiguins

Preparação
Julia Passos

Revisão
Bonie Santos
Luís Eduardo Gonçalves

Dados Internacionais de Catalogação na Publicação (CIP)
(Câmara Brasileira do Livro, SP, Brasil)

Murakami, Haruki
O Fim do Mundo e o impiedoso País das Maravilhas /
Haruki Murakami ; tradução do japonês Jefferson José
Teixeira. — 1ª ed. — Rio de Janeiro : Alfaguara, 2024.

Título original : 世界の終わりとハードボイルド・
ワンダーランド. [Sekai no Owari to Hādoboirudo
Wandārando].
ISBN 978-85-5652-207-8

1. Ficção japonesa 1. Título.

24-193723   CDD-895.63

Índice para catálogo sistemático:
1. Ficção : Literatura japonesa   895.63
Cibele Maria Dias – Bibliotecária – CRB-8/9427

Todos os direitos desta edição reservados à
EDITORA SCHWARCZ S.A.
Praça Floriano, 19, sala 3001 — Cinelândia
20031-050 — Rio de Janeiro — RJ
Telefone: (21) 3993-7510
www.companhiadasletras.com.br
www.blogdacompanhia.com.br
facebook.com/editora.alfaguara
instagram.com/editora_alfaguara
twitter.com/alfaguara_br

Por que o sol continua a brilhar mesmo agora?
Por que os pássaros não param de cantar?
Será que eles não sabem
Que o mundo já se acabou?

"The End of the World"

Sumário

1. Elevador, silêncio, obesidade   13
2. *Os animais dourados*   24
3. Capa de chuva, os tenebrosos, lavagem   30
4. *A biblioteca*   49
5. Cálculos, evolução, desejo sexual   57
6. *A sombra*   73
7. Crânio, Lauren Bacall, biblioteca   83
8. *O coronel*   101
9. Apetite, desilusão, Leningrado   107
10. *A muralha*   127
11. Roupas, melancias, caos   132
12. *O mapa do Fim do Mundo*   138
13. Frankfurt, porta, organização independente   146
14. *O bosque*   171
15. Uísque, tortura, Turguêniev   181
16. *A chegada do inverno*   198
17. O Fim do Mundo, Charlie Parker, bomba-relógio   207
18. *A leitura dos sonhos*   216
19. Hambúrgueres, Skyline, prazo   221
20. *A morte dos animais*   236
21. Pulseiras, Ben Johnson, demônio   241
22. *A fumaça cinzenta*   271
23. Buracos, sanguessugas, torre   280
24. *A praça das Sombras*   299
25. Refeições, fábrica de imagens, armadilha   308
26. *Usina elétrica*   335
27. Palito enciclopédico, imortalidade, clipes de papel   343
28. *O instrumento musical*   352

29. O lago, Masaomi Kondo, meia-calça ... 359
30. *O buraco* ... 381
31. Controle de passagens, Police, detergentes sintéticos ... 388
32. *A sombra se encaminha para a morte* ... 402
33. Lavar roupa em dia de chuva, carro alugado, Bob Dylan ... 409
34. *Os crânios* ... 423
35. Cortador de unha, molho de manteiga, vaso de ferro ... 430
36. *O acordeão* ... 445
37. Luz, introspecção, limpeza ... 450
38. *A fuga* ... 461
39. Pipocas, Lord Jim, desaparecimento ... 471
40. *O pássaro* ... 483

Referências bibliográficas ... 487

O Fim do Mundo e o impiedoso País das Maravilhas

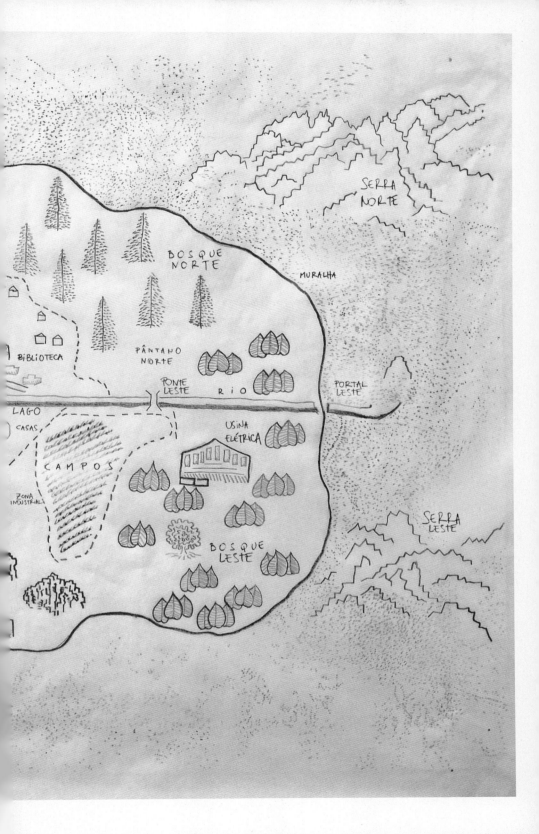

1
Elevador, silêncio, obesidade

O elevador continuava a subir numa velocidade bastante lenta. Ao menos dava a impressão de estar subindo. Mas eu não tinha certeza. Sua lentidão extrema me fez perder o senso de direção. Ele poderia estar descendo ou mesmo parado. Analisando toda a situação, talvez eu apenas tivesse decidido que o elevador estava subindo por pura conveniência. Mera suposição. Nenhum embasamento. O elevador talvez tivesse subido doze andares, descido três, quiçá dado um giro completo ao redor do planeta e voltado. Impossível saber.

Esse elevador era completamente diferente — e mais evoluído — do equivalente barato que havia no meu prédio, que mais parecia um balde de pegar água num poço. Devido à diferença brutal entre ambos, eu custava a crer que tivessem sido construídos com a mesma finalidade, desempenhassem funções idênticas e recebessem o mesmo nome. De tão longa, era difícil conceber a distância entre suas existências.

A primeira questão era o tamanho. O elevador onde eu estava era amplo o suficiente para ser usado como um bom escritório. Caberiam nele mesas, armários e gabinetes, e mesmo instalando uma pequena cozinha ainda sobraria espaço. Não duvidaria que fosse possível acomodar ali três camelos e uma palmeira de médio porte. Em segundo lugar, a limpeza. Estava tão imaculado quanto um caixão novo. As paredes ao redor e o teto eram de aço inox brilhante, sem manchas ou partes embaçadas, e um carpete verde-musgo de pelos longos cobria o chão. Em terceiro, sua aparente serenidade. Quando entrei não emitiu som — literalmente nenhum —, nem mesmo ao fechar com suavidade a porta. A ponto de não ser possível dizer se estava parado ou em movimento. Um rio profundo em seu curso tranquilo.

Outro ponto era que não havia ali a maioria dos acessórios obrigatórios em um elevador. Antes de mais nada, não havia um painel com botões. Nem mesmo os com os números dos andares, os de abrir e fechar, e o de emergência. Em suma, não havia nada. Isso fazia com que me sentisse bastante desprotegido. Não só por causa da ausência dos botões. Não havia luzes indicando em qual andar o elevador estava, nem mesmo uma placa com a capacidade máxima de passageiros, avisos e o nome do fabricante. Tampouco era possível saber onde ficava a saída de emergência. Não diferia em nada de um ataúde. Pensando bem, não era possível que tivesse sido aprovado pelo corpo de bombeiros. Afinal, há regras a serem cumpridas no que diz respeito a elevadores.

Enquanto olhava fixo as quatro paredes de aço vazias, me lembrei de ter assistido quando criança a um filme com os grandes truques de mágica de Houdini. Amarrado várias vezes com cordas e correntes, o ilusionista era aprisionado em um enorme baú que, por sua vez, recebia voltas e voltas de correntes pesadas. O baú podia ser atirado de cima das cataratas do Niágara ou congelado no mar do Norte. Após respirar uma vez, lento e profundo, comparei a condição em que eu estava com a de Houdini. Meu corpo não estava amarrado, o que era uma vantagem para mim, mas eu perdia para ele por não conhecer o truque.

Pensando bem, mais do que isso, eu nem mesmo sabia se o elevador estava em movimento ou parado. Experimentei tossir. O som, no entanto, saiu estranho. Soou diferente de uma tosse. Só consegui ouvir um ruído plano, como ao jogar um punhado de barro macio contra uma parede lisa de concreto. Era impossível imaginar que meu corpo houvesse produzido aquele som. Por via das dúvidas, tentei tossir mais uma vez, mas o resultado foi o mesmo. Desisti de continuar tentando.

Permaneci imóvel por um longo período. O tempo passava, mas a porta não se abria. Eu e o elevador estávamos parados ali tranquilamente, como numa pintura de natureza-morta intitulada "O homem e o elevador". Aos poucos, comecei a ficar inquieto.

O mecanismo poderia estar quebrado ou o ascensorista — supondo que alguém estivesse desempenhando tal função em algum lugar — poderia ter se esquecido de mim dentro da cabine. Às vezes as pessoas ignoravam a minha existência. De todo modo, eu estava encarcerado dentro de um espaço hermético de aço inox. Procurei aguçar os ouvidos, mas não escutei nenhum barulho. Colei a orelha na parede de aço, mas nem assim consegui ouvir o que quer que fosse. Nela ficou uma marca esbranquiçada com o formato da minha orelha. Ao que parece o elevador tinha sido construído com uma cabine de metal capaz de absorver todo tipo de som. Tentei assoviar a melodia de "Danny boy", mas parecia um cão asmático.

Desisti, encostei na parede e decidi passar o tempo contando as moedinhas que tinha nos bolsos. Mais do que um passatempo, para alguém com a minha profissão o exercício era um treinamento importante, equivalente à bolinha de borracha que os boxeadores profissionais estão sempre apertando. No sentido estrito, não era um passatempo. Só por meio da repetição é possível universalizar uma tendência distorcida.

Fosse como fosse, eu me esforçava para sempre ter muitas moedinhas nos bolsos da calça. Do lado direito, eu guardava as moedas de cem e quinhentos ienes e, no esquerdo, as de cinquenta e dez. As de um e cinco iam no bolso de trás e, a princípio, eu as excluía da contagem. Metia as mãos nos bolsos e com a direita contava as moedas de cem e quinhentos ienes e, ao mesmo tempo, com a esquerda somava as de cinquenta e dez.

Para alguém que nunca tenha feito cálculo similar, seria difícil conceber quão árdua a tarefa é de início. Os hemisférios direito e esquerdo do cérebro executam duas contagens totalmente distintas e, por último, como se juntassem duas metades de uma melancia, somam os totais obtidos. É complicado quando não se está habituado.

Na verdade, não poderia afirmar com certeza que estou usando de forma separada os hemisférios direito e esquerdo do cérebro. Se eu fosse um neurofisiologista, talvez soubesse dizer. Mas não é o meu caso, e ao tentar de fato calcular sinto que sem dúvida uso os dois de forma separada. Até mesmo a sensação de cansaço que me invade ao terminar de contar é muito diferente da que sentiria após realizar um cálculo comum. Portanto, por uma questão de pragmatismo, penso que o que estou fazendo é usar o hemisfério esquerdo do cérebro para contar as moedas do bolso esquerdo e o direito para contar as do bolso direito.

Sempre achei que fosse dono de um pensamento pragmático sobre uma variedade de fenômenos, eventos e existências deste mundo. Isso não se deve ao fato de eu ser alguém com uma personalidade pragmática — embora reconheça essa tendência até certo ponto —, mas por distinguir com frequência que, no mundo, a análise pragmática dos eventos nos faz compreender melhor a essência deles do que uma interpretação ortodoxa.

Por exemplo, quão inconveniente seria, para nossa vida cotidiana, pensar no planeta não como um corpo esférico, mas como uma mesa de café gigantesca? Lógico, trata-se de uma hipótese extrema e seria impossível mudar as coisas dessa forma. Porém, pensar no planeta como uma mesa de café gigante sem dúvida elimina por completo várias questões triviais decorrentes da sua esfericidade: coisas inúteis como a gravidade, a linha internacional de mudança de data ou o Equador. Quantas vezes alguém que leva uma vida comum se verá envolvido em questões relacionadas à linha do Equador?

Por isso, eu me esforço para, na medida do possível, ver as coisas a partir de uma perspectiva pragmática. Falando de maneira honesta, para mim o mundo é feito de forma a incluir diversas possibilidades ilimitadas. A escolha delas deve ser delegada até certo ponto a cada um de nós, membros do planeta. O mundo é uma mesa de café criada pelas possibilidades condensadas.

Voltando ao assunto anterior, executar o cálculo simultâneo com as mãos direita e esquerda está longe de ser uma tarefa fácil. Eu mesmo gastei muito tempo até conseguir apreender a técnica. Porém, uma vez dominada, ou seja, ao entender como fazer, você dificilmente perderá essa capacidade. É como andar de bicicleta ou nadar. Isso não significa, no entanto, que não seja necessário praticar. Só com treinamento contínuo se aprimora a capacidade e se refina o estilo. Justamente por isso estou sempre juntando moedinhas nos bolsos e, quando tenho tempo, me esforço em contá-las. Naquele momento eu tinha três moedas de quinhentos, dezoito de cem, sete de cinquenta e dezesseis de dez. O valor total era três mil, oitocentos e dez ienes. Não precisei me esforçar para calcular. Nesse caso é ainda mais fácil do que contar os dedos das mãos. Satisfeito, me encostei na parede de aço inox e contemplei a porta diante de mim. Continuava fechada.

Eu não sabia por que a porta do elevador estava há tanto tempo fechada. Porém, depois de ponderar um pouco, concluí que a princípio poderia eliminar minhas suposições de que seria um defeito mecânico ou que o encarregado teria esquecido da minha existência. Não eram hipóteses realistas. Claro, não quero dizer com isso que não poderia ocorrer de fato uma falha no dispositivo ou que o encarregado não poderia se distrair. Ao contrário, sabia que essas casualidades costumam ocorrer com frequência no mundo real. O que quero dizer é que, estando em meio a uma realidade especial — esse elevador nu idiota —, a ausência de especificidade não deveria eliminar o pragmatismo dada a sua especificidade paradoxal? Haveria alguém capaz de criar um elevador sofisticado e excêntrico tão distraído a ponto de negligenciar os devidos cuidados e não se preocupar se os usuários ficariam ao deus-dará?

A resposta é, obviamente, não!

Isso é impossível.

Até agora, *eles* se mostraram nervosos, cautelosos e metódicos. Eles foram minuciosos com cada detalhe, como se medissem a largura de todo passo ao caminhar. Quando entrei no saguão do prédio, fui barrado por dois guardas que me perguntaram quem eu iria ver, conferiram se o meu nome constava na lista de visitas agendadas, verificaram minha carteira de motorista para confirmar minha identidade e, após consultarem meus dados pessoais no computador central, escanearam meu corpo com um detector de metais — e só depois de tudo isso me fizeram entrar neste elevador. Nem em uma visita à Casa da Moeda eu seria objeto de uma inspeção tão rigorosa. Por isso, custo a acreditar que a este ponto toda essa prudência seria de repente perdida.

Assim, a única possibilidade que resta é eles terem me deixado de propósito nesta posição. Talvez queiram me impedir de captar os movimentos do elevador. Assim, fazem com que ele se movimente devagar a ponto de eu não perceber se está subindo ou descendo. Talvez haja câmeras instaladas. Na sala dos vigilantes, na entrada, vi vários monitores enfileirados. Não surpreenderia se um deles em particular estivesse reproduzindo imagens de dentro do elevador.

Pensei em procurar a lente de uma câmera para matar o tempo, mas, pensando melhor, o que eu ganharia se achasse? Apenas os deixaria em alerta, o que talvez os levasse a fazer o elevador andar mais devagar ainda. Eu não queria passar por isso. Afinal, já estava atrasado para o meu compromisso.

Acabei decidindo não fazer nada e ficar quieto. Vim até aqui apenas para desempenhar corretamente as funções a mim atribuídas. Nada tenho a temer e não devo me preocupar.

Me recostei na parede, enfiei as mãos nos bolsos e voltei a contar moedinhas. Havia três mil, setecentos e cinquenta ienes. Foi simples. Contei rápido.

Três mil, setecentos e cinquenta ienes.

A contagem não batia.

Errei em algum lugar.

Senti as mãos transpirarem. Nos três últimos anos, eu nunca havia falhado na contagem das moedinhas. Nem uma única vez. Por mais que pensasse, era um mau sinal. Antes que isso emergisse como uma flagrante desgraça, eu precisava reconquistar o território perdido.

Fechei os olhos e, como se lavasse as lentes dos óculos, esvaziei os hemisférios direito e esquerdo do cérebro. Em seguida, tirei as mãos dos bolsos e enxuguei o suor das palmas. Concluí com eficiência esses preparativos, como Henry Fonda fazia antes de encarar o tiroteio em *Minha vontade é lei*. Na verdade, isso é irrelevante, mas o fato é que eu adoro esse filme.

Depois de garantir que as palmas das mãos estavam completamente secas, voltei a botar as mãos nos bolsos e iniciei a terceira contagem. Se desse a mesma coisa que um dos dois resultados anteriores, não haveria problema. Errar é humano. Devo admitir que estava nervoso por me ver em uma situação diferente e, até certo ponto, autoconfiante demais. Isso era prova dessa falha de principiante. Fosse como fosse, precisava confirmar o valor exato. Isso motivaria minha salvação. Contudo, antes de me redimir, a porta do elevador se abriu. Sem aviso prévio ou ruído, apenas deslizou uma metade para cada lado.

Talvez por estar tão concentrado nas moedinhas, demorei para perceber que a porta estava aberta. Na verdade, eu vi a porta abrir, mas por um tempo não consegui entender o que isso de fato significava. Claro, uma porta abrir queria dizer que os dois espaços dos quais ela usurpara a continuidade haviam voltado a se conectar. E, ao mesmo tempo, que o elevador tinha chegado ao seu destino.

Interrompi o movimento dos dedos dentro dos bolsos e olhei para fora. Havia um corredor e uma mulher de pé. Era jovem e roliça, trajava um terninho cor-de-rosa e calçava sapatos de salto alto da mesma cor. O terninho era bem-acabado, de um tecido tão lustroso quanto sua face. Depois de analisar por um breve período meu rosto como se tentasse confirmar quem eu era, fez uma rápida mesura. Com esse gesto parecia querer dizer: "Acompanhe-me". Desisti de contar as moedinhas, tirei as mãos dos bolsos e saí do elevador. As portas se fecharam logo atrás, como se aguardassem minha saída.

De pé no corredor, olhei ao redor tentando identificar algo que pudesse sugerir em que situação estava, mas em vão. Só entendi que aquele era um corredor na parte de dentro do prédio, embora isso fosse óbvio até mesmo para um aluno do ensino fundamental.

Em todo caso, a parte de dentro do prédio era totalmente inexpressiva, chegando a causar estranheza. Assim como o elevador onde eu estivera até aquele momento, os materiais usados, embora luxuosos, nada mostravam de peculiar. O chão de mármore lustroso era lindamente polido, e as paredes tinham um tom branco amarelado, como os muffins que eu comia toda manhã. Em ambos os lados do corredor se enfileiravam portas de madeira maciça, cada qual exibindo uma placa de metal com o número do escritório. No entanto, os números não eram ordenados, mas aleatórios. Ao lado da placa do 936 estava a do 1213, e logo depois a do 26. Que tipo de organização sem pé nem cabeça era aquela? Algo estava distorcido.

A mulher praticamente não abria a boca. Virando-se para mim, disse "Por aqui, por favor", mas, apesar de os lábios se moverem formando as palavras, da boca não saiu nenhum som. Antes de começar a trabalhar, frequentei durante dois meses aulas de leitura labial. Por isso, pude entender o que ela dizia. De início, imaginei que meus ouvidos estivessem com algum problema. Algum tipo de fraqueza. Eu já não tinha escutado nada no elevador e minha tosse e meu assovio soaram estranhos.

Experimentei tossir de novo. Como antes, o som saiu furtivo, mas apesar disso veio muito mais nítido do que no elevador. Fiquei aliviado e pude voltar a confiar em meus ouvidos. Está tudo bem, minha audição está perfeita. Posso ouvir, o problema está na boca da mulher.

Caminhei atrás dela. *Clac, clac.* Seus saltos ressoavam pelo corredor deserto, emitindo um som semelhante ao de uma pedreira no início da tarde. Envoltas em meias de náilon, as panturrilhas refletiam com nitidez no mármore.

Ela era corpulenta. Jovem, bela, mas obesa. O fato de essa mulher jovem e bela ser roliça causava estranheza. Eu seguia atrás dela contemplando sua nuca, seus braços e suas pernas. Uma abundância de carne se acumulava em seu corpo tal qual um enorme volume de neve caído em silêncio à noite.

Sempre fico confuso na companhia de uma mulher jovem, bela e obesa. Eu mesmo não sei por quê. Talvez por logo imaginar os hábitos alimentares da pessoa. Conforme a encarava, me passavam pela mente cenas dela mordendo com avidez o agrião que tinha sobrado no prato ou passando com prazer um naco de pão na última gota do molho bechamel. É mais forte que eu. E, quando isso acontece, minha mente fica repleta de cenas de refeições, como ácido corroendo metal, e várias de minhas outras funções acabam impedidas de funcionar de maneira satisfatória.

Se a mulher for apenas obesa, não tem problema. Uma mulher apenas obesa é como uma nuvem no céu. Ela só flutua por aí sem ter nada a ver comigo. Mas quando é uma mulher jovem, bela e obesa, as coisas mudam de figura. Sinto-me pressionado a definir alguma forma de me relacionar com ela. Em outras palavras, talvez acabemos juntos na cama. Deve ser isso que mexe com a minha cabeça. Não é fácil dormir com uma mulher quando a mente não funciona bem.

Não quero de forma alguma afirmar com isso que o que sinto por mulheres obesas é gordofobia. Estar confuso e odiar não são sinônimos. Até agora fui para a cama algumas vezes com mulheres jovens, belas e obesas, e de modo geral não foram experiências desagradáveis. Se conduzo a minha confusão na direção correta, isso ocasiona um resultado lindo e impossível de ser obtido normalmente. Claro, às vezes as coisas desandam. O ato sexual é algo muitíssimo sutil, diferente de ir a uma loja comprar uma garrafa térmica. Mesmo entre as mulheres jovens, belas e obesas, existem variações na adiposidade. Enquanto alguns tipos de obesidade me conduzem na direção correta, outros me arrastam para uma confusão superficial.

Nesse sentido, dormir com uma mulher obesa era para mim um desafio. Existem inúmeros tipos de obesidade humana, quase o mesmo número de formas de morrer.

Refletia sobre coisas assim enquanto acompanhava essa mulher jovem, linda e obesa pelo corredor. Tinha uma echarpe branca enrolada na gola do terninho, que contrastava bem com o tom de rosa. Dos lóbulos carnudos de suas orelhas pendiam brincos de ouro em formato retangular que brilhavam como dois sinalizadores conforme ela andava. No geral, seus movimentos eram até graciosos para uma pessoa roliça. Claro, devia ter a roupa de baixo ou outros artefatos bem apertados para conferir à silhueta um realce de fato, mas mesmo considerando essa possibilidade o jeito de seus quadris firmes balançarem era encantador. Simpatizei com ela. Aparentemente, aquela obesidade me agradava.

Não estou tentando me justificar, mas não foram muitas as mulheres pelas quais senti simpatia. Me considero uma pessoa um tanto inábil. Por isso, nos raros casos em que sinto algo assim por alguém, tenho vontade de testar essa boa impressão. Para confirmar se é ou não uma estima autêntica e, caso seja, de que forma funcionaria. É o tipo de coisa que prefiro verificar do meu jeito.

Por isso, fiquei ao lado dela e pedi desculpas por ter chegado oito ou nove minutos atrasado.

— Não sabia que as formalidades na entrada eram tão demoradas — justifiquei. — Além disso, o elevador subiu muito devagar. Cheguei ao prédio dez minutos antes do horário combinado.

Ela assentiu brevemente com a cabeça, como se dissesse "Eu sei". Senti o cheiro de água-de-colônia em seu pescoço. Exalava o aroma de uma plantação de melões numa manhã estival. Esse perfume me causou uma estranha emoção. Uma sensação curiosa, incoerente e nostálgica, como se duas lembranças diferentes estivessem interligadas em um local que eu não conhecia. Às vezes me sinto assim. E na maioria dos casos isso é provocado por um aroma específico. Não saberia explicar por quê.

— Que corredor comprido, não? — tentei puxar conversa.

A moça me olhou enquanto caminhava. Cogitei que tivesse cerca de vinte ou vinte e um anos. Tinha feições distintas, uma testa larga e a pele linda.

Enquanto me encarava, ela disse: "Proust". Na verdade, ela não pronunciou com clareza o nome "Proust". Eu apenas senti como se os lábios dela tivessem se movido de modo a formar a palavra. De novo, não se ouvia som algum. Nem mesmo o ruído da sua respiração. Era como se falasse comigo do outro lado de um vidro grosso.

Proust?

— Marcel Proust? — perguntei.

Ela me olhou surpresa. E repetiu: "Proust". Desisti e voltei para minha posição inicial atrás dela. Enquanto caminhávamos, eu me esforçava para encontrar uma palavra que correspondesse ao movimento labial de "Proust": "Truste", "Custe", "Crush". Tentei pronunciar devagar cada vocábulo, um seguido do outro, sem muito sentido, mas nenhum se ajustava com perfeição ao movimento dos lábios. Podia jurar que ela dissera "Proust". Contudo, não entendia bem onde estaria a relação entre um corredor sem fim e Marcel Proust.

Talvez ela tenha mencionado Marcel Proust como uma metáfora para o corredor. Mesmo assim, achei a ideia repentina demais, e uma forma descortês de se comunicar. Se ela tivesse citado o longo corredor como metáfora para o conjunto das obras de Proust, eu até entenderia como algo lógico. Porém, o contrário me soava enigmático.

Um corredor longo como as obras de Marcel Proust?

Fosse como fosse, eu a segui pelo extenso corredor. Era sem dúvida interminável. Dobramos algumas esquinas, subimos e descemos por escadas curtas de uns cinco ou seis degraus. Talvez tenhamos percorrido uma distância cinco ou seis vezes mais longa do que em um edifício normal. Ou talvez estivéssemos apenas indo e vindo pelos mesmos lugares, como nas gravuras trompe-l'oeil de Escher. De todo modo, por mais que andássemos, o cenário não se alterava. O chão de mármore, as paredes de um tom amarelado como casca de ovo, os números desordenados das salas e as portas de madeira com suas maçanetas de inox. Não se via uma janela sequer. Durante todo o tempo ela fazia ressoar no mesmo ritmo, de forma constante, o som dos sapatos de salto, enquanto atrás dela os meus tênis de corrida emitiam um *choc choc* de borracha pegajosa. Esse som parecia mais viscoso do que o necessário, e cheguei a me preocupar se o solado dos meus tênis não estaria de fato começando a derreter. Pela primeira vez na vida eu caminhava sobre um chão de mármore com tênis de corrida e, portanto, não saberia julgar se esse barulho era normal ou não. Imaginava que o som talvez fosse metade normal e metade anormal. Isso porque tive a impressão de que tudo naquele lugar funcionava mais ou menos assim.

Eu estava tão concentrado no som do meu tênis que nem sequer percebi quando ela parou de repente e acabei trombando com força em suas costas. Elas eram como uma nuvem pesada de chuva, macias e confortáveis, e sua nuca exalava o odor da água-de-colônia de melão. Com o impacto, ela se projetou para a frente, e às pressas consegui segurar seus ombros, fazendo-a voltar.

— Desculpe, eu me distraí — falei.

Vi a mulher obesa corar ligeiramente. Não poderia afirmar de maneira categórica, mas ela não parecia aborrecida. Ela disse "*Tatsuseru*" e abriu um leve sorriso. Depois deu de ombros, dizendo: "*Sera*". Porém, e aqui estou sendo bastante repetitivo, é claro que ela não disse isso de verdade, apenas entreabriu os lábios formando essas palavras.

"*Tatsuseru*", procurei pronunciar baixinho para mim mesmo. "*Sera*"?

"*Sera*", ela repetiu com convicção.

Essa palavra me soou como se fosse turco, mas o problema é que eu nunca ouvira nada nesse idioma. Portanto, no fim das contas talvez nem fosse turco. Aos poucos um nó se formou na minha cabeça. Decidi desistir de tentar conversar com ela. Minha habilidade em leitura labial ainda era incipiente. A técnica é delicada e é impossível dominá-la em apenas dois meses de aprendizado em um cursinho público da prefeitura.

Ela retirou do bolso do casaco uma chave eletrônica minúscula e ovalada e a introduziu de lado na fechadura da porta com a placa 728. Ouviu-se um clique e a porta destrancou. Era um dispositivo engenhoso.

Ela a abriu. De pé na soleira, segurando a porta, se virou para mim e disse: "*Somuto, sera*".

Claro que eu assenti com a cabeça e entrei.

2

Os animais dourados

Com a chegada do outono, seus corpos se revestiam de uma longa pelagem dourada. Dourada no sentido mais puro da palavra. Impossível misturar ali outra cor. Era um tom de fulvo que vinha a este mundo como fulvo e existia neste mundo como fulvo. Estavam tingidos do louro mais puro que havia entre o céu e a terra.

Quando cheguei pela primeira vez a esta cidade — era primavera —, os animais estavam envoltos por pelos curtos de uma miríade de tons. Preto, grená, branco, castanho-avermelhado. E alguns ostentavam uma pelagem manchada, mistura de algumas dessas cores. Como se impulsionados pelo vento, eles perambulavam serenos pelas planícies de vegetação jovem, envoltos em peles de diversas tonalidades. De tão silenciosos, pareciam estar em estado meditativo. Até sua respiração era calma como uma neblina matinal. Pastavam sem fazer barulho pela relva verdejante e, quando se cansavam, dobravam as patas, deitavam no chão e tiravam um cochilo.

A primavera se foi, o verão acabou e, quando a luz começou a se revestir de uma leve transparência e o vento do início do outono encrespou a água estagnada dos rios, constatou-se uma mudança no aspecto dos animais. Uma pelagem dourada, de início esparsa, surgiu, como os brotos de plantas germinadas ao acaso fora da estação, logo se transformando em inúmeros tentáculos que se enroscavam aos pelos curtos para enfim cobrir tudo de uma brilhante cor flavescente. Essa cerimônia durou apenas uma semana do princípio ao fim. A metamorfose começou quase de maneira simultânea e assim terminou. Ao fim de sete dias, todos, sem exceção, haviam se transformado em animais inteiramente dourados. Quando o sol nascente tingiu o mundo de um dourado novo, o outono desceu sobre a superfície terrestre.

Apenas o longo corno que crescia do meio de suas testas apresentava em toda a extensão uma suave cor branca. Sua finura até perigosa fazia lembrar, mais do que um chifre, um fragmento de osso que por alguma razão, após rasgar a pele, teria acabado por se fixar ali. Exceto o branco dos cornos e os olhos azuis, os animais haviam se convertido em totalmente dourados. Como se quisessem provar essa nova roupagem, balançavam a cabeça várias vezes para cima e para baixo, perfurando com a extremidade do chifre o alto céu outonal. Depois, molhavam os cascos na corrente mais fresca do rio e estendiam o pescoço para devorar os frutos carmesins das árvores da estação.

Quando o crepúsculo começava a azular a paisagem da cidade, eu subia em uma das torres de vigia da muralha norte para contemplar o rito do guardião soar o seu berrante para reunir o rebanho. Ouvia-se um toque longo seguido de três toques curtos. Era essa a regra. Sempre que ouvia o berrante tocar, eu fechava os olhos e deixava o som doce se infiltrar com vagar em meu corpo. Era diferente de qualquer outro instrumento. Transpassava calmamente as ruas da cidade sob o lusco-fusco como um peixe transparente azulado que impregna com seu eco as ruas pavimentadas com seixos, os muros de pedra das casas e as cercas enfileiradas pela vereda ao longo do rio. Seu som reverberava com serenidade por todas as esquinas, parecia deslizar pelas frestas invisíveis do tempo contidas na atmosfera.

Quando o som do berrante ecoava pela cidade, os animais elevavam a cabeça em direção a lembranças antigas. Esses seres, em número superior a um milhar, assumiam todos juntos exatamente a mesma posição, erguendo a cabeça em direção ao som. Alguns paravam de mascar de forma enfastiada as folhas de giesta, outros deixavam de bater os cascos no solo para se alongar no caminho forrado de seixos, e outros ainda despertavam da sesta no último local banhado pelo sol e alongavam o pescoço no ar.

Nesse instante, todos pareciam em transe. O único movimento era o de seus pelos dourados tremulando sob a brisa crepuscular. O que poderiam estar pensando naquele momento? Onde fixariam o olhar? Eu não sabia. Ficavam encarando o vazio, com as cabeças voltadas para a mesma direção e em um ângulo idêntico, paralisados. Depois, apuravam o ouvido em direção ao som da corneta. Por fim, quando as últimas ressonâncias eram absorvidas pela semiobscuridade do crepúsculo, eles se levantavam e, como se tivessem se lembrado de algo, começavam a marchar em determinada direção. O encantamento instantâneo era rompido, e o som das passadas de seus inúmeros cascos envolvia a cidade. Esse barulho sempre me fazia imaginar várias bolhas de espuma brotando das profundezas do solo, envolvendo as ruas e trepando pelos muros das casas, cobrindo por completo até mesmo a torre do relógio.

No entanto, isso não passava de uma ilusão do crepúsculo. Ao abrir os olhos, essas bolhas logo desapareciam. Restava apenas o barulho dos cascos, e as ruas continuavam as mesmas de sempre. A coluna de animais fluía como um rio ao longo dos caminhos tortuosos das ruas de pedra.

Nenhum deles tomava a dianteira, nenhum conduzia a manada. Apenas seguiam o curso silencioso do rio, cabisbaixos e com os ombros ligeiramente trêmulos. Mesmo assim, embora fosse invisível aos olhos, eles pareciam ligados com firmeza uns aos outros por laços de memórias íntimas indeléveis.

Descendo do norte, a coluna atravessou a antiga ponte, juntou--se aos companheiros que vinham do leste pela margem sul do rio, e após atravessar a faixa de terra da fábrica ao longo do canal seguiu pelo corredor que atravessava a fundição passando ao pé da colina oeste. Os animais velhos e os filhotes, sem poder se afastar muito do portal, os esperavam na encosta da colina oeste. Ali eles mudavam a direção para o norte, e depois de atravessar a ponte oeste chegavam ao portal.

Quando os animais na dianteira chegavam ali, o guardião o abria. Um portal visivelmente pesado e maciço, dotado de espessas placas de ferro de reforço pregadas na vertical e na horizontal. Com cerca de quatro a cinco metros de altura, sua parte superior estava apinhada de pregos pontudos e afiados, como uma almofada de agulhas, para impedir que pessoas saltassem por cima. O guardião empurrou com facilidade esse portal maciço, deixando os animais reunidos saírem. O portal tinha dois batentes, mas o guardião invariavelmente abria apenas um deles. O lado esquerdo permanecia sempre fechado.

Quando todos os animais, sem exceção, terminavam de passar pelo portal, o guardião o trancava.

Que eu saiba, o portal oeste era o único acesso de entrada e saída da cidade. Esta era cercada por uma longa e grandiosa muralha de sete ou oito metros de altura, que apenas pássaros poderiam transpor pelo alto.

Com a chegada da manhã, o guardião voltava a abrir o portal e tocava sua corneta para fazer os animais entrarem. E quando todos haviam entrado, ele, como antes, trancava o portão.

— Na verdade, não há por que trancá-lo — explicou-me o guardião. — Ninguém além de mim é capaz de abrir aquele portal maciço. Nem mesmo um grupo de pessoas. Só faço isso para cumprir as regras.

Depois de dizer isso, ele abaixou o gorro de lã até quase acima dos cílios e permaneceu calado. Eu nunca tinha visto um homem tão corpulento como o guardião. Visivelmente bem fornido de carnes, seus músculos pareciam querer saltar a qualquer momento para fora da camisa e do casaco. Porém, por vezes ele fechava os olhos e mergulhava em um enorme silêncio. Eu não seria capaz de julgar se isso seria algum tipo de crise de melancolia ou se algo fazia suas funções fisiológicas se desconectarem. Fosse como fosse, quando ele estava dominado pelo silêncio eu precisava esperar com paciência que recobrasse a consciência. Então ele abria devagar os olhos e durante bastante tempo me encarava com um olhar ausente, roçando os dedos das mãos sobre os joelhos, como se se esforçasse para entender a razão da minha presença ali.

— Por que ao anoitecer os animais são postos para fora da cidade e de manhã voltam para dentro? — tentei perguntar ao guardião quando ele tornou a si.

Durante algum tempo ele me encarou com um olhar destituído de qualquer emoção.

— Porque é assim que foi decidido — ele afirmou. — Faço isso porque é a regra. Assim como o sol nasce no leste e se põe no oeste.

Quando não estava ocupado abrindo e fechando o portal, o guardião parecia dedicar quase todo o tempo a cuidar de seus objetos cortantes. Em sua cabana se enfileiravam machadinhas, machetes e facas de todos os tipos e tamanhos, e ele passava o seu tempo livre a afiá-los com muito zelo, usando uma pedra de amolar. Depois de afiadas, as lâminas emitiam uma luz branca repulsiva e de ar glacial, e me davam a impressão de, mais do que refletir a luz exterior, talvez ocultar dentro delas algum tipo de corpo luminoso.

Enquanto eu admirava essa fileira de armas brancas, o guardião me acompanhava com o olhar atento e um sorriso constante de satisfação no canto dos lábios.

— Tome cuidado, hein! Basta um leve toque para se cortar feio. — Apontou para a fileira de lâminas com seu dedo nodoso como uma raiz de árvore. — A qualidade dessas peças é muito superior à das que existem aos montes por aí. Foram todas forjadas por mim. Antigamente eu era ferreiro e essa era minha especialidade. São todas bem trabalhadas e com ótimo equilíbrio. Não é fácil achar um cabo perfeitamente ajustado ao peso da lâmina. Experimente pegar qualquer uma. Mas cuidado para não tocar na lâmina, entendeu?

Escolhi a menor machadinha entre as opções enfileiradas sobre a mesa e, ao pegá-la, procurei brandi-la de leve no ar várias vezes. Ela resistiu pouquíssimo ao movimento do meu pulso e bastava pensar em fazer algo para que a lâmina reagisse vigorosa como um cão de caça bem treinado, cortando o ar em dois com um som seco. O guardião tinha mesmo motivo para se orgulhar.

— Esse cabo também fui eu quem fez. Talhei-o com a madeira de um freixo de dez anos. Cada um tem um gosto diferente para o material do cabo, mas eu aprecio o freixo dessa idade. Se for muito mais jovem ou já tiver crescido demais acaba não prestando. Uma árvore de uma dezena de anos é a melhor. Forte, úmida e enérgica. Há ótimos freixos no bosque leste.

— Mas para que servem tantas lâminas?

— Elas têm utilidades diversas — respondeu o guardião. — Quando chega o inverno, nós as usamos bem mais. Você entenderá quando for a hora. Porque o inverno por aqui é longo.

Fora do portal há um local reservado aos animais. É onde eles dormem à noite. Um riacho de água potável corre por ali. Na margem contrária há um pomar de macieiras a perder de vista. Ele se estende até o horizonte como um vasto oceano.

Na muralha leste estão instaladas três torres de vigia acessíveis por escadas verticais. Há um telhado simples que protege da chuva, e das janelas gradeadas é possível avistar lá embaixo a silhueta dos animais.

— Fora você, ninguém mais tem permissão para ver os animais — disse o guardião. — Bem, é normal, pois você acabou de chegar, mas depois de viver um tempo aqui e se adaptar perderá o interesse por eles. Assim como aconteceu com todos os outros. Só na primeira semana de primavera as coisas ficam diferentes.

Como o guardião me explicou, apenas na primeira semana da primavera as pessoas subiam nas torres de vigia para ver os animais brigando. Só nesse período — nessa única semana em que os machos trocam a pelagem e as fêmeas começam a dar à luz —, os machos deixam de ser pacatos como de costume para ferirem uns aos outros com uma violência inimaginável. E de dentro do expressivo volume de sangue que escorre pela terra brota uma nova ordem, uma nova vida.

No outono, os animais, cada qual acocorado em silêncio no seu canto, deixam a longa pelagem dourada brilhar sob o poente. Petrificados como estátuas presas ao solo, de cabeça levantada, esperam com paciência a última luz do dia desaparecer no mar de macieiras. Por fim, quando o sol se deita e a escuridão azulada da noite vem cobrir seus corpos, os animais deixam as cabeças tombarem, abaixam até a altura do solo seu único corno branco e fecham os olhos.

Assim termina um dia na cidade.

3
Capa de chuva,
os tenebrosos, lavagem

Ela me fez entrar em uma ampla sala vazia. Tinha as paredes e o teto brancos, tapete marrom-escuro, cores elegantes e de bom gosto. Mesmo chamando a cor de "branco", há uma diferença entre o acabamento de um tom refinado e um vulgar. Os vidros da janela eram opacos, o que impedia ver a paisagem externa, mas sem dúvida a luz difusa que se infiltrava na sala era do sol. Isso significava que não estávamos no subsolo e, portanto, o elevador tinha subido. Fiquei aliviado com essa constatação. Era como eu tinha imaginado. A mulher fez sinal para me sentar e cruzei as pernas ao me acomodar no sofá de couro no centro do cômodo. Enquanto isso, a mulher saiu por outra porta.

A sala quase não tinha objetos que poderiam ser chamados de móveis. Sobre a mesa, que formava um conjunto com o sofá, enfileiravam-se um isqueiro, um cinzeiro e um porta-cigarros de cerâmica. Abri a tampa do porta-cigarros, mas não havia nenhum. As paredes não tinham quadros, calendários ou fotos. Não havia nenhum objeto supérfluo.

Ao lado da janela havia uma grande escrivaninha. Levantei-me do sofá e fui até lá, aproveitando para dar uma olhada por cima do móvel. Era uma mesa maciça fabricada com uma placa de madeira grossa, com grandes gavetas em ambos os lados. Sobre ela havia um abajur, três canetas esferográficas e um calendário de mesa, e ao lado vários clipes espalhados. Vi a data no calendário e ela estava correta. Era o dia de hoje.

Em um canto da sala havia três gabinetes de aço enfileirados, desses que se encontram em qualquer lugar. Eles destoavam do ambiente. Eram burocráticos e concisos demais. Se fosse eu, escolheria gabinetes refinados de madeira para harmonizar mais com a sala, mas aquele espaço não era meu. Eu só tinha vindo para trabalhar, e se havia gabinetes de aço cor de rato ou um jukebox tom de pêssego não era problema meu.

Na parede à esquerda havia um guarda-roupa embutido. Tinha portas dobráveis alongadas na vertical. Esses eram todos os móveis no cômodo. Não havia relógio, telefone, apontador de lápis ou vaso de flores. Tampouco uma estante ou um porta-cartas. Afinal, qual o objetivo daquela sala? Qual a sua função? Eu não fazia ideia. Voltei ao sofá, cruzei as pernas, bocejei.

A mulher retornou cerca de dez minutos depois. Sem se dignar a olhar para mim, abriu a porta de um dos gabinetes e retirou de dentro algumas coisas lisas e negras e, apertando-as contra o peito, levou-as até a mesa. Eram uma capa de chuva bem dobrada e um par de galochas. Por cima estava um par de óculos de proteção como os que os pilotos costumavam usar na Primeira Guerra Mundial. Que raios estava acontecendo ali? Eu não conseguia entender nada.

A mulher disse algo, mas sua boca se moveu rápido demais e eu não consegui entender.

— Seria possível falar um pouco mais devagar? Não sou tão bom em leitura labial — pedi.

Dessa vez, ela pronunciou de maneira pausada, abrindo bem a boca. "Por favor, vista isto por cima da roupa", pediu. Se pudesse, eu preferiria não vestir a capa de chuva, mas seria complicado reclamar e acabei seguindo a ordem calado. Tirei o tênis de corrida e calcei a galocha, vesti a capa de chuva por cima da camisa esportiva. A capa era pesada, e a galocha um ou dois números maior do que o meu, mas decidi que também não reclamaria disso. A mulher ficou na minha frente, fechou os botões da capa de chuva até o tornozelo e cobriu minha cabeça com o capuz. Ao fazer isso, a ponta do meu nariz tocou sua testa lisa.

— Que perfume excelente — elogiei.

Ela agradeceu e pressionou cada botão do capuz até quase cobrir o meu nariz com estalidos secos. Depois, ajeitou os óculos de proteção por cima do capuz. Agora eu parecia uma múmia preparada para enfrentar as intempéries.

Ela então abriu uma porta do guarda-roupa, me puxou pela mão e me empurrou para dentro, em seguida acendeu uma luz interna e fechou a porta atrás de nós. Estávamos dentro do móvel. Na verdade, não havia roupas, apenas cabides para casacos e bolinhas de naftalina. Aquilo não devia ser um armário de verdade, mas uma espécie de passagem secreta disfarçada. Não fazia sentido me vestir com capa de chuva para me empurrar dentro de um móvel.

Ela mexeu de forma ruidosa em uma manivela metálica que estava em um canto e, por fim, como esperado, parte da parede em frente se abriu de súbito, formando um buraco do tamanho do porta-malas de um carro de pequeno porte. Dentro estava escuro como breu, e pude sentir com clareza que dali soprava uma corrente de ar fria e úmida. A sensação provocada pelo vento não era das mais agradáveis. Podia-se ouvir um barulho constante, como um fluxo de água.

— Aqui dentro corre um rio — ela me informou.

Senti que, graças a isso, um pouco de realidade havia sido adicionada ao seu jeito silencioso de falar. Na verdade, apesar de emitir sons, eles pareciam ser abafados pelo barulho da água. Tive a impressão de que, de alguma forma, estava mais fácil compreender suas palavras. Estranho, muito estranho.

— Seguindo sempre rio acima, você chegará a uma grande cascata. Passe por debaixo dela. O gabinete de pesquisa do meu avô fica ao fundo. Lá você saberá o que fazer.

— Seu avô estará me esperando ali, é isso?

— Sim — respondeu ela, entregando-me uma grande lanterna de mão à prova d'água presa por uma correia.

Não me agradava adentrar tanta escuridão, mas como era muito tarde para reclamar resignei-me e dei um passo em direção às trevas que pareciam uma boca aberta. Depois, curvando-me para a frente, enfiei a cabeça e os ombros e, por fim, puxei a perna. Como estava com o corpo enrolado na rija capa de chuva, foi uma tarefa complicada, mas acabei de algum jeito transferindo o corpo do guarda-roupa para o outro lado da parede. Em seguida, olhei para a moça obesa de pé dentro do móvel. Vista assim, através dos óculos de proteção do fundo do buraco negro, ela era muito charmosa.

— Tome cuidado, hein. Não se afaste do rio nem pegue nenhum caminho lateral. Vá direto até lá, entendido? — recomendou, curvando o corpo para a frente e me olhando bem nos olhos.

— Direto até a cascata — disse eu em voz alta.

— Direto até a cascata — ela repetiu.

Tentei mover os lábios para formar a palavra "*Sera*" sem emitir som. Ela sorriu e disse também "*Sera*". E fechou a porta com força.

Quando a porta se fechou, fui envolvido por uma escuridão absoluta. Estava literalmente em meio ao breu total, sem uma réstia de luz sequer. Não era possível ver nada. Não enxergava nem mesmo minha mão, que movimentei na frente do rosto. Como se tivesse levado um soco, permaneci de pé por algum tempo ali sem reação. Fui invadido por uma sensação de fria impotência, como um peixe coberto em papel-filme que é jogado dentro de uma geladeira e fecham a porta. Quando se é lançado de repente para dentro da mais completa escuridão sem nenhum aviso, por um instante toda a força do corpo se esvaece. Se ela ia fechar a porta, deveria pelo menos ter me avisado.

Tateando, liguei a lanterna e um saudoso raio de luz amarelo transpassou em linha reta a escuridão. Iluminei primeiro meus pés e, em seguida, escrutinei o entorno. Me vi de pé sobre uma estreita plataforma de concreto de cerca de três metros quadrados que dava para um precipício escarpado do qual não se via o fundo. Não havia grades ou cercas. Fiquei um pouco irritado, pois ela deveria ter me prevenido quanto a isso também.

Na lateral da plataforma havia uma escada de alumínio. Passei a correia da lanterna na diagonal e desci, conferindo cada degrau escorregadio. Conforme seguia meu caminho, o ruído da água ia aos poucos se tornando mais nítido. Eu nunca tinha ouvido falar sobre o fundo de um guarda-roupa de uma sala em um prédio que dava para um precipício escarpado onde corria um rio. Ainda por cima no coração de Tóquio. Quanto mais eu pensava, mais minha cabeça doía. Primeiro aquele elevador desagradável, depois a moça obesa que fala sem emitir som, e por último isto. Talvez fosse melhor ter recusado o trabalho e voltado para casa. É tudo muito perigoso e exagerado. Contudo, me resignei e continuei a descer o precipício em plena escuridão. De um lado estava em jogo o meu orgulho profissional, de outro a moça obesa de vestido rosa. Por alguma razão eu me preocupava com ela e não tinha vontade de simplesmente recusar o trabalho e ir embora.

Depois de descer vinte degraus, parei para recobrar o fôlego e em seguida desci mais dezoito, chegando à terra firme. De pé sob a escada iluminei com muito cuidado o entorno. Estava sobre uma placa rochosa sólida e plana, e a pouco mais de dois metros dali passava um rio. Com a lanterna, vi suas águas fluindo trêmulas como uma bandeira desfraldada. Havia bastante correnteza, mas não dava para ver se era profundo ou que cor tinha a água. Só entendi que o fluxo ia da esquerda para a direita.

Iluminando bem os meus passos, subi o rio, caminhando ao longo da plataforma rochosa. Por vezes sentia alguma coisa próxima ao meu corpo e me apressava em iluminar o ponto, mas não conseguia enxergar nada. Via apenas as paredes escarpadas em ambas as margens do rio e o fluxo de água. É provável que, uma vez envolvido pela escuridão, meus nervos estivessem me pregando peças.

Depois de caminhar cinco ou seis minutos, percebi pela forma como o barulho da água ressoava que o teto tinha ficado bem mais baixo. Apontei a lanterna para cima, mas a escuridão densa me impedia de distinguir o teto. Em seguida, como a moça me alertara, comecei a notar algo parecido com caminhos laterais partindo das duas paredes. Mais do que vias, eram como fendas nas rochas por onde a água fluía, formando uma fina corrente que ia desembocar no rio. Para ver como era, me aproximei de uma dessas fendas e iluminei seu interior com a lanterna, mas não consegui enxergar nada. Só compreendi que, comparado com a entrada, o fundo da fenda era muito maior do que eu imaginava. Não senti nenhuma vontade de entrar.

Segurando a lanterna com firmeza na mão direita, continuei a subir o rio em meio à escuridão como se fosse um peixe em vias de evoluir. A plataforma rochosa estava molhada e escorregadia, o que me obrigava a avançar com cuidado. Minha situação ficaria ruim se, naquelas trevas, eu escorregasse e caísse no rio ou a lanterna quebrasse.

Como eu estava bastante concentrado apenas em meus passos, demorei um pouco para perceber uma luz trêmula na minha frente. Ao erguer os olhos, a luz já estava sete ou oito metros mais próxima. Instintivamente, desliguei a lanterna, passei a mão pela abertura da capa de chuva e tirei minha navalha do bolso. Tateando, abri a lâmina. Fui envolvido pelas trevas e pelo gorgolejar da água.

No exato momento em que desliguei a lanterna, a luz amarela parou de tremular. Em seguida, descreveu no ar dois grandes círculos. O sinal parecia indicar que tudo estava bem, para eu não me preocupar. Porém, sem baixar a guarda, continuei na mesma posição, esperando para ver o que aconteceria. Por fim, a luz voltou a tremular. Era como se um inseto luminoso gigantesco de cérebro altamente desenvolvido vagasse vacilante pelo espaço e viesse em minha direção. Segurando a navalha na mão direita e a lanterna desligada na mão esquerda, olhei fixamente para a luz.

A luz parou a três metros de mim, subiu e voltou a descer. Por ser bastante fraca, não compreendi de início o que tentava iluminar, mas logo percebi que havia ali um rosto humano. Assim como eu, usava óculos de proteção e estava coberto por um capuz preto. Segurava uma pequena lanterna portátil semelhante às que se vendem em lojas de artigos esportivos. Enquanto iluminava com ela o próprio rosto, a pessoa se esforçava para dizer algo, mas o barulho da água me impedia de ouvir. Além disso, na escuridão era difícil distinguir o movimento da boca, e assim eu não conseguia fazer leitura labial.

— ... porque... por isso... o seu... é ruim... com este... — o homem parecia dizer, mas não fazia sentido. Como ele não parecia perigoso, eu liguei a lanterna, iluminei a lateral do meu rosto e apontei para a minha orelha, mostrando que não conseguia ouvir.

O homem concordou várias vezes com a cabeça, pôs a lanterna no chão, enfiou indeciso as mãos na capa de chuva e logo em seguida o ruído ensurdecedor ao meu redor começou a diminuir, como quando a maré desce de repente. Senti que ia desmaiar. *Estou prestes a perder a consciência e por isso os sons estão sumindo de dentro da minha cabeça*, pensei. Por isso — e mesmo sem saber por que eu desmaiaria — enrijeci cada músculo do corpo, me preparando para a queda.

Porém, passados alguns segundos, eu não caí e me sentia perfeitamente bem. Só o barulho havia diminuído.

— Vim buscá-lo — declarou o homem.

Dessa vez eu ouvi com clareza a voz dele.

Balancei a cabeça, pus a lanterna debaixo do braço e, dobrando a lâmina da navalha, a guardei no bolso. Senti que seria um dia daqueles.

— O que houve com o som? — perguntei.

— Ah, o som. Estava demais, não? Abaixei. Desculpe por isso. Agora está ok. — disse o homem, anuindo várias vezes com a cabeça.

O som do rio diminuiu, até ficar quase igual ao murmurar de um riacho.

— Então, vamos? — falou o homem, dando-me as costas e começando a subir o curso d'água, caminhando como quem conhece o lugar. Eu o segui iluminando o chão com a lanterna.

— O senhor disse que baixou o som. Isso significa que era artificial? — gritei para onde provavelmente estavam as costas dele.

— Claro que não, é um som natural — replicou o homem.

— Como é possível baixar um som natural? — perguntei.

— Para ser exato, não é que baixou, mas o barulho foi suspenso — ele respondeu.

Fiquei um pouco confuso, mas decidi parar com as perguntas. Eu não estava em posição de pressionar meu interlocutor com indagações. Vim fazer um trabalho e não era da minha conta se o contratante eliminava ou suprimia sons, ou se os misturava como se preparasse uma vodca com limão. Assim, continuei a segui-lo calado.

Fosse como fosse, graças a isso tudo ao redor estava muito silencioso. A ponto de ser possível escutar com nitidez até o chapinhar das galochas. Acima de nossas cabeças, ouvimos duas ou três vezes um som estranho, como se alguém friccionasse uma pedra na outra, parando em seguida.

— Eu estava preocupado porque havia indícios de que os tenebrosos tinham se infiltrado, por isso vim buscá-lo! Na verdade, eles nunca vêm até aqui, mas às vezes isso pode acontecer e é um transtorno! — explicou.

— Tenebrosos... — repeti.

— Se você por acaso cruzasse com um deles por aqui sem dúvida ficaria incomodado, não? — ele disse, soltando uma estrondosa gargalhada.

— Bem, sim, com certeza — concordei. Não importava se fosse um tenebroso ou outra pessoa, eu não gostaria de encontrar alguém que não conheço num lugar tão escuro.

— Por isso vim buscá-lo — repetiu o homem. — Porque os tenebrosos são um perigo.

— Agradeço a gentileza — respondi.

Andando um pouco mais, ouvi à nossa frente um som que parecia ser de uma bica. Era a cascata. Como só olhei rápido com a luz da lanterna, não saberia afirmar, mas parecia ser uma cascata imensa. Se o barulho não tivesse sido suprimido, sem dúvida seria infernal. Quando paramos de frente para ela, os óculos de proteção ficaram encharcados.

— Temos de passar por baixo disso? — questionei.

— Isso mesmo — respondeu o homem.

E, sem nenhuma explicação adicional, avançou e desapareceu dentro da cascata. Sem alternativa, eu o segui.

Por sorte, o local em que atravessamos era onde havia o menor volume de água, mas mesmo assim tinha força suficiente para nos pressionar contra o solo. Por mais que vestíssemos capas de chuva, era impossível entrar ou sair da sala de pesquisa sem receber pancadas de água da cascata, e por mais que eu tivesse boa vontade tudo ali era uma idiotice. Provavelmente a intenção era manter o local em segredo, mas deveria haver um meio um pouco mais eficaz. Caí na cascata e bati com força o joelho na rocha. Devido à ausência de som, havia um completo desequilíbrio entre o ruído e a realidade por ele provocada, o que acabou me confundindo. Uma cascata deve ter um barulho condizente.

No fundo da queda-d'água havia uma gruta grande o bastante para uma pessoa passar. Seguindo reto, chegava-se a uma porta de ferro. O homem tirou do bolso da capa de chuva algo que parecia uma pequena calculadora, a inseriu na abertura da porta e, depois de manusear o aparelho brevemente, enfim a abriu sem emitir ruído.

— Bem, aqui estamos. Entre, por favor — disse o homem, me dando passagem. Depois disso, ele também entrou e trancou a porta. — Foi complicado, não?

— Não vou negar — falei, circunspecto.

O homem gargalhou, sempre com a lanterna pendurada no pescoço e sem tirar o capuz e os óculos de proteção. Tinha um jeito estranho de rir, uma espécie de *ho ho ho*.

A sala onde entramos era ampla e fria como um vestiário de piscina, e nas prateleiras estavam enfileiradas meia dúzia de capas de chuva pretas e galochas iguais às que eu usava. Tirei os óculos, despi a capa e a pendurei num cabide, deixando as galochas numa prateleira. Por último, pendurei a lanterna em um gancho metálico na parede.

— Desculpe o trabalho — disse o homem. — Porém, todo cuidado é pouco. Preciso tomar precauções por causa desses sujeitos que estão à espreita.

— Os tenebrosos? — perguntei, buscando extrair alguma informação.

— Exato. Entre outros — ele disse, anuindo com a cabeça para si mesmo.

Em seguida, me conduziu até uma sala de estar localizada no fundo desse vestiário. Após despir a capa de chuva preta, vi que o homem não passava de um idoso de baixa estatura e jeito sóbrio. Não era gordo, mas sua constituição era sólida e robusta, e ele tinha uma tez corada. Depois de tirar do bolso um par de óculos sem armação e vesti-los, ficou parecido com um político famoso de antes da guerra.

Fui convidado a me sentar no sofá enquanto ele próprio se acomodava atrás de uma escrivaninha. O cômodo em nada diferia daquele onde a moça me fizera entrar antes. A cor do tapete, as luminárias, o papel de parede e o sofá eram idênticos. Sobre a mesinha de centro estava o mesmo conjunto de objetos para cigarros. Em cima da escrivaninha havia um calendário de mesa e também clipes espalhados. Senti como se eu tivesse dado uma volta e retornado ao mesmo lugar. Talvez fosse isso, ou talvez não. Fosse como fosse, eu não conseguia me lembrar da disposição exata dos clipes espalhados.

O idoso me observou por algum tempo. Depois pegou um clipe, o deixou bem reto e se pôs a cutucar com ele uma cutícula. Era a do dedo indicador da mão esquerda. Ao terminar, descartou o objeto no cinzeiro. *Em uma próxima reencarnação, o que menos quero é voltar a este mundo como um clipe*, pensei. A ideia de empurrar as cutículas da unha de um velho inconsequente e acabar dentro de um cinzeiro não me atraía nem um pouco.

— Segundo minhas informações, os tenebrosos e os simbolistas se aliaram — anunciou o ancião. — Contudo, isso não significa necessariamente que estejam unidos com firmeza. Os tenebrosos são muito cautelosos, e os simbolistas, impacientes. Isso me leva a crer que essa união é bastante parcial. No entanto, ainda assim é um mau sinal. E é ruim ver que os tenebrosos, que nunca vinham até aqui, começaram a perambular pelos arredores. Se seguirem assim, provavelmente em breve estaremos cheios deles nesta região. E, se isso acontecer, será um transtorno para mim.

— Sem dúvida — disse eu.

Eu não fazia ideia de quem seriam os tais tenebrosos, mas se os simbolistas estavam compartilhando algum tipo de poder com eles isso devia ser bastante negativo para mim também. Quer dizer, como se não bastasse o equilíbrio extremamente delicado que existia entre nós e os simbolistas, qualquer passo mal dado poderia virar tudo de pernas para o ar. Em primeiro lugar, apesar de eu não conhecer os tenebrosos, o fato de esses outros sujeitos os conhecerem já provocava uma mudança no equilíbrio. Talvez eu soubesse quem eles eram por ser um trabalhador autônomo de baixo escalão que atuava em operações externas, mas os mandachuvas da organização deviam conhecê-los há muito tempo.

— Seja como for, gostaria que você começasse de imediato — afirmou o ancião.

— Claro — concordei.

— Pedi ao agente para me enviar o melhor calculador e você parece ter boa reputação. Todos o elogiaram bastante. Tem competência, coragem e executa bem o serviço. Para além da falta de espírito de trabalho em equipe não há nada a criticar.

— Sem dúvida, exageraram — respondi.

Era uma questão de humildade.

Ho ho ho. O ancião soltou mais uma de suas gargalhadas.

— Pouco me importa o espírito de trabalho em equipe. O importante é a coragem. Sem ela não é possível se tornar um calculador de primeira linha. Bem, sem dúvida o salário condiz com a sua capacidade.

Sem saber o que dizer, permaneci calado. O ancião riu de novo e depois me levou até seu local de trabalho, num cômodo contíguo.

— Sou biólogo — disse ele. — É difícil explicar em poucas palavras o meu trabalho, que não se restringe à biologia e abarca uma ampla gama de áreas, desde fisiologia do cérebro até acústica, linguística e teologia. Eu até ousaria afirmar que realizo pesquisas originais e valiosas. A que desenvolvo agora diz respeito ao palato dos mamíferos.

— Palato?

— Sim, a boca. O mecanismo bucal. De que forma se movimenta, como a voz é emitida, esse tipo de coisa. Dê uma olhada nisto.

Com essas palavras ele acendeu a luz do escritório. A parede ao fundo estava totalmente coberta por prateleiras, sobre as quais se enfileiravam, bem juntinhos, crânios de mamíferos de todos os tipos. Desde girafas, cavalos e pandas até ratos: havia ali crânios de qualquer mamífero imaginável. Devia ter de três a quatro centenas. É claro que havia também crânios humanos. Cabeças de homens brancos, negros, asiáticos e indígenas, cada uma com o par de exemplares masculino e feminino.

— Os crânios da baleia e do elefante estão guardados no depósito do subsolo! Como você sabe, eles ocupam muito espaço — explicou o ancião.

— Devem ocupar mesmo — concordei.

Se ele alinhasse cabeças de baleia ali, tomariam toda a sala.

Como se tivessem combinado, todos os animais estavam com a boca aberta e os dois buracos onde ficavam os olhos contemplavam fixamente a parede em frente. Mesmo sabendo que eram espécimes para fins de pesquisa, não era nada agradável estar cercado por esses ossos. Nas outras prateleiras, em número menor do que os crânios, havia diversos feitios de língua, orelha, lábio e epiglote conservados em formol.

— O que me diz? Não é uma coleção e tanto? — gabou-se o ancião, radiante. — Há no mundo colecionadores de selos ou discos. E milionários que ficam felizes armazenando vinhos em suas adegas subterrâneas ou enfileirando tanques de guerra em seus jardins. Eu coleciono crânios. Cada um tem um jeito diferente. Por isso são interessantes. Não acha?

— Sem dúvida — respondi.

— Desde relativamente jovem me interessei por crânios de mamíferos, e assim fui aos poucos coletando seus ossos. Isso durante quase quarenta anos. É preciso muito mais tempo do que se imagina para compreendê-los. Nesse sentido, é bem mais fácil entender seres humanos vivos quando ainda têm carne. Tenho certeza! Quando se é jovem, assim como você, o interesse está na própria carne — disse o ancião, soltando outro estrondoso *ho ho ho*. — No meu caso, demorei exatos trinta anos para conseguir captar o som produzido pelos ossos. Meu caro, três décadas é um tempo considerável.

— Som? — perguntei. — Ossos produzem som?

— Óbvio — disse o ancião. — Cada osso tem o seu som peculiar. São como sinais ocultos, por assim dizer. Os ossos falam, não de modo metafórico, mas no sentido literal. O objetivo da pesquisa que realizo agora consiste em analisar esses sinais. E, se puder fazer isso, será possível controlá-los de maneira artificial.

— Hum — soltei uma espécie de grunhido. Não entendi todos os detalhes, mas se a conversa do ancião fosse verdade decerto a pesquisa valia alguma coisa. — Parece ser um estudo muito valioso, não? — observei.

— De fato é — disse o ancião, concordando com a cabeça. — Justamente por isso aqueles sujeitos estão de olho. Os caras têm ouvidos muito apurados. Pretendem usar meus estudos para fins escusos. Por exemplo, se fosse possível coletar recordações diretamente dos ossos, não seria mais necessário realizar interrogatórios. Bastaria matar a pessoa, tirar a carne e lavar os ossos.

— Que horror! — exclamei.

— Feliz ou infelizmente, meu estudo ainda não avançou até esse ponto. Na fase atual, é preferível retirar o cérebro para coletar as recordações de forma mais precisa!

— Caramba! — exclamei. — Uma vez extraídos, não vejo diferença se são os ossos ou o cérebro.

— Justamente por isso preciso dos seus cálculos! Para que os simbolistas não plantem escutas ou roubem os dados de meus experimentos — falou o ancião com uma expressão séria. — Tanto o mau quanto o bom uso da ciência estão conduzindo a civilização moderna para situações perigosas. Estou convicto de que a ciência deve existir em prol de si própria.

— Não entendo bem essa história de convicções — falei. — Há apenas algo que gostaria de deixar bem claro. Trata-se de uma questão administrativa. A solicitação desse serviço não partiu da System ou de um agente oficial, mas diretamente do senhor. É um caso excepcional. Para ser mais claro, existe a possibilidade de estar infringindo as normas de trabalho. Nesse caso, posso sofrer sanções ou ter minha licença suspensa. O senhor está ciente disso?

— Entendo perfeitamente — disse o ancião. — Você tem toda a razão de se preocupar. Porém, essa é uma solicitação oficial que transitou da forma devida pela System. Foi só para proteger a confidencialidade do caso que o contatei de forma direta, sem passar pela via administrativa. Você não sofrerá sanções!

— O senhor consegue me garantir?

O idoso abriu a gaveta da escrivaninha, tirou uma pasta de documentos e me entregou. Eu os folheei. Sem dúvida havia ali o formulário de solicitação oficial da System. Tanto o formato quanto a assinatura estavam corretos.

— Tudo ok — eu disse, devolvendo a pasta. — Minha posição exige dupla jornada. Não há problemas em ser assim?

— O dobro da tarifa padrão? Tranquilo. Desta vez, com a gratificação, vamos fazer jornada tripla.

— O senhor é bastante generoso.

— É um cálculo importante, sem contar que você passou por baixo de uma queda-d'água. *Ho ho ho* — riu o ancião.

— Para começar, mostre-me os números, por favor — pedi. — Vamos decidir a fórmula depois de eu ver os valores. Quem cuidará dos cálculos no nível informático?

— Para isso vou usar alguém daqui. Gostaria que você se encarregasse dos trabalhos que vêm antes e depois. Tudo bem?

— Sem problema. Será até melhor, pois poupará tempo.

O ancião se levantou da cadeira e ficou remexendo na parede atrás dele. O que parecia apenas uma parede de repente se abriu. Havia coisas engenhosas ali. O ancião retirou outra pasta de documentos e fechou a porta. Assim, a parede branca voltou a não ter nada de especial. Recebi a pasta e li os valores detalhados em sete páginas. Os números em si não apresentavam problemas. Eram apenas dados.

— Se for só isso, uma lavagem deve ser suficiente — constatei. — Com uma analogia de frequência dessa extensão não há razão para se preocupar em ter uma ponte temporária instalada. Lógico, em teoria é possível, mas não dá para verificar a legitimidade dessa ponte temporária, e sem isso é impossível evitar erros. É como atravessar um deserto sem bússola. Moisés conseguiu.

— Moisés atravessou até o mar!

— É uma história bastante antiga. Até onde sei, não há exemplos de simbolistas se infiltrando nesse nível.

— O senhor quer dizer que uma conversão primária seria suficiente?

— Uma conversão secundária implicaria um risco imenso. Com certeza isso zeraria a possibilidade de introduzir uma ponte temporária, mas na fase atual ainda seria uma verdadeira acrobacia. Os processos de conversão ainda não estão bem definidos. Ainda estamos pesquisando.

— Não estou me referindo à conversão secundária! — esclareceu o ancião, voltando a cutucar a cutícula com o clipe de papel. Agora era o dedo médio da mão esquerda.

— O que isso significa?

— Shuffling. Estou falando de shuffling! Quero que você execute lavagem cerebral e shuffling. Por isso o contratei. Se fosse apenas lavagem cerebral, não precisaria chamá-lo.

— Não entendo — eu disse, cruzando as pernas. — Como o senhor conhece shuffling? É um assunto altamente secreto e ninguém fora do nosso departamento deveria saber disso.

— Mas eu sei. Tenho ótimos contatos entre os quadros superiores da System.

— Sendo assim, procure perguntar diretamente aos seus contatos. Ouça bem, por ora o shuffling está congelado. Não sei por quê. Sem dúvida deve ter havido algum contratempo. Seja como for, está proibido usar shuffling. Se ficarem sabendo, não vamos sofrer só algumas sanções.

O ancião me estendeu de novo a pasta com os documentos de solicitação.

— Por favor, atente à última página. Deve haver uma autorização para usar o sistema de shuffling.

Abri na última página, como ele me pediu, e passei os olhos. De fato, tinha uma autorização para usar shuffling. Li e reli diversas vezes, e o documento era oficial. Havia cinco assinaturas. Não podia imaginar o que se passava na cabeça dos quadros superiores. Eles primeiro mandam cavar um buraco, depois mandam tapá-lo; aí pedem de novo para cavar o buraco. Acaba que nós, da área operacional, sempre levamos ferro.

— Por favor, tire cópias coloridas de todos esses documentos. Se eu não os tiver em mãos, num momento crítico ficarei em uma posição bastante delicada.

— Claro, sem problema — disse o ancião. — Eu lhe entregarei as cópias. Não há com que se preocupar. Todas as formalidades seguiram os ritos oficiais. Sobre os honorários, pagarei metade hoje e a outra metade na entrega. Está bem assim?

— Perfeito. Farei agora a lavagem cerebral. Depois vou para casa com os resultados e de lá executarei o shuffling. Há diversos preparativos necessários. Logo voltarei com os dados.

— Preciso deles sem falta em três dias, até o meio-dia.

— É tempo suficiente — disse eu.

— Peço que não se atrase — insistiu o ancião. — Isso pode acarretar um problema gravíssimo.

— O mundo se destruirá ou algo assim? — perguntei.

— *Em certo sentido, sim* — declarou o ancião de forma sugestiva.

— Não se preocupe. Nunca deixei de cumprir prazos — falei. — Se possível, deixe na garrafa térmica café preto bem quente e água gelada. E alguma coisa para eu beliscar à noite. Afinal, deve ser um trabalho longo.

Como eu previa, o trabalho foi longo. Ordenar valores numéricos era relativamente simples, mas por conta das diversas fases de estabelecimento de casos o cálculo demorou muito mais do que eu tinha imaginado. Inseri os dados que recebi no hemisfério direito do cérebro e, após convertê-los em símbolos totalmente diferentes, os transferi para o esquerdo; eles saíram como números diversos dos iniciais e então os imprimi na ordem numa folha de papel. Isso era a lavagem cerebral. Explicando de modo bem simplificado. Dependendo de quem faz o cálculo, os códigos de conversão divergem. O que os diferencia de uma tabela de números aleatórios é a sua capacidade de serem transformados em gráficos. Ou seja, a chave está em separar os hemisférios direito e esquerdo (claro, essas categorias são apenas uma conveniência. Na verdade, os dois lados não estão divididos). Se desenhássemos uma figura, seria assim:

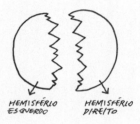

Ou seja, se a ranhura que divide os planos não coincidir perfeitamente, será impossível fazer os números obtidos voltarem ao seu formato original. Porém, os simbolistas procuram decodificá-los, colocando uma ponte temporária nos números roubados do computador. Ou seja, analisam os valores reproduzindo essa ranhura num holograma. Às vezes dá certo, outras não. Se aperfeiçoamos essa técnica, eles reagem fazendo o mesmo com a deles. Nós protegemos os dados, eles os roubam. É o modelo clássico do mocinho e do bandido.

Os simbolistas ganham muito dinheiro desovando os dados obtidos de maneira ilícita no mercado paralelo de informações. Para piorar, guardam para si as informações mais relevantes que obtêm e as usam com eficiência em prol da sua organização.

Nossa organização costuma ser chamada de System, enquanto a dos simbolistas é chamada de Factory. A System se originou de um conglomerado corporativo, mas conforme sua relevância foi se ampliando passou a ter características semigovernamentais. Sua estrutura talvez seja similar à da Bell Company nos Estados Unidos. Nós, os calculadores, pertencemos à base da organização e, assim como ocorre com consultores fiscais e advogados, executamos nossos serviços como profissionais autônomos, ainda que precisemos obter uma licença concedida pelo Estado e aceitar apenas trabalhos oferecidos pela System ou por seus agentes oficiais. O objetivo é evitar o uso indevido da técnica pela Factory, e se o infringimos sofremos sanções e nossa licença é revogada. Não sei se essa medida está certa ou não.

Porque o calculador que teve a qualificação usurpada muitas vezes é absorvido pela Factory e se transforma num simbolista, passando a viver na clandestinidade.

Não sei como a Factory está estruturada. Ela nasceu como uma venture business de pequeno porte e se expandiu com considerável rapidez. Há quem a chame de "máfia dos dados", e ela deve de fato parecer um grupo mafioso por possuir ramificações em diversos tipos de organizações clandestinas. O que difere é que ela só lida com informações. Informações são limpas e lucrativas. O pessoal da Factory monitora os computadores-alvo e rouba seus dados.

Prossegui com a lavagem cerebral e aos poucos acabei com todo o café da garrafa térmica. Uma hora de trabalho, trinta minutos de descanso. Essa era a regra. Senão, a junção entre os hemisférios direito e esquerdo se tornava imprecisa e os valores resultavam ambíguos.

Durante os trinta minutos de repouso, conversei com o ancião. Não importa o assunto, mexer os lábios para falar é a melhor forma de recuperar a fadiga mental.

— Afinal, sobre o que são esses números? — perguntei.

— Estão relacionados a uma medição experimental — ele explicou. — São o resultado de um ano de pesquisa. Uma combinação das conversões numéricas de imagens tridimensionais do volume dos crânios e dos maxilares de cada animal, com sua emissão vocal desmembrada em três elementos. Há pouco eu comentei que precisei de trinta anos para distinguir os sons peculiares dos ossos, mas, ao concluir esse cálculo, poderemos extrair esses sons de forma não *empírica*, mas *teórica*.

— Poderemos controlar os sons de modo artificial?

— Exato — confirmou o ancião.

— E o que acontece se houver esse controle artificial?

O ancião ficou calado por um momento, enquanto passava a ponta da língua no lábio superior.

— Várias coisas! — declarou um pouco depois. — Na verdade, várias coisas mesmo. Não posso entrar em detalhes, mas são eventos que ultrapassam a sua imaginação.

— Suprimir os sons é um deles? — ousei perguntar.

O ancião voltou a rir, alegre. *Ho ho ho.*

— Sim, isso mesmo. É possível suprimir ou aumentar ruídos conforme os sinais peculiares do crânio humano. Como cada um apresenta um formato diferente, é impossível eliminar o barulho por completo, mas é possível reduzi-lo de maneira drástica. Em suma, produz-se uma ressonância ao combinar as vibrações dos sons com as dos antissons. Entre os resultados da pesquisa, a supressão acústica é uma das menos nocivas.

Se ele chama aquilo de algo não nocivo, nem ouso imaginar o resto. Fiquei consternado ao pensar que pessoas poderiam suprimir ou aumentar o som ao seu bel-prazer.

— É possível realizar a supressão acústica tanto da fala quanto da audição — explicou. — Em outras palavras, é possível eliminar da audição apenas o som da água, como aconteceu há pouco, ou eliminar uma emissão vocal. Neste último, por ser algo individual, é possível também eliminar cem por cento.

— O senhor pretende divulgar isso ao público?

— De jeito nenhum — afirmou o ancião agitando as mãos. — Não tenho intenção de informar algo tão interessante a outras pessoas. Faço isso por divertimento pessoal.

Dizendo isso, soltou outro *ho ho ho.* Eu também ri.

— Pretendo restringir a divulgação da minha pesquisa a um nível científico altamente especializado, e são poucos os que se interessam por fonética — esclareceu o ancião. — Além disso, esses cientistas idiotas espalhados por aí não seriam capazes de compreender minha teoria. Como se não bastasse, sou tratado como um pária no mundo científico.

— Mas os simbolistas não são idiotas! São gênios da análise. Decerto decodificarão toda a sua pesquisa.

— Estou tendo cuidado em relação a isso. Por esse motivo oculto todos os dados e processos e só divulgo a teoria no formato de hipótese. Assim, não preciso me preocupar se eles irão decodificá-la. Sem dúvida o mundo científico não me dá valor. Mas eu não me importo. Daqui a uma centena de anos a teoria será comprovada, e isso já é o bastante.

— Hum — concordei.

— Portanto, tudo depende da sua lavagem cerebral e do shuffling.

— Compreendo — assenti.

Depois disso me concentrei por uma hora nos cálculos.

— Tenho uma pergunta — falei.

— O que seria? — perguntou o ancião.

— É sobre uma jovem que estava na entrada. Ela vestia um terninho rosa e era um pouco acima do peso... — falei.

— É minha neta — ele informou. — É uma moça extremamente talentosa e, apesar de ainda bastante jovem, me ajuda nas pesquisas.

— Bem, eu gostaria de lhe perguntar se ela é muda de nascença ou se ficou daquele jeito porque seu som foi suprimido...

— Ah, que cabeça a minha! — exclamou o ancião, dando um tapa no joelho. — Eu me esqueci por completo. Fiz a experiência de supressão acústica nela e não a devolvi ao estado original. Isso é péssimo. Vou dar um jeito agora mesmo.

— Seria mesmo recomendável — afirmei.

4
A biblioteca

O centro da cidade era formado por uma praça semicircular que se estendia para o lado norte da velha ponte. O outro lado desse semicírculo, ou seja, a sua metade inferior, estava no lado sul, separado do outro por um rio. As duas metades eram chamadas de praça norte e praça sul e eram tratadas como uma unidade, mas na verdade era possível dizer que quem as contemplasse as percebia como diametralmente opostas. Na praça norte era palpável um misterioso ar pesado, como se o silêncio da cidade viesse de todas as partes para ser derramado ali. Em contraponto, na praça sul não havia quase nada que fosse particularmente característico. Pairava nela apenas uma sensação de ausência bastante vaga. Comparado ao lado norte, havia menos residências, e os canteiros e as pedras estavam malconservados.

No centro da praça norte havia uma grande torre de relógio, fincada como se quisesse atravessar o céu. Para ser mais exato, talvez fosse mais adequado dizer que se tratava de uma escultura com a aparência de uma torre de relógio. Isso porque o ponteiro tinha parado, o que a fez renunciar por completo à sua função original.

A torre era de pedra, em formato quadrangular, com suas faces indicando os quatro pontos cardeais e se afunilando ao subir. Um mostrador de quatro lados instalado no alto indicava dez horas e trinta e cinco minutos, e seus oito ponteiros não faziam um movimento sequer a partir dali. Pela janelinha abaixo do mostrador podia-se inferir que o interior da torre estava vazio, e que aparentemente era possível subir por uma escada ou algo assim, embora não se avistasse a entrada em lugar nenhum. A torre era tão alta que para ver as horas era preciso cruzar a velha ponte e seguir até o lado sul.

Prédios de pedra e de tijolo se estendiam em formato de leque e pareciam cercar em múltiplas camadas a praça norte. Não tinham nenhuma característica distintiva, nenhum ornamento ou indicação. Todas as portas estavam hermeticamente fechadas e não se via vivalma entrar ou sair daqueles edifícios. Poderiam ser uma agência dos correios sem correspondências, uma empresa de mineração sem mineiros ou um crematório sem cadáveres. No entanto, esses prédios imersos num silêncio sepulcral estranhamente não transmitiam a impressão de terem sido abandonados. Ao cruzar o bairro, eu sentia como se dentro das construções ao redor pessoas que eu não conhecia prendessem a respiração e continuassem seus misteriosos trabalhos.

A biblioteca também se localizava num quarteirão tranquilo desse bairro. Na verdade, era um prédio comum de pedras, em nada diferente dos demais. Não havia nenhuma placa na parte externa que indicasse se tratar de uma biblioteca. A construção de paredes antigas de pedras desbotadas e tonalidades melancólicas, com um exíguo toldo, janelas com grades de ferro e uma porta de madeira maciça, poderia muito bem ser um depósito de cereais. Se o guardião não me tivesse desenhado um mapa detalhado das ruas, eu sem dúvida não teria adivinhado que era ali a biblioteca.

— Depois de você se instalar, a primeira coisa que vou lhe pedir é para ir à biblioteca — disse-me o guardião no dia em que cheguei à cidade. — Uma moça cuida do local. Diga a ela que você foi mandado pela cidade para ler os velhos sonhos. Depois, ela irá lhe ensinar muitas coisas.

— Velhos sonhos? — repliquei, instintivamente. — O que, afinal, isso significa?

O guardião, que entalhava com um canivete uma cavilha num pedaço de madeira, interrompeu o movimento, reuniu as aparas espalhadas sobre a mesa e as jogou na lixeira.

— Velhos sonhos são velhos sonhos, ora. Se você for à biblioteca, vai encontrar tantos até dizer chega. Aconselho que pegue o quanto desejar e os observe com atenção.

Depois disso, o guardião examinou com cuidado a cavilha de ponta arredondada que tinha acabado de finalizar e, satisfeito com o trabalho, a dispôs na prateleira atrás de si. Ali, estavam enfileiradas umas vinte cavilhas pontudas idênticas.

— Você pode perguntar o que bem entender, mas eu decido se respondo ou não! — disse o guardião, cruzando as mãos atrás da cabeça. — Algumas perguntas eu não poderei responder. Seja como for, a partir de agora você irá todos os dias à biblioteca para ler velhos sonhos. Esse será o seu trabalho! Irá às seis da tarde e lerá sonhos até as dez ou onze horas da noite. A moça se incumbirá do seu jantar. Você pode usar o resto do tempo como quiser. Não há restrições. Entendeu?

— Sim — assenti. — A propósito, até quando esse trabalho continuará?

— Hum, até quando? Nem eu sei. Provavelmente pelo tempo que for necessário, não? — respondeu o guardião.

E, pegando um pedaço de madeira numa pilha de lenha, começou a entalhá-lo com seu canivete.

— Esta é uma cidadezinha pobre e não temos o bastante para sustentar pessoas ociosas. Cada um trabalha no seu canto. Sua função é ler velhos sonhos na biblioteca. Espero que não tenha vindo para cá pensando em se divertir.

— Trabalhar não me causa sofrimento. Prefiro fazer algo a ficar parado — respondi.

— Melhor assim — assentiu o guardião, olhando fixo a ponta da lâmina do canivete. — Então peço que comece o quanto antes. A partir de agora nós o chamaremos de *leitor de sonhos*. Você não tem mais um nome próprio. Seu nome é *leitor de sonhos*. Da mesma forma que eu sou o *guardião*. Entendido?

— Sim — respondi.

— Assim como nesta cidade só há um guardião, também há apenas um leitor de sonhos. Isso porque a pessoa precisa estar qualificada para a tarefa. A partir de agora, eu devo lhe conceder essa qualificação.

Ao dizer isso, o guardião retirou de uma cristaleira um pratinho branco, depositou-o sobre a mesa e derramou sobre ele um óleo. Riscou um fósforo e fez o óleo queimar. Em seguida, pegou da prateleira onde estavam os objetos cortantes uma estranha faca de formato achatado, como essas de manteiga, e aqueceu bem a ponta da lâmina no fogo. Soprou para apagar a chama e deixou a faca esfriar.

— É só para fazer uma marca — explicou. — Não precisa ter receio, não dói. Vai terminar num piscar de olhos!

O guardião abriu com um dedo minha pálpebra direita e com a ponta da faca espetou meu olho. Porém, como prometido, não doeu, e curiosamente eu não senti medo. A faca penetrou meu olho de maneira suave e sem fazer barulho, como se fosse uma gelatina. Em seguida, ele repetiu o movimento no meu olho esquerdo.

— Ao terminar de ler os sonhos, essas feridas naturalmente desaparecerão! — explicou o guardião enquanto guardava o prato e a faca. — Elas indicam que você é o leitor de sonhos. Contudo, enquanto as tiver, deve tomar cuidado com a luz. Preste atenção: com os olhos assim, você não pode olhar para os raios do sol. Se fizer isso, receberá um castigo à altura. Portanto, você só deve sair de casa à noite ou em dias nublados. Nos dias ensolarados precisa ficar o máximo que puder trancado quietinho no seu quarto, no escuro.

Depois o guardião me deu um par de óculos escuros e me aconselhou a usá-los sempre, exceto para dormir. Foi assim que eu perdi a luz do sol.

Algumas noites depois, adentrei pela primeira vez a biblioteca. A porta pesada de madeira soltou um rangido ao ser aberta. Ao fundo, se estendia um longo corredor em linha reta. O ar era poeirento e estagnado, como se o local estivesse abandonado há muitos anos. As tábuas do assoalho estavam gastas pelo vaivém das pessoas, e as paredes amareladas combinavam com a cor das lâmpadas.

Em ambos os lados do corredor havia várias portas, cujas maçanetas estavam trancadas com correntes empoeiradas. Apenas a delicada porta no fundo não estava trancada; do outro lado do vidro martelado se via uma luz. Bati várias vezes, sem resposta. Ao girar a maçaneta de latão envelhecida, a porta se abriu, sem nenhum ruído. Não havia vivalma ali. Era uma sala um pouco maior do que a sala de espera de uma estação de trem, vazia e simples, sem janelas ou qualquer decoração. Tinha apenas uma mesa rústica e três cadeiras, além de um fogareiro de ferro de estilo antigo. Havia também um relógio de parede e um balcão. Sobre o fogareiro repousava uma chaleira preta, cujo esmalte estava descascando em alguns pontos, soltando um vapor branco. Atrás do balcão se via uma porta igual à da entrada e, no fundo, a luz de uma lâmpada. Hesitei se deveria ou não bater nessa porta, mas por fim decidi esperar um pouco até que alguém aparecesse.

Sobre o balcão estavam espalhados clipes de papel prateados. Peguei alguns e, depois de brincar um tempo com eles, sentei-me na cadeira diante da mesa.

Dez ou quinze minutos se passaram até a moça aparecer na porta que ficava atrás do balcão. Ela segurava o que parecia ser uma pasta de documentos. Ao me ver, seu rosto corou, como se estivesse surpresa.

— Desculpe — disse ela. — Não sabia que havia alguém aqui. Você deveria ter batido na porta. Eu estava arrumando a sala dos fundos. Está tudo uma bagunça.

Durante um bom tempo me mantive calado, analisando o rosto dela. Era como se tentasse me fazer lembrar de algo. Era como se balançasse algo dentro de mim, como se tivesse uma lama no fundo da minha consciência. Contudo, eu ignorava o que isso significava. Era como se as palavras estivessem enterradas numa escuridão remota.

— Você deve saber que ninguém visita este local. Aqui só há "velhos sonhos", nada mais.

Concordei discretamente com a cabeça, sem deixar de encarar o rosto dela. Tentei decifrar algo em seus olhos, seus lábios, sua testa ampla ou no formato dos cabelos retintos presos à nuca, mas senti que, quanto mais eu me atinha a detalhes, mais a imagem se tornava vaga e distante. Desisti e fechei os olhos.

— Desculpe-me, mas você não teria errado de prédio? Os edifícios desta área são muito parecidos — ela continuou enquanto pousava a pasta de documentos no balcão, ao lado dos clipes. — Só o leitor de sonhos pode entrar aqui. Para outras pessoas, o acesso é proibido.

— Eu vim aqui para ler os sonhos — falei. — Ordens da cidade.

— Desculpe-me, mas poderia tirar os óculos?

Tirei os óculos escuros e virei o rosto para ela. Ela fitou minhas pupilas pálidas, a marca do leitor de sonhos. Senti como se seu olhar penetrasse até o mais fundo do meu ser.

— Tudo bem. Pode botar os óculos de volta — ela disse. — Aceita um café?

— Obrigado — agradeci.

Ela trouxe duas xícaras da sala ao fundo, verteu nelas o café da chaleira e se sentou do outro lado da mesa.

— Hoje os preparativos ainda não estão concluídos, portanto começaremos a leitura dos sonhos amanhã — disse ela. — Pode ser aqui? Se preferir, posso abrir a sala de leitura, que no momento está trancada.

Eu respondi que não me importava de ler ali mesmo.

— Você vai me ajudar, certo?

— Sim. Meu trabalho é guardar os velhos sonhos e ajudar em sua leitura.

— Será que já nos encontramos antes?

Ela ergueu os olhos e encarou meu rosto. Parecia tentar puxar pela memória algo que a ligasse a mim, mas por fim desistiu e balançou a cabeça negativamente.

— Como você sabe, nesta cidade a memória é muito instável e incerta. Às vezes conseguimos lembrar, outras não. Parece que você está na categoria de coisas difíceis de recordar. Sinto muito.

— Não tem problema! — falei. — Não é tão importante.

— Mas, claro, pode ser que tenhamos nos encontrado em algum lugar. Eu sempre morei nesta cidade e ela é bem pequena.

— Eu cheguei aqui há apenas alguns dias!

— Alguns dias? — ela disse, espantada. — Então você deve ter me confundido com outra pessoa. Afinal, desde que nasci nunca pus os pés fora deste lugar. Talvez tenha sido alguém parecido comigo.

— É possível — respondi. E sorvi o café. — Mas às vezes eu me pego pensando se no passado não vivemos todos num lugar diferente e tivemos uma vida completamente distinta. E em algum grau esquecemos tudo isso e, sem saber, agora vivemos assim. Você já se sentiu desse jeito?

— Nunca — disse ela. — Será que você não pensa isso por ser um leitor de sonhos? Leitores de sonhos têm ideais e sentimentos diferentes das pessoas comuns.

— Será? — falei.

— Você sabe onde você esteve e o que fazia?

— Não consigo me lembrar.

Fui até o balcão, peguei um dos clipes de papel que estavam espalhados ali e por um tempo o observei.

— Mas sinto que houve algo. Com certeza. E tenho a impressão de ter me encontrado com você ali.

O teto da biblioteca era alto, e a sala estava silenciosa como o fundo do mar. Ainda com o clipe na mão, olhei em volta, sem pensar em nada. Sentada à mesa, ela continuava a beber o café com toda a calma.

— Tampouco faço ideia do motivo de ter vindo para cá — continuei.

Observando o teto, notei as partículas da luz da lâmpada amarela que desciam, se expandindo e se contraindo. Sem dúvida era um efeito das minhas pupilas feridas. Meus olhos haviam sido recriados pelas mãos do guardião para que eu visse coisas especiais. O grande e velho relógio de parede mostrava as horas com vagar e em silêncio.

— Deve haver alguma razão para eu ter vindo, mas agora não consigo me lembrar — disse eu.

— Esta é uma cidade muito calma — disse ela. — Se você veio até aqui em busca de tranquilidade, sem dúvida vai gostar.

— Espero que sim — afirmei. — O que posso fazer hoje?

Ela balançou a cabeça, levantou-se devagar e recolheu as duas xícaras vazias.

— Hoje não há nada para você fazer aqui. Vamos começar a trabalhar amanhã. Até lá, volte para casa e descanse.

Encarei mais uma vez o teto e em seguida a fitei. Senti que o rosto dela sem dúvida estava fortemente ligado a algo dentro de mim. Algo que fustigava um pouco o meu peito. Fechei os olhos e tentei investigar o interior vago e turvo do meu coração. Senti o silêncio recobrir meu corpo como uma poeira fina.

— Virei amanhã às seis da tarde — disse eu.

— Até amanhã — disse ela.

Ao sair da biblioteca, inclinei-me no corrimão da velha ponte e, enquanto aprumava o ouvido para escutar o ruído da água, admirei a silhueta da cidade abandonada pelos animais. A torre do relógio, a muralha ao redor, os prédios enfileirados ao longo do rio e as montanhas ao norte que pareciam os dentes de um serrote estavam tingidos do azul das primeiras e pálidas trevas da noite. Além do ruído da água, nenhum outro som chegava aos meus ouvidos. Os pássaros também haviam partido.

Se você veio até aqui em busca de tranquilidade..., ela disse. Contudo, eu não conseguiria confirmar isso.

Quando os arredores escureceram por completo e as lâmpadas enfileiradas ao longo do rio começaram a se iluminar, eu segui para a colina norte pelas ruas desertas.

5
Cálculos, evolução, desejo sexual

Durante o tempo em que o ancião retornou à superfície para restituir o legítimo som à neta afônica, eu avancei meus cálculos em silêncio, tomando café sozinho.

Não sei ao certo durante quanto tempo ele esteve ausente. Programei o alarme do meu relógio de pulso para intercalar intervalos de uma hora e de meia hora, e assim eu alternava uma hora de trabalho com meia de descanso. Apaguei a luz do mostrador do relógio para não ver as horas. Os cálculos ficam mais difíceis quando o tempo é uma preocupação. Não importa o horário, pois isso não tem relação com meu trabalho. O trabalho tem início quando começo um cálculo e termina quando ele é concluído. O tempo necessário são apenas os ciclos de uma e de meia hora.

Acho que tive duas ou três pausas para descanso enquanto o ancião estava fora. Nesses períodos, me deitei no sofá e me entreguei a pensamentos vagos, fui ao banheiro ou fiz flexões. O sofá é bastante confortável. Nem muito duro nem muito mole, e a almofada que coloquei sob a cabeça tem a altura perfeita. Eu costumo me deitar nos sofás dos locais onde trabalho durante as pausas, mas é a primeira vez que um é confortável. Em geral são sofás de estrutura precária e comprados ao acaso, e mesmo aqueles que à primeira vista pareciam luxuosos se mostravam decepcionantes quando me deitava neles. Não entendo por que as pessoas são tão descuidadas ao escolher um sofá.

Embora possa parecer preconceito de minha parte, acredito que é sempre possível depreender a dignidade de alguém pelo modo como escolhe um sofá. Esse móvel é por si um mundo sacrossanto inabalável. Contudo, apenas pessoas que cresceram se sentando em sofás bons são capazes de entender isso. O mesmo acontece com aqueles que cresceram lendo bons livros ou ouvindo boas músicas. Um bom sofá gera outro bom sofá, um sofá ruim gera outro sofá ruim. As coisas são assim.

Conheço algumas pessoas que dirigem por aí carrões de luxo mas em suas casas têm apenas sofás de segunda ou terceira categorias. Essa gente não merece a minha confiança. Com certeza um carro caro tem um valor que faz jus ao seu preço, mas não passa de um automóvel caro. Qualquer pessoa com dinheiro pode comprá-lo. Porém, para adquirir um bom sofá é necessário ter discernimento, experiência e filosofia. Custa muito, mas não basta ter dinheiro. É impossível conseguir um sofá excelente sem ter uma ideia formada do que é um sofá.

O móvel sobre o qual eu estava deitado era sem dúvida top de linha. Por isso, fui capaz de sentir simpatia pelo ancião. Estirado ali com os olhos fechados, tentei refletir sobre esse velho que tinha um jeito estranho de falar e gargalhar. Ao me lembrar da conversa sobre supressão acústica, imaginei que ele sem dúvida era um cientista do mais alto nível. Um cientista comum não conseguiria suprimir ou restituir sons dessa forma. Em primeiro lugar, ele nem sequer pensaria que algo do tipo fosse possível. Além disso, eu também tinha certeza de que o ancião era uma pessoa bastante obstinada. Há muitos exemplos de cientistas excêntricos ou introvertidos, mas não a ponto de construir um local de pesquisa secreto atrás de uma cascata nas profundezas subterrâneas para escapar dos olhares humanos.

Imaginei as somas astronômicas que poderiam resultar de vender a tecnologia de supressão e restituição dos sons. Por um lado, seriam eliminados os equipamentos acústicos nas salas de concerto. Isso porque não haveria mais a necessidade de amplificar os sons por meio de aparelhos enormes. Por outro, também seria possível eliminar ruídos. Instalar um dispositivo de supressão acústica nas aeronaves seria uma bênção para quem vive perto de aeroportos. Ao mesmo tempo, há várias formas de a supressão e a restituição acústicas serem utilizadas para fins militares ou criminosos. Eu já conseguia prever a proliferação de aviões bombardeiros silenciosos, armas com silenciador e bombas capazes de destruir o cérebro humano ao emitir um som altíssimo, além de um estilo mais refinado em assassinatos em massa praticados pelo crime organizado. Decerto o velho estava ciente disso, razão pela qual não desejava divulgar o resultado das pesquisas. Por isso senti uma simpatia ainda maior por ele.

O velho voltou quando eu entrava no quinto ou sexto ciclo do trabalho. Trazia debaixo do braço um grande cesto.

— Café fresco e sanduíches! — anunciou. — Tem de pepino, presunto e queijo. Está bom para você?

— Obrigado. São os meus preferidos — respondi.

— Já quer comer?

— Assim que terminar este ciclo.

Quando o alarme soou, eu havia finalizado a lavagem cerebral de cinco das sete listas de valores numéricos. Faltava pouco para concluir o trabalho. Fiz uma pausa, me levantei e, depois de um bom alongamento, fui comer.

Havia o equivalente a cinco ou seis pratos com sanduíches do tipo que costumam ser servidos em restaurantes ou lanchonetes. Comi calado cerca de dois terços deles. Por algum motivo fico com uma fome de cão quando a lavagem dura muito tempo. Enfiei na boca sanduíches de presunto, de pepino e de queijo, e enviei café quente para o estômago.

Enquanto eu comia três sanduíches, o velho se limitou a mordiscar um. Ele parecia gostar de pepino: abria o pão, salpicava sobre o pepino uma quantidade adequada e cuidadosa de sal e o mastigava, soltando leves estalidos. Algo nele me lembrava um grilo bem-comportado.

— Coma o quanto desejar — falou. — Na minha idade, o apetite diminui. Come-se e movimenta-se pouco. Mas os jovens devem se alimentar bem. Podem comer e ganhar bastante peso. Ao que parece as pessoas detestam engordar, mas na minha opinião é porque o fazem da maneira errada. Por isso, perdem saúde e beleza ao ganhar peso. Contudo, isso não acontecerá se o fizerem da forma correta. A vida se torna mais produtiva e o desejo sexual se intensifica. O cérebro fica mais lúcido. Quando jovem, eu também costumava engordar bem. Hoje sou apenas uma sombra do que era.

Ho ho ho. O velho gargalhou franzindo os lábios.

— Que tal? Esses sanduíches são bons, não?

— Sim. Estão muito gostosos — elogiei.

Estavam mesmo uma delícia. E eu sou tão exigente com sanduíches quanto com sofás, e aqueles ultrapassavam o nível de exigência que eu tinha estabelecido. O pão fresco, *macio*, havia sido cortado com uma faca limpa e afiada. É absolutamente indispensável ter uma faca boa para se fazer um ótimo sanduíche, algo que costuma ser negligenciado. Por mais que se reúnam ingredientes maravilhosos, sem uma faca de qualidade não é possível fazer sanduíches saborosos. A mostarda era de excelente qualidade, a alface estava viçosa e a maionese era caseira ou quase isso. Há tempos eu não comia um sanduíche tão bem preparado.

— Foi minha neta quem os fez. Disse ser uma forma de agradecimento a você — declarou o velho. — Ela leva jeito para preparar sanduíches.

— Que maravilha. Nem um profissional faria melhor.

— Que bom que gostou. Ela ficaria feliz em ouvir. Afinal, é raro recebermos visitantes, e ela não tem oportunidade de oferecer seus sanduíches a alguém e saber o que acham. Ela gosta de cozinhar, mas apenas nós dois saboreamos sua comida.

— Vocês moram juntos? — perguntei.

— Sim. Há bastante tempo somos apenas nós dois. Há muito deixei de me relacionar com a sociedade, e ela também acabou se habituando a isso, algo que me deixa transtornado. Ela não se esforça para manter contato com o mundo lá fora. Apesar de ser inteligente e muito saudável, não parece querer ter vínculos. Isso não é positivo para uma jovem. O desejo sexual deve ser satisfeito de forma adequada. O que lhe parece? É uma moça charmosa, não?

— Sim, com certeza — respondi.

— O desejo sexual é uma energia justa. Isso é óbvio. Quando não há uma válvula de escape e ele se acumula, perde-se a lucidez e o equilíbrio físico se deteriora. Isso se aplica a homens e a mulheres. No caso das mulheres, a menstruação se torna irregular, o que pode comprometer a estabilidade mental.

— Hum — murmurei.

— Aquela menina precisa ter a chance de se relacionar o quanto antes com um homem adequado. Não tenho dúvidas disso, como tutor dela e como biólogo! — explicou o homem, enquanto salpicava mais sal no pepino.

— E ela conseguiu reaver o som sem problema? — experimentei perguntar. Não queria ouvir sobre a libido alheia durante meu trabalho.

— Ah, é mesmo. Esqueci de contar. Claro, o som voltou direitinho. E eu lhe agradeço por ter me lembrado de devolver o som a ela. Se não o tivesse feito, ela passaria vários dias daquele jeito. E viver sem poder emitir sons é complicado — disse o velho.

— Deve ser mesmo — concordei.

— Como eu comentei, ela quase não mantém contato com a sociedade, e por isso não haveria nenhum inconveniente em particular, mas as coisas se complicariam ao atender telefonemas. Eu liguei várias vezes daqui e estranhei que ninguém atendeu! Realmente, foi uma falha minha.

— Ficar muda também deve ser complicado na hora de fazer compras, não?

— Não, nesse caso não interfere — disse ele. — Nos supermercados que existem por aí, uma pessoa muda faz compras sem problemas. É muito conveniente. Ela adora supermercados e os frequenta bastante! Na verdade, ela vive entre o escritório e o supermercado.

— Ela não volta para casa?

— Ela se sente bem no escritório. Lá tem cozinha, chuveiro, e não há empecilhos para uma vida normal. Quando muito, ela volta para casa uma vez por semana.

Assenti da forma apropriada e bebi meu café.

— A propósito, você conseguiu se comunicar com ela — disse o velho. — Como fez? Algum tipo de telepatia?

— Técnica de leitura labial. Há um tempo fiz um curso da prefeitura aberto à comunidade. Na época eu estava com pouco trabalho e tinha tempo livre, por isso achei que talvez pudesse ser útil em algum momento.

— Entendi. Foi a técnica de leitura labial então. — O velho balançou a cabeça várias vezes, como se estivesse convencido. — Com certeza é muito eficaz. Eu também tenho algumas noções. O que acha de conversarmos sem som por um tempo?

— É melhor não. Prefiro falar normalmente — respondi apressado. Não aguentaria passar por aquilo mais uma vez em um único dia.

— Lógico que a técnica de leitura labial é extremamente primitiva e tem vários pontos negativos. Ela é inviável no escuro e é preciso estar sempre com os olhos fixos na boca do interlocutor. Mas é eficaz como medida temporária. Pode-se dizer que você foi perspicaz ao aprender a ler lábios.

— Medida temporária?

— Isso — assentiu mais uma vez o velho. — Ouça bem. Vou dizer isso apenas a você. O futuro do mundo não vai escapar de se tornar insonoro.

— Insonoro? — repliquei por instinto.

— Isso. Ele se tornará completamente silencioso. Não apenas porque a voz é desnecessária para a evolução humana, mas porque é também nociva. Portanto, cedo ou tarde, ela se extinguirá.

— Hum — murmurei. — Isso significa que irão desaparecer por completo o canto dos pássaros, o som dos rios, as músicas e coisas assim?

— Lógico.

— Mas isso me parece algo bem triste.

— Tudo culpa da evolução. Ela é sempre cruel e triste. Uma evolução alegre é inviável — disse o velho. Ele se levantou, foi até a mesa, retirou da gaveta um pequeno cortador de unha e, de volta ao sofá, aparou as unhas das mãos, do polegar da mão direita até o mindinho da mão esquerda. — Não posso dar detalhes, já que a pesquisa ainda não foi concluída, mas grosso modo é algo mais ou menos assim. Contudo, não desejo que isso vaze. Se os simbolistas um dia descobrirem, as coisas ficarão feias.

— Não se preocupe. Nós, calculadores, conseguimos guardar segredos melhor do que ninguém.

— Fico aliviado ao ouvir isso — declarou o velho, usando a borda de um cartão-postal para reunir as unhas espalhadas sobre a mesa e jogá-las na lixeira. Em seguida, pegou outro sanduíche de pepino, salpicou sal e o mastigou com gosto.

— Sou suspeito para comentar, mas isso aqui está divino — disse o velho.

— Tudo o que ela faz é sempre bom assim? — perguntei.

— Não, não exatamente. Apenas os sanduíches são um ponto fora da curva. Outros pratos não são ruins, mas nem se comparam aos deliciosos sanduíches.

— Ela parece ter um talento de verdade, não? — reforcei.

— Exato — disse o velho. — Não há dúvidas. Você parece compreender minha neta. Eu a confiaria a alguém como você de olhos fechados.

— A mim? — falei, espantado. — Só porque elogiei os sanduíches preparados por ela?

— Não gostou deles?

— Sim, muito — respondi.

E pensei na moça roliça, mas não a ponto de poder atrapalhar meus cálculos. Em seguida, tomei mais café.

— Sinto algo em você. Ou a falta de algo. Seja como for, dá no mesmo.

— Às vezes eu também me sinto assim — respondi, com sinceridade.

— Cientistas como nós denominam esse estado de *evolução*. Cedo ou tarde você compreenderá, mas evolução é algo que exige muito. Consegue imaginar o que é mais exigente na evolução?

— Não sei. Por favor me diga — pedi.

— É o fato de não se poder escolhê-la ao seu bel-prazer. Ninguém pode selecioná-la de acordo com seus gostos pessoais. É como as inundações, as avalanches de neve ou os abalos sísmicos. Não é possível prevê-la até acontecer, e quando ocorre não há mais como lutar contra.

— Hum — falei. — Isso tem a ver com o que o senhor me relatou há pouco sobre a voz? Ou seja, que um dia ficaremos mudos ou algo assim?

— Não é exatamente isso. Poder ou não poder falar não é relevante. É apenas uma etapa.

Confessei que não tinha entendido. Sou um sujeito sincero. Quando compreendo algo digo com clareza, e faço o mesmo quando não entendo. Não me expresso de maneira ambígua. A meu ver, a maior parte dos problemas vem de maneiras ambíguas de se expressar. Tenho certeza de que a maioria das pessoas neste mundo se expressa de forma ambígua porque no fundo busca inconscientemente por problemas. Não consigo pensar de outro jeito.

— Bom, vamos interromper a conversa nesse ponto. *Ho ho ho* — disse o velho, soltando mais uma de suas gargalhadas irritantes. — Não devo atrapalhar seus cálculos com esses assuntos complicados. Vamos ficar por aqui.

Por mim, não tinha problema. Como o alarme havia acabado de soar, retornei à lavagem cerebral. O velho retirou de uma gaveta uma espécie de pinça de aço inox e, segurando-a com a mão direita, ia e voltava diante das prateleiras onde os crânios se enfileiravam. Por vezes, batia de leve com a pinça em um deles e apurava o ouvido para o som produzido, como um exímio violinista verificando sua coleção de Stradivarius. A certa altura, pegou um deles como se executasse um pizzicato. Era possível sentir a paixão fora do comum que o velho sentia pelos crânios mesmo quando apenas ouvia o som produzido. Notei que, apesar de serem todos crânios, emitiam de fato sons diversos. Um ressoava como se batessem em um copo de uísque; outro, como se fosse um gigantesco vaso de plantas. No passado, todos haviam sido revestidos de carne e pele, e em seu interior havia uma massa encefálica — com suas variações de volume — que pensava sobre comida, sexo e coisas semelhantes. Por fim, tudo havia se extinguido e agora restavam apenas sons diferentes, como se fossem copos, vasos, lancheiras, canos de chumbo e chaleiras, entre tantos outros.

Imaginei minha cabeça sendo enfileirada sobre uma daquelas prateleiras, após ter tido a pele e a carne retiradas e a massa encefálica extraída, recebendo ligeiros golpes com pinças de aço inox. Senti uma estranheza. O que o velho conseguiria aprender com a ressonância do meu crânio? Seria ele capaz de ler minhas memórias? Ou coisas que não estariam na memória? De todo modo, comecei a ficar nervoso.

Não me apavorava a ideia da morte em si. Como dizia William Shakespeare: "*Você não deve morrer no próximo ano se morrer neste*". A morte é simples, dependendo de como você a encara. Porém, me inquietava a ideia de depois de morrer ter meu crânio enfileirado numa prateleira para receber batidinhas com uma pinça. Fiquei deprimido só de pensar que mesmo depois de minha morte extrairiam mais alguma coisa de dentro de mim. A vida não é simples, mas é possível administrá-la a partir de nosso próprio julgamento. Portanto, isso não me aflige. Como Henry Fonda em *Minha vontade é lei*. Porém, eu desejava que depois de morto me deixassem descansar em paz. Então entendi por que os faraós do antigo Egito desejavam tanto ser trancados dentro de uma pirâmide após a morte.

Algumas horas depois, a lavagem cerebral foi por fim concluída. Como eu não estava contando o tempo pelo relógio, não soube dizer ao certo quantas horas havia levado, mas considerando meu cansaço físico acho que foram oito ou nove horas. Um trabalho substancial. Levantei-me do sofá, me espreguicei bem e relaxei os músculos de várias partes do corpo. No manual que é distribuído aos calculadores há ilustrações explicando como relaxar vinte e seis músculos diferentes. Se após um cálculo você consegue relaxar da maneira correta todos eles, não sente a fadiga mental e, assim, sua expectativa de vida aumenta. Como o ofício surgiu há menos de uma década, ninguém sabe ao certo a expectativa de vida profissional. Algumas pessoas afirmam ser dez anos; outras, vinte. E há ainda quem diga que os calculadores podem trabalhar até morrer. Existe inclusive a hipótese de que, mais cedo ou mais tarde, eles acabam incapacitados. Tudo não passa de mera suposição. Só me resta relaxar meus vinte e seis músculos da maneira correta. O jeito é deixar as hipóteses para quem consegue lidar com elas.

Ao terminar, sentei-me no sofá, fechei os olhos e, devagar, executei a junção dos hemisférios esquerdo e direito do cérebro. Assim encerrava o meu trabalho. Exatamente como consta no manual.

O velho depositou sobre a mesa um crânio que parecia ser de um cachorro grande, mediu algumas partes com um paquímetro e anotou as medidas em uma foto do crânio.

— Terminou? — perguntou o velho.

— Terminei — respondi.

— Nossa, foi demorado. Agradeço pelo trabalho — disse ele.

— Vou voltar para casa e dormir. Amanhã ou depois começo o shuffling em casa e daqui a três dias, até o meio-dia, trago-o para cá. Pode ser assim?

— Perfeito, perfeito — concordou o velho, assentindo com a cabeça. — Mas o prazo é imprescindível. Se passar do meio-dia a situação se complica. Será um grande transtorno.

— Estou ciente disso — disse eu.

— Outra coisa: tome o máximo de cuidado para essa lista não ser roubada. Se isso acontecer, causará um problema grave para mim e para você.

— Não se preocupe. Recebemos um treinamento severo nesse sentido. Jamais permitiríamos que os dados já calculados fossem roubados.

Retirei de um bolso especial, instalado no forro da calça, um estojo metálico para guardar documentos importantes, guardei nele a lista e o tranquei.

— Só eu consigo abrir este estojo. Se qualquer outra pessoa tentar, os documentos dentro dele se destruirão automaticamente.

— É engenhoso — admitiu o velho.

Guardei o estojo no bolso interno da calça.

— A propósito, não quer comer mais? Sobraram alguns sanduíches e, já que eu quase não como enquanto estou trabalhando, seria um desperdício deixá-los aí.

Eu ainda estava com fome, por isso segui o conselho do velho e devorei os sanduíches restantes. Ele tinha se concentrado em comer os de pepino, então sobraram os de presunto e de queijo, mas como eu não gostava tanto assim de pepino não me importei. Ele gentilmente me serviu mais uma xícara de café.

Vesti de novo a capa de chuva, coloquei os óculos de proteção e voltei pelo caminho subterrâneo segurando a lanterna. Dessa vez, o velho não me acompanhou.

— Expulsei os tenebrosos emitindo ondas sonoras. Vai demorar um tempo até voltarem, não precisa se preocupar — explicou o velho. — Agora são eles que devem ter medo de dar as caras por estas bandas. Como são meros paus-mandados dos simbolistas, basta ameaçá-los para desistirem de voltar.

Apesar das palavras do velho, depois de ficar sabendo que em algum lugar do subsolo havia tenebrosos e outros de sua laia, perdi a vontade de andar sozinho em meio à escuridão. Era ainda mais desagradável por eu desconhecer como eles seriam, seus costumes e com o que se pareciam, e, portanto, não saber como me defender deles. Empunhando a lanterna na mão esquerda e a navalha na direita, desci pelo caminho margeando o rio subterrâneo pelo qual tinha vindo.

Assim, quando vi a silhueta da jovem obesa de terninho rosa logo abaixo da longa escada de alumínio pela qual tinha descido, me senti são e salvo. Ela fazia a luz da lanterna tremular, enviando sinais em minha direção. Quando cheguei ela me disse alguma coisa, mas, como o som suprimido do rio havia sido revertido, o forte barulho da água não me deixou ouvir sua voz. E, por conta da escuridão, também não consegui ler o movimento de seus lábios, então não sabia o que ela dissera.

Fosse como fosse, subimos pela escada decididos a seguir até um local iluminado. Tomei a dianteira, e ela veio logo atrás. A escada era extremamente alta. Ao descer, por causa da escuridão e por não saber o que se passava, não tive medo, mas agora, conforme subia cada degrau, comecei a suar frio no rosto e nas axilas, imaginando a altura. Devia ter cerca de três ou quatro andares de um edifício e, como se não bastasse, a escada estava úmida e os pés escorregavam, o que exigia extrema atenção para não ocorrer uma queda.

No meio do caminho desejei parar para respirar, mas, como sabia que ela estava logo atrás de mim, não havia como descansar e acabei subindo até o alto num só fôlego. Ao me dar conta de que três dias depois eu precisaria refazer esse caminho para voltar ao gabinete de pesquisa, tive uma sensação ruim, mas isso também fazia parte da minha gratificação, então não havia como reclamar.

Quando entrei na primeira sala após atravessar o guarda-roupa, a moça guardou meus óculos de proteção e minha capa de chuva. Eu tirei as galochas e deixei a lanterna em um canto.

— Correu tudo bem? — perguntou ela. Era a primeira vez que eu ouvia a sua voz, que era suave e nítida.

Assenti com a cabeça enquanto fitava seu rosto.

— Se não tivesse ido bem, eu não teria retornado! É assim que as coisas funcionam no nosso trabalho — expliquei.

— Obrigada por ter avisado a meu avô sobre a supressão do som. Isso me ajudou bastante. Eu já estava há uma semana daquele jeito!

— Por que não me explicou isso por escrito? Eu teria entendido logo o que se passava e evitaria a confusão.

Sem dizer nada, ela deu uma volta na mesa e arrumou os grandes brincos nas orelhas.

— Essa é a regra — afirmou ela.

— Não explicar por escrito?

— Essa também é mais uma regra.

— Hum — assenti.

— Tudo o que estiver ligado a retrocessos é proibido.

— Entendo — concordei, admirado.

Eles levam mesmo a sério o que fazem.

— Quantos anos você tem? — perguntou ela.

— Trinta e cinco — respondi. — E você?

— Dezessete — ela respondeu. — É a primeira vez que eu encontro um calculador! Se bem que também nunca encontrei um simbolista.

— Você tem mesmo dezessete anos? — perguntei, admirado.

— Sim, isso mesmo! Eu não minto. Tenho de verdade dezessete anos! Mas não aparento ter minha idade, não?

— Não — respondi, com sinceridade. — Mesmo olhando bem, eu daria vinte anos ou mais.

— Eu não quero parecer ter a idade que tenho — ela explicou.

— Você não vai à escola?

— Não quero falar sobre isso. Pelo menos não agora. Quando nos encontrarmos de novo, eu explico direitinho.

— Hum — assenti.

Sem dúvida ela devia ter suas razões.

— E como é a vida de um calculador?

— Seja calculador ou simbolista, quando não estamos executando nosso trabalho temos uma vida normal como a das pessoas comuns.

— Talvez todo mundo seja comum, mas não normal.

— É uma forma de ver as coisas — falei. — Mas digo isso no sentido de que nossa vida não tem nada de especial. Não chamamos a atenção de ninguém quando estamos sentados no trem, comemos o mesmo que todo mundo, bebemos cerveja... Falando nisso, obrigado pelos sanduíches. Estavam uma delícia!

— Sério? — disse ela, abrindo um sorriso.

— É difícil achar um tão gostoso! E olha que já experimentei muitos.

— E o café?

— Também estava delicioso.

— Não quer tomar outro antes de ir? Assim poderíamos conversar um pouco mais.

— Obrigado, mas foi suficiente — disse eu. — Tomei demais lá embaixo e não conseguiria beber nem mais uma gota. Além disso, quero voltar para casa o quanto antes e cair na cama.

— Que pena.

— Também lamento.

— Sendo assim, eu o acompanho até o elevador. Deve ser difícil para você chegar lá sozinho. Os corredores são complicados.

— Acho que eu não acertaria o caminho — concordei.

Ela pegou na mesa uma caixa redonda que parecia ser de chapéu e me entregou. Apesar do tamanho, a caixa não era muito pesada. Se fosse mesmo uma chapeleira, o chapéu lá dentro devia ser bem grande. A caixa estava selada com uma fita adesiva grossa, para impedir que fosse aberta com facilidade.

— O que é isto?

— Um presente do meu avô! Abra quando chegar em casa.

Balancei a caixa de leve para cima e para baixo. Nenhum barulho.

— Cuidado, pode quebrar — alertou ela.

— É um vaso de flores ou algo assim?

— Eu também não sei o que é. Quando chegar em casa, abra e vai descobrir.

Em seguida, pegou de dentro da bolsa cor-de-rosa um envelope com um cheque. Nele constava um valor um pouco maior do que eu esperava. Guardei-o na carteira.

— Recibo?

— Não precisa — ela respondeu.

Saímos da sala e caminhamos até o elevador, virando, descendo e subindo pelos mesmos longos corredores de quando cheguei. Seu sapato de salto ressoava um *clac clac* agradável, exatamente como tinha feito antes. Eu me importava menos com a obesidade dela agora do que quando a vi pela primeira vez. Ao caminhar a seu lado, até esqueci que ela era gorda. Talvez com o tempo eu tenha me habituado com seu corpo.

— Você é casado? — ela quis saber.

— Não. Antes eu era, mas não sou mais — respondi.

— Você se divorciou por ter se tornado calculador? As pessoas costumam dizer que calculadores não conseguem constituir família.

— Não é bem assim. Conheço muitos calculadores com famílias maravilhosas. Mas concordo que a maioria acha mais fácil trabalhar quando não se tem uma família. Nosso trabalho é mentalmente muito desgastante e implica vários riscos. Há casos em que se torna difícil ter mulher e filhos.

— E como foi no seu caso?

— No meu caso, eu me tornei calculador depois de me divorciar. Portanto, não teve relação com o trabalho.

— Hum — disse ela. — Desculpe se sou indiscreta. Como é a primeira vez que conheço um calculador, queria perguntar várias coisas.

— Imagina! — falei.

— Ouvi dizer que, quando calculadores concluem um trabalho, ficam com muito tesão. É verdade?

— Não sei ao certo. Talvez haja casos assim. Afinal, enquanto estamos trabalhando, usamos muito os nervos de uma forma incomum.

— Nesses casos, com quem você transa? Tem uma namorada fixa?

— Não, não tenho — respondi.

— Então com quem vai para a cama? Você não é assexuado ou homossexual, certo? Prefere não responder?

— Não, não é isso — disse eu.

Eu não sou do tipo que vive comentando sobre a própria vida privada, mas como também não tenho nada a esconder, se algo me for perguntado diretamente respondo sem rodeios.

— Durmo com várias garotas, depende da ocasião.

— Você transaria comigo?

— Não. Talvez não.

— Por quê?

— É uma questão de princípios. Não costumo levar para a cama moças que conheço. Transar com conhecidas acaba dando problema. Tampouco durmo com garotas que tenham alguma relação com meu trabalho. Como minha profissão lida com segredos de terceiros, é preciso traçar um limite claro.

— Não seria por eu ser gorda e feia?

— Você não é tão gorda e não é nem um pouco feia.

— Hum — disse ela. — Então, com quem você transa? Dá em cima de qualquer moça por aí só para dormir com ela?

— Às vezes é assim.

— Ou paga uma garota de programa?

— Pode ser assim também.

— Você aceitaria dormir comigo se eu dissesse que quero ser paga por isso?

— Provavelmente não — respondi. — A diferença de idade entre nós é muito grande. Fico nervoso quando durmo com uma garota muito mais jovem do que eu.

— Meu caso é diferente.

— Talvez seja. Mas não quero criar mais problemas do que já tenho. Na medida do possível, busco uma vida sossegada.

— Meu avô diz que é recomendável ter minha primeira relação sexual com um homem de mais de trinta e cinco anos. Quando o desejo sexual se acumula acima de determinada intensidade, perde-se a lucidez mental.

— Ele comentou comigo sobre isso!

— Será verdade?

— Não sou biólogo, não saberia dizer. E a intensidade do desejo sexual varia muito de pessoa para pessoa, não é algo que se possa julgar com tanta facilidade.

— No seu caso, a intensidade é muito alta?

— Acho que está na média — respondi depois de pensar um pouco.

— Ainda não conheço bem minha própria libido — declarou a moça obesa. — Por isso quero experimentar várias coisas!

Enquanto eu hesitava em responder, chegamos ao elevador. Como um cão treinado, ela abriu a porta e esperou que eu entrasse.

— Bem, então até a próxima — ela se despediu.

Assim que entrei, a porta do elevador se fechou, sem fazer ruído. Apoiei-me na parede de aço inox e soltei um suspiro.

6

A sombra

Quando ela pôs sobre a mesa o primeiro velho sonho, por um tempo não consegui entender o que era aquilo. Depois de observá-lo durante um longo tempo, ergui a cabeça e encarei o rosto dela, que estava de pé ao meu lado. Ela se mantinha calada, observando o "velho sonho" sobre a mesa. Pensei como aquele objeto não condizia nem um pouco com a denominação "velho sonho". O som das palavras me levou a imaginar que seria um texto antigo ou, se não isso, qualquer outra coisa de formato mais vago e incongruente.

— Eis aí um velho sonho! — informou ela. O tom de sua voz se modulava de um modo indefinido, como se quisesse confirmar algo para si mesma mais do que me fornecer uma explicação. — Para ser mais exata, o velho sonho está aí dentro.

Assenti com a cabeça sem entender nada.

— Experimente pegar — sugeriu.

Peguei com gentileza o objeto e o esquadrinhei com os olhos, tentando identificar nele vestígios de um velho sonho. Porém, por mais que observasse com extremo cuidado, não encontrei nenhuma pista. O objeto era apenas o crânio de um animal. Não era um bicho grande. A superfície do osso estava bem ressecada, como se, exposta por longo tempo ao sol, tivesse desbotado e perdido a cor original. A mandíbula se projetava bastante para a frente, permanecendo um pouco entreaberta e fixa, como se tivesse congelado de repente no exato momento em que pretendia dizer algo. Tendo perdido seu conteúdo em algum lugar, o par de pequenas cavidades oculares deixava entrever um espaço vazio que se estendia até o fundo.

O crânio era leve, a ponto de não ser natural, e graças a isso parecia ter perdido em grande parte sua materialidade. Eu era incapaz de perceber nele qualquer tipo de resquício de uma vida. Foram removidos dali toda a carne, as memórias e o calor. No centro da testa havia uma pequena concavidade áspera ao tato. Depois de pousar o dedo nela e observá-la por um tempo, supus que devia ser a marca deixada após a extração do chifre.

— Este é o crânio de um dos unicórnios da cidade, não? — perguntei.

Ela assentiu com a cabeça.

— O velho sonho se infiltrou e está enclausurado dentro dele — explicou, de forma calma.

— Isso significa que eu devo ler o velho sonho a partir deste objeto?

— Esse é o trabalho do leitor de sonhos — replicou ela.

— E o que devo fazer com os sonhos lidos?

— Nada em especial! Basta lê-los.

— Isso é algo difícil de entender — respondi. — Compreendo que devo ler os velhos sonhos a partir do crânio! Porém, não entendo bem sobre não precisar fazer nada além disso. Tenho a sensação de que essa tarefa não faz sentido. Todo trabalho deve ter uma finalidade. Por exemplo, transcrever o que for lido em algum lugar ou categorizá-lo de acordo com determinada ordem.

Ela balançou a cabeça.

— Não poderia explicar qual o sentido de tudo isso. Se continuar a ler velhos sonhos, será que você não acabará naturalmente compreendendo o objetivo? Seja como for, não tem muito a ver com o seu trabalho.

Devolvi o crânio para a mesa e voltei a observá-lo de longe. O objeto estava totalmente envolto por um profundo silêncio, que evocava o vazio. Porém, esse silêncio não vinha do exterior; talvez brotasse como fumaça de dentro dele. Fosse como fosse, era um tipo estranho de silêncio. Senti como se ele ligasse com firmeza o crânio ao centro da Terra. O crânio permanecia mudo, com o olhar insubstancial direcionado a um ponto no vazio.

Enquanto o observava, não podia deixar de pensar que ele desejava me transmitir algo. Parecia inclusive pairar ao redor certo ar de tristeza, mas eu era incapaz de expressar para mim mesmo com clareza o que representava a tristeza que estava concentrada ali. As palavras exatas me faltavam.

— Vou executar a leitura — disse e peguei de novo o crânio de cima da mesa, sentindo seu peso na mão. — Seja como for, não parece que eu tenho escolha.

Ela esboçou um sorriso e, tomando o crânio da minha mão, limpou cuidadosamente com dois panos a poeira acumulada na superfície, devolvendo-o ao lugar mais branco do que antes.

— Bem, vou explicar como ler os velhos sonhos — disse ela. — Mas, claro, como eu mesma não consigo ler, vou apenas fingir estar lendo. Você é o único que consegue fazê-lo. Por favor, observe bem. Primeiro, vire o crânio assim, na sua direção, e coloque devagar os dedos de ambas as mãos sobre as têmporas.

Ela apoiou os dedos nas laterais do crânio enquanto olhava para mim, certificando-se.

— Depois você deve olhar fixamente para o osso frontal. Não de forma intensa, mas de maneira lenta e doce. Porém, você não deve afastar o olhar. Por mais ofuscante que seja, não o desvie.

— Ofuscante?

— Sim, isso mesmo. Quando se olha fixamente para o crânio, ele começa a emitir luz e calor. Basta você tatear essa luz com a ponta dos dedos com calma. Ao fazer isso, deve conseguir ler o velho sonho!

Repeti mentalmente as etapas que ela havia explicado. Claro que não podia imaginar que tipo de luz seria ou que sensação provocaria, mas a princípio pude assimilar os procedimentos. Ao observar por alguns instantes seus dedos finos sobre o crânio, fui assaltado pelo forte pressentimento de que já o tinha visto em algum lugar. A brancura daquele osso lavado repetidas vezes e a concavidade na testa provocaram uma estanha agitação em meu peito, semelhante à de quando vi o rosto daquela mulher pela primeira vez. Contudo, eu não sabia julgar se isso seria um fragmento real da memória ou uma ilusão causada por uma distorção temporal e espacial momentânea.

— Aconteceu algo? — ela perguntou.

Balancei a cabeça.

— Não foi nada. Estava pensando. Acho que consegui entender os procedimentos graças à sua explicação. O resto só mesmo quando puser a mão na massa.

— Antes vamos jantar — propôs ela. — Depois de iniciar a tarefa, não teremos mais tempo para isso.

Ela trouxe uma panela da pequena cozinha nos fundos e a aqueceu no fogareiro. Era um guisado de legumes com cebola e batata. Quando a panela por fim aqueceu e emitiu um som agradável, ela transferiu o conteúdo para os pratos e os levou à mesa, junto com um pão de nozes.

Permanecemos sentados um de frente para o outro, comendo em silêncio. A comida era leve e com um tempero que eu nunca havia provado, mas não era ruim e, ao terminar, senti o corpo aquecido. Depois, ela serviu chá quente. Um chá amargo, de cor verde, aparentemente à base de ervas medicinais.

A leitura dos sonhos a partir das explicações dela não se mostrou uma tarefa tão fácil como eu imaginara. Os feixes de luz eram finos demais e eu não conseguia percorrer bem aquele labirinto confuso, por mais que me concentrasse nas pontas dos meus dedos. Mesmo assim, pude sentir com clareza a presença dos velhos sonhos. Parecia ao mesmo tempo um frêmito e uma sucessão de imagens que fluíam sem coerência. No entanto, meus dedos eram incapazes de depreender uma mensagem clara. Eu apenas sentia que sem dúvida havia algo ali.

Quando por fim consegui terminar de ler dois sonhos, já eram mais de dez horas da noite. Devolvi os crânios que eu tinha acabado de decodificar, tirei os óculos e massageei devagar os olhos pesados.

— Cansou? — perguntou ela.

— Um pouco — respondi. — Meus olhos ainda não estão acostumados. Ao fixar o olhar, eles absorvem as luzes dos velhos sonhos e sinto uma dor bem no fundo da cabeça. É uma dor insignificante. Mas os olhos ficam turvos e é difícil fixá-los em algo.

— No início é assim para todo mundo — afirmou ela. — É difícil ler até os olhos se acostumarem. Mas não precisa se preocupar: logo você pega o jeito. Durante um tempo vamos fazer bem devagar.

— É melhor — concordei.

Depois de devolver os velhos sonhos à estante, ela começou a se preparar para voltar para casa. Abriu a tampa do fogareiro, retirou com uma pazinha as brasas de carvão incandescentes e as jogou em um balde cheio de areia.

— Você não deve permitir que o cansaço penetre em seu coração — disse ela. — Minha mãe sempre me dizia isso. *O cansaço pode dominar o corpo, mas o coração deve ser sempre seu*, ela dizia.

— Ela tem razão — afirmei.

— Mas, para ser sincera, não entendo bem que tipo de coisa é um coração. Desconheço seu significado e o modo de usar. É apenas uma palavra que aprendi.

— Coração não é algo que se use! — exclamei. — Ele está aí, só isso. Igual ao vento, sabe? Basta você sentir o movimento!

Ela tampou o fogareiro, levou até o cômodo dos fundos a chaleira esmaltada e as xícaras para serem lavadas e ao terminar vestiu um casaco azul de tecido grosseiro. Era um azul sombrio, como se retalhos do céu tivessem perdido a memória de sua origem depois de tanto tempo. Ela ficou alguns instantes diante do fogareiro, imersa em seus pensamentos.

— Você veio para cá de outro lugar? — ela me perguntou, como se de repente tivesse se lembrado.

— Sim! — respondi.

— E como era lá?

— Não me recordo de nada — disse eu. — É uma pena, mas não tenho nenhuma lembrança. Quando tiraram minha sombra de mim, aparentemente as recordações do mundo antigo acabaram indo embora junto com ela. Seja como for, é um lugar muito distante!

— Mas você entende das coisas do coração, não?

— Acredito que sim.

— Minha mãe também tinha um coração — disse ela. — Mas ela sumiu quando eu tinha sete anos. Sem dúvida por ter um coração, como você.

— Sumiu?

— Sim, sumiu! Mas não vamos falar disso. Aqui, dá má sorte falar sobre uma pessoa desaparecida. Conte-me sobre a cidade onde morava. Você deve ter pelo menos uma pequena recordação, não?

— Há apenas duas coisas de que me lembro — falei. — A cidade onde eu morava não era cercada por muralhas e todos andávamos arrastando a própria sombra atrás de nós.

* * *

Sim, todos arrastávamos nossas sombras. Quando cheguei a esta cidade, tive de deixar a minha aos cuidados do guardião.

— Você está proibido de entrar na cidade com ela! — informou o homem. — Ou a abandona ou desiste de entrar aqui. Você decide.

Eu abandonei minha sombra.

O guardião me fez ficar de pé em um terreno descampado ao lado do portal. O sol das três da tarde delineava com nitidez minha sombra no solo.

— Não se mova — ordenou ele.

Retirando do bolso uma navalha, enfiou a lâmina afiada no espaço entre a sombra e o solo e, depois de algum tempo brandindo o objeto para a direita e a esquerda, arrancou com destreza a sombra do chão.

A sombra tremulou levemente como se esboçasse reação, mas por fim perdeu as forças ao ser arrancada e se agachou sobre um banco. Ao ter sido afastada do corpo, ela parecia muito mais miserável e exausta do que eu poderia ter imaginado.

O guardião guardou a navalha. Eu e ele contemplamos por um tempo a silhueta da sombra destituída do seu corpo físico.

— O que acha? É estranho vê-la separada do corpo, não? — perguntou ele. — Sombras são completamente inúteis. São apenas um peso.

— Desculpe, mas parece que eu preciso ficar um tempo separado de você — expliquei, me aproximando da sombra. — Não era minha intenção, mas não tive escolha. Seja paciente e permaneça sozinha aqui por um tempo, ok?

— Por um tempo? Até quando seria isso? — me perguntou a sombra.

Respondi que não sabia.

— Tem certeza de que não vai se arrepender do que fez? — indagou ela num sussurro. — Não conheço bem a situação, mas não acha um pouco estranho uma pessoa se separar de sua sombra? Isso está errado, e na minha opinião é um equívoco. As pessoas não conseguem viver sem uma sombra, e por sua vez uma sombra não existe sem uma pessoa! Apesar disso, estamos os dois vivendo existências separadas. Tem alguma coisa errada aqui! Você não se dá conta disso?

— Admito que não é nem um pouco normal — falei. — Mas desde o início nada aqui é normal. Em um lugar onde nada é normal o jeito é se adaptar à ausência de normalidade.

A sombra concordou, balançando a cabeça.

— É sua racionalidade. Mas eu sou mais pragmática. O ar daqui não me faz bem! Ele é diferente do de outros lugares. Não tem efeitos positivos sobre mim nem sobre você. Você não deveria me abandonar. Até agora estávamos indo muito bem juntos, não é? Por que então você me deixa?

Fosse como fosse, era tarde demais. Ela havia sido arrancada do meu corpo.

— Quando as coisas se acalmarem, virei buscar você — prometi. — Esta situação é provisória, não durará para sempre. Voltaremos a nos unir.

A sombra soltou um leve suspiro e me encarou sem força. O sol das três da tarde iluminava nós dois. Eu sem sombra, ela sem corpo.

— Isso é só o que você espera que aconteça, não? — disse a sombra. — As coisas não vão funcionar. Tenho um mau pressentimento. Vamos aproveitar e fugir daqui, voltar para o mundo de antes.

— É impossível voltar para o lugar de onde viemos. Não sei como fazer isso. Você mesma também não sabe, certo?

— Neste momento eu não sei. Mas vou descobrir nem que seja a última coisa que eu faça. Quero me encontrar de vez em quando com você para conversar. Viria me ver?

Assenti, pousando a mão sobre o ombro da minha sombra, e em seguida fui até onde estava o guardião. Enquanto eu conversava com a sombra, ele juntou as pedras que tinham caído na praça e as descartou em um local onde não causariam transtorno.

Quando me aproximei, o guardião limpou a terra branca com a barra da camisa e apoiou a imensa mão em minhas costas. Não pude notar exatamente se com o gesto ele exprimia simpatia ou se pretendia me fazer ver o quanto era forte.

— Sua sombra está em boas mãos. Vou cuidar bem dela — ele me assegurou. — Ela receberá três refeições e a levarei para passear uma vez por dia. Fique sossegado. Não há nada com que se preocupar!

— É possível vê-la de vez em quando?

— Bem… — respondeu ele. — Não sempre, livremente, mas também não quer dizer que não possa. Se o momento for apropriado, as circunstâncias forem favoráveis e eu estiver propenso a autorizar.

— E se eu desejar ter minha sombra de volta, o que devo fazer?

— Parece que você ainda não entendeu como as coisas funcionam por aqui — disse o guardião sem tirar a mão das minhas costas. — Ninguém nesta cidade pode ter uma sombra. Aqueles que nela entram não podem mais sair. Portanto, sua pergunta não faz sentido.

E foi assim que eu perdi minha sombra.

Ao sair da biblioteca, me propus a acompanhar a moça até sua casa.

— Não precisa me levar — disse ela. — Não tenho medo da noite e, além disso, sua casa fica na direção oposta.

— Mas eu gostaria de acompanhá-la! — insisti. — Estou um pouco ansioso, e mesmo que volte para casa talvez custe a dormir.

Atravessamos um ao lado do outro a velha ponte na direção sul. A brisa de início de verão, que mantinha ainda seu frescor, fazia oscilar os galhos do salgueiro no banco de areia que havia no meio do rio, e a luz estranhamente direta iluminava os seixos sob os nossos pés. A atmosfera carregada de umidade vagava pela superfície do solo nebuloso e pesado. Ela soltou os cabelos presos com uma fita, juntou-os com a mão e, girando-os para a frente, os enfiou dentro do casaco.

— Seus cabelos são lindos — disse eu.

— Obrigado — ela agradeceu.

— Alguém já os elogiou antes?

— Não. Você é o primeiro — disse ela.

— O que você sente quando recebe um elogio?

— Não sei — ela respondeu, encarando meu rosto enquanto mantinha as mãos enfiadas no bolso do casaco. — Eu entendo que você elogiou meu cabelo. Mas na verdade não é apenas isso, não é? Meu cabelo despertou algo em você, e você está falando disso, certo?

— Você está enganada. Estou falando do seu cabelo.

Ela sorriu discretamente, como se procurasse algo no ar.

— Desculpe. É que não estou muito acostumada com o seu jeito de falar.

— Não tem problema! Daqui a pouco você se acostuma — respondi.

A casa dela ficava na zona operária, um local desolado em uma área na parte sudoeste da zona industrial. A própria zona industrial era um local triste, que parecia estar praticamente abandonado. Mesmo os grandes canais, onde no passado barcas e lanchas circulavam por suas lindas águas, tinham as comportas fechadas e expunham aqui e ali o fundo seco. Uma lama branca rígida aflorava como se fosse o cadáver cheio de rugas de uma criatura pré-histórica. Nas margens do rio havia degraus de pedra que antes serviam para desembarcar mercadorias e onde agora, sem uso, ervas daninhas altas fincavam suas raízes com firmeza nas gretas entre as pedras. Garrafas velhas e peças de maquinário enferrujadas emergiam da lama, e ao lado delas um barco de madeira com o convés plano apodrecia lentamente.

Ao longo do canal havia fábricas abandonadas, onde não se via vivalma. Os portões estavam lacrados, os vidros das janelas haviam desaparecido, heras se alastravam pelos muros, a ferrugem revestia o corrimão das escadas de emergência e por todo lado havia mato.

Após passar pelas fileiras de fábricas, chegava-se às residências dos operários. Eram edifícios antigos de cinco andares. Ela explicou que no passado eram apartamentos luxuosos voltados para milionários, mas os tempos agora eram outros, e os prédios foram subdivididos para serem habitados por operários modestos. Porém, os operários já tinham perdido essa condição. Quase todas as fábricas onde trabalhavam haviam sido fechadas. Sua capacidade técnica não valia mais nada, e quando necessário só produziam pequenos objetos de que a cidade precisava. O pai dela era um deles.

Depois de atravessar a curta ponte de pedra sem balaústre que passava sobre o último canal, chegamos ao bairro onde ela morava. Ligando os blocos de prédios, passagens parecidas com escadas evocavam as guerras de defesa e ataque da Idade Média.

Já era quase meia-noite, e a maioria das luzes nas janelas estava apagada. Ela me puxou pela mão e, como se quisesse fugir do olhar de um pássaro gigante que voava sobre nossas cabeças em busca de presas, atravessou comigo a passos rápidos uma passagem que parecia um labirinto. Parou, então, diante de um bloco e se despediu de mim.

— Boa noite — ela disse.

Subi sozinho a encosta da colina oeste e voltei para casa.

7

Crânio, Lauren Bacall, biblioteca

Peguei um táxi até o apartamento. Quando saí, o sol havia se posto por completo e a cidade estava repleta de gente que havia encerrado a jornada de trabalho. Por estar chuviscando, demorei bastante para conseguir um carro.

Mesmo numa situação normal para mim é difícil conseguir um. Porque, para evitar riscos, antes deixo passarem pelo menos dois veículos vazios. Dizem que os simbolistas possuem muitos táxis falsos, e por vezes sequestram calculadores que acabaram de concluir um trabalho e somem com eles. Na verdade, isso nunca aconteceu comigo ou com alguém que eu conheça, mas é melhor prevenir do que remediar.

Por isso, procuro sempre usar metrô ou ônibus. Porém, como naquele momento eu estava exausto, sonolento e chovia, e como me afligia a ideia de pegar transporte público na hora do rush ao anoitecer, decidi tomar um táxi mesmo que demorasse. Dentro do carro, quase cochilei algumas vezes sem querer, mas com esforço me contive. Ao voltar para casa poderia dormir o quanto quisesse em minha cama. Ali eu não podia dormir, teria sido muito arriscado.

Então me concentrei no jogo de beisebol que passava no rádio. Como não entendo muito do esporte, achei mais fácil torcer pelo time que estava atacando e contra o time que defendia. A equipe que escolhi perdia de três a um. Uma bola foi rebatida a partir da segunda base com dois outs, mas o corredor se precipitou e caiu de joelhos entre a segunda e a terceira bases. Por fim, o resultado foram três outs e o time acabou sem pontuar. "Isso é horrível", lamentou o comentarista esportivo, e concordei com ele. Ainda que aconteça de tropeçarmos quando estamos com pressa, não devemos cair numa partida de beisebol entre a segunda e a terceira bases. Talvez por estar decepcionado o lançador atirou uma bola direta sem efeito ao melhor rebatedor, que fez um home run na ala esquerda, elevando o placar para quatro a um.

Quando o táxi chegou na frente do meu prédio, o placar continuava o mesmo. Paguei a corrida e desci do carro com a caixa nas mãos e a cabeça enevoada. A chuva tinha quase parado.

Não havia nenhuma correspondência. Também não havia mensagens na secretária eletrônica. Ao que parece, ninguém precisava falar comigo. Tudo bem. Eu tampouco precisava falar com alguém. Retirei gelo do congelador e preparei um uísque on the rocks com um pouco de água tônica. Depois me despi, mergulhei na cama e, com as costas encostadas na cabeceira, bebi devagar. Sentia como se fosse perder a consciência a qualquer instante, mas não podia deixar de executar esse doce ritual ao final de um dia. Adoro esse período entre me deitar na cama e adormecer. Levo alguma bebida, ouço música, leio um livro. Aprecio esse momento da mesma forma que contemplo um crepúsculo deslumbrante ou respiro ar puro.

O telefone tocou quando eu estava na metade do uísque. O aparelho fica sobre uma mesa a uns dois metros do pé da cama. Eu estava deitado e não tinha nenhuma intenção de ir até lá atender. Fiquei olhando de forma vaga enquanto tocava. Deve ter soado umas treze ou catorze vezes, mas nem dei bola. Nos desenhos animados, o aparelho teria vibrado a cada toque, mas é claro que algo assim não acontece na vida real. O telefone seguia tocando sem se mover sobre a mesa. Eu o contemplava enquanto bebia meu uísque.

Ao lado do aparelho estavam minha carteira, a navalha e a caixa que eu tinha recebido de presente. Disse a mim mesmo que seria melhor ver ainda hoje o que havia lá dentro. Talvez fosse algo que precisasse ser guardado na geladeira, um ser vivo ou algo muito valioso. Contudo, eu estava cansado demais para isso. Se fosse algo assim, o provável é que tivessem me avisado. Depois de esperar o telefone parar de tocar, bebi de um único gole o restante do uísque, apaguei a luz e fechei os olhos. Como se esperasse por isso, o sono me tomou como se fosse uma rede negra gigante. *Sei lá o que vai acontecer daqui pra frente*, pensei enquanto adormecia.

Quando acordei, a escuridão ainda reinava. O relógio marcava seis e quinze, mas não dava para saber se da manhã ou da tarde. Vesti uma calça, fui até o corredor e olhei a porta do apartamento vizinho. Como ali ainda havia o jornal matutino, compreendi que era da manhã. Nessas horas é bom assinar um jornal. Talvez eu devesse fazer o mesmo.

No final, eu tinha dormido quase dez horas. Meu corpo ainda clamava por descanso e eu até poderia dormir mais um pouco, já que não tinha nada para fazer, mas mudei de ideia e resolvi me levantar. A sensação agradável de acordar pela manhã junto com um novo sol intocável é insubstituível. Tomei uma ducha, lavei o corpo com cuidado e me barbeei. Depois dos meus habituais vinte minutos de ginástica, tomei café da manhã com o que tinha disponível. A maior parte da geladeira estava vazia, e eu precisava reabastecê-la. Sentei-me à mesa da cozinha e, tomando um suco de laranja, escrevi a lápis a lista de compras. Uma folha não foi suficiente, precisei usar duas. Fosse como fosse, o supermercado ainda não estava aberto, então decidi fazer as compras quando saísse para almoçar.

Joguei na máquina de lavar a roupa suja acumulada no cesto do banheiro e, enquanto esfregava o tênis na pia, me lembrei do presente misterioso do velho. Parei de lavar o calçado do pé direito, enxuguei as mãos com um pano de prato, voltei ao quarto e peguei a caixa. Continuava leve demais para o tamanho. Isso me causava uma sensação um tanto desagradável. Era mais leve do que o necessário. Alguma coisa não saía da minha cabeça. Algo como uma intuição profissional, mas sem nenhum motivo concreto.

Olhei em volta. O quarto estava imerso num silêncio estranho. Era como se o som tivesse sido suprimido, mas tentei tossir e o barulho saiu normal. Abri a navalha e bati na mesa com a parte posterior da lâmina, e também consegui ouvir o *tum tum* das batidas. Ao experimentar pela primeira vez a supressão acústica, ficamos algum tempo suspeitando de qualquer silêncio. Abri a janela da varanda e fiquei aliviado ao ouvir o barulho dos carros e o canto dos pássaros. Evolução ou não, o mundo precisa estar preenchido por vários sons.

Em seguida, cortei com a navalha a fita adesiva, tomando cuidado para não danificar o conteúdo. Dentro da caixa, em cima, havia várias páginas de jornal amassadas. Desdobrei duas ou três e as li, mas eram apenas notícias do *Mainichi* de três semanas atrás, sem nada de especial; assim, trouxe da cozinha um saco de lixo, amassei o papel e o joguei ali. Ao todo, dentro da caixa havia o equivalente a duas semanas de notícias. Tudo do *Mainichi*. Ao tirar os papéis, surgiram por baixo pedaços de isopor do tamanho do dedo mindinho de uma criança. Apanhei-os e os joguei no saco de lixo. Não fazia ideia do que havia na caixa, mas com certeza era um presente trabalhoso. Depois de jogar metade do isopor fora, apareceu algo que mais uma vez estava envolto em jornal. Já um pouco impaciente, fui à cozinha e voltei com uma lata de coca-cola gelada. Sentei-me na cama e a bebi sem pressa. Como quem não quer nada, comecei a cortar as unhas com a lâmina da navalha. Um pássaro de peito negro apareceu na varanda e comeu as migalhas espalhadas sobre a mesa, enquanto fazia seus sons habituais. Era uma manhã tranquila.

Por fim, recuperei o ânimo e retirei com suavidade de dentro da caixa o objeto envolto em jornal. A fita adesiva que cobria o embrulho o fazia lembrar um objeto de arte moderna. Parecia uma melancia comprida e estreita, mas muito leve. Tirei a caixa e a navalha da mesa e, com mais espaço, removi com cuidado a fita adesiva e o jornal. O que havia ali era o crânio de um animal.

Quem diria! Será que aquele velho realmente pensou que eu gostaria de receber um crânio de presente? Vamos combinar que quem dá um presente desses não deve bater bem da cabeça, pensei.

O formato do crânio se assemelhava ao de um cavalo, porém numa escala bem menor. Fosse como fosse, com base nos meus conhecimentos de biologia não parecia haver dúvidas de que esse crânio tinha estado sobre os ombros de um mamífero não muito grande, herbívoro, de focinho oblongo e dotado de cascos. Tentei me lembrar de animais que pudessem se enquadrar nesse perfil. Cervos, bodes, carneiros, antílopes, burros. Talvez houvesse mais, mas não fui capaz de recordar outros nomes além desses.

A princípio decidi deixar o crânio sobre o aparelho de tv. Não era exatamente um artigo de decoração, mas não encontrei nenhum lugar melhor para ele. Sem dúvida Ernest Hemingway o teria posto sobre a lareira, ao lado de cabeças de alces, mas obviamente não havia lareira no meu apartamento. Nem lareira, nem aparador, nem mesmo uma sapateira. Portanto, não havia outro lugar para colocar o crânio desse animal desconhecido a não ser em cima da tv.

Ao jogar fora o isopor que havia sobrado no fundo da caixa, encontrei no fundo algo fino e coberto por jornal. Quando abri, deparei com a pinça que o velho usava para dar batidinhas nos crânios. Eu a peguei e a contemplei por um tempo. Ao contrário do crânio, era bastante pesada, com o mesmo ar imponente da batuta de marfim usada pelo maestro Furtwängler para reger a Filarmônica de Berlim.

Como seria natural, fiquei em pé diante da TV com a pinça na mão e tentei bater ligeiramente com ela na testa do crânio do animal. Ouviu-se um *kuun*, semelhante à respiração nasal de um cão de grande porte. Fiquei surpreso, pois esperava um som mais duro, do tipo *koon* ou *katsun*, mas nem por isso reclamei de ter sido diferente do que havia imaginado. De todo modo, o problema real não mudaria se eu começasse a especular sobre o som emitido. Mesmo se reclamasse, o som continuaria igual; e se mudasse, não alteraria em nada a situação.

Quando cansei de admirar o crânio e bater nele, me afastei, sentei na cama, pus o telefone sobre os joelhos e disquei o número do agente oficial da System para confirmar o cronograma de trabalho. O meu encarregado atendeu, informou que eu tinha um trabalho agendado para dali a quatro dias e me perguntou se havia problema. Eu lhe disse que estava tudo ok. Para evitar questionamentos futuros, pensei em confirmar com ele sobre a legitimidade de usar o shuffling, mas desisti pois a conversa se alongaria. Os documentos eram oficiais e eu estava recebendo minha remuneração de acordo. Além disso, o velho disse que não havia passado o trabalho pelo agente para manter sigilo. De nada valeria complicar mais as coisas.

Fora isso, eu não gostava muito do meu encarregado. Era um homem de uns trinta anos, alto e magro, do tipo que acha que sabe tudo. Se possível, prefiro evitar me meter em uma situação que implicaria ter uma conversa difícil com alguém desse tipo.

Assim que terminamos de discutir brevemente o lado burocrático do próximo serviço, desliguei o telefone, me sentei no sofá, abri uma lata de cerveja e comecei a assistir a *Paixões em fúria*, com Humphrey Bogart. Eu adorava Lauren Bacall nesse filme. Claro, a atuação dela em *À beira do abismo* também é boa, mas sinto que em *Paixões em fúria* ela apresentou algo especial que não vejo em seus outros filmes. Revi o filme inúmeras vezes para entender o que seria, mas até agora ainda não encontrei uma resposta definitiva. Talvez seja uma característica alegórica necessária para simplificar a existência humana. Mas eu não poderia dizer com certeza.

Ao olhar para a TV, minha atenção naturalmente ia parar no crânio que estava em cima dela. Assim, eu não conseguia me concentrar no filme como de costume, e durante a cena em que irrompe o furacão eu pausei o vídeo e passei a observar o crânio enquanto bebia minha cerveja. Ao analisá-lo com cuidado, tive a impressão de já tê-lo visto antes, mas não conseguia lembrar como isso poderia ter acontecido. Tirei uma camiseta da gaveta, cobri o crânio com ela e continuei a ver *Paixões em fúria*. Então consegui dar toda a minha atenção a Lauren Bacall.

Às dez horas, saí de casa, comprei algumas coisas no supermercado ao lado da estação e depois fui à loja de bebidas para me abastecer de vinho tinto, tônica e suco de laranja. Passei na lavanderia para buscar um casaco e duas camisas; comprei na papelaria uma caneta esferográfica, envelopes e papel de carta; e adquiri a pedra de amolar mais fina do armarinho. Na livraria comprei duas revistas; na loja de artigos elétricos, lâmpadas e fita cassete; e na loja de artigos fotográficos, filme para Polaroid. Aproveitei para conferir a loja de discos e adquiri alguns. Por causa disso, o banco de trás do meu pequeno carro estava repleto de sacolas. Talvez eu tenha nascido consumista. Nas raras vezes em que vou à cidade volto cheio de compras, como em novembro, quando trouxe um esquilo.

Até meu carro foi adquirido com a única finalidade de fazer compras. Na ocasião, eu tinha tantas sacolas que não conseguia carregar. Por isso o comprei. Com os braços tomados por pacotes, entrei em uma concessionária de veículos usados, que vi por acaso, onde se enfileiravam automóveis de diversos tipos. Como eu não gostava tanto assim de carros e não sabia muito sobre o assunto, disse apenas: "Gostaria de um carro não muito grande, qualquer um serve".

O meu interlocutor, um homem de meia-idade, trouxe um catálogo e me mostrou várias opções para que eu decidisse o modelo, mas como eu não queria olhar o catálogo expliquei que eu queria um carro apenas para fazer compras. Não iria pegar estrada, não levaria mulheres para passear nem faria viagens em família. Não precisava de um motor potente, nem de ar-condicionado, som estéreo, teto solar ou pneus de alta performance. Eu queria um automóvel fácil de manobrar, com baixa emissão de gás carbônico, silencioso, resistente e confiável, enfim, um carro de pequeno porte eficiente. E se a cor fosse azul-marinho, então eu nada teria de que reclamar.

O vendedor me sugeriu um carrinho amarelo de fabricação nacional. A cor não me agradou muito, mas ao entrar nele notei que seu desempenho não era ruim e que era fácil manobrá-lo. Tinha um design simples, sem nenhum acessório supérfluo, o que se ajustava ao meu gosto, e por ser um modelo antigo o preço era bom.

— Isso sim é um carro — disse o vendedor. — Para ser honesto, todo mundo perdeu o juízo.

Respondi que concordava com ele.

Foi assim que me tornei proprietário de um carro exclusivo para compras. E, a princípio, não o uso para mais nada.

Quando terminei de comprar o que queria, deixei o carro no estacionamento de um restaurante próximo. Pedi cerveja, uma salada de camarão e onion rings, que comi sozinho, em silêncio. O camarão estava frio e as onion rings estavam moles. Passei o olho pelo salão e, como não vi nenhum cliente chamando a garçonete para reclamar ou atirando pratos no chão, decidi comer tudo sem me queixar. A expectativa é a mãe da decepção.

Da janela do restaurante era possível ver a autoestrada. Por ela passavam carros de diversos estilos e cores. Contemplando a cena, me lembrei do velho excêntrico e de sua neta obesa. Porém, por mais que pensasse neles com simpatia, não conseguia deixar de concluir que viviam em um mundo incomum que ia muito além da minha compreensão. Aquele elevador disparatado, o buraco gigantesco no fundo do guarda-roupa, os tenebrosos e a supressão acústica: tudo era insólito. Como se não bastasse, na volta recebi de presente o crânio de um animal.

Depois de comer, enquanto esperava o café, lembrei-me de cada detalhe do corpo da moça obesa para passar o tempo. Os brincos quadrangulares, o terninho rosa, os sapatos de salto alto, as panturrilhas, a nuca carnuda, o formato do rosto, essas coisas. Consegui evocar cada um deles com relativa nitidez, mas a imagem se tornava inusitadamente difusa quando tentava juntar tudo em um único corpo. Talvez porque fizesse muito tempo que eu não ia para a cama com uma mulher obesa eu não conseguia me lembrar bem do corpo da moça. A última vez tinha sido uns dois anos antes.

Porém, como disse o velho, mesmo assim existe no mundo uma miríade de tipos de corpos. Certa vez — sem dúvida no ano do incidente do Exército Vermelho — eu dormi com uma mulher obesa que tinha a cintura e as coxas incomuns. Ela trabalhava em um banco e, de tanto nos vermos no balcão, acabamos conversando, saímos para tomar um drinque e acabamos na cama. Só naquele momento percebi como a parte inferior de seu corpo era mais volumosa do que o usual. Por estar sempre sentada do outro lado do balcão, eu nunca tinha reparado. "É porque eu sempre jogava tênis de mesa quando era estudante!", ela me explicou, mas essa relação de causa e efeito me parecia incompreensível. Nunca tinha ouvido falar que, ao jogar tênis de mesa, só a parte inferior do corpo se desenvolvia.

No entanto, sua obesidade era muito charmosa. Quando eu repousava a orelha no osso da sua bacia, sentia como se estivesse deitado em um campo numa tarde ensolarada de primavera. Suas coxas eram macias como um futom arejado, descrevendo curvas suaves até chegar de forma tranquila ao púbis. Quando eu a elogiava — eu sou do tipo que quando gosta de algo logo anuncia — ela apenas dizia: "Ah, será mesmo?".

Claro que eu já dormi com mulheres que tinham proporções mais uniformes, e também com mulheres mais musculosas. A primeira era professora de órgão eletrônico, e a última era estilista autônoma. Existem várias características que vêm junto com o peso.

O ser humano parece ter uma tendência a se tornar mais científico quanto maior for o número de mulheres com quem já transou. O prazer do ato sexual começa a declinar aos poucos, acompanhando essa tendência. Claro que não existe cientificismo no desejo sexual em si. Porém, quando este percorre córregos, surge uma cascata de relações sexuais e, como consequência, chega-se a uma cascata transbordante de cientificismo. Logo, como os cães de Pavlov, nasce um circuito da consciência que liga o desejo sexual à cascata. Mas, no fim, talvez ache isso apenas por estar envelhecendo.

Parei de pensar no corpo da moça obesa, paguei a conta e saí do restaurante. Depois, segui até a biblioteca e perguntei à jovem magra de cabelo comprido que estava sentada atrás do balcão: "Você teria algum material sobre crânios de mamíferos?". Ela lia absorta um livro de bolso, mas ergueu o rosto para me encarar.

— Desculpe? — disse ela.

— Material... sobre crânios... de mamíferos — repeti, separando de forma clara os componentes da frase.

— *Crânios de mamíferos* — repetiu a moça, como se cantarolasse.

Dito assim parecia o título de um poema sendo informado pelo autor à plateia antes de recitá-lo. Imaginei que ela repetia daquela forma todas as consultas que lhe faziam. *História do teatro de marionetes. Introdução ao tai chi chuan.* Seria divertido se houvesse poemas com esses títulos.

Ela passou um tempo pensativa, mordendo o lábio inferior, até que disse: "Espere um pouco, por favor, vou pesquisar", e virando-se digitou no computador "mamíferos". Pipocaram na tela uns vinte títulos. Ela eliminou dois terços deles utilizando uma caneta óptica. Depois de salvar o restante na memória da máquina, digitou "ossatura". Surgiram sete ou oito títulos, dos quais ela manteve apenas dois, listando-os abaixo dos já salvos. As bibliotecas não são mais como antigamente. A época em que as fichas de empréstimo ficavam pregadas na contracapa dos livros agora parece um sonho. Quando eu era criança, adorava olhar as datas carimbadas.

Enquanto ela manuseava o teclado com as mãos hábeis, eu admirava suas costas esguias e o longo cabelo. Hesitei bastante se deveria sentir simpatia por ela ou não. Ela era linda, gentil, tinha um ar inteligente e falava como se recitasse títulos de poemas. Não parecia haver motivo para não gostar dela.

Ela apertou o botão *Copiar*, imprimiu uma cópia das informações e me entregou o papel.

— Escolha, por favor, entre esses nove livros — disse ela.

Os seguintes títulos estavam listados:

1. *Um guia dos mamíferos*
2. *Enciclopédia ilustrada dos mamíferos*

3. *A ossatura dos mamíferos*

4. *História dos mamíferos*

5. *Eu, o mamífero*

6. *Anatomia dos mamíferos*

7. *O cérebro dos mamíferos*

8. *A ossatura animal*

9. *Os ossos falam*

Eu podia pegar emprestados até três livros com meu cartão da biblioteca. Escolhi os de números dois, três e oito. *Eu, o mamífero* e *Os ossos falam* também pareciam interessantes, mas talvez não tivessem relação com o meu problema atual, assim os deixei para outra ocasião.

— Desculpe, mas a *Enciclopédia ilustrada dos mamíferos* é um livro de consulta, não pode ser retirado — informou ela, coçando a têmpora com a caneta.

— Sabe, é um caso muito importante. Não poderia me emprestar só por um dia? Prometo devolvê-lo amanhã, sem causar transtornos a você.

— Essas séries de enciclopédias ilustradas são muito populares. Se alguém descobrir que eu emprestei um livro de consulta levarei uma bronca dos meus superiores!

— Vamos, um dia só! Ninguém vai descobrir.

Ela hesitou por um momento. Enquanto isso, a ponta de sua língua tocava os dentes de baixo. Como sua língua rosada era graciosa.

— Ok, pode ser. Mas só desta vez, ouviu? E traga o livro de volta amanhã de manhã até as nove e meia.

— Obrigado — agradeci.

— Imagina — replicou ela.

— Inclusive, gostaria de lhe oferecer algo como forma de agradecimento. Posso fazer alguma coisa por você?

— Há uma sorveteria aqui em frente. Poderia comprar um sorvete para mim? Eu queria uma casquinha com duas bolas, sendo a de baixo de pistache e a de cima de café ao rum. Não vai esquecer?

— Uma casquinha com duas bolas, em cima de café ao rum, embaixo de pistache — confirmei.

Saí da biblioteca rumo à sorveteria enquanto ela seguiu até o fundo do prédio para pegar meus livros. Comprei o sorvete e, ao voltar, como ela ainda não estava ali, esperei imóvel em frente à mesa com o sorvete na mão esquerda. Às vezes os velhinhos que liam o jornal sentados nos bancos olhavam com curiosidade, revezando entre meu rosto e o sorvete na minha mão. Felizmente, estava bem consistente e até derreter demoraria algum tempo. Porém, eu me sentia desconfortável por estar segurando aquele sorvete imóvel, como se fosse uma estátua de bronze descartada.

Sobre a mesa estava o livro que a bibliotecária lia, virado para baixo como um coelhinho que adormeceu de bruços. Era o segundo volume de *O viajante do tempo*, uma biografia de H. G. Wells. Parecia ser dela, e não da biblioteca. Ao lado se enfileiravam três lápis bem apontados. E havia sete ou oito clipes de papel espalhados. Não entendia por que agora me deparava a todo momento com clipes de papel.

Quem sabe por alguma eventualidade os clipes de papel de repente começaram a invadir o mundo. Ou seria apenas uma coincidência, e eu estava dando mais importância a isso do que deveria. Porém, era algo antinatural e meio insólito. Como se tivesse sido planejado, aonde quer que eu fosse havia clipes espalhados à vista. Isso me intrigava. Nos últimos tempos, muita coisa me deixava assim. O crânio do animal, os clipes de papel... Parecia que havia algum vínculo entre eles, mas eu não saberia dizer qual relação poderia existir entre o crânio de um animal e um clipe de papel.

Por fim, a moça de cabelo comprido voltou com os três livros. Ela os entregou a mim e em troca pegou o sorvete, que tomou abaixada atrás do balcão, para ninguém ver. Admirei do alto sua nuca indefesa e linda.

— Muito obrigada — agradeceu ela.

— De nada — disse eu. — A propósito, você usa esses clipes para quê?

— *Clipes* — repetiu ela, como se cantarolasse. — Ora, são usados para prender folhas de papel! Você não sabe? Tem em todo lugar, todo mundo os usa.

Ela tinha razão. Agradeci, peguei os livros e saí da biblioteca. Havia clipes por toda parte. Com mil ienes é possível comprar clipes de papel suficientes para uma vida inteira. Passei numa papelaria e gastei mil ienes em clipes. Depois voltei para casa.

De volta ao apartamento, arrumei a comida na geladeira. Cobri a carne e o peixe com cuidado com papel-filme e deixei no congelador o que deveria ser congelado. Também guardei o pão e os grãos de café. Coloquei o tofu em uma tigela com água. Guardei as cervejas na geladeira e trouxe para a frente os legumes e verduras mais antigos. Pendurei a roupa no armário e organizei os detergentes na prateleira da cozinha. Em seguida, esparramei clipes de papel ao lado do crânio, em cima da TV.

Era uma combinação estranha.

Tão inusual quanto juntar uma almofada e uma raspadinha de gelo, ou um vidro de tinta de caneta e um pé de alface. Saí para a varanda e observei de longe os clipes e o crânio, mas minha impressão não mudou. Não havia pontos em comum entre eles. No entanto, devia haver uma ligação secreta, que eu não conhecia — ou da qual não me lembrava —, entre esses objetos.

Sentei na cama e durante um bom tempo observei a parte de cima da TV. Mas não me lembrava de nada. O tempo apenas se acelerava. Ouvi uma ambulância e um carro fazendo propaganda de um grupo de direita passarem. Tinha vontade de tomar um uísque, mas me contive. Precisava estar sóbrio por um tempo para poder raciocinar. Logo depois o carro fazendo propaganda do grupo de direita voltou pelo mesmo caminho. Talvez tivesse errado o trajeto. As ruas por aqui são cheias de curvas, é fácil um motorista se perder.

Desisti e me levantei, sentei-me à mesa da cozinha e folheei os livros que havia trazido da biblioteca. Antes de tudo, procurei as espécies de mamíferos herbívoros de porte médio, depois examinei cada uma das ossaturas. O número era muito maior do que eu supunha. Só de espécies de cervos havia mais de trinta.

Peguei o crânio, posicionei-o sobre a mesa da cozinha e o comparei com cada ilustração do livro. Durante uma hora e vinte minutos examinei a imagem dos crânios de noventa e três espécies diferentes, mas nenhuma correspondia ao que estava sobre a mesa. Me via outra vez em um impasse. Fechei os livros e depois de empilhá-los num canto da estante me espreguicei. Não restava mais nada a fazer.

Fui para a cama, me alonguei e pus para assistir *Depois do vendaval*, de John Ford, quando a campainha soou. Pelo olho mágico vi um homem de meia-idade trajando o uniforme da Companhia de Gás de Tóquio. Entreabri a porta, mantendo presa a corrente de segurança, e perguntei o que ele desejava.

— Vim fazer a vistoria periódica de vazamento de gás — informou o homem.

— Espere um pouco — respondi. Voltei para o quarto, peguei a navalha, guardei-a no bolso e só depois abri a porta.

Estranhei a atitude do homem, pois no mês anterior haviam feito a tal vistoria.

Apesar disso, fingi desinteresse e continuei a assistir a *Depois do vendaval*. O homem de início checou o gás do banheiro com um aparelho que parecia um medidor de pressão sanguínea, depois foi até a cozinha. O crânio do animal continuava sobre a mesa. Mantendo o som da TV alto, caminhei de forma sorrateira até lá. Como eu esperava, o homem estava justamente enfiando o crânio num saco preto de vinil. Abri a navalha, entrei de um salto na cozinha, agarrei-o por trás, prendendo seus braços, e encostei a lâmina bem embaixo do seu nariz. Na mesma hora o homem largou o saco sobre a mesa.

— Não fiz por mal — justificou ele com voz trêmula. — Quando pus os olhos nele, me bateu uma vontade imensa de pegar para mim e acabei colocando-o dentro do saco. Foi um impulso. Por favor, me perdoe.

— De jeito nenhum — contestei.

Onde já se viu um vistoriador de gás pegar por impulso o osso de um animal que viu sobre a mesa de uma cozinha apenas por ter sentido vontade?

— Se não disser a verdade corto sua garganta e acabo com você — ameacei.

Minhas palavras soavam falsas ao meu ouvido, mas o homem não parecia ter entendido dessa forma.

— Desculpe, vou contar a verdade. Me perdoe — pediu o homem. — Eu recebi dinheiro para roubar este objeto. Estava andando na rua quando dois homens se aproximaram e me perguntaram se eu não faria um servicinho para eles por cinquenta mil ienes. É o que me pagariam se eu conseguisse levar a peça para eles. Eu não queria, mas um deles era grande e senti que podia ser ruim se recusasse. Por isso fui forçado a vir. Eu imploro. Não me mate, por favor. Tenho duas filhas no ensino médio.

— As duas estão no ensino médio? — perguntei, com certo interesse.

— Sim, uma no primeiro e outra no terceiro ano — respondeu o homem.

— Hum. Em que escola?

— A mais velha está na Shimura, da prefeitura, a mais nova está na Futaba de Yotsuya — disse o homem.

A combinação era meio estranha, mas tinha um quê de verdade. Decidi acreditar nele.

Por via das dúvidas, mantive a navalha encostada na jugular do homem, tirei do bolso traseiro da calça dele a carteira e verifiquei o conteúdo. Havia sessenta e sete mil ienes e, desses, cinquenta mil eram em notas novinhas em folha. Além do dinheiro, havia também o crachá da Companhia de Gás de Tóquio e uma foto da família. As filhas vestiam roupas de Ano-Novo. Ambas estavam longe de ser particularmente bonitas. Como tinham um tipo físico parecido, era difícil julgar qual frequentava a escola Shimura e qual a escola Futaba. Havia também um passe de trem para o trajeto entre Sugamo e Shinanomachi. Pelo que vi o homem parecia inofensivo, por isso baixei a navalha e o soltei.

— Você pode ir — disse, devolvendo-lhe a carteira.

— Obrigado. Mas o que será de mim agora? Recebi o dinheiro, mas vou voltar sem o objeto.

Eu também não sabia o que aconteceria com ele. Os simbolistas — sem dúvida era coisa deles — se comportam de forma totalmente imprevisível dependendo da situação. Eles agem assim para que seja difícil perceber um padrão de conduta. Talvez arrancassem os olhos dele com uma faca, ou quem sabe lhe dariam mais cinquenta mil ienes em agradecimento pelo esforço. Era impossível saber.

— Então um deles é grande? — perguntei.

— Sim, um deles é gigante. E o outro é baixinho. Um metro e meio se muito. O pequeno estava bem-vestido. Mas os dois dão medo.

Ensinei a ele como chegar ao estacionamento pelo portão dos fundos, que dá para uma ruela e de fora é difícil perceber quando alguém passa por ali. Se tudo desse certo, ele poderia voltar para casa sem que os dois o vissem.

— Muito obrigado — agradeceu o homem, como se eu o tivesse salvado. — Posso pedir que não conte o que aconteceu para a empresa?

Prometi que ficaria de bico calado. Depois o empurrei para fora, tranquei a porta e passei a corrente. Em seguida, sentei-me na cadeira da cozinha, larguei a navalha sobre a mesa e tirei o crânio do saco de vinil. Pelo menos havia entendido algo. Os simbolistas estavam atrás daquilo, o que mostrava que era importante para eles.

No momento, estávamos numa situação equilibrada. Eu tinha o crânio, mas não sabia o que significava. Eles sabiam o que significava — ou tinham alguma noção —, mas não o possuíam. Era um empate técnico: fifty-fifty. Naquele momento, eu tinha duas opções. A primeira era contatar a System, explicar o que tinha acontecido e pedir que me protegessem dos simbolistas ou levassem o crânio embora. A outra seria falar com a moça obesa e pedir que me explicasse o que era aquilo. Porém, não me animava a ideia de envolver a System naquela situação. Se o fizesse, talvez passasse por um interrogatório maçante. Não sei lidar com essas grandes organizações. São muito rigorosas, o que demanda tempo e esforço. Há muitos idiotas ali.

Na prática, era impossível contatar a moça obesa. Eu não sabia o telefone do escritório. Poderia ir até lá, mas agora era perigoso sair, sem contar que sem ter um horário agendado era provável que não me deixassem entrar no prédio, ainda mais com aquela segurança tão rigorosa.

No final, decidi não fazer nada.

Peguei a pinça e voltei a bater de leve no crânio. Como antes, ele emitiu um *kuun*. Parecia o som que um animal desconhecido faria ao gemer melancolicamente. Peguei o osso e o observei com cuidado, imaginando por que emitia um som tão estranho. Bati mais uma vez com a pinça. O mesmo *kuun*. Prestando bastante atenção, o som parecia vir de um único local.

Bati várias vezes e por fim identifiquei de onde vinha. Era de uma cavidade rasa de seus dois centímetros de diâmetro no meio da testa. Passei a ponta do dedo nela. Senti que era mais áspera que o normal. Parecia que algo havia sido arrancado. O quê? Talvez um chifre...

Um chifre?

Se fosse isso mesmo, eu tinha em mãos o crânio de um unicórnio. Folheei de novo as páginas da *Enciclopédia ilustrada dos mamíferos* atrás de algum que tivesse um chifre na testa. Mas, por mais que procurasse, não havia animais assim. O mais próximo era o rinoceronte, mas, pelo tamanho e pelo formato, não era possível.

Sem alternativa, peguei gelo no congelador e me servi um Old Crow on the rocks. Anoitecia, e senti que não teria problema beber um uísque. Depois, abri uma lata de aspargos. Adoro aspargos brancos. Após comer tudo, devorei um sanduíche de ostras defumadas. E bebi uma segunda dose de uísque.

Decidi que seria mais fácil imaginar que o antigo dono desse crânio era um unicórnio. Caso contrário, as coisas não avançariam.

EU TINHA NAS MÃOS UM CRÂNIO DE UNICÓRNIO.

Nossa!, pensei. Por que tantas coisas esquisitas estão acontecendo? O que eu fiz, afinal? Sou apenas um calculador pragmático e autônomo. Não tenho ambições ou vontades. Não tenho família, nem amigos, nem uma namorada. Na medida do possível, pretendo economizar para me aposentar e envelhecer tranquilamente, aprendendo violoncelo ou grego. Por que preciso me envolver com coisas desconhecidas, como unicórnios ou supressão acústica?

Depois de terminar meu segundo on the rocks, fui até o quarto, procurei na lista telefônica o número da biblioteca e liguei, pedindo para falar com a "encarregada de consultas". Dez segundos depois a moça de cabelo comprido atendeu.

— *Enciclopédia ilustrada de mamíferos* — disse eu.

— Obrigada pelo sorvete — replicou ela.

— De nada — respondi. — Tudo bem se eu lhe fizer mais um pedido?

— *Pedido?* — perguntou ela. — Depende do que for.

— Gostaria que você pesquisasse para mim sobre unicórnios.

— *Unicórnios?* — repetiu ela.

— Tudo bem pedir isso? — perguntei.

Ela ficou um tempo em silêncio. Imaginei que talvez estivesse mordiscando o lábio inferior.

— O que eu devo procurar sobre unicórnios?

— Tudo — disse eu.

— Olha, agora são quatro e cinquenta. É um horário muito corrido porque a biblioteca está prestes a fechar! Não tenho tempo para isso. Por que não vem amanhã assim que a biblioteca abrir? Aí você pode pesquisar à vontade sobre unicórnios, tricórnios, o que for.

— Tenho muita pressa, é importante.

— Hum — exclamou ela. — Importante até que ponto?

— Tem a ver com a evolução — disse eu.

— *Evolução?* — ela repetiu, surpresa. Supus que se perguntava se eu era mesmo louco ou se só me passava por um. Torci para que optasse pela segunda. Assim, talvez sentisse algum interesse por mim. Ficamos um tempo em silêncio.

— Você está falando da evolução que dura milhões de anos? Não entendo bem, mas é algo que precise de tanta pressa? Não pode esperar nem mais um dia?

— Algumas evoluções demoram milhões de anos; outras, apenas três horas! Não consigo explicar por telefone. Mas gostaria que você acreditasse que é muito importante. Tem a ver com a nova evolução da humanidade.

— Do tipo *2001: Uma odisseia no espaço*?

— Acertou na mosca — falei.

Eu havia visto inúmeras vezes o filme.

— Você sabe o que eu penso realmente de você?

— Sinto que você está tentando decidir se eu sou um louco de boa índole ou mau caráter.

— Mais ou menos por aí — disse ela.

— Sou suspeito para falar, mas não sou um cara legal — afirmei. — Para ser sincero, nem mesmo doido eu sou. Quer dizer, um pouco teimoso e obstinado, alguém que odeia pessoas muito confiantes, mas louco não. Mesmo que já tenham me odiado, até agora nunca ninguém me chamou de maluco.

— Hum — ela murmurou. — Você fala como alguém normal. Não me parece má pessoa, até me deu um sorvete. Tudo bem, me encontre numa casa de chá perto da biblioteca às seis e meia da tarde. Eu lhe entrego o livro lá. Pode ser assim?

— Não é tão simples. Não consigo resumir, mas várias coisas me impedem de me afastar de casa agora. Lamento muito.

— Isso significa que... — respondeu ela. Pelo barulho, parecia que tinha batido nos dentes da frente com a ponta das unhas. — ... você está me pedindo para levar o livro até a sua casa? Não estou entendendo.

— Para ser honesto, seria isso — disse eu. — Claro que não estou pedindo, mas suplicando.

— Apelando para a minha boa vontade?

— Exato — concordei. — Existem mesmo várias circunstâncias.

Um longo silêncio se seguiu. Porém, ao ouvir soar a melodia de "Annie Laurie", anunciando o final do expediente na biblioteca, percebi que não era por causa da supressão acústica. A moça só estava calada.

— Trabalho aqui há cinco anos, mas nunca encontrei alguém tão descarado como você — disse ela. — Pedir para eu entregar um livro em casa. Só nos vimos uma vez! Será que você não se dá conta do próprio atrevimento?

— Estou certo disso! Mas não tenho escapatória. Estou de mãos atadas. Seja como for, só posso apelar para a sua boa vontade.

— É inacreditável — disse ela. — Bom, você pode me explicar como fazer para ir à sua casa?

Ensinei com prazer o caminho...

8
O coronel

— Talvez não seja mais possível você reaver sua sombra — declarou o coronel, enquanto tomava um café.

Como deve acontecer com a maioria das pessoas que passa anos dando ordens, ele mantinha a coluna ereta e o queixo projetado para a frente ao falar. Contudo, não demonstrava uma atitude arrogante ou impositiva. Sua longa carreira no exército apenas lhe concedera uma postura firme, uma vida regrada e um volume expressivo de lembranças. O coronel era o homem ideal para ter como vizinho. Era gentil, tranquilo e jogava xadrez muito bem.

— É como o guardião falou! — continuou o velho coronel. — Tanto na teoria como na prática, a princípio não é possível você ter a sua sombra de volta. Enquanto estiver nesta cidade, não pode ter uma sombra, e você nunca se afastará daqui. No jargão militar, chamaríamos isso de "beco sem saída". É possível entrar, mas impossível sair. Enquanto houver aquela muralha em volta da cidade...

— Nunca poderia imaginar que perderia a minha sombra para sempre — falei. — Achei que era provisório. Ninguém me explicou isso.

— Nesta cidade ninguém explica nada! — disse o coronel. — Aqui as coisas funcionam segundo regras próprias. Não interessa se alguém sabe ou não algo. Na minha opinião isso é lamentável.

— E o que vai acontecer com a minha sombra daqui em diante?

— Absolutamente nada! Vai só ficar onde está. Para sempre, até morrer. Você já se encontrou com ela desde que se separaram?

— Não. Fui várias vezes, mas o guardião não me permitiu visitá-la. Alegou questões de segurança.

— Então não há o que fazer — disse o velho, meneando a cabeça. — É função do guardião guardar as sombras e cabe a ele toda a responsabilidade. Infelizmente estou de mãos atadas quanto a isso.

Como você mesmo viu, o guardião é um homem mal-humorado e violento, não é do tipo que ouve a voz da razão. O jeito é esperar pacientemente até que alguma coisa mude.

— É o que vou fazer! — respondi. — Mas do que ele tem medo, afinal?

O coronel bebeu todo o café, devolveu a xícara ao pires, tirou do bolso um lenço e enxugou a boca. O lenço era velho e usado, embora bem cuidado e limpo, assim como as roupas que ele trajava.

— Ele teme que você e a sua sombra se unam. Se isso acontecer, ele terá de recomeçar tudo do zero.

Dizendo isso, ele voltou a prestar atenção ao tabuleiro de xadrez. Como esse jogo era diferente do que eu conhecia, com peças e movimentos distintos, o coronel acabava vencendo todas as partidas.

— Você vai deixar meu macaco comer o seu monge?

— À vontade — repliquei.

Em seguida, movimentei minha muralha para impedir a ofensiva do macaco.

O velho assentiu várias vezes com a cabeça e encarou o tabuleiro. A tendência da partida estava quase definida e a vitória do velho era certa, mas mesmo assim ele analisava em detalhes as jogadas possíveis, sem me atacar diretamente de forma arrogante. Para ele, o jogo não consistia em vencer o adversário, mas em desafiar a própria capacidade.

— É doloroso se separar de sua sombra e deixá-la morrer — continuou o velho enquanto movia seu cavaleiro na diagonal para bloquear de forma hábil o espaço entre a muralha e o rei. Com isso, o meu rei ficou completamente vulnerável. Bastariam três lances para o xeque-mate.

— A dor é sempre igual. Também foi assim comigo. É diferente quando arrancam a sombra e ela morre na infância, quando vocês ainda não estabeleceram uma relação, e na vida adulta. Deixei a minha morrer quando eu tinha sessenta e cinco anos. Nessa idade já se tem muitas recordações.

— Depois que a sombra é arrancada do corpo, quanto tempo mais ela costuma viver?

— Depende da sombra — esclareceu o velho. — Há algumas que são cheias de ânimo, outras não. Mas quando são arrancadas do corpo acabam não durando muito nesta cidade. Aqui não é propício a elas. O inverno é dolorosamente longo. Quase nenhuma resiste por duas primaveras.

Observei por um tempo o tabuleiro e ao final desisti.

— Mais cinco lances para você ganhar de mim — advertiu o coronel. — Vale a pena tentar.

Com mais cinco lances, é possível esperar uma falha do adversário. Só no final do jogo se sabe quem vai ser o vencedor.

— Vamos tentar — respondi.

Enquanto eu pensava, o velho foi até a janela, entreabriu a grossa cortina e observou a paisagem pela fresta.

— As próximas semanas serão as mais difíceis para você. É como quando perdemos um dente e o seguinte ainda não nasceu. Entende o que eu digo?

— Quando a sombra é arrancada do corpo, mas ainda não morreu?

— Isso — anuiu o velho. — Ainda me lembro bem! Não se consegue um bom equilíbrio entre *o que era antes e o que será a partir de agora*. Por isso existe uma hesitação. Porém, quando o dente novo aparece, a gente esquece o antigo.

— Isso significa que a alma desaparece?

O velho não respondeu.

— Desculpe por tantas perguntas — falei. — Não sei quase nada sobre esta cidade e vivo aturdido.

Há muitas coisas que não entendo neste lugar. Como as coisas funcionam, por que está cercado por uma muralha, por que os animais entram e saem todos os dias, o que significam os "velhos sonhos". E o coronel é a única pessoa a quem posso perguntar essas coisas.

— Eu mesmo não consigo entender por completo como as coisas funcionam aqui — disse tranquilamente o velho. — Há coisas que não é possível explicar em palavras, e outras cuja razão não deve ser esclarecida. Mas você não precisa se preocupar com nada. A cidade é em certo sentido justa. Ela mesma sem dúvida irá daqui em diante colocar tudo o que você precisa saber na sua frente. Você só terá de aprender cada coisa à medida que for aparecendo. Ouça bem, esta é uma cidade perfeita. Perfeição significa que há de tudo. Porém, se não for possível compreender de verdade, será como se não existisse nada. Um vazio absoluto. Tenha sempre em mente o seguinte: as pessoas podem ensinar muitas coisas, mas só aquilo que você aprende por si mesmo constitui parte de você. E isso o ajudará. Abra os olhos, apure os ouvidos, faça a cabeça trabalhar, compreenda o significado daquilo que a cidade lhe apresenta! Se você tiver uma alma, enquanto ela existir faça com que trabalhe. Isso é tudo o que posso lhe ensinar.

Se o bairro industrial onde a bibliotecária morava perdia seu brilho de outrora e entrava na escuridão, o bairro das residências oficiais, que se estendia pela parte sudoeste da cidade, se tornava cada vez mais pálido na luz seca. A umidade trazida pela primavera se diluía no verão e acabava erodida pelo vento invernal. As residências brancas de dois andares se enfileiravam ao longo da subida ampla e suave da "colina oeste". Originalmente tinham sido projetadas para abrigar três famílias em cada bloco, com apenas um hall de entrada no meio como área comum. O revestimento de cedro nas fachadas, os caixilhos das janelas, as varandas estreitas, os balcões, tudo estava pintado de branco. Tudo era branco até onde a vista alcançava. Na colina oeste havia todos os tons dessa cor. O branco recém-pintado que parecia artificial de tão brilhante; o meio amarelado pela longa exposição ao sol; o niilista que parecia ter sido usurpado pelo vento e pela chuva. Essas diversas tonalidades continuavam pelo caminho de seixos ao redor da colina. Não havia cercas. Ao pé das estreitas varandas só se viam canteiros oblongos de cerca de um metro. Eram muitíssimo bem cuidados, com crócus, amores-perfeitos e margaridas que floresciam na primavera, e cosmos no outono. Quando tudo estava florido, a aparência decrépita dos prédios se acentuava.

Seria possível afirmar que outrora o bairro teria sido um local de residências elegantes. Ao flanar pela colina, dava para observar em vários pontos vestígios desse passado. As crianças brincavam nas ruas, ouvia-se o som de um piano, o aroma de jantares quentes se espalhava. Podiam-se sentir na pele essas lembranças, como se atravessassem várias portas transparentes.

Como a própria designação do local evocava, no passado oficiais do governo residiam no bairro. Não os de alta ou baixa patentes, mas os que ocupavam posições intermediárias. Era um local onde as pessoas podiam levar a vida com tranquilidade.

Mas elas haviam desaparecido dali. Não se sabia para onde poderiam ter ido.

Depois desses oficiais, foi a vez de os militares reformados se instalarem no bairro. Abandonaram suas sombras e, como carcaças de insetos coladas em pontos ensolarados num muro, continuaram a levar suas vidas sossegadas na colina oeste, fustigada pelos fortes ventos da estação. Quase não havia mais nada para se protegerem. Em cada bloco residiam de seis a nove militares antigos.

O guardião me atribuiu como moradia um quarto em uma dessas residências oficiais. Nela viviam o coronel, dois capitães, dois primeiros-tenentes e um sargento. Este último se ocupava da cozinha e de serviços gerais, enquanto o coronel opinava sobre tudo. Assim como no exército. Todos os velhos eram pessoas solitárias que tinham perdido a chance de ter uma família por sempre terem estado envolvidas com preparativos e operações de guerra, organizar o pós-guerra e revoluções e contrarrevoluções.

Eles estavam acostumados a acordar cedo, tomar o café da manhã rápido e, sem que alguém ordenasse, começar suas tarefas. Um raspava com uma espécie de espátula a tinta antiga do prédio, outro arrancava ervas daninhas do jardim da frente, um terceiro reparava os móveis, enquanto outro descia a colina para buscar os alimentos distribuídos com uma carroça. Quando terminavam as tarefas matutinas, reuniam-se em algum local ensolarado para prosear sobre acontecimentos passados.

Fui acomodado num quarto no andar superior voltado para o leste. A vista não era das melhores, pois estava coberta pela colina em frente, mas mesmo assim era possível ver o rio e a torre do relógio. A parede estava repleta de manchas escuras e a janela ostentava um acúmulo de poeira branca, o que mostrava que há muito tempo o quarto não era usado. Havia nele uma cama velha, uma mesa de jantar pequena e duas cadeiras. Na janela havia uma cortina grossa e mofada. Em péssimo estado, a madeira do piso rangia a cada passo.

Pela manhã, o coronel, que ocupava o quarto ao lado, me visitava para tomarmos juntos o café da manhã, e à tarde jogávamos xadrez no quarto escurecido pelas cortinas cerradas. Nas tardes de sol, o xadrez era o nosso único passatempo.

— Deve ser ruim para um jovem como você ficar trancado em um quarto escuro com as cortinas fechadas num dia bonito como hoje, não? — disse o coronel.

— Tem razão.

— Só posso lhe agradecer por ser meu parceiro no xadrez. O pessoal daqui não se interessa muito por jogos. Até agora eu era o único disposto a uma partida.

— Por que você abandonou sua sombra?

O velho observava os próprios dedos, que recebiam a luz do sol que se infiltrava por uma fresta da cortina, mas logo se afastou da janela e veio sentar comigo à mesa.

— Bem — respondeu ele. — Provavelmente porque eu passei muito tempo protegendo esta cidade. Sem dúvida senti que minha vida perderia o sentido se abandonasse este lugar. Hoje sou indiferente a tudo isso.

— E chegou a se arrepender de ter se separado dela?

— Não me arrependo — sentenciou o velho, balançando a cabeça várias vezes. — Nunca me arrependi de nada! Não há nada de que deva me arrepender.

Eu comi o macaco com a minha muralha, ampliando o espaço de movimentação do rei.

— Lance habilidoso — elogiou o velho. — Com a muralha você protege os chifres e ao mesmo tempo libera o rei. Porém, também permitiu mais liberdade ao meu cavaleiro.

Enquanto o velho analisava com calma seu movimento subsequente, eu esquentei água e passei outro café. Imaginei que viveria muitas tardes como aquela. Quase não havia outra opção para mim naquela cidade murada.

9

Apetite, desilusão, Leningrado

Enquanto esperava por ela, preparei um jantar simples. Fiz um molho para salada com ameixas secas raladas, fritei sardinhas, que servi com tofu fatiado e inhame, e deixei preparado um cozido de carne com aipo. Não estava ruim. Como sobrou tempo, preparei espinafre cozido no gengibre e vagem ao molho de gergelim enquanto bebia uma cerveja. Depois, deitei na cama e ouvi um disco antigo de Robert Casadesus interpretando Mozart. A obra do compositor me comove mais quando a ouço em gravações antigas. Mas pode ser apenas implicância minha.

Já passava das sete da noite e a rua estava completamente escura, mas ela ainda não havia chegado. Deu tempo de ouvir os *Concertos para piano n. 23 e 24*. Talvez tivesse mudado de ideia e desistido de vir. Eu não poderia recriminá-la. Pensando bem, seria até mais natural que ela não viesse.

Quando eu tinha desistido e já escolhia o próximo disco, a campainha soou. Olhei pelo olho mágico e a moça do balcão de consultas da biblioteca estava de pé com alguns livros. Abri a porta ainda com a corrente de segurança e indaguei se havia mais alguém no corredor.

— Ninguém — ela confirmou.

Tirei a corrente, abri a porta e a deixei entrar. Logo depois tranquei a porta.

— Hum, que aroma delicioso — disse ela. — Posso dar uma olhada na sua cozinha?

— Vá em frente. Não havia ninguém com atitude suspeita na entrada do prédio? Alguém trabalhando em alguma obra na rua ou em um carro estacionado?

— Não vi ninguém — disse ela, jogando os livros que havia trazido na mesa da cozinha e abrindo uma por uma as tampas das panelas no fogão. — Você fez tudo isso?

— Sim! — exclamei. — Se estiver com fome, podemos jantar! Não é grande coisa, vou logo avisando.

— Não diga isso. Adoro esse tipo de comida.

Botei a comida na mesa e, admirado, a observei devorar um prato após o outro. Dá gosto cozinhar para alguém que come com tanto prazer. Preparei um Old Crow on the rocks e, para acompanhar, levei a fogo alto fatias grossas de tofu e salpiquei-as com gengibre ralado. Ela continuava a comer em silêncio. Ofereci uma bebida, mas ela recusou.

— Posso provar um pouco dessas tiras de tofu? — perguntou.

Dei para ela o que havia sobrado e bebi apenas o uísque.

— Se quiser tem arroz e ameixas secas, e posso preparar um misoshiru rapidinho — completei, por via das dúvidas.

— Seria maravilhoso — ela replicou.

Preparei o misoshiru com um caldo simples de atum seco, wakame e cebolinha, e servi arroz e ameixa seca. Ela devorou tudo num piscar de olhos. Quando os pratos estavam totalmente vazios e na mesa restava apenas o caroço da ameixa, ela enfim soltou um suspiro, satisfeita.

— Estava uma delícia. Obrigada — agradeceu.

Pela primeira vez eu via uma moça tão linda e esbelta comer com tanta voracidade. O apetite dela era realmente magnífico. Mesmo após ela ter terminado de comer, continuei a observá-la, entre admirado e atônito.

— Você sempre tem esse apetite? — perguntei.

— Sim! Sempre como esse tanto — disse ela, com uma expressão natural.

— E mesmo assim não engorda.

— Tenho dilatação gástrica — ela explicou. — Por isso, posso comer de tudo e meu peso não se altera.

— Hum — concordei. — Você deve gastar bastante com comida.

Ela havia comido sozinha até o que eu pretendia guardar para o almoço do dia seguinte.

— É incrível! — ela contou. — Quando como fora, costumo ir a dois restaurantes, um em seguida do outro. Primeiro faço uma espécie de aquecimento com lámen e gyoza ou algo parecido, depois vou atrás de uma refeição mais reforçada. Devo gastar quase todo o meu salário em comida.

Ofereci mais uma bebida. Ela disse que gostaria de cerveja. Peguei uma na geladeira e, para testar, trouxe um punhado de salsichas Frankfurt fritas. Não pude acreditar, mas enquanto eu comi duas, ela devorou todas as outras. Seu apetite era tão avassalador quanto uma metralhadora pondo abaixo um celeiro. A comida que eu tinha comprado para uma semana desapareceu num piscar de olhos. E eu pretendia usar aquelas salsichas para preparar um saboroso chucrute…

Quando lhe servi uma salada de batata já pronta misturada com wakame e atum, ela a devorou por completo acompanhada de uma segunda cerveja.

— Você não imagina como estou feliz! — disse ela.

Eu não tinha comido quase nada e só tinha bebido três doses de Old Crow on the rocks. De tão fascinado por vê-la comer até perdi o apetite.

— Se quiser sobremesa, tenho bolo de chocolate — experimentei dizer.

Claro que ela também comeu. Só de olhar senti como se eu fosse ter um refluxo. Gosto de cozinhar, mas sou do tipo que come com moderação.

Talvez por isso não tenha conseguido manter a ereção. Porque minha concentração estava toda no estômago. A última vez que isso tinha acontecido comigo na hora H tinha sido nos Jogos Olímpicos de Tóquio. Foi um grande choque, pois até aquele momento eu achava que dominava por completo essa capacidade física.

— Olha, está tudo bem, não precisa se preocupar! Não é nada tão sério — ela me consolou.

Após a sobremesa, ouvimos dois ou três discos enquanto bebíamos uísque e cerveja, depois fomos para a cama. Já dormi com muitas mulheres, mas era a minha primeira experiência com uma bibliotecária. E também nunca tinha convencido alguém a ter uma relação sexual comigo com tanta facilidade. Talvez porque eu a havia convidado para jantar. Mas no fim, repito, meu pau não subiu de jeito algum. Sentia meu estômago inchado como o de um golfinho e não consegui concentrar as forças no baixo-ventre.

Ela encostou o corpo nu ao meu e com o dedo médio acariciava o meu peito, subindo e descendo cerca de dez centímetros a partir do centro.

— Isso pode acontecer algumas vezes com qualquer um. Você não deve se preocupar tanto.

Porém, quanto mais ela me consolava, mais o fato de eu ter brochado se tornava incômodo. Lembrei-me de ter lido no passado que o pênis era mais lindo flácido do que ereto, mas isso não me serviu de conforto.

— Quando foi a última vez que você transou com uma garota? — ela perguntou.

Abri a tampa da minha caixa de memórias e por um tempo vasculhei com afinco o seu interior.

— Umas duas semanas atrás, com certeza — respondi.

— E deu conta do recado?

— Lógico — falei.

Notei que nos últimos tempos todos os dias alguém fazia alguma pergunta sobre minha vida sexual. Ou quem sabe isso estava virando moda?

— Foi com quem?

— Uma garota de programa. Chamei-a pelo telefone.

— E quando você transa com esse tipo de mulher... bem... não fica com certo sentimento de culpa?

— Não era uma mulher — corrigi. — Era uma moça de vinte ou vinte e um anos! Não me sinto nem um pouco culpado, mas revigorado, e evito complicações futuras. Além do mais, não foi a primeira vez que transei com uma garota de programa.

— E depois desse dia, você se masturbou?

— Não — respondi. — Depois daquele dia eu fiquei ocupado demais com meu trabalho. Se até hoje não tive tempo de pegar meu casaco predileto na lavanderia, que dirá bater uma punheta.

Ao ouvir minha resposta, ela assentiu com a cabeça, como se estivesse convencida.

— Deve ser por isso! — disse ela.

— Porque não me masturbei?

— Claro que não, seu bobo. Por causa do trabalho! Você estava tremendamente ocupado, não é?

— Sim. Anteontem passei vinte e seis horas seguidas sem pregar o olho.

— O que você faz?

— Algo relacionado com informática — respondi.

Eu sempre dou essa resposta vaga quando me perguntam sobre meu trabalho. Não é mentira, e como a maioria das pessoas não costuma conhecer bem coisas de informática, acabam desistindo de fazer mais perguntas.

— Com certeza por conta das longas horas de trabalho mental, muito estresse ficou acumulado, provocando essa incapacidade temporária. Acontece com frequência!

— Hum — respondi.

Deve ter sido isso. Além do cansaço, nestes últimos dois dias ocorreram muitas coisas incomuns, sem contar a tensão de ter visto aquele apetite espantosamente voraz. Enfim, tudo isso acabou me deixando temporariamente impotente. Era de fato plausível.

Mas senti também que a raiz do problema era mais profunda e não poderia ser explicada apenas dessa forma. Talvez houvesse um elemento a mais na história. Já estive tão cansado e nervoso quanto agora e sempre tive um desempenho sexual bastante satisfatório. Talvez o motivo fosse alguma particularidade da bibliotecária.

Alguma particularidade.

Dilatação gástrica, cabelo comprido, a biblioteca...

— Olha, experimenta encostar o ouvido na minha barriga — disse ela, e baixou o cobertor até os pés.

Seu lindo corpo era muito liso. Esbelta, não tinha nada de gordura. Os seios também eram do tamanho perfeito. Como ela pediu, encostei a orelha entre seus seios e o ventre plano como uma folha de papel. Só podia ser mesmo um milagre o estômago não estar nem um pouco inchado apesar do tanto que ela tinha comido. Parecia o casaco de Harpo Marx engolindo tudo com avidez. Sua pele era fina, macia, quente.

— Está ouvindo alguma coisa? — ela perguntou.

Prendi a respiração e apurei o ouvido. Além do batimento cardíaco lento, não escutei mais nada. Senti como se estivesse deitado em meio a um bosque tranquilo, tentando ouvir o som distante do machado de um lenhador.

— Não escuto nada — disse eu.

— Não consegue ouvir o barulho do meu estômago? — perguntou ela. — Da digestão?

— Não sei bem, mas talvez não esteja fazendo quase nenhum ruído. Só suco gástrico dissolvendo coisas. Mesmo se algum movimento peristáltico acontecer, não deve emitir um som forte.

— Mas agora eu consigo sentir de forma bem distinta o meu estômago trabalhar. Tente ouvir um pouco mais.

Sem me mexer, concentrei minha audição enquanto observava seu baixo-ventre e, mais adiante, seus túmidos pelos púbicos. Porém, não pude ouvir a atividade gástrica. Só o som do coração, batendo a intervalos regulares. Parecia uma cena de *A raposa do mar*. Logo abaixo de onde estava o meu ouvido, seu gigantesco estômago passava por uma digestão silenciosa, como havia feito o submarino onde estava Curd Jürgens.

Desisti, afastei o rosto do corpo dela, me recostei na cabeceira e passei o braço pelos seus ombros. Senti o perfume dos seus cabelos.

— Tem água tônica? — ela perguntou.

— Na geladeira — respondi.

— Quero tomar uma vodca com tônica. Posso?

— Lógico.

— Você quer algo para beber?

— Pode ser o mesmo!

Ela saiu da cama completamente nua e, enquanto preparava a bebida na cozinha, pus para tocar um disco de Johnny Mathis e voltei para a cama cantarolando baixinho. Eu, meu pênis flácido e Johnny Mathis.

— *The sky, it's a blackboard…*

Eu cantava quando ela voltou trazendo os dois drinques, usando como bandeja os livros sobre unicórnios. Bebemos dando pequenos goles naquela vodca forte, enquanto ouvíamos Johnny Mathis.

— Quantos anos você tem? — ela quis saber.

— Trinta e cinco — respondi.

Para não haver enganos, a melhor coisa é declarar os fatos de maneira concisa.

— Me divorciei há um tempo e agora estou sozinho. Não tenho filhos. Nem namorada.

— Tenho vinte e nove anos. Daqui a cinco meses completo trinta!

Voltei a olhar o rosto dela. Não aparentava essa idade. Vinte e dois, vinte e três no máximo. Sem *rugas* e com uma bunda bem empinada. Notei que eu estava perdendo minha capacidade de julgar a idade de uma mulher.

— Pareço mais jovem, mas juro que tenho vinte e nove! — ela continuou. — Agora, fala sério, tem certeza de que você não é um jogador de beisebol?

Fiquei tão surpreso que por pouco não derramei o drinque em meu peito.

— Que ideia — disse eu. — Há uns quinze anos eu não sei o que é jogar beisebol! O que a levou a pensar nisso?

— Achei que já tivesse visto o seu rosto na tv! Na verdade, eu só assisto a jogos de beisebol e ao noticiário. Então talvez o tenha visto em um telejornal?

— Nunca apareci num noticiário.

— Num comercial, talvez?

— Também não — falei.

— Bem, deve ter sido um sósia... Seja como for, você não tem cara de quem trabalha com informática! — disse ela. — E tem toda essa história de evolução, unicórnio, sem contar a navalha saindo do seu bolso...

Ela apontou para a minha calça no chão. Dava para ver a navalha saindo do bolso de trás.

— Faço processamento de dados relacionados à biologia. É um tipo de biotecnologia ligado a interesses empresariais. Por isso, devo tomar cuidado. Nos últimos tempos a pirataria de dados tem aumentado.

— Hum — respondeu ela, com cara de quem ainda não estava convencida.

— Você mesma usa um computador, mas não parece nada com quem trabalha com informática — argumentei.

Por instantes ela deu batidinhas com a ponta da unha nos dentes da frente.

— Mas, no meu caso, o trabalho é de nível administrativo. Só processo informações. Insiro os títulos dos livros por categoria, faço consultas, pesquiso a situação de empréstimo, coisas assim. Claro, também posso fazer cálculos... Depois de me formar na faculdade, frequentei uma escola técnica para aprender a mexer em computadores.

— De que tipo você usa na biblioteca?

Ela me informou o número do modelo. Era o intermediário para escritórios mais recente, com uma capacidade muito maior do que aparentava e, dependendo de como fosse usado, poderia executar cálculos bastante complexos. Usei um desses uma vez.

Enquanto eu pensava no computador de olhos fechados, ela preparou mais duas vodcas com tônica. Voltamos a nos recostar na cabeceira, um ao lado do outro, bebendo nossos drinques. Quando o disco terminou, a agulha da vitrola automática voltou a tocar o LP de Johnny Mathis. E cantarolei de novo: *The sky, it's a blackboard...*

— Formamos um belo par, não acha? — ela perguntou.

Às vezes o copo dela encostava na minha barriga, o que me causava arrepios.

— Belo par? — repliquei.

— Sim. Você tem trinta e cinco anos, e eu vinte e nove. Não acha que temos a idade ideal?

— A idade ideal? — respondi. O hábito dela de repetir as coisas como um papagaio parecia ter se transferido para mim.

— Estamos numa idade em que já nos conhecemos bem, somos solteiros e provavelmente nos daríamos muito bem. Eu não me intrometeria na sua vida, ficaria na minha... Você me detesta?

— Lógico que não — falei. — Talvez a gente forme mesmo um belo par: você com sua dilatação gástrica, eu com minha impotência.

Ela riu, estendeu a mão e segurou meu pênis flácido com delicadeza. Como era a mão que antes segurava o copo de vodca com tônica, estava gelada, e eu me segurei para não dar um pulo.

— Ele vai ficar bom logo — sussurrou ela ao pé do meu ouvido.

— Vou dar um jeito de resolver isso. Mas sem pressa! Como minha vida gira mais em torno do desejo de me alimentar do que do sexual, não há problema. Para mim, o sexo é como uma sobremesa bem elaborada. Se tem, ótimo; mas se não tiver não faz diferença. Desde que haja algo além do sexo que me satisfaça até certo ponto.

— Sobremesa — repeti.

— Sobremesa — ela reiterou. — Mas numa próxima oportunidade conversamos com calma sobre isso. Antes, vamos falar sobre os unicórnios. Afinal, foi com esse objetivo que você me chamou até aqui, não foi?

Assenti e deixei os copos vazios no chão. Ela soltou o meu pênis e pegou os dois livros que estavam na mesinha de cabeceira. O título de um era *Arqueologia dos animais*, de Burtland Cooper, e do outro, *O livro dos seres imaginários*, de Jorge Luis Borges.

— Folheei estes antes de vir. Resumindo, este aqui — ela pegou o de Borges — trata o animal chamado unicórnio como um produto da imaginação, assim como dragões e sereias, enquanto este outro — ela pegou o de Cooper — adota uma abordagem empírica que não exclui a existência do unicórnio. Porém, infelizmente em ambos há poucas descrições a respeito desses seres. Em comparação com as descrições de dragões e duendes, são inusitadamente poucas. Acho que isso se deve ao fato de a existência dos unicórnios ser extremamente discreta… Desculpe, mas foi tudo o que consegui encontrar na biblioteca.

— É suficiente! Só preciso ter uma visão geral do assunto. Obrigado.

Ela me estendeu os dois volumes.

— Se for possível, poderia ler em voz alta os pontos mais importantes? — pedi. — Entendo melhor as ideias gerais quando as escuto.

Ela assentiu, pegou *O livro dos seres imaginários* e o abriu na primeira página.

— "Assim como ignoramos o significado do universo, também não sabemos nada sobre o significado dos dragões" — leu ela. — Isso é mencionado no prólogo do livro.

— Interessante — respondi.

Depois, ela abriu em uma página mais para o final, na qual havia um marcador.

— Antes de tudo, você precisa saber que há dois tipos de unicórnios. O primeiro é uma versão ocidental e europeia originada na Grécia, o outro é o unicórnio chinês. Ambos se diferenciam substancialmente, tanto pelo formato externo quanto pela maneira como eram percebidos. Por exemplo, segundo Borges, os gregos o descreviam assim: "O unicórnio, com corpo de cavalo, cabeça de cervo, patas de elefante e cauda de javali. Seu mugido é grave; um chifre longo e negro se eleva no meio de sua testa. Dizem que é impossível capturá-lo vivo". Comparado com ele, o unicórnio chinês é descrito desta forma: "Tem corpo de cervo, cauda de boi e cascos de cavalo; o chifre que lhe cresce na testa é de carne; o pelo do lombo é de cinco cores mescladas; o da barriga é pardo ou amarelo". Viu como são completamente diferentes?

— Verdade — concordei.

— E não é só a aparência externa, mas também seu temperamento e significado se diferenciam radicalmente no Oriente e no Ocidente. O unicórnio visto pelos olhos dos ocidentais é feroz e agressivo. Afinal, ele possui três pés de altura, o que significa que tem um chifre de cerca de um metro. Segundo Leonardo da Vinci, só existe uma forma de capturar um unicórnio, que é se aproveitar de sua sensualidade. Quando uma donzela virgem é posta diante dele, seu apetite carnal se torna extremamente forte, a ponto de ele esquecer de atacar, apoiando apenas a cabeça no colo da donzela, subjugado. Creio que você entende o sentido de *chifre* aqui, não?

— Creio que sim.

— Por outro lado, o unicórnio chinês é sagrado e representa boa sorte. Junto com o dragão, a fênix e a tartaruga, é um dos quatro animais auspiciosos e ocupa o primeiro lugar entre os trezentos e sessenta e cinco animais quadrúpedes que existem no planeta. Tem temperamento dócil, caminha com cuidado para não pisotear nenhuma criaturinha viva e não se alimenta de grama verde, apenas de erva seca. Vive cerca de mil anos e sua aparição pressagia o nascimento de um rei virtuoso. Por exemplo, a mãe de Confúcio viu um unicórnio ao concebê-lo: "Setenta anos depois, caçadores mataram um k'i-lin que ainda tinha no chifre um pedaço de fita que a mãe de Confúcio havia atado ali. Confúcio foi vê-lo e chorou, porque sentiu o que pressagiava a morte daquele inocente e misterioso animal, e porque na fita estava o passado". Que tal? Não é interessante? Até o século XIII o unicórnio aparece na história chinesa. Quando o exército de Gêngis Khan planejava a invasão da Índia, uma ala avançada da cavalaria avistou nos desertos um unicórnio. Tinha a cabeça parecida com a do cavalo, um único chifre na testa e pelo verde, lembrava um cervo e era capaz de falar a linguagem humana. "Já está na hora de vosso senhor voltar para sua terra", disse ele. "Um dos ministros chineses de Gêngis Khan, consultado por ele, explicou que o animal era um chio-tuan, uma variante do k'i-lin. Já fazia quatro invernos que o grande exército guerreava nas regiões ocidentais; o céu, cansado de ver homens derramarem sangue de homens, enviara aquele aviso. O imperador desistiu de seus planos bélicos." Apesar de ser o mesmo unicórnio, há essa grande diferença entre o oriental e o ocidental. No Oriente, ele significa paz e tranquilidade, mas, no Ocidente, simboliza agressividade e concupiscência. Seja como for, o unicórnio é um ser imaginário e acredito que por isso receba diversos significados.

— Um animal de um único corno não existe de verdade?

— Existe o narval, da família dos golfinhos, e para ser exata não é um corno, mas um dente incisivo da mandíbula superior que cresce no topo da cabeça. Mede cerca de dois metros e meio, é bem reto e tem um padrão retorcido talhado como uma broca! Mas esse é um animal marinho especial e sem dúvida não era visto com frequência no mar na Idade Média. No caso dos mamíferos, por exemplo, entre os muitos animais que surgiram na época do Mioceno e foram sendo extintos, é possível encontrar alguns que se parecem com um unicórnio. Por exemplo...

Ao dizer isso, ela pegou a obra *Arqueologia dos animais* e a abriu em uma página quase na metade do livro.

— Na época do Mioceno, cerca de vinte milhões de anos atrás, estas duas espécies de ruminantes viviam na América do Norte. O da direita é um sintetoceras, e o da esquerda, um cranioceras. Ambos são tricórnios e com certeza um dos cornos é independente.

Peguei o livro e dei uma olhada na ilustração. O sintetoceras era um animal que parecia a junção de um cavalo pequeno com um cervo, tinha na testa dois chifres, como os de um touro, e na ponta do nariz um outro, longo e com a extremidade bipartida, formando um Y. O cranioceras tinha um focinho um pouco mais arredondado do que o sintetoceras, com dois chifres na testa parecidos com os de um cervo e, além deles, outro longo, afiado, projetado para trás e encurvado para o alto. Ambos tinham um quê de grotesco.

— Mas esses animais com número ímpar de chifres estão quase extintos — disse ela, tomando o livro das minhas mãos. — Se nos restringirmos aos mamíferos, os animais com um corno ou com número ímpar são extremamente raros, e da perspectiva do processo evolutivo são uma espécie de anomalia ou, colocando de outra forma, poderiam até ser chamados de órfãos da evolução. Mesmo não nos limitando aos mamíferos, se pensarmos, por exemplo, nos dinossauros, houve alguns gigantescos de três chifres, mas eram exceções. Ou seja, um chifre é uma arma extremamente centralizada e não é preciso ter três. Fica fácil entender se pensarmos em um garfo: com três dentes, a resistência aumenta e é mais difícil cravá-lo. Além disso, quando um bate em algo duro, de um ponto de vista cinético, existe a possibilidade de nenhum dos três penetrar o corpo do oponente.

"Além disso, no caso de haver mais de um inimigo, torna-se difícil, depois de ter enfiado os três chifres em um deles, retirá-los para investir contra outro."

— A resistência é grande e leva tempo — concluí.

— Exato — disse ela, cravando três dedos no meu peito. — Esse é o defeito de um animal de múltiplos chifres. Proposição número um. É mais funcional ter um ou dois cornos do que vários. Em seguida, os defeitos de um chifre só. Não, antes disso, talvez seja melhor explicitar de forma simples a necessidade de ter dois. O ponto positivo é em primeiro lugar o fato de permitir uma simetria entre esquerda e direita no corpo do animal. O comportamento de todos os bichos é regulado pelo equilíbrio entre os dois lados, ou seja, a repartição da forma em duas. O nariz tem duas narinas, e a boca funciona porque pode se dividir em duas partes, devido à simetria direita-esquerda. O umbigo é um só, mas é um tipo de órgão degenerado.

— E o pênis? — perguntei.

— O pênis e a vagina formam um conjunto. Como a salsicha e o pão num cachorro-quente.

— Interessante — disse eu.

Interessante.

— O mais importante são os olhos. Eles funcionam como uma torre de controle tanto para o ataque quanto para a defesa, portanto é mais racional que os chifres cresçam perto deles. Um bom exemplo é o rinoceronte. Basicamente, eles são animais de um único corno, mas extremamente míopes. Sua miopia é causada por terem apenas um chifre. Constitui uma deformidade. Mas, não obstante, o que permitiu sua sobrevivência foi o fato de serem herbívoros e revestidos de uma couraça dura. Por isso, quase não têm necessidade de se defender. Nesse sentido, pode-se dizer que o rinoceronte é morfologicamente muito semelhante aos dinossauros tricórnios. Mas o unicórnio, ao menos vendo pelos desenhos, certamente não pertence a essa linhagem. Eles não estão revestidos por couraça e são muito... como falar?...

— Vulneráveis? — disse eu.

— Sim. Em termos de defesa, são quase iguais aos cervos. Se ainda por cima forem míopes, é fatal! Mesmo com o olfato e a audição desenvolvidos, quando estiverem acuados não terão escapatória. Portanto, atacar um unicórnio é como atirar com uma espingarda de alta precisão em um pato que não pode voar! Além disso, outro defeito de se ter apenas um chifre é que será fatal caso ele se danifique. Ou seja, é como atravessar o deserto do Saara com um carro sem estepe. Entende o que quero dizer?

— Sim.

— Mais um defeito do corno único é o fato de ser difícil concentrar nele toda a força. Facilita a compreensão se compararmos os dentes molares e os caninos. É mais fácil imprimir força nos molares do que nos caninos, certo? Isso também se refere ao equilíbrio que comentei há pouco. Com as extremidades pesadas, quanto mais força você puser, mais o corpo como um todo ficará estável. O que acha? Com isso você entendeu que um unicórnio é um produto bastante defeituoso?

— Compreendi bem — falei. — Sua explicação foi ótima.

Ela abriu um sorriso e escorregou os dedos pelo meu peito.

— Mas não é só isso. Se pensarmos teoricamente, existe uma única possibilidade de o unicórnio ter escapado à extinção e sobrevivido. Esse é o ponto mais importante. Você faz ideia do que seja?

Cruzei os braços sobre o peito e refleti por um ou dois minutos. Mas só havia uma conclusão.

— A ausência de inimigos naturais — falei.

— Bingo! — disse ela, beijando minha boca. — Agora experimente estabelecer sob que condições ele não teria inimigos naturais — ela prosseguiu.

— Em primeiro lugar, seu habitat estaria isolado, o que impediria a invasão por outros animais — comecei. — Como em *O mundo perdido*, de Conan Doyle, poderia ser uma área muito elevada ou uma depressão profunda. Ou quem sabe um local cercado por muralhas altas, como a cratera de um vulcão extinto.

— Fantástico — ela exclamou, dando um peteleco acima do meu coração com o dedo indicador. — Na verdade, há registros da descoberta do crânio de um unicórnio sob condições semelhantes.

Engoli em seco de forma inconsciente. Quando menos esperava, aos poucos me aproximava do cerne da questão.

— Ele foi descoberto em 1917 no front russo. Em setembro de 1917.

— Um mês antes da Revolução de Outubro, durante a Primeira Guerra Mundial. O Gabinete de Kerenski — disse eu. — Pouco antes do início da eclosão do movimento bolchevique.

— Um soldado do Exército russo o descobriu quando cavava uma trincheira no front ucraniano. Ele acreditou se tratar do crânio de um boi ou de um alce e o jogou fora. Se as coisas tivessem terminado ali, o assunto teria sido sepultado numa treva da história, mas por acaso o tenente que comandava essa tropa havia feito pós-graduação em biologia na Universidade de Petrogrado. Ele recolheu o crânio, levou-o para o alojamento e o examinou em detalhes. E descobriu que pertencia a um animal de espécie desconhecida. Ele contatou de imediato o professor titular de biologia da Universidade de Petrogrado e esperou a chegada de uma equipe de pesquisadores, que nunca veio. Bem, naquela época a Rússia estava imersa num caos extremo, com greves eclodindo por toda parte e impedindo que provisões e medicamentos pudessem ser enviados ao front. As circunstâncias não permitiam de jeito nenhum o envio de uma expedição científica. Mesmo que fosse enviada e chegasse, quase não haveria tempo para pesquisar in loco. Quer dizer, o Exército russo sofria uma derrota atrás da outra, o front continuava a retroceder e toda a região devia ter sido dominada pelas tropas do Exército alemão.

— E o que aconteceu com esse tenente?

— Em novembro daquele ano, ele foi enforcado em um poste telegráfico. Esses postes ligavam a linha telegráfica da Ucrânia a Moscou, e a maioria dos oficiais originários da classe burguesa foi enforcada neles. Isso ocorreu apesar de o tenente não ter inclinações políticas, não sendo mais do que um estudioso de biologia.

Fui dominado pela imagem dos oficiais pendurados em postes telegráficos alinhados ao longo das planícies russas.

— No entanto, pouco antes de os bolcheviques tomarem o poder efetivo do Exército, ele entregou o crânio a um soldado de sua confiança que, por estar ferido, seria deslocado para a retaguarda, e a quem ele prometeu que, caso conseguisse entregar o objeto ao tal professor da Universidade de Petrogrado, seria muito bem recompensado. Porém, depois de ter tido alta do hospital, esse soldado só conseguiu visitar a Universidade de Petrogrado com o crânio em fevereiro do ano seguinte. Nessa época, a universidade estava fechada temporariamente. A situação não permitia manter instituições de ensino abertas, uma vez que os estudantes se empenhavam durante longos períodos na revolução, e grande parte dos professores havia sido banida e obrigada a se exilar! Sem alternativa, pensando em ganhar mais tarde o dinheiro, ele confiou a caixa onde o crânio estava guardado a seu cunhado, dono de uma estrebaria em Petrogrado, e regressou para seu vilarejo natal que ficava a cerca de trezentos quilômetros dali. Porém, esse homem, por algum motivo desconhecido, não pôde voltar a Petrogrado, e, por fim, o crânio acabou esquecido por muito tempo no depósito daquela estrebaria.

"Apenas em 1935 o crânio voltou a ver a luz do sol. Petrogrado tinha mudado de nome para Leningrado. Lênin estava morto, Trótski tinha sido banido, Stálin havia tomado o poder. Em Leningrado, quase ninguém mais montava a cavalo, portanto o dono da estrebaria vendeu metade do estabelecimento e começou na parte remanescente um pequeno negócio de venda de artigos de hóquei.

— Hóquei? — perguntei. — Hóquei era popular na Rússia soviética na década de 1930?

— Sei lá! É o que está escrito aqui. Mesmo após a revolução, Leningrado continuou a ser uma cidade cosmopolita, e devia haver ali muita gente que praticava hóquei.

— Deve ser isso — concordei.

— Seja como for, ao organizar o depósito, ele encontrou a caixa confiada pelo cunhado em 1918 e a abriu. Na parte superior havia uma carta endereçada ao tal professor da Universidade de Petrogrado, na qual estava escrito: "Favor oferecer uma boa recompensa a quem lhe entregar este objeto". Claro que o homem levou a caixa à universidade — que agora se chamava Universidade de Leningrado — e pediu para se encontrar com o professor. Entretanto, como este era judeu, havia sido enviado para a Sibéria na mesma época da derrocada de Trótski. Como o homem de quem receberia uma recompensa tinha desaparecido e como ele não pretendia cuidar pelo resto da vida do crânio de um animal desconhecido sem obter um centavo com isso, o homem procurou outro professor de biologia, explicou-lhe a situação e, após receber uma quantia irrisória, deixou o crânio na universidade e voltou para casa!

— Bem, aos trancos e barrancos, depois de dezoito anos, o crânio enfim chegou à universidade — falei.

— Então — recomeçou ela — esse professor examinou cada detalhe do crânio e chegou à mesma conclusão que o jovem tenente havia chegado dezoito anos antes. Ou seja, concluiu que não pertencia a nenhuma espécie de animal existente ou que pudesse ter existido no passado. O formato mais próximo do crânio era o de um cervo, e pelo tipo de mandíbula ele deduziu se tratar de um herbívoro ungulado, embora parecesse ter traços faciais mais proeminentes do que os daquele animal. Porém, a grande diferença para um cervídeo estava no fato de possuir no meio da testa um único chifre. Em outras palavras, era um unicórnio.

— Quer dizer que havia um chifre nesse crânio?

— Isso mesmo. Claro que não estava inteiro, havia apenas um resquício. Tinha sido quebrado a cerca de três centímetros da base, o que levou à suposição, a partir desse pedaço remanescente, de que teria no total uns vinte centímetros e devia ser retilíneo, como o chifre de um antílope. É o que está escrito. O diâmetro na base era de... deixa eu ver... cerca de dois centímetros.

— Dois centímetros — repeti.

O crânio que eu tinha recebido do velho também tinha uma concavidade de aproximadamente dois centímetros de diâmetro.

— O prof. Perov — era esse o nome do professor — rumou para a Ucrânia acompanhado de alguns assistentes e estudantes de pós-graduação e realizou durante um mês uma pesquisa in loco na área onde, no passado, a tropa do jovem tenente tinha cavado a trincheira. Infelizmente, não foi possível descobrir outro crânio igual, mas diversos fatos interessantes acerca daquela região foram esclarecidos. O local era chamado em geral de platô da Volínia, uma colina de relativa elevação a oeste da Ucrânia, em uma região de muitas planícies uniformes, constituindo uma das raras posições naturais de grande importância estratégico-militar. Graças a isso, na Primeira Guerra Mundial, os exércitos alemães, austríacos e russos travaram ali incontáveis combates violentos corpo a corpo, buscando se apoderar de cada metro do local, e na Segunda Guerra Mundial a região recebeu tantos ataques de artilharia das tropas de ambos os lados a ponto de o aspecto do planalto ter sido transformado, mas, e isso é uma história posterior, na época o interesse despertado no prof. Perov pelo platô da Volínia se deveu ao fato de ossadas de diversas espécies ali encontradas diferirem de maneira substancial da distribuição geográfica dos animais nessa região. Por essa razão, ele estabeleceu a hipótese de que o platô não teria tido o mesmo formato de agora na era pré-histórica, mas que possivelmente teria o aspecto de uma cratera vulcânica, que abrigaria em seu interior um ecossistema específico. Ou, como você disse, um "mundo perdido".

— Uma cratera vulcânica?

— Sim, um planalto de formato esférico cercado por uma muralha íngreme, que teria se erodido ao longo de milhões de anos até se transformar numa planície suave comum. E, em seu interior, o unicórnio, produto da evolução, vivia tranquilo, sem inimigos naturais. No platô havia fontes abundantes de água e o solo era fértil, o que torna essa hipótese teoricamente viável. E o professor apresentou à Academia de Ciências Soviética uma tese intitulada *Reflexão sobre o ecossistema no platô da Volínia*, embasando-a com um total de sessenta e três itens de espécimes de flora e fauna e provas geológicas, acompanhado do crânio do unicórnio. Isso foi em agosto de 1936.

— Talvez a tese não tenha tido boa aceitação, não? — indaguei.

— Exato. Quase ninguém o levou a sério. O pior de tudo, além disso, é que na época as universidades de Moscou e de Leningrado disputavam entre si o poder efetivo da academia científica. A situação era desfavorável para a Universidade de Leningrado, que provavelmente recebeu com total frieza uma pesquisa tão "antidialética". Mas ninguém poderia negar a existência do crânio do unicórnio. Quer dizer, independente da hipótese, havia ali uma realidade irrefutável. Por isso, alguns especialistas examinaram durante um ano esse crânio e foram obrigados a concluir que não se tratava de uma falsificação e que era sem sombra de dúvida de um animal de corno único. Por fim, o Comitê da Academia de Ciências declarou que o crânio era apenas de um cervo deformado, sem relação com o processo evolutivo e sem valor suficiente para se tornar alvo de pesquisas, devolvendo-o ao prof. Perov da Universidade de Leningrado. Ponto final.

"O prof. Perov continuou a esperar uma mudança nas circunstâncias e a chegada do momento oportuno em que os resultados de sua pesquisa seriam reconhecidos, mas, quando a guerra entre a Rússia e a Alemanha começou, em 1941, suas esperanças se esvaíram e, por fim, em 1943, ele faleceu em meio à desilusão. Durante o cerco de Leningrado, o crânio acabou desaparecendo. A Universidade de Leningrado foi totalmente destruída pelos ataques de artilharia do Exército alemão e bombardeios do Exército soviético, e o crânio sumiu. Dessa forma, a única prova da existência do unicórnio acabou desaparecendo.

— Isso significa que não há nada de concreto como prova?

— Além das fotografias, não.

— Fotografias? — perguntei.

— Sim, as fotos do crânio. O prof. Perov tirou cerca de uma centena de fotos. Parte delas escapou da devastação da guerra e está até hoje guardada nos arquivos da Universidade de Leningrado. Veja, aqui tem uma.

Peguei o livro das mãos dela e olhei a foto. Era pouco nítida, mas dava para distinguir mais ou menos o formato do crânio. Ele fora posto sobre uma mesa coberta por uma toalha branca e ao seu lado havia um relógio de pulso para mostrar por comparação o tamanho. No meio da testa um círculo branco fora desenhado para indicar a posição do corno. Não havia dúvida de que o crânio era do mesmo tipo daquele que eu tinha recebido do velho. A única diferença era o resquício da base do corno, que um tinha e o outro não, mas todo o resto parecia exatamente igual. Olhei para o crânio sobre o aparelho de tv. Coberto por uma camiseta, parecia um gato adormecido visto de longe. Hesitei se deveria ou não contar a ela que eu tinha aquele crânio, mas acabei decidindo me calar. Quanto menos gente souber de um segredo, mais ele continuará um segredo.

— Será mesmo que esse crânio foi destruído na guerra? — perguntei.

— Quem pode saber? — disse ela, enrolando a franja do cabelo com a ponta do dedo mindinho. — Segundo o livro, os combates no cerco de Leningrado foram violentos, destruindo todas as regiões da cidade como um rolo compressor. A área mais afetada parece ter sido aquela onde a universidade se localizava, o que leva a crer que o crânio tenha sido destruído. Claro, é possível que antes do início dos combates o prof. Perov o tenha surrupiado e escondido em algum outro lugar, ou o Exército alemão o tenha levado embora como troféu de guerra... Seja lá o que tenha acontecido, desde então ninguém mais viu o crânio!

Olhei mais uma vez a foto, fechei o livro com um golpe seco e o larguei ao lado da cama. Por um tempo ponderei se o crânio que eu possuía agora seria o mesmo que estivera guardado na Universidade de Leningrado ou se era de outro animal encontrado em um lugar distinto. O mais fácil seria perguntar diretamente ao velho: *"Onde o senhor conseguiu este crânio? Por que me deu de presente?"*, ou algo assim. Eu teria de me encontrar com ele quando fosse levar os dados do shuffling, e poderia então questioná-lo. Até lá, de nada adiantava ficar me afligindo com essa história.

Enquanto estava imerso nessas reflexões, olhando vagamente para o teto, ela pôs a cabeça no meu peito e colou seu corpo ao meu. Eu a envolvi nos meus braços. Sentia-me um pouco mais aliviado por ter dado uma pausa na questão do unicórnio, mas a situação do meu pênis não melhorou. Porém, sem parecer preocupada se eu conseguiria ou não uma ereção, a jovem continuava a desenhar com a ponta dos dedos figuras incompreensíveis na minha barriga.

10
A muralha

Numa tarde nublada desci até a cabana do guardião justo quando minha sombra o ajudava no reparo de uma carroça. Eles a haviam transportado até o meio da praça e, após arrancar as tábuas do fundo e das laterais, as substituíam por novas. O guardião aplainava com mãos experientes as tábuas novas, enquanto a sombra as pregava com um martelo. O aspecto da sombra não parecia ter mudado quase nada desde a nossa separação. Sua condição física não parecia ruim, mas seus gestos eram um pouco desajeitados e rugas flutuavam nos cantos de seus olhos, como se estivesse mal-humorada.

Ao me acercar deles, ambos interromperam o trabalho e ergueram o rosto.

— Deseja algo? — perguntou o guardião.

— Sim, gostaria de conversar com você — respondi.

— Daqui a pouco faremos uma pausa no trabalho. Pode esperar por mim lá dentro — disse o guardião, sem tirar os olhos de uma tábua que tinha acabado de raspar.

A sombra olhou mais uma vez para o meu rosto de relance, mas logo retomou sua tarefa. Senti que estava furiosa comigo.

Entrei na cabana do guardião e me sentei à mesa para esperá-lo. Como sempre, a mesa estava bagunçada. Ele só a arrumava quando afiava suas facas ali. Pratos e xícaras sujos, cachimbos, pó de café e aparas de madeira se amontoavam sem nexo. Apenas os objetos cortantes enfileirados nas prateleiras obedeciam a uma ordem fantástica.

O guardião custava a voltar. Distraí-me observando o teto com o braço sobre o espaldar da cadeira. Sobrava tempo demais na cidade, a ponto de ser desagradável. As pessoas naturalmente aprendiam do seu jeito a passar as horas.

Do lado de fora, o barulho da plaina e do martelo continuavam intermitentes.

Por fim, a porta se abriu, porém quem entrou não foi o guardião, mas minha sombra.

— Não tenho tempo para conversar com você — a sombra disse ao passar ao meu lado. — Só vim pegar uns pregos no depósito.

Ela abriu a porta dos fundos e pegou uma caixa à direita.

— Escute bem — ela disse enquanto comparava o comprimento dos pregos da caixa. — Em primeiro lugar, você fará um mapa desta cidade. E não o elabore perguntando às pessoas, mas confirmando tudo com seus olhos e suas pernas. Desenhe tudo o que vir sem esquecer de nada.

— Isso demorará um bom tempo — frisei.

— Basta me entregar até o final do outono — disse a sombra em tom apressado. — E quero também explicações por escrito. Sobretudo, preciso que você pesquise em detalhes o formato da muralha, suas entradas e saídas no bosque leste e no rio. É só. Entendeu?

A sombra disse apenas isso, abriu a porta e saiu sem nem sequer olhar o meu rosto. Depois que ela se foi, procurei repetir tudo o que ela dissera. O formato da muralha, suas entradas e saídas no bosque leste e no rio. Criar um mapa com certeza não é uma ideia ruim. É possível entender como a cidade está estruturada e é uma maneira de utilizar o tempo livre. Mas, mais do que isso, eu estava feliz ao ver que ela confiava em mim.

Pouco depois o guardião chegou. Ao entrar na cabana, primeiro enxugou o suor com uma toalha, em seguida limpou a sujeira das mãos. Feito isso, largou-se na cadeira diante de mim.

— Então, o que você quer?

— Vim ver minha sombra — falei.

O guardião assentiu várias vezes com a cabeça, encheu um cachimbo com tabaco e riscou um fósforo para acendê-lo.

— Por enquanto ainda não é possível — disse o guardião. — Sinto muito, mas ainda é cedo para isso. Nesta estação, as sombras ainda estão muito fortes. Espere até os dias encurtarem. Não me leve a mal.

Ao dizer isso, partiu o fósforo em dois e o depositou no cinzeiro deixado sobre a mesa.

— É para o seu próprio bem, ouviu? Se você se apegar demais a ela, as coisas se complicarão mais tarde. Já vi vários casos assim. Para o seu próprio bem, aguente um pouco mais.

Assenti com a cabeça, calado. O guardião não era do tipo que escutaria seu interlocutor e de qualquer forma eu tinha conseguido trocar algumas palavras com minha sombra. Só restava ser paciente e esperar que o guardião baixasse a guarda de novo.

Ele se levantou da cadeira, foi até a pia e bebeu vários copos de água.

— Seu trabalho está indo bem?

— Sim, estou me habituando aos poucos — respondi.

— Ótimo — disse o guardião. — Nada melhor do que executar bem seu trabalho. Quem não consegue fazer isso direito acaba pensando besteira.

Do lado de fora, o som da sombra martelando os pregos continuava.

— Que acha de passearmos um pouco juntos? — sugeriu o guardião. — Quero lhe mostrar algo interessante.

Eu o acompanhei e saímos. Na praça, minha sombra estava de pé pregando a última tábua da lateral. A carroça ficou como nova, com exceção do eixo e das rodas.

O guardião cruzou a praça e me levou até embaixo de uma torre de vigia da muralha. Era uma tarde quente e úmida, de céu nublado. O céu estava coberto por nuvens negras vindas do oeste, e a chuva poderia desabar a qualquer instante. A camisa do guardião estava empapada de suor e se colava ao seu corpanzil, exalando um odor nauseabundo.

— Esta é a muralha — disse ele e deu repetidos tapinhas nela com a palma da mão, como se fosse um cavalo. — Tem sete metros de altura e circunda por completo a cidade. Apenas os pássaros podem atravessá-la por cima. Este portal é o único acesso. Antigamente havia um portal leste, mas foi fechado e repintado. Como pode ver, a muralha é feita de tijolos, mas não são do tipo comum. Ninguém consegue danificá-los ou destruí-los. Nem um canhão, nem um abalo sísmico, nem uma tempestade.

Dizendo isso, o guardião apanhou do chão um pedaço de madeira e começou a afiá-lo com a navalha. A lâmina cortava maravilhosamente, e o cavaco logo se transformou em uma pequena cavilha.

— Olhe bem — disse. — Não há *juntas* entre os tijolos. Não é preciso. Estão tão unidos que não se conseguiria fazer passar um fio de cabelo sequer.

O guardião tentou introduzir entre os tijolos a ponta afiada da cavilha, mas ela não conseguiu entrar nem um milímetro. Em seguida, ele a jogou e com a lâmina raspou a superfície de um tijolo. Produziu-se um som estridente desagradável, mas não foi possível arranhar a peça. O guardião examinou a lâmina, fechou a navalha e a guardou de volta no bolso.

— Ninguém consegue danificar a muralha. Também não é possível escalá-la. Porque ela é perfeita. Lembre-se bem disso. Ninguém pode sair daqui. Portanto, não pense em fazer uma besteira.

Depois disso, o guardião pôs sua grande mão nas minhas costas.

— Sei o quanto tudo isso é doloroso para você. Mas todos temos de passar por isso. Aguente firme também. Contudo, mais tarde chegará a redenção. Quando isso acontecer, você não terá mais angústias e sofrimentos. Todos irão desaparecer. Essas emoções passageiras não têm nenhum valor. Não falo por mal, mas esqueça a sua sombra. Aqui é o Fim do Mundo. Aqui o mundo acaba, não há mais para onde ir. Por isso você não pode ir mais a lugar algum!

O guardião disse isso dando um tapinha nas minhas costas.

No caminho de volta, parei no meio da ponte velha e, encostado ao corrimão, observando o rio, refleti sobre tudo o que o guardião me dissera.

O Fim do Mundo.

Mas por que eu tive de abandonar o velho mundo e vir para este Fim do Mundo? Não conseguia me lembrar das circunstâncias, de qual era o sentido e o objetivo de tudo aquilo. Algo, alguma força, me enviara para aquele lugar. Uma força poderosa e absurda. Por causa dela, deixei minha sombra e minha memória e começava a perder minha alma.

Sob meus pés a corrente do rio produzia um som agradável. Havia um banco de areia no meio do leito onde cresciam salgueiros. Seus galhos pendiam em direção à superfície, oscilando tranquilamente ao sabor da corrente. A água do rio era bela e transparente e era possível ver peixes ao redor das rochas. Contemplar o rio sempre me fazia reencontrar a calma e a paz de espírito.

Da ponte, era possível descer ao banco de areia por uma escada. Havia um lugar para se sentar à sombra das folhas de um salgueiro e ao redor sempre havia alguns animais repousando. Eu costumava descer com frequência ali para alimentá-los com pedaços de pão que levava nos bolsos. Depois de hesitar várias vezes, eles estendiam timidamente a cabeça e vinham comer da palma da minha mão. Porém, os que faziam isso eram sempre os mais velhos ou os filhotes.

Com o avanço do outono, os olhos dos animais, que se assemelhavam às águas profundas de um lago, se intensificavam aos poucos com tonalidades sombrias. As folhas das árvores mudavam de cor e a grama secava, informando que a dolorosa e longa estação da fome se aproximava. E como o velho previra, para mim também provavelmente seria uma estação longa e dolorosa.

11
Roupas, melancias, caos

Os ponteiros do relógio indicavam nove e meia da manhã quando a moça se levantou da cama, recolheu a roupa espalhada pelo chão e se vestiu devagar, no seu tempo. Deitado na cama, apoiado em um cotovelo, eu observava de soslaio sua silhueta. Como um suave pássaro no inverno, sua maneira de vestir cada peça de roupa era delicada e calma, repleta de tranquilidade e destituída de movimentos supérfluos. Ela subiu o zíper da calça, abotoou de cima para baixo os botões da blusa e, por último, sentou-se na cama e calçou as meias. Depois, deu-me um beijo no rosto. Muitas são as mulheres que se despem de maneira sedutora, mas poucas as que se vestem de forma tão insinuante. Mal terminou, com o dorso da mão ajeitou os longos cabelos, levantando-os, e aquele gesto pareceu arejar o interior do quarto.

— Obrigada pelo jantar — ela agradeceu.

— Imagina — falei.

— Você sempre cozinha tanta coisa? — ela perguntou.

— Se não estiver muito ocupado com o trabalho — respondi. — Quando estou atarefado não cozinho. Como as sobras ou vou a algum lugar.

Ela se sentou numa cadeira na cozinha, tirou um cigarro da bolsa e o acendeu.

— Eu quase nunca cozinho! Não gosto muito, e fico frustrada quando penso que vou voltar para casa antes das sete, preparar um monte de coisa e acabar devorando tudo. Você não acha que é como se eu estivesse vivendo apenas para comer?

Talvez seja mesmo assim, pensei.

Enquanto eu me vestia, ela retirou um caderninho de anotações da bolsa e com uma caneta escreveu algo, arrancou a folha e me entregou.

— Meu número — ela disse. — Ligue quando quiser me ver ou quando sobrar comida. Prometo vir rapidinho.

Depois de ela partir levando os três livros sobre mamíferos para devolver à biblioteca, senti como se o interior do quarto estivesse imerso em um inusitado *silêncio*. De pé diante da TV, retirei a camiseta que cobria o crânio do unicórnio e voltei a observá-lo. Comecei a sentir que o misterioso osso poderia ser o mesmo que fora outrora desenterrado pelo desafortunado jovem tenente de infantaria no front ucraniano, apesar de não ter nenhuma prova. Quanto mais eu o observava, mais sentia flutuar ao redor dele uma espécie de *fatalidade*. Claro, eu poderia estar apenas influenciado por tudo o que tinha acabado de ouvir. Como quem não quer nada, voltei a dar batidinhas no crânio com a pinça de aço inox.

Depois, recolhi os pratos e copos e os lavei na pia, em seguida passei um pano de prato na mesa. Estava quase na hora de iniciar o shuffling. Para não haver interrupções, direcionei os telefonemas para a caixa postal, desliguei a campainha da porta e apaguei todas as luzes do apartamento, deixando apenas a da cozinha acesa. Eu precisava me concentrar sozinho por pelo menos duas horas.

Minha senha do shuffling era Fim do Mundo. Com base em um drama bastante pessoal com o mesmo título eu alinho os valores numéricos que foram objeto da lavagem cerebral para utilizá-los nos cálculos informáticos. Claro, quando falo em drama me refiro ao de um tipo bem diferente daqueles que passam com frequência na TV. É mais confuso e ilógico. Eu o chamo assim por pura conveniência. Porém, seja como for, nunca me falaram sobre o seu teor. Só sei que se intitula Fim do Mundo.

Foram os cientistas da System que a definiram. Passei um ano inteiro recebendo o treinamento para me tornar calculador e, após ser aprovado nos exames finais, eles me congelaram e por duas semanas pesquisaram em detalhes as minhas ondas cerebrais, extraíram do meu cérebro o que pode ser chamado de núcleo da minha consciência e definiram que ele seria a senha-drama do meu shuffling, devolvendo-o ao meu cérebro. Eles me informaram que a senha para o meu shuffling era Fim do Mundo. Assim, minha consciência passou a ter uma estrutura dual. Em outras palavras, primeiro existe o todo caótico da consciência e, em seu interior, como um caroço de ameixa seca, há o núcleo da consciência que resume esse caos.

Contudo, eles não me disseram qual o teor desse núcleo.

— Você não precisa saber isso — explicaram. — Porque neste mundo não há nada mais exato do que a inconsciência. Ao completar determinada idade (nós realizamos cálculos minuciosos que permitiram defini-la como vinte e oito anos), a consciência de um ser humano em sua inteireza não se altera mais. Aquilo que costumamos chamar de revoluções da consciência não passa de diferenças superficiais insignificantes nos movimentos de todo o cérebro. Portanto, o núcleo da sua consciência denominado Fim do Mundo não se alterará até o seu último suspiro. Você entendeu até aqui?

— Sim — disse eu.

— Todos os tipos de teorias e análises são como tentar dividir uma melancia com a pontinha de uma agulha. Podem deixar uma marca na casca, mas nunca conseguirão atingir a polpa. Justamente por isso, precisamos separar de forma clara a casca da polpa. Embora existam pessoas estranhas que se contentam em mordicar a casca.

"Seja como for — prosseguiram eles —, precisamos proteger para sempre sua senha-drama das oscilações superficiais da sua consciência. Suponhamos que explicássemos em minúcia a você o teor do Fim do Mundo. Ou seja, algo como tirar a casca da melancia. Se isso acontecesse, você com certeza tentaria mexer nela para modificá-la. Aqui é melhor ser assim; aqui seria bom acrescentar isso... E, ao fazê-lo, a universalidade dessa senha-drama se extinguiria num piscar de olhos, e o shuffling acabaria não se materializando."

— Por isso, nós atribuímos uma casca bem grossa à sua melancia — explicou outra pessoa. — Você pode acessar o núcleo, porque afinal ele é você. Porém, não poderá conhecê-lo. Tudo acontece em meio a um oceano caótico. Ou seja, você mergulha em um oceano caótico e sai dele de mãos vazias. Entende o que eu digo?

— Acredito que sim — disse eu.

— Existe uma outra questão — prosseguiu ele. — *O ser humano deve conhecer com clareza o núcleo de sua própria consciência?*

— Não entendo — respondi.

— Nós tampouco — disse ele. — Esse é um questionamento para além da ciência. Os cientistas que desenvolveram a bomba atômica em Los Alamos se depararam com o mesmo tipo de dúvida.

— Talvez seja um problema ainda mais grave do que Los Alamos — interveio outro. — De uma perspectiva empírica, somos obrigados a chegar a essa conclusão. Por isso, em certo sentido podemos dizer que esta é uma experiência extremamente perigosa.

— Experiência? — perguntei.

— Experiência — eles responderam. — Não podemos revelar nada além disso. Sentimos muito.

Depois, eles me ensinaram o método de shuffling. Deve ser executado sozinho, à noite, com o estômago nem cheio, nem vazio. E ouvindo três vezes um padrão de som. Dessa forma, eu posso acessar o drama denominado Fim do Mundo. Porém, na mesma hora que eu o acessar, minha consciência mergulhará no caos. No interior desse caos eu devo executar o shuffling dos valores numéricos. Quando estiver concluído, o acesso ao Fim do Mundo é liberado, e minha consciência também sai do caos. Depois, não me recordarei de nada. O shuffling reverso é literalmente o contrário desse processo. Para executá-lo deve-se ouvir o padrão sonoro nele utilizado.

Esse foi o programa implantado dentro de mim. Quer dizer, eu não era nada mais que uma espécie de túnel da inconsciência. Tudo apenas atravessava o meu interior. Por isso, sempre que executava o shuffling, eu me sentia extremamente indefeso e inseguro. Bem diferente da lavagem cerebral. Embora esta fosse demorada, eu podia ficar orgulhoso de mim mesmo ao executá-la, porque era obrigado a concentrar naquilo todas as minhas capacidades.

Em contrapartida, na operação de shuffling não havia orgulho, capacidade, absolutamente nada. Eu não passava de um instrumento. Alguém que eu não conhecia tomava minha consciência emprestada e a manipulava enquanto eu estava nesse estado de ignorância. Sentia que o fato de ser um calculador não tinha relação com as operações de shuffling.

No entanto, claro, eu não tinha direito de escolher um método de cálculo que me agradasse. Foram-me atribuídas licenças para os métodos de lavagem cerebral e shuffling, e eu era estritamente proibido de modificá-las ao meu bel-prazer. Se não estivesse satisfeito, a única coisa a fazer seria desistir do ofício de calculador. Eis algo que eu não pretendia. Desde que não tivesse desavenças com a System, não havia outra profissão comparável à de calculador que permitisse desenvolver livremente minhas capacidades individuais, além de fornecer uma renda substancial. Se trabalhasse durante quinze anos, poderia economizar o suficiente para viver com tranquilidade pelo resto dos meus dias. Para tanto, passei por inúmeros testes difíceis e estressantes e suportei treinamentos pesados.

Ingerir bebidas alcoólicas não é um impeditivo para o shuffling, e é até mesmo recomendado se for feito na quantidade adequada, pois permite aliviar a tensão, mas por uma questão de princípio pessoal eu sempre elimino todo o álcool do meu corpo antes do procedimento. Em particular, por ter ficado dois meses afastado dessas operações desde que o método fora "congelado", deveria tomar um cuidado especial. Tomei uma chuveirada fria, fiz ginástica por quinze minutos e mandei para dentro duas xícaras de café forte. Com isso, a embriaguez costuma desaparecer.

Depois abri o cofre, tirei dali a folha com os valores convertidos e um pequeno gravador e os coloquei um ao lado do outro na mesa da cozinha. Deixei preparados cinco lápis bem apontados e um caderno e me sentei.

Em primeiro lugar, coloca-se a fita cassete no gravador. Põem-se os fones de ouvido, aperta-se o play, avança-se o contador digital da fita até o dezesseis, em seguida retrocede-se para o nove e avança-se de novo até o vinte e seis. Trava-se por dez segundos até o número do contador apagar. A partir dali o sinal sonoro se inicia. Qualquer tipo de manuseio diferente leva ao apagamento automático dos sons da fita.

Ao terminar de ajustar o cassete, coloquei à minha direita um caderno novo e, à esquerda, os valores convertidos. Agora tudo estava preparado. A lâmpada vermelha indicava que todos os dispositivos de alarme da porta do quarto e de todas as janelas pelas quais alguém poderia invadir o apartamento estavam ligados. Não havia como errar. Estendi o braço, apertei o play, o sinal sonoro começou e enfim um caos silencioso e quente se instalou e me aspirou.

[Me]

Aspirou —— finalmente   Caos —→

......sonoro iniciou, começou e

12

O mapa do Fim do Mundo

Comecei a elaborar o mapa da cidade no dia seguinte ao encontro com a minha sombra.

Primeiro, subi no topo da colina oeste no final da tarde para observar os arredores. Porém, não era alta o suficiente para obter um panorama completo da cidade e, como minha visão já não é como antes, foi impossível distinguir claramente o formato da muralha. Só consegui entender até certo ponto a extensão do lugar.

Não era nem muito grande, nem muito pequeno. Ou seja, não era tão vasto a ponto de ultrapassar em muito a minha capacidade de imaginação e reconhecimento, mas tampouco exíguo de modo a permitir que eu o compreendesse por completo com facilidade. Isso foi tudo o que pude descobrir do alto da colina oeste. A alta muralha cercava toda a cidade, o rio a cortava de norte a sul e o céu do crepúsculo tingia as águas de cinza-escuro. Em determinado momento, o som de um berrante ressoou e o barulho dos cascos em marcha cobriu tudo como uma espuma.

No final das contas, a única forma de conhecer o formato da muralha seria caminhar ao longo de sua extensão. Contudo, essa não seria uma tarefa fácil. Eu só poderia caminhar do lado de fora em dias nublados ou ao entardecer e teria de tomar muito cuidado para não me afastar demais da colina oeste. Existia a possibilidade de mesmo com céu nublado o sol aparecer de repente quando chegasse ao destino, ou, então, começar a chover de maneira torrencial. Por isso, decidi perguntar todas as manhãs ao coronel a situação das nuvens. Suas previsões meteorológicas costumavam ser certeiras.

— É porque não tenho nada além disso para pensar — declarou o velho com um ar orgulhoso. — Se você observa todos os dias o movimento das nuvens, acaba conhecendo a condição climática.

Porém, mesmo ele não poderia prever variações bruscas e repentinas, então eu continuava correndo o risco de ser surpreendido ao sair para um local mais distante.

Além disso, na maioria dos casos perto da muralha havia arbustos, árvores e rochedos que dificultavam se aproximar dela ou vislumbrar seus contornos. As residências se agrupavam ao longo do rio que cortava o centro da cidade e bastava se afastar um pouco dessa região para ser difícil encontrar vias por onde fosse possível passar. Quando eu abria caminho por uma trilha pouco transitável, ela era interrompida bruscamente em algum ponto ou era engolida por moitas de plantas espinhosas, então eu precisava com esforço me desviar ou voltar por onde viera.

Decidi começar a explorar pela extremidade oeste da cidade, ou seja, saindo do portal oeste, onde se situava a cabana do guardião, e então dar uma volta pela cidade no sentido horário. De início tudo transcorreu de um modo bem mais tranquilo do que eu estava esperando. Perto da muralha, seguindo na direção norte a partir do portal, estendia-se uma pradaria plana com ervas que cresciam até a altura da cintura, sem nenhum tipo de obstáculo, e com um lindo caminho serpenteando em meio à relva. Na pradaria, pássaros que pareciam cotovias construíam seus ninhos, levantavam voo para traçar círculos no céu em busca de alimento e logo voltar ao local de partida. Viam-se outros bichos, embora em número menor. O pescoço e o dorso dos animais apareciam sobre as ervas, se movimentando devagar, como se flutuassem sobre a água, enquanto procuravam brotos verdes para comer.

Um pouco mais à frente, dobrando à direita após seguir ao longo da muralha, viam-se na direção sul antigos alojamentos militares em ruínas. Três prédios de dois andares cada, simples e sem ornamentos, se enfileiravam, e um pouco mais longe dali se agrupavam residências menores do que as oficiais, provavelmente destinadas a oficiais graduados. Entre os prédios havia árvores, e ao redor havia muros de pedra baixos, mas agora tudo estava revestido de ervas altas e não se via vivalma. Decerto os militares reformados que habitavam as residências oficiais haviam residido antes em um daqueles alojamentos. Algo os teria feito mudar para as residências oficiais na colina oeste e, por conta disso, os alojamentos militares acabaram em ruínas. Aparentemente a vasta pradaria fora utilizada na época como campo de treinamento militar, e havia aqui e ali vestígios das trincheiras escavadas e um pedestal de pedra para o mastro de uma bandeira.

Depois, seguindo bem para o leste, enfim terminava a pradaria plana e começava o bosque. Aqui e ali despontavam arbustos, até que finalmente eles se tornavam um bosque reconhecível. A maioria dos arbustos tinha diversos troncos finos, que cresciam entrelaçados com seus galhos e se estendiam até a altura de meus ombros ou de minha cabeça. Em volta deles crescia uma grande variedade de ervas, e por toda parte floresciam pequenas flores de cores escuras e do tamanho da ponta de um dedo. Conforme o número de árvores aumentava, o terreno se tornava mais abrupto e apareciam também plantas mais altas de diversas espécies em meio aos arbustos. O único som que se ouvia era o canto de algum passarinho ao se deslocar de um galho para outro.

Seguindo pela trilha estreita, as árvores se adensavam aos poucos e os galhos altos formavam uma cobertura acima de minha cabeça. E, conforme eu avançava, meu campo de visão ia sendo bloqueado, e assim eu não conseguia mais acompanhar o contorno da muralha. Sem opção, segui por um caminho estreito que dobrava em direção ao sul e, ao chegar à cidade, cruzei a velha ponte e voltei para casa.

Assim, mesmo com a chegada do outono, só pude traçar um perfil extremamente vago da cidade. Falando muito por alto, a topografia se alongava de leste a oeste, com o bosque norte e a colina sul sobressaindo nas respectivas extremidades. No lado leste se estendia uma floresta muito mais agreste e sombria do que o bosque norte ao atravessar o rio. Ali havia poucos caminhos. Um deles era transitável e percorria o curso do rio até o portal leste, permitindo distinguir o aspecto da muralha nos arredores. Como dissera o guardião, o portal leste havia sido lacrado com uma camada espessa de cimento e repintado, impedindo que fosse usado para entrada ou saída.

O rio se lançava com ímpeto pela crista leste e passava sob a muralha pela lateral do portal leste, ressurgindo diante de nós para então correr em linha reta pelo centro da cidade rumo ao oeste e formar charmosos bancos de areia nos arredores da ponte velha. Três pontes cruzavam o rio: a ponte leste, a ponte velha e a ponte oeste. A ponte velha era a mais antiga, extensa e bonita. Após cruzar a ponte oeste, o rio de repente virava para o norte e, fazendo um leve retorno para o leste, alcançava a muralha ao sul. Em frente à muralha o rio criava um vale profundo no flanco da colina oeste.

Porém, o rio não atravessava a muralha ao sul. Um pouco antes de chegar a ela, formava um lago e dali suas águas eram engolidas para dentro de uma caverna subaquática formada por rochas calcárias. Segundo o coronel, uma miríade de veios de água subterrânea circulava como numa malha por baixo da terra desolada de rochas calcárias, estendendo-se a perder de vista para além da muralha.

Claro que durante todo esse tempo eu continuei sem descanso a fazer minhas leituras de sonhos. Às seis da tarde, empurrava a porta da biblioteca, jantava com a bibliotecária e depois lia velhos sonhos.

Eu já conseguia ler cinco ou seis por noite. Meus dedos acompanhavam com habilidade os intrincados feixes de luz e eu comecei a sentir com mais nitidez suas imagens e ressonâncias. Ainda não compreendia o sentido do processo de leitura ou os princípios pelos quais esses velhos sonhos eram formados, mas pela reação da bibliotecária eu sabia que estava desempenhando minha função de maneira satisfatória. Meus olhos não doíam mais ao serem expostos à luz emanada pelos crânios e o cansaço era bem menor. A bibliotecária enfileirava cada crânio cuja leitura eu concluía no balcão. Quando eu retornava na noite do dia seguinte, não havia mais nenhum ali.

— Seu progresso é extremamente rápido — disse ela. — Parece que o trabalho está avançando melhor do que o previsto.

— Quantos crânios há, afinal?

— Uma quantidade absurda. Uns mil ou dois mil. Quer vê-los?

Ela me fez entrar no arquivo localizado atrás do balcão. Era um cômodo amplo e vazio que parecia uma sala de aula e tinha filas de prateleiras a perder de vista, todas com os crânios brancos dos animais. Mais do que um arquivo, aquilo parecia um cemitério. O ar glacial emanado dos mortos impregnava o ambiente calmo.

— Quê? — exclamei. — Afinal, quantos anos vou levar para ler tudo isso?

— Você não precisa ler todos! — ela exclamou. — Basta ler os que conseguir. Os que restarem serão lidos pelo próximo leitor de sonhos. Até lá, os velhos sonhos continuarão adormecidos.

— E você também ajudará o próximo leitor de sonhos?

— Não, eu só ajudo você, essa é a regra. Uma bibliotecária só pode ajudar um leitor de sonhos. Por isso, se você parar a leitura, eu também preciso sair da biblioteca.

Assenti com a cabeça. Não entendi a razão, mas me parecia óbvio. Por um tempo permanecemos encostados na parede, observando as fileiras de crânios brancos sobre as prateleiras.

— Você já foi até o lago sul? — perguntei.

— Sim, já fui. Faz muito tempo. Minha mãe me levou quando eu era criança. As pessoas comuns não vão até lá, mas minha mãe era um pouco excêntrica. Mas por que esse interesse pelo lago sul?

— Gostaria de ir vê-lo.

Ela fez que não com a cabeça.

— Aquele local é muito mais perigoso do que você imagina. Você não deve se aproximar do lago! Por que esse desejo de ir a um lugar como aquele?

— Quero conhecer um pouco mais sobre esta região. De cabo a rabo. Se você não quiser me acompanhar, irei sozinho.

Por um tempo ela me encarou e, por fim, soltou um pequeno suspiro, como se tivesse desistido.

— Está bem. Você não é do tipo que ouve conselhos, e eu me sentiria culpada por deixá-lo ir sozinho. Mas saiba de uma coisa. Eu tenho bastante medo daquele lago e não pretendo nunca mais voltar lá! Tem algo sobrenatural ali!

— Não se preocupe — assegurei. — Se formos juntos e tomarmos cuidado, não haverá o que temer.

Ela balançou a cabeça.

— Você nunca foi até o lago, então não sabe quão aterrorizante é. A água de lá não é normal, ela atrai as pessoas! Não estou mentindo.

— Tomaremos cuidado para não nos aproximar — prometi, segurando a mão dela. — Me basta observá-lo de longe. Quero apenas dar uma olhada.

* * *

Numa tarde escura de novembro, fomos ao lago sul depois do almoço. Pouco antes de chegar, o rio escavava um vale profundo na lateral da colina oeste. Por haver arbustos densos em seu entorno que bloqueavam o caminho, fomos obrigados a contornar pelo leste a parte de trás da colina sul. Durante a manhã havia chovido, e ao caminhar ouvíamos o som úmido de nossos passos sobre a espessa camada de folhas mortas que recobria o terreno. No meio do trajeto, dois animais vieram em nossa direção. Eles passaram ao nosso lado indiferentes, balançando devagar de um lado para o outro seus pescoços dourados.

— Os alimentos estão escasseando! — ela explicou. — O inverno se aproxima e todos procuram desesperadamente por frutos nas árvores. Por isso, os animais estão se deslocando até aqui, um local a que na verdade nunca vêm.

Depois de nos afastarmos da encosta da colina sul, onde o caminho terminava, não vimos mais sinais de criaturas. O ruído da água do lago chegava aos poucos até os nossos ouvidos enquanto caminhávamos sentido oeste, atravessando um vilarejo com casas abandonadas em ruínas numa planície ressequida e sem vivalma.

O som era diferente de todos os que eu tinha ouvido até aquele momento. Não era como o fragor de uma cascata, o uivo do vento ou o ribombar da terra. Assemelhava-se a um suspiro áspero exalado por uma garganta gigante. O som diminuía e aumentava, era interrompido de maneira intermitente e por vezes se mostrava confuso, como se tivesse engasgado.

— É como se berrasse algo para alguém — disse eu.

Ela apenas se virou para mim sem nada dizer e continuou a avançar na frente, abrindo caminho entre os arbustos com as mãos enluvadas.

— O trajeto está muito pior do que antigamente — ela disse. — Da última vez, não estava tão degradado! Talvez seja melhor voltar.

— Mas chegamos até aqui. Vamos até onde der.

Depois de caminharmos uns dez minutos em meio à vegetação áspera guiados pelo som da água, de súbito uma paisagem se descortinou. O terreno de arbustos terminava ali, e uma vasta planície se estendia diante de nós ao longo do rio. Via-se do lado direito um vale profundo cavado pelo rio. A corrente o atravessava e, alargando o rio, passava pelos arbustos até chegar à planície onde estávamos. Depois de dobrar a última curva perto da entrada da planície, o rio de súbito começava a estagnar e avançar devagar, enquanto sua cor mudava para um azul-escuro mal-agourento, inflando-se mais adiante como se fosse uma serpente engolindo uma presa pequena, criando ali o gigantesco lago. Caminhávamos margeando o rio naquela direção.

— Você não deve se aproximar! — ela exclamou, segurando de leve o meu braço. — Olhando apenas a superfície parece plácido e sem ondas, mas por baixo há redemoinhos medonhos! Se for puxado por um deles será o seu fim; nunca mais voltará à superfície!

— Quão profundo deve ser?

— É inimaginável! Os redemoinhos são como brocas que escavam de forma contínua. Portanto, não para de ficar mais fundo. Reza a lenda que outrora hereges e criminosos eram atirados aqui...

— E o que acontecia com eles?

— Uma vez lançadas, as pessoas nunca mais voltavam. Você deve ter ouvido falar das grutas, não? Debaixo do lago abrem-se inúmeras delas. Aqueles que são sugados para lá continuarão a vagar eternamente em meio às trevas.

Os sons da respiração gigante que se erguia do lago como vapor dominavam todos os espaços ao redor. Era como se o gemido de agonia de inúmeros mortos ressoasse das profundezas da terra.

Ela encontrou um pedaço de madeira do tamanho da palma de sua mão e o atirou bem no centro do lago. O pau bateu na água e flutuou na superfície por cerca de cinco segundos, mas de repente, após tremular um pouco, desapareceu na água, como quando alguém é agarrado e puxado pelo pé, e não retornou mais à superfície.

— Como eu lhe disse, no fundo se formam fortes redemoinhos! Agora você deve ter entendido, certo?

Nos sentamos em um local plano a cerca de dez metros do lago e mordiscamos o pão que eu tinha nos bolsos. Contemplando de longe, a paisagem ao redor estava plena de paz e serenidade.

As flores outonais coloriam os campos, as folhas das árvores tinham um vermelho vivo e, no centro, ficava o lago de superfície lisa como um espelho, sem qualquer ondulação. Do outro lado, erguia-se uma falésia de rochas de calcário branco encimada por uma muralha de tijolos negros. Exceto pelo som de respiração do lago, reinava completo silêncio ao redor, e mesmo as folhas das árvores não faziam um movimento sequer.

— Por que você deseja tanto um mapa? — ela quis saber. — Mesmo com um mapa em mãos, você nunca conseguirá sair desta cidade!

Ela limpou as migalhas de pão caídas sobre o joelho e olhou na direção do lago.

— Você quer sair da cidade?

Balancei a cabeça em silêncio. Ignorava se o gesto significava que não ou se era sinal de que eu ainda não havia decidido. Nem isso eu sabia.

— Não sei — falei. — Quero apenas conhecer melhor a cidade. Seu traçado, como está constituída, onde as pessoas habitam e como vivem. Quero conhecer aquilo que me impõe regras e o que faz com que eu me mova. Ignoro o que haverá no futuro.

Ela meneou devagar a cabeça e me olhou bem no fundo dos olhos.

— Não há futuro! — afirmou. — Você ainda não compreendeu? Estamos mesmo no Fim do Mundo. Não nos resta alternativa a não ser permanecer aqui para sempre!

Deitei-me de costas e olhei para o céu. Eu só podia ver no alto um céu sempre nublado e sombrio. Apesar de o solo molhado pela chuva matinal estar úmido e frio, meu corpo era envolvido por um aroma agradável de terra.

Alguns pássaros invernais levantaram voo dos arbustos e, após passar por cima da muralha, desapareceram no céu ao sul. Eles eram os únicos que podiam transpor o baluarte. As nuvens baixas espessas prenunciavam a chegada de um inverno severo.

13
Frankfurt, porta, organização independente

Como sempre, minha consciência foi retornando aos poucos, se organizando a partir das extremidades do meu campo de visão. De início, percebi a porta do banheiro à direita e a luminária à esquerda; por fim minha consciência foi aos poucos se deslocando para o centro, como o gelo que flutua até se juntar no meio do lago. Bem no centro do meu campo de visão estava o despertador, com seus ponteiros indicando onze horas e vinte e seis minutos. Foi uma lembrança da cerimônia de casamento de alguém. Para desligar o alarme é preciso apertar ao mesmo tempo o botão vermelho localizado no lado esquerdo e o botão preto, no lado direito. Sem isso, o alarme não para. É um mecanismo original para impedir que as pessoas, num padrão de comportamento bastante frequente, apertem por reflexo o botão sem despertar de fato e voltem a dormir. De fato, quando o alarme tocava eu era obrigado a me sentar na cama e colocar o despertador sobre os joelhos para conseguir apertar ao mesmo tempo, com ambas as mãos, os botões na esquerda e na direita e, então, minha consciência era forçada a dar um ou dois passos em direção ao mundo real. Correndo o risco de ser repetitivo, ganhei esse despertador de lembrança na cerimônia de casamento de alguém. Não me recordo de quem era. Quando eu tinha uns vinte e cinco anos, houve um ano em que vários amigos e conhecidos com quem eu ainda convivia se casaram, e em alguma dessas ocasiões ganhei esse despertador de presente. Eu nunca teria comprado por vontade própria um relógio tão complexo, que me obriga a apertar dois botões ao mesmo tempo para fazer o alarme parar. Até porque sou do tipo que acorda com extrema facilidade.

Quando meu campo de visão se concentrou no despertador, por reflexo peguei o relógio, coloquei-o sobre os joelhos e, com as duas mãos, apertei os botões vermelho e preto. Depois, percebi que desde o início o alarme não estava tocando. Eu não tinha ido dormir e, portanto, não havia necessidade de configurar o alarme para tocar, só o tinha deixado na mesa da cozinha. Eu tinha feito um shuffling. Por isso, não precisava desligar o despertador.

Devolvi o relógio e olhei ao redor. O aspecto do cômodo não tinha mudado nada. A lâmpada vermelha do alarme que eu instalara na porta indicava que ele estava ligado, e num canto da mesa havia uma xícara de café vazia. Sobre o porta-copo usado como cinzeiro havia a guimba do último cigarro fumado por ela. Era um Marlboro Light. Não tinha marca de batom. Pensando bem, ela não estava maquiada.

Depois, verifiquei o caderno e os lápis que estavam à minha frente. Dos cinco lápis bem apontados, dois estavam quebrados, outros dois totalmente gastos e apenas um permanecia inteiro. Tinha ainda no dedo médio da mão direita um formigamento leve, como o que sentimos quando escrevemos durante muito tempo. O shuffling fora concluído. Os valores numéricos estavam anotados em uma caligrafia fina e comprimida e ocupavam dezesseis páginas.

Conforme instruído no manual, depois de comparar os itens da lista de valores convertidos na lavagem cerebral com os valores numéricos resultantes do shuffling, joguei a primeira lista na pia e a queimei. Guardei o caderno numa caixa de segurança e a tranquei no cofre com o gravador. Em seguida, sentei-me no sofá e suspirei. Com isso eu havia terminado metade do trabalho. Pelo menos ainda tinha um dia livre.

Servi num copo dois dedos de uísque e o bebi em dois goles, de olhos fechados. O álcool morno atravessou a garganta, escorreu pelo esôfago e chegou ao estômago. Por fim, esse calor se espalhou pelas minhas veias e foi levado para todo o meu corpo. Primeiro, o peito e a face ficaram vermelhos, depois as mãos esquentaram e, por último, meus pés ficaram aquecidos. Fui ao banheiro escovar os dentes, bebi dois copos de água, urinei, depois fui à cozinha, onde apontei de novo os lápis e os arrumei na caixa. Feito isso, pus o despertador sobre a mesinha de cabeceira e desliguei a caixa postal, restabelecendo o telefone. O relógio indicava onze horas e cinquenta e sete minutos. Restava-me ainda o dia seguinte. Despi-me às pressas, vesti o pijama, deitei na cama e, depois de puxar o cobertor até quase o queixo, apaguei a luz do abajur. Decidi dormir doze horas seguidas.

Ninguém iria me perturbar em minhas doze horas de sono. Mesmo que os pássaros cantassem, que as pessoas deste mundo tomassem o trem para ir trabalhar, que um vulcão entrasse em erupção em algum lugar do planeta, que comandos israelenses destruíssem um vilarejo qualquer no Oriente Médio, eu continuaria dormindo.

Depois devaneei sobre como seria minha vida quando me aposentasse. Eu havia economizado um bom dinheiro que, junto com a minha pensão, me permitiria levar uma vida sossegada aprendendo grego e violoncelo. Iria de carro com o instrumento no banco de trás para as montanhas, onde praticaria até me saciar.

Se tudo corresse bem, talvez até pudesse comprar uma casa de veraneio na serra. Uma cabana pequena e graciosa, com uma cozinha bem equipada. Eu passaria os meus dias lendo livros, ouvindo música, assistindo a filmes antigos em vhs e cozinhando. E quando pensei em cozinhar me veio à mente a moça de cabelo comprido responsável pelas consultas na biblioteca, e senti que não seria má ideia se ela estivesse comigo na casa da montanha. Eu cozinharia, ela comeria.

Contudo, enquanto pensava no que cozinhar, acabei dormindo. O sono caiu de súbito sobre mim como se o céu desabasse. O violoncelo, a cabana na montanha, a comida, tudo se esvaiu no ar. Apenas eu permaneci dormindo pesado como um atum.

Alguém abriu um buraco na minha cabeça com uma broca e enfiou ali algo que parecia uma fita de papel resistente. Parecia ser extremamente longa, porque não parava de entrar. Eu tentei afastá-la agitando a mão, mas, por mais que o fizesse, a fita penetrava cada vez mais.

Sentei na cama e passei as mãos abertas pela lateral da cabeça, mas não havia nem sinal da fita. Tampouco um buraco. Tocou um sinal. Continuava a tocar. Peguei o despertador, coloquei-o sobre os joelhos e apertei os botões vermelho e preto. Porém, nem assim o sinal parou de soar. Era o telefone. Os ponteiros do relógio indicavam quatro horas e dezoito minutos. Do lado de fora ainda estava escuro, o que significava que eram quatro horas e dezoito minutos da manhã.

Saí da cama, caminhei até a cozinha e atendi o telefone. Sempre penso em deixar o aparelho no quarto antes de dormir, mas acabo esquecendo. Então, quando me levanto para atender, acabo batendo a canela na mesa ou no fogão.

— Alô — falei.

Estava silencioso do outro lado da linha. Um silêncio completo, como se o telefone tivesse sido enterrado na areia.

— ALÔ! — berrei.

Mas o silêncio persistia. Não dava para ouvir respiração nem o menor ruído. Isso me deu a sensação de que eu poderia ser arrastado através da linha telefônica. Irritado, desliguei, fui até a geladeira e bebi grandes goles da garrafa de leite, depois voltei para a cama.

O telefone voltou a tocar às quatro horas e quarenta e seis minutos. Saí da cama e, após refazer o trajeto, tirei o fone do gancho.

— Alô — falei.

— Alô — respondeu uma voz feminina.

Não consegui reconhecer de quem era.

— Desculpe por agora há pouco. O campo sonoro está conturbado. De vez em quando o som desaparece por completo — explicou a mulher.

— O som desaparece?

— Sim, isso mesmo — ela confirmou. — Há pouco aconteceu isso. Com certeza deve ter ocorrido algo com o meu avô. Você está me ouvindo?

— Sim — respondi.

Era a neta daquele velho estranho que tinha me dado de presente o crânio do unicórnio, a moça obesa de terninho cor-de-rosa.

— Nada do meu avô voltar. E de repente o campo sonoro começou a ficar conturbado! Com certeza algo muito ruim aconteceu. Tentei telefonar para o laboratório, mas ninguém atende... Os tenebrosos devem ter feito algo terrível com ele.

— Tem certeza? Ele pode apenas não ter voltado por estar concentrado nos experimentos. Da outra vez, ele demorou uma semana para perceber que tinha suprimido o seu som. Seja como for, ele é do tipo que quando se entrega a algo esquece todo o resto.

— Você está enganado. Não é isso. Sei bem do que estou falando. Entre mim e meu avô existe um vínculo que nos permite saber quando ocorre algo com o outro! Eu sei que aconteceu alguma coisa com ele!

E muito ruim. A barreira acústica ter sido quebrada comprova isso. Por esse motivo o campo sonoro lá embaixo está totalmente conturbado.

— O que isso significa?

— A barreira acústica é um dispositivo que emite sons especiais para impedir os tenebrosos de se aproximarem. Ela foi quebrada com violência, provocando uma perturbação em todo o equilíbrio sonoro aqui perto. Não há dúvida de que meu avô foi atacado pelos tenebrosos.

— Para quê?

— Todos estão de olho nas pesquisas dele! Os tenebrosos, os simbolistas... Eles estavam tentando se apossar de suas descobertas. Fizeram uma proposta, mas meu avô a recusou e isso os deixou terrivelmente enfurecidos. Venha logo, por favor. Algo muito ruim está para acontecer. Eu imploro, me ajude.

Tentei imaginar os tenebrosos vagando pelos caminhos subterrâneos assustadores como se mandassem ali. A simples ideia de descer naquele lugar me provocava arrepios.

— Olha, não me leve a mal, mas meu trabalho é calcular. Meu contrato não prevê nenhum outro serviço, além disso não é algo que esteja ao meu alcance. Claro que eu faria de boa vontade tudo para ajudar! Mas não seria capaz de lutar contra os tenebrosos para resgatar o seu avô. Pessoas com treinamento especial devem fazer isso, como a polícia ou quem sabe os profissionais da System.

— Envolver a polícia não é uma opção! Se pedir a eles, tudo virá a público, o que seria terrível. Revelar o que meu avô está pesquisando agora seria o Fim do Mundo!

— O Fim do Mundo?

— Por favor — pediu a moça. — Venha logo me ajudar. Ou a situação se tornará irremediável. O próximo alvo, depois do meu avô, será você!

— Por que eles estariam atrás de mim? Se fosse você eu entenderia, mas eu não sei nada das pesquisas de seu avô.

— Você é a chave! Sem você, a porta não se abre.

— Não estou entendendo nada — falei.

— Não tenho tempo para dar detalhes por telefone. Mas é um assunto muito sério. Muito mais do que você imagina! Seja como for, acredite em mim. Isso é algo crítico *para você*. É preciso agir antes que seja tarde demais. Não é mentira.

— Caramba — eu disse, olhando o relógio. — De todo modo, é melhor você sair daí. Porque se as suas suposições se concretizarem, você corre um grande perigo.

— Para onde eu posso ir?

Passei o endereço de um supermercado em Aoyama que ficava aberto durante toda a noite.

— Espere por mim lá dentro, no quiosque de café. Chego até as cinco e meia.

— Estou apavorada. Não sei o que...

O som voltou a sumir. Berrei várias vezes, mas não houve resposta. O silêncio dissipava do fone como fumaça saindo da boca de uma pistola. O som voltara a ficar conturbado. Desliguei, troquei o pijama por uma camiseta e calça de algodão. Fui até o lavabo e me barbeei rápido com o barbeador elétrico, lavei o rosto e me penteei em frente ao espelho. Graças à falta de sono, minha cara estava inchada como um cheesecake barato. Eu só queria dormir profundamente, para recuperar as energias e levar uma vida normal, decente. Por que as pessoas não me deixavam em paz? Unicórnios, tenebrosos... O que eu tinha a ver com tudo isso?

Vesti uma jaqueta de náilon por cima da camiseta e enfiei no bolso a carteira, moedas e uma navalha. Depois de hesitar um pouco, enrolei em duas toalhas de banho o crânio do unicórnio, meti-o numa sacola com a pinça metálica e joguei junto o caderno com os valores do shuffling que eu havia guardado na caixa de segurança. Este apartamento definitivamente também não era seguro. Um profissional poderia abrir a porta ou o cofre com a mesma rapidez com que se lava um lenço.

Calcei um par de tênis que ainda aguardava ser lavado, peguei a sacola e saí. Não havia ninguém no corredor. Desci pelas escadas, evitando o elevador. Como ainda não tinha amanhecido, o interior do prédio estava imerso em completo silêncio. Também não se via vivalma na garagem do subsolo.

Algo estava estranho. Estava calmo demais. Se queriam o crânio, não seria uma surpresa se tivesse pelo menos um sujeito me vigiando, mas não havia ninguém. Até podia pensar que tinham esquecido da minha existência.

Abri a porta do carro, deixei a bolsa no assento ao meu lado e liguei o motor. Era um pouco antes das cinco da manhã. Saí da garagem prestando atenção e me dirigi a Aoyama. Nas ruas quase desertas só se viam táxis com motoristas apressados para voltar para casa ou caminhões de entrega noturna. Às vezes eu olhava o retrovisor, mas não vi nenhum veículo me seguindo.

As coisas estavam tomando um rumo estranho. Eu sabia como os simbolistas agiam. Quando desejavam algo, eles se empenhavam até atingir o objetivo. Era inconcebível que dessem um suborno meia-boca para um funcionário da empresa de gás ou relaxassem ao vigiar seu alvo. Eles sempre escolhiam o método mais rápido e certeiro e o punham em prática sem hesitação. Uma vez, dois anos antes, eles sequestraram cinco calculadores e cortaram a parte superior de seus crânios com uma serra elétrica. Enquanto ainda estavam vivos, os simbolistas retiraram seus cérebros para ler os dados. Foi uma tentativa frustrada, e os corpos dos cinco calculadores apareceram boiando no porto de Tóquio desprovidos da massa encefálica e da calota craniana. É o tipo de ato radical que os simbolistas cometem. Por isso, não fazia sentido.

Entrei com o carro no estacionamento do supermercado às cinco e vinte e oito da manhã, bem no horário combinado. O céu a leste começava a clarear. Peguei a bolsa e entrei no supermercado. Havia pouca gente no amplo espaço interno e, sentado em uma cadeira, o jovem de uniforme listrado no caixa lia as revistas que estavam à venda. Uma mulher de idade e profissão indefinidas percorria os corredores com seu carrinho de compras repleto de latas de conserva e comidas congeladas. Virei na seção de bebidas alcoólicas e me dirigi ao quiosque de café.

A jovem não estava em nenhum dos doze bancos alinhados ao longo do quiosque. Sentei-me na ponta e pedi um copo de leite frio e um sanduíche. O líquido estava tão gelado que não era possível perceber seu sabor, e o sanduíche coberto por papel-filme estava mole.

Mastiguei devagar cada pedaço e tomei o leite em pequenos goles. Para matar o tempo, fiquei admirando um cartaz turístico de Frankfurt pregado na parede. Era uma paisagem outonal: as árvores na beira do rio tinham cores mescladas, cisnes nadavam na superfície da água e um velho de casaco preto e chapéu lhes dava ração. Havia uma antiga ponte de pedra magnífica, atrás da qual despontava a torre de uma catedral. Observando com mais atenção, parecia haver nas extremidades da ponte guaritas feitas de pedra com janelinhas. Eu não sabia para que seriam usadas. O céu era azul e as nuvens, brancas. Muita gente se sentava nos bancos à beira do rio vestindo casaco, e as várias mulheres cobriam a cabeça com um lenço. Era uma foto linda, mas só de vê-la senti um arrepio. Não só porque a paisagem outonal de Frankfurt parecia gelada, mas porque sempre sinto frio ao ver uma torre alta e pontiaguda.

Depois, olhei para a parede oposta, onde havia uma propaganda de cigarro. Um homem de rosto liso segurava entre os dedos um cigarro com filtro e olhava de forma oblíqua à distância. Por que os modelos das propagandas de cigarro sempre têm essa cara de Não Vejo Nada, Não Penso em Nada?

Como gastei menos tempo olhando o segundo cartaz, virei-me para conferir o interior do supermercado vazio. Em frente ao quiosque havia pilhas de latas de frutas em conserva tão altas que pareciam formigueiros gigantes. As latas de pêssego, toranja e laranja estavam alinhadas. Em frente tinha sido colocada uma mesa com pedaços para degustação, mas por ser muito cedo ainda não estava funcionando. Quem provaria frutas em conserva às cinco e quarenta da manhã? Ao lado da mesa, havia um cartaz onde se lia "Feira de frutas dos Estados Unidos". Nele havia um conjunto de cadeiras de jardim brancas diante de uma piscina, onde uma moça comia frutas variadas. Uma moça loira linda, de olhos azuis, pernas compridas e bem bronzeada. Nas propagandas de fruta sempre tem moças loiras. Do tipo que, por mais que se olhe, esquecemos seu rosto no instante seguinte. Esse tipo de beleza existe no mundo. Tão indistinta quanto toranjas.

A seção de bebidas tinha uma caixa registradora independente, mas não havia nenhum funcionário. Afinal, gente decente não compra bebida alcoólica antes do café da manhã. Portanto, ali não havia clientes, só garrafas alinhadas placidamente como coníferas de pequeno porte recém-reflorestadas. Por sorte, uma parede estava coberta de cartazes de publicidade de bebida. Eu os contei: um de conhaque, um de bourbon e um de vodca, três de uísque escocês e três de uísque nacional, dois de saquê japonês e quatro de cerveja. Não entendi por que havia tantos. Talvez por ser o produto alimentício mais festivo.

No entanto, por ser uma boa distração, fui observando esses cartazes a partir da ponta. Ao ver os quinze, concluí que visualmente o uísque on the rocks era o mais bonito. Ele saía bem na foto. Em um copo grande de fundo largo, jogam-se três ou quatro cubos de gelo e o uísque espesso cor de âmbar. A água derretida passa alguns instantes sem graça antes de se misturar ao tom âmbar do uísque. Isso é lindo de verdade. Prestando bem atenção, quase todos os cartazes de uísque tinham a foto dele on the rocks. Quando servido apenas com água, lhe faltava força; puro, parecia faltar algo.

Percebi também que em nenhum havia tira-gostos. Ninguém nos cartazes petiscava. Só bebia. Talvez achem que se exibirem algo de comer a pureza da bebida se perderá. Ou quem sabe os tira-gostos acabariam definindo a imagem da bebida. Ou talvez, ainda, a pessoa que olhe o cartaz acabe concentrando sua atenção no petisco. Acho bastante compreensível. Afinal, tudo tem um motivo.

Enquanto eu observava os cartazes, deu seis horas da manhã. Contudo, a moça obesa ainda não tinha aparecido. Eu não sabia por que ela estava tão atrasada. Afinal, havia sido ela quem me pedira para chegar o quanto antes. Porém, apenas pensar não resolveria nada. Eu viera o quanto antes. O resto agora era com ela. Desde o início esse problema não tinha nada a ver comigo.

Pedi um café quente e o bebi devagar, sem açúcar ou leite.

Quando passou das seis horas, o número de clientes começou a aumentar. Havia donas de casa vindo comprar pão e leite e estudantes voltando de uma noitada em busca de algo leve para forrar o estômago. Moças tinham vindo atrás de papel higiênico, e empresários compravam três jornais diferentes. Dois homens de meia-idade com tacos de golfe vieram comprar garrafinhas de uísque e logo partiram. Não eram bem de meia-idade, pois estavam perto dos quarenta, quase como eu. Pensando bem, eu também poderia me considerar um homem de meia-idade. Só pareço um pouco mais jovem do que eles por não estar carregando tacos de golfe ou com aquelas roupas que golfistas costumam usar.

Estava feliz por ter combinado de me encontrar com ela em um supermercado. Se fosse em outro local, não conseguiria matar o tempo tão bem. Adoro supermercados.

Depois de esperar até as seis e meia, desisti, saí para pegar meu carro e dirigi até a estação de Shinjuku. Estacionei e, com a sacola, fui até o balcão do depósito temporário de bagagens para guardá-la. Quando pedi para tomarem cuidado pois havia algo dentro que podia quebrar, o encarregado prendeu na alça um cartão vermelho com a ilustração de uma taça, escrito: "Cuidado, frágil". Depois de me certificar de que a sacola azul da Nike tinha sido guardada, recebi o comprovante. Em seguida, fui até uma banca de jornal, comprei um envelope e selos de duzentos e sessenta ienes, coloquei o comprovante dentro do envelope, colei os selos e o inseri em uma caixa dos correios para ser enviado a uma caixa postal secreta que eu abri em nome de uma empresa fictícia. Assim, a menos que algo extremo acontecesse, a bolsa não seria encontrada. Eu usava essa estratégia de vez em quando como medida de segurança.

Depois, tirei o carro do estacionamento e voltei para o meu apartamento. Senti um alívio ao pensar que não havia nada ali que me daria problema se fosse roubado. Estacionei o carro na garagem do prédio, subi as escadas, entrei no apartamento e, depois de tomar um banho, deitei e dormi profundamente, como se nada tivesse acontecido.

Às onze horas recebi uma visita. Do jeito que as coisas se encaminhavam, já era de esperar. Mas poderiam ter tocado a campainha antes de tentar arrombar a porta. Na verdade, não é que só haviam se jogado contra a porta para entrar, mas fizeram o chão tremer ao usar uma bola de ferro, dessas usadas para demolir edifícios. Foi um horror. Podiam ter só obrigado o zelador a lhes entregar a chave mestra, assim teriam me poupado os custos do conserto, e eu até os agradeceria por isso. Além do mais, depois de tanta brutalidade, não duvido que os outros moradores acabassem me expulsando do prédio.

Enquanto os sujeitos punham a porta abaixo, vesti a calça e a camiseta, escondi a navalha atrás do cinto e fui até o banheiro urinar. Por via das dúvidas, abri o cofre, apertei o botão de emergência do gravador para apagar seu conteúdo, abri a geladeira, peguei uma lata de cerveja e salada de batata e comi isso de almoço. Como havia uma escada de incêndio na varanda, poderia ter escapulido se quisesse, mas eu estava exausto e daria muito trabalho ficar fugindo de um lado para outro. Isso não resolveria nenhum dos meus problemas. Eu tinha diante de mim — ou melhor, tinham colocado diante de mim — um tipo de problema extremamente complexo, e eu sozinho não conseguiria solucioná-lo. Precisava falar com alguém sobre isso.

Eu fora ao laboratório subterrâneo de um cientista que tinha solicitado meus serviços para processar alguns dados. Na ocasião, recebera dele algo que parecia ser um crânio de unicórnio e o levara para casa. Pouco tempo depois, um inspetor da companhia de gás, provavelmente subornado pelos simbolistas, apareceu e tentou furtar o tal crânio. Na manhã seguinte, a neta do cientista me ligou para pedir ajuda porque o avô tinha sido atacado pelos tenebrosos. Fui correndo ao local marcado, mas ela não apareceu. Aparentemente eu tinha em meu poder dois objetos valiosos. Um deles era o crânio; o outro, os dados do shuffling concluído. Guardei-os num depósito de bagagens da estação Shinjuku.

Tinha muitas coisas que eu não entendia. Desejava que alguém me desse alguma pista. Caso contrário, era bem capaz de passar o resto da vida fugindo de um lado para outro carregando comigo um crânio.

Terminei de beber a cerveja, comi o restante da salada de batata e, ao suspirar satisfeito, a porta de aço se abriu com um estrondo e um homem gigantesco que eu não conhecia entrou no apartamento. Ele vestia uma camisa havaiana estampada e chamativa, uma calça militar cáqui manchada de óleo e calçava um par de tênis brancos enormes que mais pareciam pés de pato. Tinha a cabeça raspada, o nariz achatado e o pescoço quase tão largo como a cintura de uma pessoa comum. As pálpebras eram espessas e cinza-escuras como metal, e nos olhos o branco viscoso se destacava de forma desagradável. Seus olhos pareciam de vidro, mas observando com atenção era possível ver que às vezes as íris negras se movimentavam, o que me levava a crer que eram de verdade. Devia ter um metro e noventa e cinco de altura. De ombros largos, a camisa havaiana gigantesca que lembrava um lençol dobrado estava tão apertada que os botões pareciam prestes a saltar.

O grandalhão observou a porta que derrubara como teria olhado para uma rolha recém-retirada de uma garrafa de vinho e em seguida se virou em minha direção. Não aparentava ter nenhum sentimento complexo por mim. Ele me observava como se eu fosse uma peça de mobília. Se eu pudesse, era isso mesmo que gostaria de ser.

Ele se pôs de lado e pude ver que atrás havia um homem pequeno. Não devia medir nem um metro e meio. Magro, com um rosto de traços regulares, vestia uma camisa polo Lacoste azul-clara e calça de sarja bege, além de sapatos de couro marrom-claros. Devia ter comprado esses itens em alguma loja de roupa infantil de luxo. No pulso brilhava um Rolex de ouro, mas como não havia um relógio assim para crianças, ficava enorme nele. Parecia um daqueles transmissores de *Jornada nas estrelas* ou outro filme do gênero. Devia ter por volta de quarenta anos. Se tivesse mais uns vinte centímetros, poderia passar por um galã da TV.

O grandalhão entrou na cozinha sem tirar os sapatos, deu uma volta na mesa até ficar na minha frente, puxou uma cadeira e só então o homenzinho veio devagar para se sentar nela. O homenzarrão se sentou na bancada da pia, cruzou os braços, que eram mais largos que as coxas de uma pessoa comum, com firmeza diante do peito e fixou os olhos inexpressivos nas minhas costas, em um ponto um pouco acima dos meus rins. Eu me arrependi de não ter fugido pela escada de incêndio. Nos últimos tempos tenho cometido muitos erros de julgamento. Talvez seja melhor ir até um posto de combustível, levantar o capô e pedir para darem uma geral.

O homem pequeno não olhava direito para mim e nem mesmo me cumprimentou. Retirou do bolso um maço de cigarro e um isqueiro e os alinhou sobre a mesa. O cigarro era Benson & Hedges, e o isqueiro um Dupont de ouro. Ao observá-los, imaginei que o que chamavam de desequilíbrio na balança comercial era talvez pura demagogia inventada por países estrangeiros. Ele segurou o isqueiro e com dois dedos começou a girá-lo com habilidade. Parecia um espetáculo circense em casa, mas claro que eu não me lembrava de haver encomendado algo do gênero.

Procurei em cima da geladeira e encontrei o cinzeiro da Budweiser que eu tinha ganhado há um tempo em uma loja de bebidas, limpei a poeira com os dedos e o depositei diante do homem. Ele emitiu um som curto e nítido, acendeu o cigarro, franziu a testa e expeliu a fumaça no ar. Havia algo bizarro em sua estatura diminuta. O rosto, as mãos e as pernas eram pequenos de maneira uniforme. O formato do corpo era como uma cópia reduzida do de uma pessoa padrão. Graças a isso, o Benson & Hedges parecia ter o mesmo tamanho de um lápis de cor novo.

Sem dizer uma palavra, o tampinha observava fixamente a ponta do cigarro ser queimada. Se fosse um filme de Jean-Luc Godard, a cena teria como legenda "Ele observa o cigarro queimar", mas por sorte — ou por azar — esses estavam fora de moda. Quando grande parte da ponta do cigarro se transformou em cinza, ele bateu com o dedo, fazendo-a cair em cima da mesa. Nem sequer olhou para o cinzeiro.

— Em relação à porta… — ele começou com um timbre de voz agudo e bem projetado — … foi preciso colocá-la abaixo. Por isso a derrubamos. Poderíamos tê-la aberto com uma chave, mas temos nossos motivos, e espero que você não deseje nosso mal por isso.

— Não tenho nada em casa. Se procurarem, logo vão perceber — avisei.

— Procurar? — disse o baixinho com ar espantado. — Procurar? — Sem tirar o cigarro da boca, coçou a palma da mão. — Procurar o quê?

— Bem, não sei ao certo, mas não foi para isso que vieram? Destruíram a porta…

— Não entendo bem do que você está falando — declarou o homem. — Você com certeza está enganado! Não queremos nada! Viemos ter uma conversinha com você. Só isso. Não vamos procurar nada, não queremos nada. Mas se tiver uma coca-cola, eu bem que gostaria.

Abri a geladeira, tirei duas latas que tinha comprado para misturar com uísque e deixei sobre a mesa com um par de copos. Depois, peguei para mim uma cerveja Ebisu.

— Será que ele não quer beber nada? — eu disse, apontando para o brutamontes atrás de mim.

O homenzinho chamou com um dedo o grandão, que sem emitir nenhum som veio pegar a lata de cima da mesa. Apesar da compleição, ele se movia com surpreendente leveza.

— Quando terminar, faça aquilo — ordenou o nanico.

Depois, virando-se para mim, apenas acrescentou:

— Um entretenimento.

Olhei para trás e observei o gigante beber tudo de um único gole. Depois, ele virou a lata de ponta-cabeça para se certificar de que não tinha restado nada, envolveu-a com a palma da mão e, sem alterar a expressão do rosto, esmagou-a por completo. Parecia o ruído de uma folha de jornal amassada sendo levada pelo vento, e então a lata vermelha se transformou numa simples chapa metálica.

— Bom, qualquer um consegue fazer isso — notou o baixinho.

Talvez qualquer pessoa, menos eu, pensei.

Em seguida, o homenzarrão pegou a chapa metálica com as mãos e a rasgou de cima a baixo com apenas uma minúscula contorção dos lábios. Certa vez vi alguém rasgar uma lista telefônica em duas, mas era a primeira vez que via fazerem isso com uma lata de refrigerante. Nunca tentei e, portanto, era incapaz de avaliar, mas parecia ser algo de extrema complexidade.

— Ele consegue torcer uma moeda de cem ienes. Poucas pessoas são capazes de fazer isso — se vangloriou o homenzinho.

Concordei com a cabeça.

— Consegue reduzir a frangalhos uma orelha.

Concordei mais uma vez com a cabeça.

— Até três anos atrás ele era lutador de luta livre — explicou. — E dos bons. Se não fosse por uma lesão no joelho, talvez tivesse sido campeão. É jovem, tem força e pés rápidos para um corpo tão volumoso. Porém, o problema no joelho acabou com ele. Nesse tipo de luta, o sujeito precisa ter movimentos ágeis.

Como o homem me observava, balancei a cabeça, assentindo.

— Desde então eu cuido dele. Afinal, é meu primo.

— Sua família não produz ninguém de tamanho médio? — questionei.

— Experimenta repetir o que acabou de dizer — o pequeno sugeriu, me encarando.

— Esquece — disse eu.

O homenzinho pareceu hesitar por um momento, mas enfim desistiu, jogou o cigarro no chão e pisou para apagá-lo. Achei melhor não reclamar.

— Você precisa relaxar! Abra o seu coração e se sentirá mais leve. Se essa sua tensão não aliviar, não poderemos ter uma conversa franca — continuou o baixinho. — Seus ombros ainda estão tensos.

— Posso pegar mais uma cerveja?

— Claro! Afinal, é seu apartamento, sua geladeira, sua cerveja, não é?

— E minha porta — acrescentei.

— Esqueça a porra da porta! É por estar pensando nela que está com os ombros tensos. É uma portinha barata e vagabunda. Com o seu salário, você bem que podia se mudar para um lugar com uma porta mais decente.

Desisti de falar sobre o assunto, tirei a cerveja da geladeira e a tomei. O homenzinho serviu a coca-cola no copo e, depois de esperar a espuma assentar, bebeu metade.

— Sinto muito por deixá-lo tão confuso, por isso vou logo explicando. Nós viemos aqui para ajudá-lo.

— Destruindo minha porta?

Ao dizer isso, o rosto do homenzinho ficou vermelho e suas narinas se dilataram.

— Já não falei para não ficar lembrando do raio da porta? — disse em um tom irritado.

Depois, dirigindo-se ao gigante, repetiu a pergunta. O outro assentiu. Parecia ter pavio curto. Eu não gosto muito de lidar com homens que se enfurecem com facilidade.

— Viemos aqui com a melhor das intenções — prosseguiu o baixinho. — Como você está confuso, vamos explicar algumas coisas. Talvez "confuso" não seja a palavra mais adequada. Digamos que esteja "desorientado". Correto?

— Estou confuso e desorientado — respondi. — Não tenho conhecimento, nenhuma pista e, ainda por cima, não tenho uma porta…

O homenzinho pegou o isqueiro de ouro de cima da mesa e, sem se levantar, o atirou na direção da geladeira. Ouviu-se um barulho estridente, e o impacto produziu nela um nítido amassado. O homen-zarrão pegou o isqueiro e o pôs de volta sobre a mesa. Tudo tinha voltado à estaca zero, restando apenas o dano à geladeira. O homenzinho bebeu o resto da coca-cola para se acalmar. Quando tenho à minha frente alguém assim esquentado, sinto vontade de ir aos poucos testando sua paciência.

— Antes de mais nada, o que importa uma ou duas portas? Pense na gravidade da situação. Se tivéssemos explodido todo o apartamento, não teria importância. Não fale mais nada sobre a porta.

A minha porta!, pensei comigo mesmo. A questão não era se ela era vagabunda ou não. Uma porta é um símbolo.

— Não reclamo mais da porta, mas depois do que aconteceu vou acabar sendo despejado. É um edifício tranquilo, onde só vivem pessoas decentes — expliquei.

— Se alguém reclamar e tentar expulsá-lo daqui, ligue para mim! Tenho meus meios para dar um aperto devagarzinho no sujeito. Está bem assim? Não vamos causar transtorno!

Senti que, se ele fizesse isso, aí é que a situação se complicaria, mas não queria provocá-lo ainda mais e, calado, concordei com a cabeça e voltei a beber minha cerveja.

— Talvez você me ache intrometido, mas vou lhe dar um conselho. Depois dos trinta e cinco anos é melhor largar o hábito de beber cerveja — advertiu o homenzinho. — Isso é coisa para estudantes e trabalhadores braçais. A barriga se avoluma, não é nada refinado. Quando se chega a certa idade, vinho ou conhaque são melhores para o corpo. Urinar em excesso danifica o metabolismo. Eu recomendaria largar. Beba algo mais caro! Tome todo dia um vinho de vinte mil ienes e você vai se sentir como se seu corpo estivesse sendo lavado.

Assenti e continuei a tomar a cerveja. Ele estava metendo o nariz onde não era chamado. Eu nado e corro para poder beber cerveja o quanto quiser e a barriga não crescer.

— Bem, não posso criticar ninguém — admitiu o homenzinho. — Todos temos nossas fraquezas. No meu caso, é cigarro e doce. Sou uma formiga, embora seja péssimo para os dentes e cause diabetes.

Balancei a cabeça, concordando.

O homem pegou mais um cigarro e o acendeu com o isqueiro.

— Cresci ao lado de uma fábrica de chocolate! Talvez por isso tenha ficado tão fanático. Não era grande como as da Morinaga ou da Meiji, era uma fábrica artesanal pouco conhecida, com produtos vendidos em lojas de doces baratos ou nas promoções em supermercados, sem nenhuma sofisticação. Fosse como fosse, todo dia eu sentia o cheiro do chocolate. Ele ficava impregnado em diversas coisas. Nas cortinas, nas almofadas, nos gatos. Em tudo, sabe? Por isso, ainda hoje eu adoro chocolate! Basta sentir o cheiro para me lembrar dos meus tempos de criança.

O homem olhou furtivamente para o Rolex. Pensei em trazer à baila o assunto da porta mais uma vez, mas como a conversa se alongaria, acabei desistindo.

— Bem, como não temos muito tempo, vamos parar de jogar conversa fora. Está mais relaxado agora? — perguntou o homenzinho.

— Um pouco — respondi.

— Vamos então ao que interessa — disse ele. — Como falei há pouco, o objetivo da minha visita é tentar aliviar um pouco essa sua confusão. Por isso, se tiver alguma dúvida, não hesite em perguntar. Se puder, responderei.

Em seguida, ele se virou para mim fazendo um gesto, como se me incentivasse: "Vamos, vamos".

— Pergunte o que quiser.

— Em primeiro lugar, desejo saber quem são vocês e até que ponto estão informados sobre a situação.

— Excelente pergunta — ele afirmou, olhando para o homenzarrão como se desejasse sua anuência. Depois de ver o outro concordar com a cabeça, voltou a me olhar. — Você é inteligente quando precisa. E um homem de poucas palavras.

O pequeno deixou cair as cinzas do cigarro no cinzeiro.

— Veja as coisas assim. Eu vim ajudá-lo. Não importa neste momento a qual organização eu pertenço. Nós conhecemos a situação por alto. Sabemos mais ou menos sobre o professor, o crânio e os dados do shuffling. E sabemos de coisas que você não sabe… Próxima pergunta?

— Foram vocês que subornaram um inspetor da companhia de gás para roubar o crânio ontem à tarde?

— Eu falei sobre isso há pouco. Não queremos nenhum crânio. Não queremos nada — declarou o homem.

— Então quem foi? Quem subornou o funcionário da companhia de gás? Ou era um fantasma?

— Não sabemos nada sobre isso — afirmou o homenzinho. — Há outras coisas que também não sabemos. O atual experimento do professor, por exemplo. Sabemos em detalhes do que se trata. Porém, ignoramos a sua finalidade. Queremos saber.

— Eu também não sei — afirmei. — Estou tendo todos esses transtornos justamente por isso.

— Estou ciente! Você não sabe de nada. Está apenas sendo usado.

— Então vocês não ganham nada vindo até aqui.

— É só uma visita de cortesia — disse o homem, batendo na mesa com a ponta do isqueiro. — Achamos melhor você tomar conhecimento de nossa existência. Além disso, facilita muito se daqui em diante soubermos coisas e tivermos opiniões em comum.

— Posso tentar imaginar?

— Claro. A imaginação é livre como um pássaro e vasta como um oceano. Ninguém é capaz de fazê-la parar.

— Vocês não são nem da System nem da Factory. Seu modus operandi é diferente. Talvez pertençam a alguma pequena organização autônoma. E estão tentando ampliar sua participação. Creio que devam estar invadindo o campo de atuação da Factory.

— Mas quem diria — disse o homenzinho para o primo gigante. — Eu disse há pouco, não? Você é muito inteligente.

O grandão concordou com a cabeça.

— Por ser tão inteligente chega a ser estranho que more neste muquifo — disparou.

Fazia tempo que eu não recebia tantos elogios. Enrubesci.

— Suas suposições estão em geral corretas — prosseguiu o homem. — Queremos nos apoderar do novo método desenvolvido pelo professor para avançarmos nessa guerra de informações. Estamos preparados e temos recursos financeiros. Para isso, precisamos de alguém como você e da pesquisa do professor. Se conseguirmos, poderemos pôr abaixo a estrutura dualista System-Factory. Esse é o aspecto positivo da guerra de informações. É bastante igualitária. O lado que conseguir ter em mãos um sistema novo e excelente sai vitorioso. O vencedor definitivo. Não tem a ver com resultados ou algo assim. Além disso, a situação atual é nitidamente fora do comum. É uma situação oligopolista sem tirar nem pôr. A System monopoliza a parte banhada pelo sol; e a Factory, a parte sombria. Não há concorrência. Visto de qualquer ângulo, isso vai na contramão das regras do liberalismo econômico. Não lhe parece pouco natural?

— Não me diz respeito — declarei. — Quem está na base da estrutura como eu só trabalha que nem formiga. Não pensamos em nada além disso. Então, se vocês pensaram em vir até aqui para me puxar para o lado de vocês...

— Parece que você não entendeu, não é? — disse o baixinho, estalando a língua. — Nós não estamos tentando arrebanhá-lo. Só disse que precisamos de você. Próxima pergunta.

— Quero saber sobre os tenebrosos — falei.

— Os tenebrosos são criaturas que vivem nos subterrâneos. Moram em metrôs, redes de esgoto, lugares assim, comendo os restos da cidade, bebendo água imunda, é desse jeito que vivem. Raramente se misturam aos seres humanos. Por isso se sabe tão pouco sobre eles. Não são perigosos nem causam danos, mas já aconteceu de pegarem alguém que se perdeu sem querer no subterrâneo e devorá-lo.

— O governo não sabe sobre eles?

— Sabe sim! O Estado não é idiota. Está bem a par! Mas isso fica restrito ao pessoal de alto nível.

— Então por que não alertam as pessoas ou se livram deles?

— Em primeiro lugar — disse o homem —, ocorreria um pânico geral se os cidadãos fossem informados. Não é? Ninguém se sentiria bem sabendo que um bando de criaturas estranhas está vagando bem embaixo dos seus pés. Em segundo lugar, não há maneira de exterminá-los. Seria impossível para as forças de defesa se embrenhar no subsolo de Tóquio para matar todos os tenebrosos sem deixar um para contar a história. A escuridão é seu habitat natural. Se fizessem isso, uma grande guerra eclodiria.

"E, depois, tem mais uma coisa. Os sujeitos têm uma base fantástica bem abaixo do Palácio Imperial. Se algo acontecesse, eles escavariam o terreno durante a noite e subiriam até a superfície. E poderiam arrastar para o fundo da terra quem estivesse lá em cima. Se isso ocorresse, o Japão viraria de cabeça para baixo. Não é? Por isso, o governo faz vista grossa para tudo que se refere aos tenebrosos. Uma aliança com eles, ao contrário, significaria ter em mãos um poder colossal. Mesmo se ocorresse um golpe de Estado ou uma guerra, quem tiver os tenebrosos ao seu lado sairá sem dúvida vencedor. Porque, mesmo no caso de uma guerra nuclear, eles sobreviveriam. No entanto, até agora ninguém estabeleceu uma aliança com eles. Afinal, são criaturas extremamente desconfiadas e nunca interagem com os seres humanos que vivem acima delas."

— Mas eu ouvi dizer que os simbolistas uniram forças com os tenebrosos — respondi.

— Existe esse rumor. Porém, mesmo que isso tivesse ocorrido, é apenas um grupo diminuto de tenebrosos que por algum motivo temporariamente trouxe simbolistas para o seu lado. Nada mais do que isso. Uma aliança permanente entre simbolistas e tenebrosos é impensável. Não há nada com que se preocupar.

— Mas o professor foi sequestrado pelos tenebrosos.

— Também ouvi isso. Porém, não sabemos os detalhes. Não é improvável que o professor tenha inventado isso para poder sair de cena por um tempo. Afinal, a situação é tão complexa que pode ter acontecido qualquer coisa.

— O que o professor estava tentando fazer?

— Ele realizava uma pesquisa especial — disse o homem, enquanto observava o isqueiro de diversos ângulos. — Uma pesquisa independente que partia de uma posição contrária à das organizações de calculadores e de simbolistas. Estes últimos tentavam se antecipar aos calculadores, e estes por sua vez desejavam eliminar os simbolistas. O professor fazia uma pesquisa capaz de transformar por completo os mecanismos mundiais, posicionando-se entre os dois grupos. Para isso, ele precisava de você. Não na sua qualidade de calculador, mas como ser humano.

— Eu? — questionei, surpreso. — Por que ele precisava logo de mim? Não tenho nenhuma capacidade especial; não passo de uma pessoa comum. Não consigo me imaginar como alguém que possa ajudar a provocar uma reviravolta mundial.

— Nós também buscamos uma resposta — disse o homenzinho, enquanto girava o isqueiro na mão. — Temos uma hipótese, mas não é uma resposta certa. Seja como for, ele avançava na pesquisa tendo você como foco. Gastou um longo tempo para pôr em ordem os preparativos para a etapa final. Sem que você soubesse de nada.

— E depois de concluída essa última etapa, vocês pretendiam se apoderar de mim e da pesquisa — perguntei.

— É por aí — disse o homenzinho. — Porém, aos poucos as coisas foram se tornando mais complexas do que imaginávamos. A Factory pressentiu algo e começou a agir. E com isso fomos obrigados a agir também. Uma dor de cabeça.

— A System está a par disso?

— Não, provavelmente eles ainda não perceberam. Sem dúvida estão atentos até certo ponto ao que se passa com o professor.

— Quem é exatamente o professor?

— Ele trabalhou alguns anos para a System. Claro, quando digo que ele trabalhava não era em um nível administrativo como você, mas na Divisão de Pesquisa Central. Sua especialidade…

— A System? — exclamei.

A conversa ficava cada vez mais complicada. Apesar de eu estar no olho do furacão, não sabia de nada.

— Pois é, o professor já foi seu colega de trabalho — afirmou o homenzinho. — Talvez vocês nunca tenham se encontrado, mas acho que podemos chamar assim se considerarmos que ambos atuavam na mesma organização. No entanto, o escopo da System era vasto e complexo, e a confidencialidade era tão assustadora que apenas um punhado de pessoas do alto escalão sabia o que acontecia, onde e como. Ou seja, uma situação em que a mão direita não sabia o que a esquerda fazia, e o olho direito via coisas diferentes do olho esquerdo. Em resumo, havia uma quantidade absurda de informações a ponto de ninguém mais dar conta. Os simbolistas tentavam roubá-las, os calculadores as protegiam. Mas, não importava para onde a organização se alastrasse, já não havia ninguém capaz de lidar com essa torrente de dados.

"Foi então que o professor, por alguma razão, abandonou a organização dos calculadores para se dedicar de corpo e alma às suas pesquisas. Sua especialidade abarca várias áreas. Fisiologia cerebral, biologia, frenologia, psicologia... No que concerne às pesquisas que definem a consciência, o professor é sem dúvida uma sumidade em todas as áreas. Pode-se dizer que é um cientista tão genial quanto os do Renascimento, coisa rara hoje em dia.

E pensar que expliquei o que era lavagem cerebral e shuffling para alguém desse nível, que patético!

— Não seria exagero dizer que ele sozinho executou praticamente toda a criação do sistema de cálculo atual dos calculadores. Em última análise, vocês são abelhas-operárias nas quais foi inserido o know-how criado por ele — disse o homenzinho. — Será que minha metáfora foi ruim?

— Não, não precisa fazer cerimônia — falei.

— Bem, o professor se demitiu. Tão logo o fez, é claro que a organização dos simbolistas tentou contratá-lo. Porque os calculadores que abandonam a organização acabam se tornando simbolistas. No entanto, o professor declinou do convite. Alegou que havia uma pesquisa a ser realizada por ele de forma independente. Em consequência, o professor se tornou a um só tempo inimigo em comum dos calculadores e dos simbolistas. Para a organização dos calculadores, ele era alguém que sabia segredos demais, e para os simbolistas era considerado um inimigo. Para eles, quem não estivesse do mesmo lado seria invariavelmente um desafeto. O professor também sabia disso e construiu seu laboratório próximo do covil dos tenebrosos. Você visitou o laboratório, não?

Assenti com a cabeça.

— Na verdade, foi uma boa ideia! Ninguém consegue se aproximar daquele laboratório. Afinal, os tenebrosos vagueiam pelos arredores, e tanto a organização dos calculadores quanto a dos simbolistas não são páreo para eles. Quando o professor se desloca, emite ondas sonoras que os tenebrosos detestam. Assim, as criaturas desaparecem rapidinho, como quando Moisés atravessou o mar Vermelho. É um sistema de defesa perfeito. Tirando aquela moça, talvez você tenha sido a primeira pessoa que ele deixou entrar! Isso provavelmente mostra quão importante você é para ele. Sob todos os pontos de vista, a pesquisa do professor está chegando a um grand finale, e para concluí-la ele chamou você.

— Hum — murmurei.

Era a primeira vez na vida que eu tinha um significado tão relevante para alguém. Era estranho saber que minha existência importava. Não estava acostumado a isso.

— Sendo assim, os dados do experimento do professor que eu processei foram uma isca para me atrair e na verdade não têm valor? Isso caso o objetivo do professor tenha sido mesmo me atrair — disse eu.

— Não, não é bem assim — replicou o homenzinho, voltando a consultar o relógio. — Aqueles dados formam um programa meticulosamente elaborado. É uma espécie de bomba-relógio. Quando chegar a hora, *bum!*, explodirá. Claro, isso não passa de uma suposição, já que não sabemos o que está acontecendo ao certo. Impossível saber sem perguntar diretamente ao professor! Bem, já está chegando a hora e é melhor encerrarmos nossa conversa. Temos outro compromisso depois daqui.

— O que aconteceu com a neta do professor?

— Aconteceu algo com ela? — perguntou o homenzinho, espantado. — Não sabemos de nada! Não é possível vigiar tudo. Você tem uma queda por ela?

— Não — disse eu.

Quer dizer, eu achava que não.

O homenzinho se levantou da cadeira sem despregar os olhos de mim, pegou o isqueiro e os cigarros de cima da mesa e os enfiou no bolso.

— Creio que você entendeu exatamente qual é a sua posição e a nossa. Devo acrescentar que nós temos um plano no momento. Quer dizer, agora temos informações mais detalhadas sobre a situação dos simbolistas e estamos um passo à frente deles nesta corrida. Porém, nossa organização é muito mais fraca do que a Factory. Se eles levarem as coisas a sério, provavelmente tomarão a dianteira e acabarão nos destruindo. Portanto, precisamos antes disso colocar um freio nos simbolistas. Entende o que eu digo?

— Entendo — disse.

Eu compreendia bem.

— Porém, não conseguiremos sozinhos. Precisamos unir forças com alguém. Se você estivesse no nosso lugar, a quem recorreria?

— À System — disse.

— Ora, vejam só — disse o homenzinho ao gigante. — Não disse que ele era inteligente?

Depois disso, ele voltou a me olhar.

— Contudo, precisamos de uma isca. Sem ela, o peixe não morde o anzol. E você será a nossa.

— A ideia não me atrai — afirmei.

— O problema não é se a ideia o atrai ou não — disse o homem. — Estamos tentando de tudo. E agora é a minha vez de lhe perguntar algo. O que é mais valioso para você neste apartamento?

— Nada! — respondi. — Não tem nada de importante. Só coisas baratas.

— Dá para entender. Mas não haveria algum objeto, mesmo que um só, que você não desejaria ver destruído? Mesmo que de pouco valor, algo de que você necessita para a sua vida diária...

— Destruir? — perguntei assustado. — O que você quer dizer com isso?

— Destruir é... bem, é apenas destruir! Como fizemos com aquela porta — ele respondeu, virando-se e apontando para a porta de entrada arrancada das dobradiças. — Destruir por destruir! Reduzir tudo a pó.

— Com que finalidade?

— É difícil explicar de forma breve mas, podendo ou não, nada muda no fato de destruir. Diga para mim quais objetos você não gostaria de ver destruídos. Que mal faz?

— O aparelho de vídeo — admiti, resignado. — E a TV. Porque são caros e acabei de comprá-los. E o meu estoque de uísque guardado no armário.

— Mais algum?

— Minha jaqueta de couro e o terno de três peças que acabei de mandar fazer. A jaqueta tem uma gola de pelos, como as dos pilotos da Aeronáutica americana.

— Mais algum?

Durante um tempo pensei se não haveria nada mais de valor. Não havia. Não sou do tipo que guarda coisas importantes em casa.

— Só isso — declarei.

O homenzinho assentiu com a cabeça. O outro também.

Primeiro, o grandão deu um giro e abriu os armários, um a um. De dentro do guarda-roupas tirou um Bullworker para fazer musculação, passou-o por trás das costas e executou um estiramento completo. Como até aquele momento eu nunca vira alguém que conseguisse usar o Bullworker de modo tão perfeito, aquela foi a minha primeira experiência. Achei extraordinário.

Depois ele segurou com ambas as mãos os punhos do aparelho, como se agarrasse um bastão de beisebol, e foi até o quarto. Inclinei o corpo para observar o que ele iria fazer. O homenzarrão se pôs de pé diante da TV, brandiu o Bullworker acima dos ombros e, mirando o tubo de raios catódicos, golpeou-o diretamente. Com o som de vidro se espatifando e uma centena de faíscas, a TV de vinte e sete polegadas que eu tinha comprado três meses antes foi reduzida a pedaços, como se fosse uma melancia.

— Espere... — eu disse, fazendo menção de me levantar, mas o nanico me impediu, batendo com a mão espalmada na mesa.

O grandalhão em seguida ergueu o aparelho de vídeo e o bateu contra o painel da TV repetidas vezes, com força. Alguns botões saltaram e o cabo entrou em curto-circuito, fazendo flutuar no ar um fio de fumaça branca, como um espírito que fora salvo. Depois de confirmar que o videocassete tinha sido completamente destruído, o homenzarrão jogou no chão o que tinha sobrado e puxou do bolso a navalha. Com um som nítido e seco, a lâmina afiada apareceu. Depois disso, ele abriu a porta do guarda-roupa e rasgou lindamente a minha jaqueta de aviador da Johnsons e o terno da Brooks Brothers, que juntos haviam custado em torno de duzentos mil ienes.

— Não é justo — gritei para o homenzinho. — Você disse que não destruiria o que é importante para mim.

— Eu não disse isso! — respondeu o homenzinho com a cara mais deslavada do mundo. — Só perguntei *o que era importante* para você. Em nenhum momento afirmei que não destruiria. É justamente por serem importantes que nós as destruímos. Isso me parece óbvio.

— Caramba — disse, tirei da geladeira outra lata de cerveja e bebi.

E, ao lado do homenzinho, admirei o grandalhão detonar todo o meu apartamento confortável e de bom gosto, composto de dois quartos, sala e cozinha.

14
O bosque

Finalmente o outono terminou. Certa manhã, ao acordar, olhei o céu e a estação havia chegado ao fim. No firmamento não havia nem sombra daquelas nuvens claras outonais; em seu lugar se viam nuvens espessas e sombrias, despontando da serra norte, como emissárias de mau augúrio. O outono era para a cidade um visitante agradável e belo, cuja estada fora muito breve e a partida, demasiado brusca.

Com a passagem do outono, criou-se uma lacuna temporária. Um vazio estranhamente sereno, nem outono, nem inverno. O dourado que envolvia o corpo dos animais foi aos poucos perdendo seu brilho, aumentando uma brancura que anunciava ao mundo a iminente chegada do inverno. Todas as criaturas encolhiam as cabeças e enrijeciam os corpos para se preparar para a estação gelada e os fenômenos naturais que a acompanhavam. O presságio do inverno cobria a cidade como uma película invisível. O som do vento, o farfalhar da vegetação, a calma noturna e até mesmo os ruídos emitidos pelos sapatos das pessoas eram pesados e indiferentes, como se quisessem sugerir algo, e nem mesmo o ruído das águas no banco de areia, doce e agradável durante o outono, era capaz de consolar meu coração. Tudo se fechava hermeticamente em uma concha que mantinha protegida a sua existência e começava a conter certa completude. Para os animais, o inverno era uma estação especial, diferente de todas as outras. O trinado dos pássaros tornava-se curto e agudo, e por vezes o mero bater de asas fazia tremer aquela lacuna gélida.

— O frio neste inverno deve ser particularmente intenso — declarou o velho coronel. — Basta reparar no formato das nuvens para perceber. Veja aquelas ali.

O velho me levou até a janela e apontou para as nuvens escuras e espessas que pairavam acima da serra norte.

— Nesta época, sempre aparecem prenúncios das nuvens outonais na serra norte. São como emissários, pelo seu formato é possível prever a intensidade do frio que virá. Nuvens lisas e planas indicam um inverno moderado. Quanto mais espessas, mais rigorosa será a estação. E o pior é quando aparecem nuvens com forma de um pássaro de asas estendidas. Significa um inverno glacial. Como aquelas.

Contraí os olhos e observei o céu acima da serra norte. Apesar de tênues, pude reconhecer as nuvens a que o velho se referia. Elas se estendiam da esquerda para a direita, alcançando de uma extremidade a outra da serra, e bem no meio formavam uma protuberância parecida a uma montanha, e, como dissera o velho, se assemelhavam a um pássaro de asas abertas. Um pássaro cinzento gigantesco e agourento revoava por cima da serra em nossa direção.

— Será um inverno gélido, dos que acontecem uma vez a cada cinquenta ou sessenta anos — prosseguiu o coronel. — A propósito, você tem um casaco de inverno?

— Não, não tenho — respondi.

Eu tinha apenas o casaco de algodão não muito grosso que recebera ao entrar na cidade.

O velho abriu o guarda-roupa, puxou de dentro um casaco militar azul-marinho e me entregou. Ao pegá-lo senti que era pesado como uma pedra, e o tecido de lã de carneiro áspero pinicava a pele.

— É um pouco pesado, mas é melhor do que nada. Eu o peguei pouco tempo atrás pensando em você. Espero que sirva.

Enfiei os braços nas mangas. Ficou um pouco largo nos ombros, e o seu peso me fez cambalear por não estar acostumado, mas de alguma forma se ajustou ao meu corpo. Além disso, como dissera o velho, era melhor do que nada. Agradeci.

— Você ainda está desenhando seu mapa?

— Sim — respondi. — Faltam algumas partes, mas desejo concluí-lo. Afinal, cheguei até aqui.

— Não vejo problema em você fazer um mapa. É uma decisão sua e não incomoda ninguém. Porém, não me leve a mal, mas quando o inverno chegar é melhor evitar ir muito longe. Você não deve se afastar das áreas habitadas. Sobretudo num inverno tão severo como o deste ano, é preciso redobrar os cuidados. Não que aqui seja uma terra muito vasta, mas em pleno inverno há inúmeros locais perigosos que você não conhece. Espere a primavera para terminar.

— Entendi — falei. — Mas quando começa o inverno?

— Com a neve. O inverno tem início quando o primeiro floco de neve cai. E termina quando a neve acumulada no banco de areia desaparece por completo.

Bebíamos nosso café matinal enquanto contemplávamos as nuvens sobre a serra norte.

— Outra coisa muito importante — disse o velho. — Quando começar o inverno, evite ao máximo se aproximar da muralha. E do bosque. Esses lugares começam a ter um poder muito forte.

— Afinal, o que há no bosque?

— Não há nada! — exclamou o velho após uma breve reflexão. — Absolutamente nada. Pelo menos não há nada ali de que eu ou você necessitemos. Para nós, o bosque é um local desnecessário.

— Não há ninguém ali?

O velho abriu a porta do fogareiro, tirou a poeira de dentro e inseriu alguns pedaços finos de lenha e carvão.

— Provavelmente a partir desta noite será preciso acender o fogo — ele disse. — Essa lenha e esse carvão vêm do bosque. E também cogumelos, chá e outras provisões. Nesse sentido, precisamos do bosque. Porém, limita-se a isso. Para além, não há nada.

— Mas então há gente no bosque que vive de extrair carvão, coletar lenha ou catar cogumelos?

— Com certeza. Há alguns residentes. Eles fornecem carvão, lenha e cogumelos à cidade, em contrapartida lhes damos cereais e roupas. Esse tipo de troca é feito uma vez por semana em um local fixo, e sempre participam as mesmas pessoas. No entanto, é o único contato mantido. Eles não chegam perto da cidade e nós não nos aproximamos do bosque. Nós e eles possuímos existências de naturezas totalmente diferentes.

— Diferentes como?

— Em todos os sentidos — explicou o velho. — Eles diferem de nós em praticamente todos os planos imagináveis. Porém, ouça bem, você não deve se interessar por eles. São perigosos. Sem dúvida terão uma influência negativa sobre você. Porque você, como vou dizer?, é ainda uma pessoa em processo de formação. Enquanto não está totalmente formado, o melhor é não se expor a perigos desnecessários. O bosque não passa de um punhado de árvores. No seu mapa, basta indicar como "Bosque". Entendeu?

— Entendi.

— A muralha no inverno é o perigo maior. Quando chega a estação gelada, a muralha aperta com mais rigidez o cerco ao redor da cidade. Ela se certifica de que todos nós permaneçamos no interior. Não deixa escapar nada do que ocorre aqui dentro. Por isso, seja qual for o formato, você não deve se relacionar com a muralha nem se aproximar dela. Correndo o risco de ser repetitivo, você ainda não é uma pessoa totalmente formada. Tem dúvidas, dilemas, arrependimentos, fraquezas. Para você, o inverno é a mais perniciosa das estações.

Porém, antes de o inverno chegar, eu precisava saber mais sobre o bosque, mesmo que apenas um pouco. Aproximava-se o momento de entregar o mapa para minha sombra, que me havia ordenado pesquisar sobre aquele lugar. Faltava pouco para concluí-lo.

As nuvens sobre a serra norte estendiam suas asas, de forma lenta mas segura, e conforme se alongavam pelo céu sobre a cidade a luz do sol diminuía rapidamente de intensidade. O céu estava difuso e nublado, como se coberto por uma fina camada de cinza em que a luz enfraquecida estagnava. Era uma estação ideal para os meus olhos feridos. O céu não brilharia mais com intensidade e o vento uivante não tinha mais força para espantar as nuvens.

Segui pelo caminho ao longo do rio, penetrei no bosque e decidi explorar o interior andando tanto quanto possível rente à muralha, para não me perder. Desse jeito, poderia também inserir no desenho do mapa a forma como ela o circundava.

No entanto, essa estava longe de ser uma empreitada fácil. Ao longo do caminho, havia depressões profundas que pareciam ter se formado após um desmoronamento completo do terreno, onde cresciam arbustos de framboesa mais altos do que eu. Havia charcos obstruindo o caminho e, por toda parte, teias viscosas de aranhas enormes enredavam meu rosto, meu pescoço e minhas mãos. Vez por outra era possível ouvir algo se mexer por entre a mata ao redor. Galhos gigantescos encobriam o céu acima da minha cabeça, tingindo o bosque de uma negritude semelhante ao fundo do oceano. Junto às raízes das árvores cresciam cogumelos de diversos tamanhos e cores, que pareciam manchas de uma doença dermatológica repulsiva.

Mesmo assim, quando me afastei uma vez da muralha e penetrei mais fundo no bosque, estendia-se ali um mundo estranhamente pacífico e silencioso. Repleto do hálito fresco produzido pela natureza virgem de uma terra ampla, esse mundo acalmava o meu espírito. Aos meus olhos, ele não refletia o local perigoso de que o velho coronel tinha me alertado e aconselhado evitar. Ali havia um ciclo ilimitado de vida produzido por árvores, ervas e criaturinhas, sendo possível sentir uma providência imóvel em cada pedra, em cada punhado de terra.

Quanto mais me aprofundava no bosque e me afastava da muralha, mais essa sensação se intensificava. Sombras funestas logo se dissipavam, o formato das árvores e as cores das ervas se suavizavam, e o canto dos pássaros também parecia ressoar mais alegre. Nos pequenos prados que se abriam aqui e ali e nos córregos que fluíam entre as árvores, não se sentiam a tensão e a obscuridade que se percebiam no bosque próximo à muralha. Eu não entendia por que havia uma diferença tão expressiva entre as paisagens. Talvez a muralha, com seu poder, perturbasse a atmosfera do bosque, ou seria apenas uma questão topográfica.

Contudo, por mais que fosse agradável caminhar nas entranhas do bosque, eu de fato não podia me distanciar por completo da muralha. O bosque era profundo, e se eu me perdesse seria impossível avaliar a direção correta. Não havia caminhos nem sinais. Portanto, eu avançava com muita cautela, mantendo-me sempre a uma distância que me permitia enxergar a muralha com o canto do olho. Não podia discernir com facilidade se ela era minha amiga ou inimiga, e a serenidade e a sensação agradável talvez fossem uma ilusão com a finalidade de me atrair. De qualquer maneira, como o velho dissera, minha existência nesta cidade era fraca e instável. Todo cuidado era pouco.

Provavelmente por não ter adentrado de verdade até as profundezas do bosque, não pude encontrar traços dos seus habitantes. Não havia pegadas nem marcas de mão. Se de um lado eu tinha certo medo de me deparar com eles ali, por outro ansiava por isso. Porém, mesmo andando durante vários dias pelo local, não achei nada que pudesse indicar sua presença. Supus que deviam viver bem mais para o fundo do bosque. Ou eram astutos o suficiente para me evitar.

No terceiro ou quarto dia da minha expedição, descobri um pequeno prado bem ao lado da muralha leste, justo no local em que ela dobra para o sul. Encravado em uma curva da muralha, ele se estendia no formato de leque, deixando um pequeno espaço intocado onde apenas árvores cresciam. Estranhamente, ali não se sentia a tensão violenta peculiar à paisagem da muralha, pairando sobre ele uma paz e uma tranquilidade semelhantes às que eu testemunhara no fundo do bosque. Ervas curtas e úmidas forravam com delicadeza a superfície do terreno como um tapete, e acima da minha cabeça estendia-se um céu recortado em um formato estranho. Numa das extremidades, restavam alguns vestígios de pedras de fundações, indicando que outrora houvera ali uma construção. Aproximei-me de cada fundação e percebi que o prédio devia ser bem estruturado e com uma planta bem planejada. Havia três cômodos independentes: cozinha, banheiro e saguão de entrada. Enquanto eu percorria as ruínas, imaginava o aspecto do prédio que existira ali. No entanto, não sabia quem teria construído uma casa no fundo de um bosque, com qual objetivo e por que a teria abandonado.

Atrás da cozinha, havia vestígios de um poço de pedra coberto de ervas e cujo interior estava cheio de terra. Quem abandonara a casa devia ter preenchido o poço. Eu não sabia o motivo.

Sentei-me ao lado do poço, encostei na antiga amurada de pedra e ergui os olhos. A brisa que soprava da serra norte fazia balançar levemente os galhos das árvores que emolduravam o semicírculo daquele fragmento de céu, emitindo um som sussurrante. Densas nuvens infladas de umidade atravessavam devagar esse espaço. Levantei a gola do casaco e sem preocupação acompanhei com o olhar o fluxo das nuvens.

Atrás das ruínas era possível divisar a muralha. Pela primeira vez dentro do bosque eu a via tão próxima. Vista assim, podia-se sentir como se ela literalmente respirasse. Sentado nessa clareira aberta no bosque leste, com as costas coladas ao velho poço e apurando os ouvidos para o som do vento, senti que podia acreditar nas palavras do guardião. Se existe neste mundo algo perfeito, com certeza é a muralha. E ela devia estar ali desde o início dos tempos. Assim como as nuvens flutuam no céu e as chuvas formam os rios sobre a terra.

De tão grande, seria impossível desenhá-la num mapa. Sua respiração era intensa; suas curvas, elegantes. E bastava tentar desenhá-la em meu caderno de esboços para ser assaltado por um sentimento de impotência infinita. Dependendo do ângulo em que a observasse, a muralha mudava sua fisionomia de um modo inacreditável, o que dificultava depreendê-la com exatidão.

Fechei os olhos e decidi dormir um pouco. O som agudo do vento continuava intermitente, mas as árvores e a muralha me protegiam do frio. Antes de adormecer, pensei na minha sombra. Era o momento de lhe entregar o mapa. Claro, os detalhes não eram precisos e a parte relativa ao interior do bosque estava quase em branco, mas o inverno se aproximava e, com sua chegada, se tornaria totalmente impossível continuar a expedição. No caderno de esboços eu tinha desenhado em grandes linhas o formato da cidade e a posição e a forma do que existia nela. Por cima disso, fiz anotações sobre o que consegui apurar. A sombra deveria analisar o restante com base nessas informações.

Duvidava que o guardião me permitiria vê-la, mas ele havia prometido que um encontro aconteceria quando os dias estivessem mais curtos e a sombra, mais fraca. E agora, com o inverno batendo à porta, essa condição estava preenchida.

Ainda de olhos fechados, pensei na moça da biblioteca. Contudo, quanto mais pensava nela, mais se aprofundava dentro de mim um sentimento de perda. Não conseguia discernir de onde vinha ou de que maneira se instaurara. O certo é que era um autêntico sentimento de perda. Eu me sentia perdendo de vista continuamente algo relacionado a ela. E de forma duradoura.

Eu a via todos os dias, mas esse fato não servia para preencher o imenso vazio dentro de mim. Ela sempre estava ao meu lado quando eu lia os velhos sonhos em uma sala da biblioteca. Jantávamos juntos, tomávamos alguma bebida quente e depois eu a acompanhava até sua casa. Enquanto caminhávamos, conversávamos bastante. Ela me contava sobre o dia a dia do pai e das duas irmãs menores.

Contudo, quando a deixava em casa e nos separávamos, eu tinha a impressão de que minha sensação de perda crescia a cada vez que nos víamos. Não sabia como lidar com aquela carência. O meu poço era muito profundo, bastante escuro, e não havia terra suficiente para preencher o vazio.

Imaginei que essa sensação estaria sem dúvida ligada de alguma forma à minha memória desaparecida. Apesar de minha memória buscar algo na moça, eu mesmo não conseguia reagir a isso, e essa lacuna formava um vazio quase irremediável em meu coração. Porém, naquele momento, era um problema acima da minha capacidade. Minha própria existência era demasiado frágil e incerta.

Afugentei vários pensamentos e mergulhei a consciência em um sono profundo.

Quando despertei, a temperatura havia despencado. Eu tremia, por isso apertei com firmeza o casaco contra o corpo. Começava a anoitecer. Quando me levantei do chão e tirei com a mão algumas ervas secas do casaco, senti o primeiro floco de neve acariciar o meu rosto. Ao erguer os olhos, notei as nuvens muito mais baixas do que antes, e uma escuridão funesta se intensificara. Vi grandes flocos de neve informes caindo do céu ao sabor do vento, volteando docemente até tombarem no solo. O inverno tinha chegado.

Antes de partir, observei mais uma vez o aspecto da muralha. Sob o céu sombriamente estagnado onde a neve volteava, a silhueta da muralha se destacava com ainda mais perfeição. Ao erguer os olhos para ela, senti como se me encarasse do alto. Ela estava diante de mim como uma criatura pré-histórica recém-despertada.

O que você faz aqui?, parecia perguntar. *O que procura?*

Entretanto, eu não saberia responder. Envolto pelo ar frio, meu breve sono usurpara do meu corpo todo o calor, e em minha mente repousava uma mistura de formas estranhas indistintas. Senti em mim o corpo e a cabeça de outra pessoa. Tudo era denso e ambíguo.

Atravessei o bosque procurando não olhar para a muralha, apertando o passo em direção ao portal leste. O caminho era longo, e a escuridão se adensava aos poucos. Meu corpo tinha perdido seu delicado equilíbrio. Durante o trajeto, parei várias vezes para descansar e reunir forças para continuar a caminhada, precisando recompor cada nervo agudo disperso. Sentia também que algo misturado nas trevas do crepúsculo parecia pesar sobre mim. Tive a impressão de ouvir o som de uma corneta no bosque, mas ela apenas atravessou minha consciência sem deixar vestígio.

Quando por fim saí do bosque e alcancei a margem do rio, a terra já estava coberta por uma profunda escuridão. Não havia estrelas nem lua, e o espaço em volta estava dominado apenas pelo vento misturado à neve e pelo ruído refrescante da água, com o bosque obscuro balançando ao sabor do vento que se erguia por trás. Depois disso, não recordo quanto tempo levei para chegar à biblioteca. Minha única lembrança é ter andado continuamente pelo caminho ao longo do rio. Em meio à escuridão, os ramos dos salgueiros balançavam, e sobre a minha cabeça o vento assoviava. O trajeto parecia não ter fim.

Ela me fez sentar diante do fogareiro e pôs a mão na minha testa. Sua mão estava gelada e, graças a isso, senti uma dor na cabeça, como se tivessem enfiado uma estalactite. Por reflexo, tentei afastar sua mão, mas não consegui erguer o braço e, ao tentar fazê-lo, fiquei enjoado.

— Você está queimando de febre — ela disse. — Afinal, onde esteve e o que andou fazendo?

Queria responder, mas todas as palavras haviam se esvaído da minha consciência. Nem mesmo o que ela dizia eu era capaz de entender com exatidão.

Ela trouxe alguns cobertores retirados sabe-se lá de onde, envolveu-me neles e me fez deitar em frente ao fogareiro. Ao fazê-lo, os cabelos dela roçaram minha face. *Não posso perdê-la*, pensei, mas não era capaz de julgar se isso teria surgido da minha própria consciência ou se viera à tona de fragmentos antigos da memória. Eu perdera tantas coisas e estava totalmente exausto. Em meio a essa sensação de impotência, senti que ia aos poucos perdendo a consciência. Fui assomado pela estranha sensação de fragmentação, como se apenas a consciência se elevasse aos poucos, e meu corpo com grande esforço tentasse impedi-la. Não sabia para que lado deveria me deixar levar.

Durante todo o tempo, ela apertou minha mão.

— Durma — eu a ouvi dizer.

Suas palavras pareciam demorar muito tempo para chegar até mim, vindas das mais remotas profundezas da escuridão.

15
Uísque, tortura, Turguêniev

O homenzarrão quebrou na pia todas — literalmente todas — as garrafas de uísque do meu estoque, sem deixar uma sequer. Eu conhecia o proprietário da loja de bebidas da região e sempre que havia promoção de uísques importados ele me trazia alguns, então eu tinha um estoque razoável.

Ele começou quebrando as duas garrafas de Wild Turkey, em seguida passou para as de Cutty Sark, deu fim a três de I. W. Harper, estilhaçou duas de Jack Daniel's, acabou com uma de Four Roses, pulverizou uma de Haig e, por último, eliminou de uma tacada meia dúzia de Chivas Regal. O barulho foi estrondoso, mas o pior mesmo era o cheiro. Afinal, como ele havia quebrado uma quantidade que eu demoraria meio ano para consumir, o odor não era normal. Todo o apartamento ficou cheirando a álcool.

— Basta ficar aqui dentro para se embebedar, não? — admirou-se o homenzinho.

Conformado, pus os cotovelos sobre a mesa e apoiei o queixo na mão, observando as garrafas estilhaçadas empilhadas na pia. Tudo o que sobe uma hora desce, tudo o que tem forma acaba com certeza destruído. Misturado ao som de vidro quebrado, ouvia-se o assovio irritante emitido pelo grandalhão. Mais do que um assovio, soava como um fio dental sendo friccionado entre dentes desalinhados e espaçados entre si. Não conhecia a melodia ou talvez nem fosse uma música. Era apenas um fio dental sendo friccionado nos dentes centrais de cima e de baixo. Só de ouvir, meus nervos pareciam ficar à flor da pele. Depois de girar a cabeça algumas vezes, desci um gole de cerveja garganta abaixo. Meu estômago estava mais duro do que uma pasta de couro que um bancário usa para visitas externas.

O homem continuou a destruição insana. Claro, para eles dois sem dúvida tudo aquilo fazia sentido, mas para mim era uma loucura. O homenzarrão virou a cama, rasgou o colchão com a navalha, tirou tudo o que estava dentro do guarda-roupa, limpou o conteúdo das gavetas da escrivaninha despejando tudo no chão, arrancou o painel do ar-condicionado, virou a lata de lixo, esvaziou os armários e quebrou diversos objetos conforme julgou necessário. O trabalho era rápido e habilidoso.

Quando o quarto e a sala de estar estavam em ruínas, o homem passou para a cozinha. Eu e o homenzinho nos transferimos para a sala de estar, voltamos o sofá com a parte traseira totalmente rasgada à posição original e, sentados ali, observamos o homenzarrão destruir a cozinha. Em meio ao infortúnio foi realmente uma sorte que os assentos do sofá estivessem praticamente intactos. Era um móvel de boa qualidade e confortável, que comprei bem barato de um conhecido que era um fotógrafo excelente, especializado em imagens publicitárias, que acabou nas montanhas de Nagano depois de uma crise nervosa e, por isso, me repassou por um preço módico o sofá que tinha no estúdio. Lamentei de verdade seu problema nervoso, mas mesmo assim achei uma sorte conseguir o móvel. Fosse como fosse, pelo menos eu não teria que comprar um sofá novo.

Eu estava sentado na ponta direita com a lata de cerveja nas mãos, enquanto o homenzinho estava na ponta esquerda, de pernas cruzadas, recostado no braço do sofá. Apesar do barulho infernal, nenhum morador do prédio veio verificar o que acontecia. Quase todos os que moravam no meu andar eram solteiros e, a menos que não houvesse uma circunstância extraordinária, não devia haver ninguém em casa num dia útil à tarde. Será que fizeram esse barulhão sem hesitar por saberem disso? Talvez. Eles pareciam ter conhecimento de tudo. Mesmo parecendo uns selvagens, agiam analisando com cuidado tudo o que faziam.

Por vezes o baixinho olhava o Rolex e verificava o andamento do trabalho, enquanto o gigante, sem fazer nenhum movimento desnecessário, destruía o apartamento à exaustão. Com uma devassa daquelas eu não teria conseguido manter nem mesmo um lápis escondido. No entanto, eles — conforme o próprio homenzinho declarara logo de início — não estavam procurando nada. Estavam apenas empenhados em destruir.

Para quê?

Talvez para fazer com que terceiros acreditassem que eles estavam em busca de algo.

Quem seriam esses terceiros?

Desisti de pensar nisso, bebi o último gole da cerveja e pousei sobre a mesinha a lata vazia. O grandalhão abriu a cristaleira e varreu os copos para o chão, em seguida foi a vez dos pratos. Ele quebrou a cafeteira italiana, a chaleira, o saleiro, o açucareiro e o vidro de farinha de trigo. O arroz se espalhou pelo chão. Os produtos congelados tiveram o mesmo destino. Uma dúzia de camarões congelados, um pedaço de carne bovina para bife, o sorvete, a manteiga de primeira qualidade, trinta centímetros de comprimento de ovas de salmão e o molho de tomate que eu cozinhara em grande quantidade se espalharam pelo chão revestido de linóleo como se uma chuva de meteoritos batesse numa rodovia asfaltada.

Em seguida, o homem suspendeu a geladeira com ambas as mãos, puxou-a para a frente e a fez tombar no chão, de forma que a porta ficasse virada para baixo. Um cabo próximo ao radiador deve ter se partido, porque chispas finas se espalharam. A cabeça me doeu só de pensar em como explicar o defeito ao eletricista que viesse para consertá-lo.

Da mesma forma como começou, a destruição também acabou de repente. Sem um *porém*, *se*, *entretanto* ou *como*, num instante tudo acabou. Com um silêncio sombrio recobrindo todo o lugar. O homenzarrão parou de assoviar e, de pé junto à porta da cozinha, passou a me observar com o olhar vago. Não imaginava quanto tempo teria levado para ele transformar meu apartamento em um incrível monte de escombros. Uns quinze ou trinta minutos, talvez? Um pouco mais de quinze e um pouco menos de trinta minutos. No entanto, considerando a expressão de satisfação no rosto do homenzinho ao olhar o mostrador do Rolex, imagino que era o tempo médio necessário para destruir um apartamento de dois quartos, sala e cozinha. O mundo está mesmo cheio de médias de diversos tipos, desde o tempo cronometrado de uma maratona ao que se gasta para usar um rolo de papel higiênico.

— Vai levar um bom tempo para arrumar tudo isso, não? — disse o baixinho.

— Também acho — disse eu. — E vai sair caro.

— O dinheiro neste caso é o de menos. Isso é uma guerra. Se ficar calculando valores, não se sai vitorioso.

— Essa guerra não é minha.

— O problema não é de quem é. Tampouco de quem é o dinheiro. Guerras são assim mesmo. Aceita que dói menos.

O homenzinho tirou do bolso um lenço branco que levou à boca, tossindo duas ou três vezes. Depois de examinar brevemente o tecido, guardou-o de novo no bolso. Pode ser preconceito meu, mas não confio muito em homens que andam com um lenço no bolso. Eu sou cheio desse tipo de preconceitos. Por isso, não sou muito benquisto pelas pessoas. E quanto mais elas não gostam de mim, mais o preconceito aumenta.

— Um tempo depois de partirmos, chegará o pessoal da System. E você deve falar de nós para eles. Diga-lhes que entramos à força no seu apartamento e o reviramos à procura de algo. Que perguntamos onde estava o crânio. Mas que você não sabia nada sobre o assunto. Entendeu? Afinal, você não pode informar algo que desconhece e não pode dar algo que não tem. Nem sob tortura. Portanto, demos o fora de mãos abanando.

— Tortura? — perguntei.

— Ninguém suspeitará de você! Os caras não sabem que você esteve no laboratório do professor. Neste momento, só nós sabemos. Por isso, você não corre perigo. Você é um calculador excelente, e por isso eles com certeza acreditarão em você. Acharão que somos gente da Factory. E começarão a se movimentar. Nós calculamos tudo minuciosamente.

— Tortura? — insisti. — Que tipo de tortura?

— Depois eu explico direitinho! — disse o tampinha.

— E se eu revelar toda a verdade ao pessoal da System? — experimentei perguntar.

— Se fizer isso, vai ser eliminado por eles — foi a resposta. — Não é mentira nem ameaça. É a pura verdade. Você foi ao laboratório do professor sem informar à System e realizou um shuffling, algo que está proibido. Isso por si só já é grave, mas ainda por cima o professor está utilizando você em seus experimentos. Você não se safaria fácil dessa. Está numa posição mais perigosa do que imagina. Ouça bem, vou ser sincero, é como se você estivesse num pé só sobre a balaustrada de uma ponte. É melhor pensar com muito cuidado para que lado vai cair. Depois de se ferir, será tarde para se arrepender.

Nós nos encaramos, cada qual na sua ponta do sofá.

— Tem algo que eu gostaria de perguntar — continuei. — O que eu ganho ao colaborar com vocês a ponto de mentir para a System? Afinal, como problema real, o fato é que eu sou um calculador da organização e, somado a isso, não sei absolutamente nada sobre vocês. Por que deveria mentir para os meus colegas e me aliar a estranhos?

— É simples — disse o homenzinho. — Estamos até certo ponto cientes da sua situação, mas o estamos deixando viver. A sua organização não sabe quase nada da sua situação. Se souberem, é bem capaz de acabarem com você. Nós somos uma aposta muito mais confiável. Não é simples?

— Mas a System vai acabar tomando conhecimento da situação! Não sei bem que situação seria essa. A System é uma organização gigantesca e não é idiota.

— Talvez — ele respondeu. — Contudo, vai demorar ainda um tempo e, com sorte, nesse ínterim talvez tanto nós quanto você consigamos resolver nossos problemas. Escolhas são assim mesmo! Opta-se pela de maior probabilidade, mesmo com uma diferença de apenas um por cento. Igual ao xadrez. Se o põem em xeque, você escapa. Enquanto escapa, o adversário talvez cometa um engano. Mesmo um adversário poderoso pode cometer erros. Bem...

Dizendo isso, o tampinha olhou o relógio, em seguida se voltou para o homenzarrão e estalou os dedos. Ao ouvi-lo, este ergueu o queixo como um robô que é acionado e mais do que depressa parou diante do sofá. Postou-se diante de mim como um biombo. Não, em vez de um biombo, talvez seja mais preciso dizer como uma tela de drive-in. Ele bloqueou toda a minha visão. A luz do teto foi coberta pelo seu corpo, lançando sobre mim uma sombra tênue. De súbito me lembrei de quando observei um eclipse solar no pátio da escola quando estava no primário. Todos vimos o Sol usando uma placa de vidro pintada com fuligem de vela, que servia de filtro. Isso foi há quase um quarto de século. Todo o tempo que passou na verdade me trouxe até essa estranha situação.

— Bem… — repetiu o homem. — A partir de agora você passará por uma experiência um pouco desagradável. Acho que não seria inadequado trocar "um pouco" por "extremamente", mas o jeito é você aguentar sabendo que isso também é para o seu bem. Não vamos fazer porque queremos. Não há outro remédio. Vamos, tire a calça.

Resignado, me despi. De nada adiantaria reagir.

— Agora fique de quatro no chão.

Conforme ele ordenava, desci do sofá e me ajoelhei no tapete. Era estranho ficar de quatro no chão apenas de camiseta e cueca, mas antes mesmo que pudesse me afligir demais por isso o grandalhão deu a volta e se pôs atrás de mim, passou os braços sob minhas axilas e segurou meus pulsos na altura dos quadris. Seus gestos eram ágeis e objetivos. Não senti uma grande pressão, mas quando tentei me mover um pouco uma dor percorreu meus ombros e pulsos como se fossem ser arrancados. Depois disso, ele imobilizou com firmeza minhas pernas entre as dele. Estava imóvel como um daqueles patos nas barracas de tiro ao alvo.

O tampinha foi até a cozinha e voltou com a navalha do homenzarrão, que estava em cima da mesa. Abriu a lâmina de sete centímetros de comprimento e esquentou a ponta com o isqueiro que tinha no bolso. A navalha sozinha parecia ser um instrumento compacto e não muito violento, mas bastava bater os olhos para entender que não era um desses artigos vagabundos vendidos a preço de banana em qualquer armarinho de esquina. O tamanho da lâmina era suficiente para retalhar o corpo de uma pessoa. O corpo humano, diferente do de um urso, é macio como um pêssego, e basta uma lâmina firme de sete centímetros para lograr seu intento.

Após esterilizar a lâmina com fogo, o homenzinho esperou um pouco até que esfriasse. Em seguida pôs a mão esquerda no elástico da minha cueca branca e a puxou para baixo até deixar metade do meu pênis exposto.

— Vai doer um pouco, mas aguente firme — alertou ele.

Senti uma massa de ar do tamanho de uma bola de tênis subindo do estômago até o meio da garganta. A ponta do meu nariz gotejava de suor. Eu tremia igual vara verde. Tinha medo de que meu pênis fosse ferido. E, uma vez ferido, que nunca voltasse a ter uma ereção.

Porém, o homem não machucou meu pênis. Ele produziu um corte horizontal de cerca de seis centímetros no meu abdômen, uns cinco centímetros abaixo do umbigo. A ponta da lâmina afiada, ainda quente, penetrou um pouco deslizando para a direita, como quando se traça uma linha com uma régua. Por um instante tentei encolher a barriga, mas como minhas costas estavam imobilizadas pelo homenzarrão não consegui me mover um milímetro sequer. Além disso, o homenzinho segurava com firmeza o meu pênis com a mão esquerda. Senti um suor frio escorrendo de todos os poros do corpo. Um instante depois, veio uma dor aguda e latejante. O homenzinho guardou a lâmina e, tão logo limpou o sangue com um lenço de papel, o homenzarrão me soltou. Pude ver o sangue tingir aos poucos a minha cueca branca de vermelho. O homenzarrão trouxe uma toalha limpa do banheiro e eu a usei para pressionar o ferimento e, assim, estancar o sangue.

— Com uma sutura de sete pontos se cura isso! — explicou o homenzinho. — Vai ficar uma pequena cicatriz, mas num local bem pouco visível. Sinto muito, mas faz parte da vida, e o único jeito é aguentar.

Afastei a toalha do corte e examinei a marca. Não era tão profundo, mas mesmo assim pude ver a carne de um rosa-pálido em meio ao sangue.

— Depois de partirmos e os sujeitos da System chegarem, mostre a eles esse ferimento. E diga que ameaçamos cortar mais para baixo quando você falou que não sabia nada sobre o crânio. Só que, como você de fato não tinha ideia de onde estava, não havia como nos revelar. Por isso, desistimos e fomos embora. Essa é a tortura. Se fosse a sério seria muito pior. Mas, bem, por agora está de bom tamanho. Se tiver uma próxima oportunidade, vamos mostrar a você que podemos fazer bem mais do que isso.

Calado, assenti com a cabeça ainda comprimindo o abdômen com a toalha. Não saberia explicar bem a razão, mas senti que seria melhor fazer as coisas do jeito que eles diziam.

— Falando nisso, foram vocês que contrataram aquele pobre funcionário da companhia de gás, não? — experimentei perguntar. — E fizeram com que ele falhasse de propósito para me induzir a ter cautela e esconder o crânio e os dados em outro local, correto?

— Você é inteligente — disse o homenzinho, enquanto olhava para o homenzarrão. — Cabeça não foi feita só para usar chapéu. Se colocá-la para funcionar, você sobrevive. Se tudo correr bem, claro.

Na sequência, a dupla saiu do apartamento. Não precisaram abrir a porta, tampouco fechá-la. A porta de aço, sem dobradiças e com o caixilho retorcido, estava agora escancarada para todo mundo.

Despi a cueca suja de sangue e a joguei na lixeira, em seguida limpei ao redor da ferida com uma gaze embebida em água. Descartei a camiseta com a manga suja. Entre a roupa espalhada pelo chão, escolhi uma camiseta com uma cor que disfarçaria o sangue e uma cueca pequena. Só isso já representou um grande trabalho.

Em seguida fui até a cozinha, bebi dois copos de água e, enquanto pensava, esperei os sujeitos da System chegarem.

Meia hora depois, três caras da sede apareceram. Entre eles, um jovem insolente que era o meu contato na organização e sempre vinha ao meu apartamento para recolher os dados. Como de costume, trajava um terno escuro, camisa social branca e uma gravata, o que o fazia lembrar um bancário. Os outros dois calçavam tênis e pareciam funcionários de uma transportadora. Mesmo assim, não pareciam nem um pouco com funcionários de um banco ou de uma transportadora. Só tinham essa aparência discreta. Seus olhos atentavam a tudo sem cessar, e seus músculos estavam tensos, rígidos, prontos para responder a qualquer situação.

Eles também não precisaram bater na porta e adentraram meu apartamento sem nem mesmo tirar os sapatos. Enquanto os dois homens com jeito de trabalhadores braçais inspecionavam cada canto do apartamento, o que era meu contato na organização ouvia meu relato. Ele puxou do bolso do casaco um caderninho preto e anotou com uma lapiseira os pontos principais da conversa. Expliquei que dois sujeitos apareceram à procura de um crânio e mostrei a ele o ferimento em meu ventre. Ele olhou durante algum tempo o machucado, mas não fez nenhum comentário.

— O que é exatamente esse crânio? — indagou.

— Não faço ideia — respondi. — Também gostaria de saber.

— *Realmente* não tem nenhuma lembrança do que possa ser? — insistiu o meu contato numa voz apática. — Por favor, tente se lembrar, já que é algo de suma importância. Depois não há como retificar seu relatório. Os simbolistas não dão ponto sem nó. Se eles vieram até aqui à procura de um crânio, é porque tinham motivo para acreditar que estaria aqui. Eles não tirariam isso do nada. Esse crânio deve ser valioso para estarem procurando por ele. Custo a crer que você não tenha relação com o objeto.

— Já que você é tão perspicaz, não poderia me dizer o que significa esse crânio? — disse eu.

Meu contato por um tempo deu batidinhas no caderno com a ponta da lapiseira.

— É o que vamos tentar apurar — ele disse. — Vamos pesquisar a fundo. Quando nos empenhamos, chegamos ao cerne da questão. E se descobrirmos que você está nos escondendo algo, as coisas vão ficar ruins para o seu lado. Não tem problema para você?

Respondi que não. Quem poderia saber o que iria acontecer? O futuro é sempre uma incógnita.

— Sabemos por alto que os simbolistas aparentam tramar algo. Os sujeitos estão começando a agir! Porém, ainda não sabemos qual o seu objetivo concreto. Também não sabemos de que forma você está envolvido em tudo isso. Ignoramos o significado do crânio. No entanto, quanto mais aumentarem as pistas, mais nos aproximaremos do núcleo da situação. Não há dúvida quanto a isso.

— E o que devo fazer?

— Tomar cuidado. Quando descansar, mantenha-se alerta. Por um tempo cancele os seus compromissos. E, se acontecer algo, contate-nos de imediato. Seu telefone funciona?

Tirei o fone do gancho. O aparelho dava sinal. Tive a impressão de que aqueles dois haviam deixado o telefone funcionando de propósito.

— Funciona — respondi.

— Ouviu bem? Contate-me de imediato, mesmo que seja algo insignificante. Não pense em resolver sozinho. E não tente nos esconder nada. Aquele pessoal não brinca em serviço. Na próxima, não vão fazer só um arranhãozinho na sua barriga.

— Arranhãozinho? — não pude me conter.

A dupla com jeito de trabalhadores braçais, que fazia uma varredura no apartamento, terminou a tarefa e voltou para a cozinha.

— Eles fizeram uma busca minuciosa — afirmou o mais velho. — Não deixaram escapar nada. E foram metódicos. Trabalho de profissionais! São sem dúvida simbolistas.

Meu contato assentiu com a cabeça e os dois saíram da cozinha. Ficamos apenas eu e ele.

— Por que rasgaram até minhas roupas para procurar por um crânio? — perguntei. — Seria impossível esconder no meio de roupas! Qualquer que fosse o crânio.

— Eles são profissionais. Avaliam todas as possibilidades. Você poderia ter deixado o crânio em um guarda-volumes e escondido a chave em algum lugar. E isso pode ser escondido em qualquer canto.

— Tem razão — concordei.

Fazia sentido.

— A propósito, os simbolistas não lhe fizeram nenhuma proposta?

— Proposta?

— Sim, uma proposta de arregimentar você para a Factory? Dinheiro, cargo, coisas assim. Ou, ao contrário, não o ameaçaram?

— Não propuseram nada do tipo — falei. — Apenas me cortaram o abdômen e perguntaram sobre o tal crânio.

— Ok. Escute com atenção — disse o meu contato. — Se os sujeitos disserem algo para atraí-lo, não lhes dê ouvidos. Se nos trair, acabamos com você nem que tenhamos de ir até o Fim do Mundo. Não estou mentindo. É uma promessa. Nós temos o Estado do nosso lado. Não há nada que não possamos fazer.

— Tomarei cuidado! — exclamei.

Depois que eles partiram, fiz um apanhado geral da situação. Porém, por mais que tentasse resumir bem, não cheguei a lugar algum.

O cerne da questão era qual tipo de experimento o professor conduzia. Sem ter conhecimento exato, tudo não passava de conjectura. Eu não tinha noção das ideias que pululavam na cabeça daquele velho.

Minha única certeza era que, por causa da situação, eu me vira obrigado a trair a System. Se eles descobrissem isso — o que aconteceria cedo ou tarde —, sem dúvida eu acabaria em maus lençóis, como me foi informado pelo meu contato insolente. Mesmo que o tenha feito sob ameaça. De jeito nenhum iriam me perdoar.

Enquanto ponderava sobre isso, meu ferimento começou a doer. Procurei na lista telefônica o número da empresa de táxi mais próxima e chamei um carro, decidido a ir ao hospital. Apertei o corte com uma toalha, vesti por cima uma calça folgada e calcei os sapatos. Quando me agachei para amarrá-los, senti uma dor violenta, como se meu corpo fosse se dobrar em dois. Pensar que um corte no abdômen de dois ou três milímetros poderia deixar um ser humano em uma condição tão miserável. Era impossível calçar os sapatos de maneira satisfatória e descer ou subir escadas.

Peguei o elevador, desci até o térreo e me sentei perto da sebe da entrada para esperar o táxi. O relógio indicava uma e meia da tarde. Fazia apenas duas horas e meia que a dupla havia destruído a porta do meu apartamento. Parecia uma eternidade. Tinha a impressão de que haviam decorrido dez horas ou mais.

Mulheres com sacolas de compras passavam em sucessão diante de mim. Alhos-porós e nabos despontavam de sacolas de supermercado. Senti certa inveja delas. Não tiveram o refrigerador destruído nem levaram um corte de navalha no abdômen. Para que o mundo fluísse em paz, elas só precisavam pensar em receitas com alho-poró e nabo e em como os filhos iam na escola. Não precisavam carregar debaixo do braço um crânio de unicórnio nem se estressar com códigos secretos intrincados ou processos complexos. Tinham uma vida normal.

Lembrei dos camarões, da carne bovina, da manteiga e do molho de tomate que estavam agora descongelando no chão da cozinha. Eu precisaria consumi-los ainda hoje. Porém, estava sem apetite.

O carteiro chegou montado numa moto Supercub vermelha e começou a distribuir com habilidade a correspondência nas caixas de correio alinhadas ao lado da entrada. Observando bem, havia caixas que transbordavam de cartas, enquanto outras não tinham nenhuma. Ele não tocou na minha caixa. Nem sequer olhou para ela.

Ao lado das caixas de correio havia um vaso com uma seringueira, e dentro dele palitos de pirulito e guimbas de cigarro. Como eu, a seringueira parecia cansada. As pessoas vinham até ali jogar guimbas e estragar suas folhas. Não conseguia recordar desde quando ela estaria ali. Pela sujeira, devia fazer bastante tempo. Eu passava na frente dela todos os dias, e até ter meu abdômen cortado e precisar esperar um táxi na entrada, não tinha notado sua existência.

Depois de ver o ferimento no meu ventre, o médico perguntou o que havia acontecido.

— Tive um desentendimento com uma mulher — disse eu.

Que outra desculpa poderia dar? Qualquer um diria que estava claro que havia sido feito com uma arma branca.

— Nesses casos temos a obrigação de notificar a polícia — afirmou o médico.

— Seria melhor não colocar a polícia no meio — falei. — Tive minha parcela de culpa, e o ferimento felizmente não foi profundo, por isso gostaria que ficasse tudo em sigilo! Por favor.

O médico ainda protestou por um tempo, mas acabou desistindo. Ele me fez deitar em uma cama e desinfetou o corte, aplicou algumas injeções, trouxe agulha e linha e com destreza suturou a ferida. Feito isso, uma enfermeira que me encarava desconfiada aplicou uma gaze grossa e a fixou rodeando minha cintura com uma cinta de borracha. Fiquei com um aspecto esquisito.

— Na medida do possível, evite movimentos bruscos — recomendou o médico. — Nada de álcool, sexo e gargalhadas. Procure viver de maneira calma por um tempo, por exemplo, lendo. Volte amanhã.

Agradeci, paguei a despesa no caixa, recebi uma pomada cicatrizante e voltei para casa. Conforme aconselhado pelo médico, fui me deitar e li *Rúdin*, de Turguêniev. Na verdade queria ler *Águas de primavera*, mas era quase impossível encontrar um livro em meio aos escombros e, pensando bem, *Águas de primavera* não é um romance assim tão superior a *Rúdin*.

Deitado antes de anoitecer lendo um romance clássico de Turguê-niev e com uma faixa de gaze enrolada no abdômen, comecei a sentir que não me importava muito com o que poderia acontecer. Nada do que havia se passado nos três últimos dias era culpa minha. Tudo tinha vindo em minha direção, e eu apenas fui envolvido nessa história toda.

Fui até a cozinha e afastei com cuidado os pedaços das garrafas de uísque empilhados na pia. Quase todas estavam estilhaçadas, mas havia sobrado a parte de baixo de uma garrafa de Chivas Regal, e no fundo havia o suficiente para encher um copo. Eu me servi e observei o líquido contra a luz, mas não encontrei nenhum caco de vidro. Voltei para a cama e continuei a leitura com o uísque morno na mão. Eu tinha lido *Rúdin* quinze anos antes, quando estava na universidade. Percebi que, ao ler o livro com a barriga enfaixada, o protagonista me inspirou ainda mais simpatia. As pessoas não conseguem corrigir os seus próprios defeitos. As inclinações dos seres humanos se formam em geral até os vinte e cinco anos, depois disso não é possível mudar a própria natureza, por mais que se empenhe. A questão se restringe a como o mundo exterior reage a essas inclinações humanas. Inebriado, eu me vi em Rúdin. Raramente me identifico com os personagens dos romances de Dostoiévski, mas acabo logo me vendo nos de Turguê-niev. Sou do tipo que se identifica até com os personagens da série *Os mistérios do 87º distrito*. Talvez por eu mesmo ter diversos defei-tos. Nem sempre os defeitos dos personagens de Dostoiévski podem ser vistos como tal, e acabo não conseguindo me identificar cem por cento com eles. No caso de Tolstói, os defeitos são tão grandiosos que há uma tendência a torná-los estáticos.

Ao terminar de ler *Rúdin*, atirei o livro na estante e fui reexaminar os cacos das garrafas de uísque na pia. Achei um restinho no fundo de uma garrafa de Jack Daniel's Black Label, verti num copo, voltei para a cama e, dessa vez, me pus a ler *O vermelho e o negro*, de Stendhal. Sou aficionado por romances de épocas passadas. Quantos jovens hoje leriam *O vermelho e o negro*? Enquanto lia, me identifiquei com Julien Sorel. No caso dele, seus defeitos tinham sido formados até os quinze anos, e eu também me via nisso. Alguém ter todos os ele-mentos da vida definidos aos quinze anos é algo bastante lamentável quando visto da perspectiva de outra pessoa. É como ser encarcerado numa prisão de segurança máxima. Confinado em um mundo cercado por uma muralha, continua-se a marcha rumo à própria destruição.

Isso mexeu comigo.

Uma muralha.

Um mundo cercado por uma muralha.

Fechei o livro e, deixando escorrer o pouco que restara do Jack Daniel's para o fundo da garganta, refleti por um tempo sobre um mundo cercado por uma muralha. Pude imaginar com relativa facilidade seu formato e o portal. Uma muralha altíssima e um portal enorme. E o silêncio absoluto. E eu estava ali. No entanto, minha consciência estava dispersa e não conseguia distinguir a paisagem ao redor. Conseguia discernir com clareza os pormenores da paisagem da cidade como um todo, mas o que me rodeava estava extremamente turvo. Do outro lado desse véu opaco, alguém me chamava.

Como isso parecia a cena de um filme, tentei me lembrar de clássicos históricos que eu já tinha visto à procura de algo assim. *El Cid, Ben-Hur, Os dez mandamentos, O manto sagrado, Spartacus...* Não havia neles nenhuma cena parecida. Devia só ser algo da minha imaginação.

Sem dúvida essa muralha retrata minha vida limitada, pensei. *O silêncio é um resquício da eliminação sonora. A cena está desfocada porque minha imaginação enfrenta uma crise de proporções devastadoras. Talvez seja a moça de terninho cor-de-rosa que me chama.*

Depois da análise reducionista desse delírio momentâneo, voltei a abrir o livro. Porém, não consegui me concentrar na leitura. *Minha vida é um vazio*, pensei. *Um zero. Um nada. O que eu criei até aqui? Absolutamente nada. Fiz alguém feliz? Ninguém. Tenho algo meu? Nadica de nada. Sem um lar, sem amigos e sem nem mesmo uma porta. Tampouco uma ereção. E corro o risco de perder até meu trabalho.*

E o mundo pacífico com aulas de violoncelo e grego, meu objetivo derradeiro de vida, corria perigo. Se me tirarem o emprego agora, será impossível ter uma situação financeira confortável depois de me aposentar, e se for perseguido até os confins do mundo pela System, não terei tempo de memorizar as conjugações de verbos irregulares gregos.

Fechei os olhos, soltei um suspiro mais profundo que um poço inca e voltei para *O vermelho e o negro*. O que foi perdido perdido está. De nada adianta se martirizar, porque não vai voltar.

Quando percebi, havia anoitecido por completo e eu estava rodeado por uma escuridão aos moldes das descritas por Turguêniev e Stendhal. A dor no ferimento do abdômen amainara, talvez por estar deitado. Vez ou outra uma dor aguda indistinta como o ressoar longínquo de um tambor percorria do ferimento em direção aos flancos, mas bastava passar para eu ficar um tempo sem me lembrar do corte. O relógio marcava sete e vinte da noite, mas eu continuava sem apetite. Às cinco e meia da manhã eu tinha comido um sanduíche bem simples com leite e, depois, uma salada de batata, e desde então não tinha colocado mais nada na boca. No entanto, só de pensar em comida sentia o estômago revirar. Estava cansado, sem sono e, como se não bastasse, tinha ainda um machucado no abdômen e o apartamento destruído. Não podia me dar ao luxo de ter apetite.

Anos antes eu tinha lido um romance de ficção científica que se passava em um futuro não muito distante, quando o mundo havia se convertido em ruínas sob seus próprios dejetos, uma paisagem exatamente como a do meu apartamento. Havia todo tipo de resíduo espalhado pelo chão. Desde o terno de três peças, passando por um aparelho de vídeo, uma TV, uma jarra de flores despedaçada, um abajur com o pé partido, discos pisados, molho de tomate descongelado, cabos do alto-falante retorcidos... A maior parte das camisas e cuecas jogadas pelo chão havia sido pisoteada, tinha manchas de tinta e uva e estava praticamente imprestável. As uvas que eu tinha comido três dias antes e deixado em um prato na cabeceira estavam esmagadas no chão. Minhas coleções de livros de Joseph Conrad e Thomas Hardy estavam encharcadas com a água suja da jarra de flores. Os gladíolos tinham caído sobre o suéter de caxemira bege-claro, como uma oferenda a combatentes mortos na guerra. Numa das mangas do suéter havia manchas de tinta Pelikan azul-real do tamanho de uma bola de golfe.

Tudo tinha se transformado em lixo.

Uma montanha de lixo que não iria a parte alguma. Os microrganismos morrem, transformam-se em petróleo, grandes árvores tombam, convertem-se em carvão. Porém, tudo o que havia ali era apenas lixo inútil. Para onde poderia ir um videocassete quebrado?

Fui outra vez à cozinha e revirei as garrafas de uísque na pia. Porém, infelizmente, não havia nem mais uma gota. O que não tinha ido para o meu estômago estava agora na tubulação da pia, descendo como Orfeu para o mundo subterrâneo dominado por tenebrosos.

Enquanto eu vasculhava a pia, cortei num caco de vidro a ponta do indicador da mão direita. Por uns instantes contemplei o sangue escorrer da extremidade do dedo e pingar no rótulo de um uísque. Depois de sofrer um grande ferimento, os pequenos se tornam insignificantes. Ninguém nunca morreu por causa do sangue escorrendo de um dedo.

Deixei o sangue fluir livremente até o rótulo do Four Roses ficar completamente vermelho, mas, vendo que a hemorragia não cessava, desisti e limpei o machucado com lenço de papel e enrolei a ponta do dedo com um band-aid.

No chão da cozinha havia sete ou oito latas de cerveja espalhadas como cartuchos vazios após um ataque de artilharia. Ao apanhá-las, notei que estavam mornas, mas era melhor do que nada. Peguei uma em cada mão, voltei para a cama e, enquanto continuava a ler *O vermelho e o negro*, bebi em goles miúdos. Eu queria que o álcool aliviasse a tensão acumulada no meu corpo durante os três últimos dias e me ajudasse a dormir profundamente. Mesmo que o dia seguinte fosse cheio de problemas — o que sem dúvida aconteceria —, eu queria dormir profundamente o tempo necessário para o planeta Terra dar um giro completo bem ao estilo Michael Jackson. Precisava enfrentar os novos problemas com um sentimento de desespero renovado.

Antes das nove horas, Morfeu veio me tomar em seus braços. O sono chegava a meu apartamento devastado como a face oculta da lua. Deixei cair no chão *O vermelho e o negro*, do qual eu já lera cerca de três quartos, desliguei o abajur que havia sobrevivido ao massacre, virei de lado, arqueei-me e adormeci. Eu era um pequeno feto no interior de um quarto devastado. Até o momento devido, ninguém poderia impedir o meu sono. Eu era o príncipe do desespero envolto em um manto de problemas. Continuaria dormindo até que um sapo do tamanho de um Volkswagen viesse me despertar com um beijo.

Porém, ao contrário do que eu esperava, só consegui dormir duas horas. Às onze da noite, a moça obesa de terninho cor-de-rosa me sacudiu pelos ombros. Meu sono parecia estar sendo leiloado por um lance extremamente baixo. Todo mundo chegava e me dava pontapés enquanto eu dormia, como se estivessem testando o estado dos pneus de um carro de segunda mão. Não deveriam ter o direito de fazer isso. Estou envelhecendo, mas não sou um carro usado.

— Me deixe em paz! — pedi.

— Vamos, por favor, levante-se! Eu imploro — ela disse.

— Me deixe em paz! — repeti.

— Isso não é hora de dormir! — insistiu ela, dando socos nas minhas costelas.

Como se houvessem aberto as portas do inferno, uma dor terrível percorreu todo o meu corpo.

— Por favor — ela pediu. — Desse jeito, será o Fim do Mundo!

16
A chegada do inverno

Quando acordei, estava na cama. Havia um aroma nostálgico. Era a minha cama. O meu quarto. No entanto, sentia que tudo havia mudado um pouco. Parecia que eu tinha reproduzido o cenário de acordo com as minhas memórias. Até as manchas no teto, as rachaduras na parede, tudo.

Vi que chovia lá fora. Uma chuva de inverno nítida como gelo caía sobre a terra. Ouvi também o barulho nos telhados. Porém, não conseguia entender bem a que distância estava. Sentia ao mesmo tempo como se o telhado estivesse ao meu lado e a um quilômetro de distância.

Também via a silhueta do coronel ao lado da janela. O velho estava sentado em uma cadeira, como de costume, com as costas aprumadas e totalmente imóvel, admirando a chuva cair. Não conseguia entender por que o velho contemplava com tanta paixão a chuva. Chuva é só chuva, nada mais. Ela apenas bate no telhado, molha a terra e escorre para os rios.

Tentei levantar o braço para tocar o meu rosto, mas não consegui. Senti todo o corpo terrivelmente pesado. Tentei abrir a boca para informar isso ao velho, mas nem a voz saía. Eu não conseguia impulsionar para cima a massa de ar que havia em meus pulmões. Aparentemente tinha perdido todas as funções do meu corpo. Eu só estava de olhos abertos observando a janela, a chuva e o velho. Não conseguia me lembrar por que meu corpo estava num estado tão deplorável. Quando tentava pensar, a cabeça doía como se fosse se partir ao meio.

— É o inverno — disse o velho. E com a ponta do dedo deu tapinhas na vidraça. — O inverno chegou. Agora você deve ter compreendido como é pavorosa essa estação do ano.

Assenti de leve com a cabeça.

Sim, foi isso... Foi o inverno que me feriu. E eu... eu atravessei o bosque e cheguei à biblioteca. Me lembrei de súbito da sensação dos cabelos da bibliotecária roçando minha face.

— A moça da biblioteca o trouxe para cá. Com a ajuda do guardião. Você estava com uma febre altíssima. Suando em bicas. Dava para encher um balde. Isso foi anteontem!

— Anteontem?

— Isso mesmo. Você dormiu dois dias inteiros — disse o velho. — Até pensei que dormiria para sempre! Você foi ao bosque, não?

— Peço desculpas — disse.

O velho baixou a panela que estava no fogareiro e derramou o conteúdo em um prato. Depois, me ajudou a me recostar na cabeceira da cama. A cabeceira soltou um ruído parecido com o rangido de ossos.

— Antes de mais nada, você deve se alimentar — disse o velho. — Deixe para pensar e se desculpar depois. Está com fome?

Respondi que não. Receava até respirar.

— Pelo menos beba isto. Bastam três colheradas. Será suficiente. Só três, nada mais. Consegue?

Assenti com a cabeça.

A sopa com ervas medicinais era tão amarga que me deixou enjoado, mas me esforcei e tomei as três colheradas. Então senti a força do meu corpo se esvair.

— É assim mesmo — disse o velho, devolvendo a colher ao prato. — É um pouco amarga, mas essa sopa eliminará as toxinas ruins do seu corpo. Durma mais um pouco e, quando acordar, deve se sentir melhor. Durma bem. Eu também vou estar aqui quando você despertar.

Quando acordei, já estava escuro lá fora. Um vento forte fazia gotas de chuva se chocarem contra a janela. O velho estava na cabeceira da cama.

— E então? Como se sente?

— Bem melhor do que agora há pouco — afirmei. — Que horas são?

— Oito da noite.

Fiz menção de me levantar da cama, mas meu corpo ainda vacilava um pouco.

— Aonde você vai? — perguntou o velho.

— À biblioteca. Preciso ler os sonhos — respondi.

— Não diga besteira. No seu estado, você não consegue andar nem cinco metros!

— Mas não posso simplesmente faltar.

O velho balançou a cabeça.

— Os velhos sonhos vão esperar. Além disso, o guardião e a moça sabem que você não vai poder sair daqui por um tempo. A biblioteca nem está aberta.

O velho suspirou, foi até o fogareiro, serviu o chá em uma xícara e voltou. O vento fustigava a janela a intervalos regulares.

— Pelo que notei, você parece gostar daquela moça, não? — indagou o velho. — Não ia perguntar, mas preciso fazer isso. Eu estive todo o tempo ao seu lado. Quando as pessoas estão febris, costumam delirar. Não há do que se envergonhar. É normal jovens se apaixonarem. Não é?

Assenti calado.

— É uma boa moça! E estava muito preocupada com você — disse o velho, bebendo o chá. — Mas você se apaixonar por ela não é muito adequado. Não gostaria de dizer isso, mas há algumas coisas que devo lhe explicar.

— Por que não é adequado?

— Porque ela não pode retribuir o sentimento! Não é culpa de ninguém. Não é culpa sua nem dela. Sou obrigado a dizer que é culpa de como o mundo está estruturado. Não é possível mudar a estrutura do mundo. Assim como não é possível inverter o curso de um rio.

Me endireitei na cama e cocei o rosto. Tive a impressão de que tinha encolhido um pouco.

— Você deve estar se referindo às coisas do coração, correto?

O velho assentiu com a cabeça.

— Como eu tenho coração e ela não, por mais que eu a ame não vou receber nada de volta?

— Exato — disse o velho. — Você só continuará a perder. Como você bem disse, ela não tem coração. Eu tampouco. Ninguém tem.

— Mas você me trata com muita gentileza, não é? Preocupa-se comigo e fica acordado para cuidar de mim. Isso não é a força do coração se expressando?

— Você se engana. Gentileza e coração são coisas diferentes. Gentileza é uma faculdade autônoma. Para ser mais exato, uma faculdade superficial. Não passa de um hábito, sem relação com o coração. Este é algo mais profundo, mais forte. E mais incongruente.

Fechei os olhos para pôr em ordem os meus pensamentos dispersos.

— Acho o seguinte — disse eu. — Acho que as pessoas perdem o coração quando suas sombras morrem. Estou errado?

— Está certíssimo!

— A sombra dela já morreu e não há como trazer seu coração de volta?

O velho assentiu.

— Fui à prefeitura checar os registros da sombra dela. Portanto, não há equívoco. A sombra dela morreu quando ela tinha dezessete anos. Como é de praxe, sua sombra foi enterrada no pomar de macieiras. Há o registro do enterro. Se quiser mais detalhes, terá de perguntar a ela. Será mais fácil você se convencer assim do que ouvindo da minha boca. Mas se me permitir acrescentar apenas uma coisa, essa moça foi separada de sua sombra antes de ter uma idade em que pudesse compreender as coisas. Por isso, não deve nem mesmo se lembrar de que já teve um coração. É diferente de alguém como eu, que depois de velho abandonou a sombra por vontade própria. Por isso, sou capaz de deduzir os movimentos do seu coração, algo que ela não consegue fazer.

— Mas ela se lembra da mãe. Comentou que a mãe ainda tinha um coração. Mesmo depois de a sombra ter morrido. Não sei o motivo, mas isso talvez ajude, não? Ela pode ter herdado um pouco do coração da mãe.

O velho girou algumas vezes o chá frio no interior da xícara antes de terminar de beber devagar.

— Escute bem — disse o coronel. — A muralha não deixa escapar nenhum fragmento de coração! Mesmo que restasse um tiquinho de coração nela, a muralha o aspiraria por completo. Caso contrário, a pessoa é expulsa da cidade. Foi o que aconteceu com a mãe dela.

— Você está me aconselhando a não ter esperanças?

— Só quero evitar que você se decepcione. Esta cidade é forte, você é fraco. Você já deveria ter aprendido isso.

O velho encarou a xícara vazia que mantinha nas mãos.

— Mas você pode tê-la.

— Tê-la? — perguntei.

— Isso mesmo. Você também pode dormir com ela, podem viver juntos. Nesta cidade você pode ter o que desejar.

— Mas aí não existe coração?

— Sem coração — disse o velho. — Porém, no final o seu coração vai desaparecer. Quando isso acontecer, você não sentirá perda ou desespero. Sem ter um local para onde ir, o amor também se dissipará. Só restará a vida cotidiana, uma rotina calma e discreta. Vai gostar dela, e ela de você. Se é o que deseja, já é seu. Ninguém poderá tirar de você.

— É estranho, não? — falei. — Ainda tenho um coração, mas mesmo assim há ocasiões em que o perco de vista. Não, talvez ele esteja perdido e sejam poucos os momentos em que o veja. Mas eu acredito que uma hora ele voltará, e essa certeza é o único alicerce da minha existência. Por isso, para mim é inconcebível o que significa perder o coração.

O velho assentiu várias vezes com serenidade.

— Reflita bem. Você ainda tem tempo para isso.

— Refletirei — eu disse.

Depois disso, durante um bom tempo o sol não deu as caras. Quando a febre cedeu, saí da cama, abri a janela e inspirei ar fresco. Mesmo já podendo me levantar, durante dois dias não tive forças nem mesmo para segurar com firmeza no corrimão da escada ou na maçaneta da porta. O coronel me fazia tomar todas as noites a tal sopa amarga de ervas medicinais e uma espécie de canja que preparava para mim. E me contava, à cabeceira da cama, reminiscências do tempo da guerra. Ele não falou mais uma palavra sobre a moça ou a muralha, e eu também evitei perguntar. Se ele tivesse alguma coisa para me dizer, já o teria feito.

No terceiro dia, eu havia me recuperado a ponto de tomar emprestada a bengala do velho e fazer um passeio em volta do prédio. Ao caminhar, senti como o meu corpo se tornara extremamente leve. Talvez eu tivesse emagrecido por causa da febre, mas não parecia ser o único motivo. O inverno atribuía um peso estranho a tudo. E só eu não pertencia a esse mundo encorpado.

Da encosta da colina onde ficava nosso prédio era possível ver a metade oeste da cidade. Viam-se o rio, a torre do relógio, a muralha e, bem ao longe, de forma indistinta, o portal oeste. Meus olhos enfraquecidos cobertos por óculos escuros não podiam distinguir os detalhes da paisagem, mas notei que o ar invernal dava à cidade contornos nítidos até então inexistentes. O vento vindo da serra norte parecia ter soprado para longe toda a poeira de tons ambíguos que impregnava tudo.

Admirando a cidade, lembrei-me do mapa que deveria entregar à minha sombra. Por ter permanecido acamado, eu havia atrasado quase uma semana a data prometida. Talvez a sombra estivesse preocupada comigo, ou tivesse desistido de tudo, julgando que eu a abandonara. Senti-me mal só de pensar nisso.

Pedi ao velho um par de botinas, retirei a sola, pus ali o pequeno mapa dobrado e o cobri, devolvendo aos sapatos sua estrutura original. Sabia que minha sombra os desmontaria à procura do mapa. Pedi ao velho que os entregasse a ela em mãos.

— A sombra só usa tênis muito finos que fazem mal aos pés quando a neve se acumula — falei. — Não confio no guardião. Mas você poderá se encontrar com ela, não?

— Se for apenas isso, não há problema — confirmou o velho, recebendo os sapatos.

Ele voltou ao entardecer dizendo que encontrara a sombra e lhe entregara os sapatos.

— Ela estava preocupada com você! — disse o velho coronel.

— Como ela estava?

— Parecia ter frio. Mas agora está tudo bem. Você não deve se inquietar.

No entardecer do décimo dia após o início da febre, enfim pude descer a colina e ir à biblioteca.

Quando empurrei a porta, o ar dentro do prédio parecia estar um pouco mais estagnado do que antes. Tal qual em um cômodo há muito abandonado, era impossível sentir ali uma presença humana. O fogareiro estava apagado e o bule estava frio. Quando tirei a tampa, o café estava esbranquiçado. Senti o teto bem mais elevado que o normal. As luzes estavam apagadas, e apenas os meus passos ressoavam com um estranho som pulverulento na semiescuridão. Ela não estava em parte alguma, e uma fina camada de poeira se acumulava sobre o balcão.

Sem saber o que fazer, sentei no banco de madeira decidido a esperar. Como a porta não estava trancada, ela com certeza iria aparecer. Continuei a esperar imóvel, tremendo de frio. Porém, por mais que aguardasse, ela não aparecia. Apenas a escuridão se acentuava. Senti como se tudo no mundo houvesse sido extinto, restando apenas eu e a biblioteca. Só eu tinha sido deixado em meio ao Fim do Mundo. Mesmo estendendo o braço, minha mão não tocaria em nada.

O cômodo estava impregnado do peso do inverno. Tudo ali parecia pregado com firmeza ao chão ou à mesa. Sentado sozinho na escuridão, várias partes do meu corpo pareciam perder seu peso legítimo, estendendo-se ou contraindo-se à revelia. Era a mesma sensação que sentimos ao nos movimentarmos diante de um espelho que distorce a imagem.

Levantei e acendi a lâmpada. Retirei o carvão do balde, joguei-o no fogareiro e, depois de acendê-lo com um fósforo, voltei para o banco. Tive a impressão de que ao acender a luz a escuridão se aprofundou, e ao acender o fogo o frio se intensificou.

Talvez eu estivesse mergulhado demais dentro de mim mesmo. Ou talvez um formigamento que havia sobrado em meu âmago tenha me induzido a tirar um cochilo. Só sei que quando percebi ela estava de pé diante de mim e me encarava com calma. Havia uma sombra indistinta em seu contorno, talvez devido à luz que iluminava suas costas como uma poeira amarela. Por instantes olhei sua silhueta. Ela trajava o casaco azul de sempre e seus cabelos estavam por dentro da gola. Seu corpo tinha o perfume de um vento invernal.

— Achei que você não viria! — falei. — Estava esperando por você.

Ela jogou fora o café velho do bule, o encheu de água e o repôs sobre o fogareiro. Soltou os cabelos de dentro da gola, despiu o casaco e o pendurou em um cabide.

— Por que achou que eu não viria? — perguntou.

— Não sei — respondi. — Foi só uma impressão.

— Eu virei enquanto você precisar de mim. Você precisa de mim, não?

Assenti com a cabeça. Com certeza eu necessitava dela. Apesar de minha sensação de perda se aprofundar bastante ao vê-la, ainda assim precisava dela.

— Queria que você me falasse sobre sua sombra — pedi. — É capaz de eu tê-la encontrado no velho mundo.

— Sim, talvez. Também pensei nisso. Quando você disse que acreditava já ter cruzado comigo antes.

Ela se sentou diante do fogareiro e por um tempo contemplou a chama.

— Minha sombra foi tirada de mim quando eu tinha quatro anos e deixada do lado de fora da muralha. Ela viveu no mundo exterior e eu no mundo interior. Não sei o que ela fazia ali. Ela também não sabia sobre mim. Quando completei dezessete anos, minha sombra voltou para a cidade e morreu aqui. Quando as sombras estão prestes a morrer, elas sempre voltam para cá! E o guardião as enterra no pomar de macieiras.

— Foi quando você se tornou de fato residente da cidade, correto?

— Sim, minha sombra foi enterrada com o que restava do meu coração! Você disse que um coração é parecido com o vento, mas não somos nós que parecemos com o vento? Nós apenas passamos sem pensar em nada. Sem envelhecer, sem morrer.

— Você se encontrou com sua sombra quando ela voltou?

Ela sacudiu a cabeça.

— Não, não a vi. Não achei que havia motivo. Ela sem dúvida era bem diferente de mim.

— Mas talvez ela fosse você.

— Quem sabe? — disse ela. — Mas, de qualquer forma, agora já não importa! O círculo se fechou.

O bule começou a apitar no fogo, como se fosse um vento distante.

— Mesmo assim, você ainda precisa de mim?

— Preciso — respondi.

17

O Fim do Mundo, Charlie Parker, bomba-relógio

— Por favor — pediu a moça obesa. — Desse jeito será o Fim do Mundo!

Eu não me importava se o mundo acabaria. O corte no meu abdômen doía demais. Era como se dois meninos gêmeos agitados chutassem com força as paredes estreitas de minha limitada imaginação.

— O que houve? Está se sentindo mal? — ela perguntou.

Com calma, inspirei fundo, peguei a camiseta ao meu lado e enxuguei com a manga o suor do rosto.

— Alguém me deu uma navalhada de seis centímetros na barriga — falei, expelindo o ar.

— Uma navalhada?

— Estou parecendo um cofrinho — expliquei.

— Quem cometeu esse ato horrível e por quê?

— Não sei, não entendo — respondi. — Tenho refletido bastante sobre isso. Mas é incompreensível. Também gostaria de saber! Por que todo mundo me trata como um capacho, me pisoteando sem dó?

Ela sacudiu a cabeça.

— Até me perguntei se os dois sujeitos não seriam seus conhecidos ou amigos. Os que me cortaram.

Por um tempo a moça obesa manteve os olhos fitos no meu rosto, com uma expressão completamente desorientada.

— Por que pensou isso?

— Não sei. Talvez quisesse jogar a culpa em alguém. As pessoas se sentem mais aliviadas quando responsabilizam os outros pelo que não sabem.

— Mas isso não resolve nada.

— Com certeza não — concordei. — Mas não é culpa minha. Não fui eu quem deu o pontapé inicial. Seu avô pôs óleo e acionou o interruptor. Eu apenas fui envolvido na história. Por que devo ser eu a resolver?

Como voltei a sentir uma dor violenta, fechei a boca, esperando que passasse, como se estivesse em um cruzamento à espera do semáforo abrir.

— A mesma coisa hoje. Primeiro você me telefona de manhã e diz que seu avô está desaparecido e precisa da minha ajuda. Eu fui encontrá-la, mas você não apareceu. Voltei para casa e, quando estava dormindo, chegaram dois sujeitos, destruíram meu apartamento e fizeram um corte no meu abdômen. Depois disso, o pessoal da System veio e me encheu de perguntas. Por último, você veio. Não parece ter sido tudo muito bem programado? Parece uma equipe de basquete. E, afinal, até que ponto você sabe o que está acontecendo?

— Para ser sincera, acho que não há muita diferença entre o que eu sei e o que você sabe. Eu só ajudo meu avô nos experimentos, executando exatamente o que ele pede. Faça isso, faça aquilo, vá ali, venha aqui, atenda o telefone, escreva uma carta, coisas assim. Como você, não faço a mínima ideia de que tipo de pesquisa meu avô faz.

— Mas você ajuda, não?

— Minha ajuda se restringe ao processamento de dados e coisas técnicas do gênero! Não tenho quase nenhum conhecimento especializado, e mesmo que ele comentasse sobre seus experimentos, eu não entenderia nada.

Enquanto eu dava tapinhas nos dentes da frente com a ponta da unha, ordenei meus pensamentos. Eu precisava encontrar uma saída. Antes que a situação me engolisse por completo, era preciso desemaranhar o máximo de fios possível.

— Você acabou de dizer que do jeito que as coisas estão será o Fim do Mundo. Por quê? Como o mundo vai acabar?

— Não sei. Meu avô me disse isso. Falou que seria o Fim do Mundo se algo lhe acontecesse agora. Ele não diria isso brincando! Se falou, é porque é o que vai acontecer! De verdade, o Fim do Mundo!

— Não dá para entender — disse eu. — O que isso significa exatamente? Seu avô disse o Fim do Mundo, com essas palavras? Não foi algo como a extinção do mundo ou a destruição do mundo?

— Não, ele disse Fim do Mundo.

Dando mais uma vez tapinhas nos dentes da frente, eu refletia sobre essa história de Fim do Mundo.

— Então... esse... Fim do Mundo estaria de alguma forma ligado a mim?

— Sim. Meu avô disse que você é a chave. Disse que há anos vem desenvolvendo a pesquisa tendo você como peça-chave.

— Tente se lembrar de mais coisas — pedi. — O que seria essa bomba-relógio?

— Bomba-relógio?

— Foi o que o sujeito que cortou minha barriga disse. Os dados do professor que eu processei são como uma bomba-relógio que explodirá quando chegar a hora. O que isso poderia significar?

— Não passa de imaginação minha, mas... — disse a moça obesa. — Creio que as pesquisas de meu avô giram em torno da consciência humana. Isso depois de ele ter criado o sistema de shuffling. Penso que tudo começou aí. Até então, meu avô sempre conversava bastante comigo. Contava sobre suas pesquisas, o que estava fazendo, e sempre de uma forma didática e divertida. Eu adorava esses momentos.

— Mas depois de concluir o sistema de shuffling ele passou de repente a ficar calado, correto?

— Sim, exato. Meu avô ficava o tempo todo enfurnado no laboratório subterrâneo e parou de conversar comigo sobre assuntos específicos. Mesmo que eu perguntasse, ele só me dava respostas evasivas.

— E isso a deixava triste?

— Sim, muito.

Ela encarou outra vez meu rosto.

— Podemos ir para a cama? Está muito frio aqui.

— Se você não encostar no machucado ou sacudir o meu corpo... — falei.

Nos últimos tempos, parece que todas as moças do mundo querem ir para a cama comigo.

Ela deu a volta e, sem tirar o terninho cor-de-rosa, se enfiou debaixo das cobertas. Ofereci um dos dois travesseiros que costumo usar, ela o pegou e, depois de lhe dar tapinhas para deixá-lo mais macio, o pôs sob a cabeça. Seu pescoço tinha o mesmo aroma de melão de quando a encontrei pela primeira vez. Mudei o corpo de posição com esforço, virando na direção dela. Estávamos os dois deitados, nos encarando.

— É a primeira vez que fico tão perto de um homem! — ela disse.

— É mesmo? — me espantei.

— Quase não vou à cidade. Por isso não consegui chegar ao local combinado! Quando pensei em perguntar o caminho, o som foi eliminado.

— Era só informar o local para um motorista de táxi e ele a levaria até lá.

— Eu estava quase sem dinheiro. Saí às pressas e esqueci por completo que precisaria de algum. Por isso, o jeito foi vir a pé — ela explicou.

— Você tem outros parentes? — perguntei.

— Meus pais e irmãos morreram em um acidente de trânsito quando eu tinha seis anos. Um caminhão atingiu por trás o carro onde eles estavam, a gasolina pegou fogo e todos morreram carbonizados!

— Só você escapou ilesa?

— Na ocasião eu estava internada, eles estavam a caminho do hospital para me visitar.

— Entendi — falei.

— Desde então fiquei ao lado do meu avô. Nunca fui à escola, raras vezes saí, não tenho amigos.

— Não frequentou a escola?

— Isso — ela disse, como se fosse a coisa mais normal do mundo. — Meu avô dizia que não era necessário. Ele me ensinou todas as matérias. De inglês e russo a anatomia. E a tia me ensinou a cozinhar e costurar.

— Tia?

— Uma senhora que morava conosco e era encarregada da limpeza e outros afazeres domésticos. Ótima pessoa. Faleceu de câncer há três anos. Desde que ela morreu, somos só eu e meu avô.

— Então desde os seis anos nunca foi à escola?

— Exato! Mas não há nada de especial nisso. Eu sei fazer tudo. Falo quatro idiomas, toco piano e saxofone alto, monto equipamentos de telecomunicação, aprendi técnicas de navegação, sou equilibrista e leio muitos livros. E meu sanduíche estava gostoso, não?

— Sim — respondi.

— Meu avô dizia que dezesseis anos de ensino levam à redução da massa encefálica. Ele próprio quase não frequentou a escola!

— É impressionante — falei. — Mas você não fica triste por não ter amigos da sua idade?

— Bem, não sei ao certo. Como eu vivia muito ocupada, nunca tive tempo para pensar no assunto. Além disso, nada sobre o que eu quero conversar interessaria alguém da minha idade...

— Hum — murmurei.

Talvez ela tivesse razão.

— Mas eu estou bastante interessada em você!

— Por quê?

— Bem, você parece cansado, mas o fato de estar exausto aparentemente lhe dá um tipo de vitalidade, não? Isso é algo que não compreendo muito bem. Nunca conheci alguém assim. Meu avô não é do tipo que se cansa, nem eu. Diga, você está mesmo cansado?

— Com certeza — respondi.

Poderia repetir vinte vezes, se necessário.

— Mas o que isso significa exatamente? — perguntou a moça.

— A gente sente várias coisas de um modo incerto. Compaixão por si mesmo e pelos outros, raiva de si mesmo ou dos outros, coisas assim.

— Não entendo nada disso.

— No final, a gente acaba sem entender nada mesmo. É como girar um pião colorido: quanto mais rápido rodar, mais incerta ficará a separação das cores e, por fim, elas se misturam.

— Parece interessante — disse a moça obesa. — Você com certeza conhece isso bem.

— Sim — respondi.

Eu poderia dar uma centena de explicações sobre o sentimento de fadiga que consome a vida ou que começa a brotar quando temos certa idade. Isso não se aprende na escola.

— Você toca saxofone alto? — ela perguntou.

— Não, não toco — respondi.

— Tem discos de Charlie Parker?

— Acho que sim, mas agora não teria como procurar e, além disso, com o aparelho de som quebrado, não daria para ouvir.

— Você toca algum instrumento?

— Nenhum — respondi.

— Posso tocar seu corpo? — perguntou a moça.

— Nem pensar — falei. — Dependendo de onde encostar, pode me machucar por conta do corte.

— Quando se curar, você me deixaria tocá-lo?

— Quando me curar e se o mundo ainda não tiver acabado. Seja como for, vamos continuar nossa conversa. Avançamos até o ponto em que você dizia que seu avô havia mudado de temperamento desde que concluíra o sistema de shuffling.

— Sim, foi isso mesmo. Desde aquela época meu avô virou outra pessoa. Quase não fala, vive de mau humor e começou a falar sozinho.

— Você se lembra do que ele contava sobre o sistema de shuffling?

A moça obesa refletiu por um momento enquanto mexia em um dos seus brincos de ouro.

— Ele dizia que o sistema de shuffling era uma porta aberta para um mundo novo. Embora o tivesse desenvolvido como um meio complementar para reorganizar dados que seriam inseridos em computadores, dependendo da forma como fossem utilizados poderiam adquirir o poder de transformar a estrutura mundial. Do mesmo modo como a física nuclear produziu a bomba atômica.

— Em outras palavras, o sistema de shuffling é uma porta aberta para um mundo novo, e eu sou a chave dessa porta?

— Resumindo, deve ser isso.

Eu batia nos dentes da frente com a ponta das unhas. Queria beber um copo grande de uísque com gelo, mas no meu apartamento não existia mais nem um nem outro.

— Você acha que o objetivo de seu avô era acabar com o mundo? — perguntei.

— Não. Não é nada disso. Meu avô sem dúvida é rabugento, voluntarioso e misantropo, mas no fundo é ótima pessoa! Assim como eu e você.

— Agradeço a consideração — respondi.

Era a primeira vez que alguém me fazia um elogio assim.

— Fora isso, meu avô tinha muito medo de que suas pesquisas caíssem nas mãos erradas e fossem utilizadas para o mal! Por isso, ele jamais as usaria para finalidades escusas. Meu avô se demitiu da System porque achava que, se continuasse ali, a organização com certeza usaria o resultado de suas pesquisas para coisas ruins. Por isso decidiu se demitir e seguir sozinho.

— Mas a System faz parte do lado bom do mundo! Eles se opõem aos simbolistas que roubam informações de computadores para vender no mercado paralelo e protegem os direitos de propriedade legítimos sobre as informações.

A moça obesa encarou meu rosto e deu de ombros.

— Meu avô não parecia questionar muito quem era bom e quem era mau. Ele afirmava que o bem e o mal são atributos inatos essenciais do ser humano e não têm relação com a posse dos direitos de propriedade.

— Hum, talvez ele tenha razão — especulei.

— Além disso, meu avô não confiava em nenhuma forma de poder. Ele com certeza pertenceu por um tempo à System, mas foi apenas por ser conveniente conseguir usar livremente uma enorme quantidade de dados, materiais para experimentos e máquinas com grande capacidade de executar simulações. Por isso, depois de concluir o complexo sistema de shuffling, disse que seria muito mais tranquilo e eficaz se continuasse sua pesquisa de forma autônoma. O resto seria apenas trabalho intelectual, sem precisar de equipamentos.

— Hum — murmurei. — Quando o seu avô pediu demissão, ele não teria copiado meus dados pessoais e levado com ele?

— Não sei — ela disse. — Mas creio que se quisesse poderia ter feito isso. Porque, afinal, ele era diretor do centro de pesquisas da System e podia acessar e utilizar dados.

Imaginei que eu talvez estivesse certo. O professor tinha pegado meus dados pessoais, utilizado-os em suas pesquisas particulares e avançado bastante sua teoria do shuffling ao me usar como cobaia. Assim tudo fazia sentido. Como o homenzinho disse, por ter chegado ao estágio central de suas pesquisas o professor me chamou e me entregou os dados adequados para que minha consciência reagisse aos códigos especiais escondidos ali ao realizar o shuffling.

Se isso estivesse correto, minha consciência — ou meu inconsciente — já estaria começando a reagir. O homenzinho tinha citado uma bomba-relógio. Calculei mentalmente quanto tempo fazia desde que havia concluído o shuffling. Eu tinha despertado antes da meia-noite de ontem, então fazia cerca de vinte e quatro horas. Era bastante tempo. Não sei dizer quanto tempo demoraria para a bomba explodir, mas os ponteiros daquele relógio indicavam que vinte e quatro horas já haviam passado.

— Tenho só mais uma pergunta — disse eu. — Você falou sobre o Fim do Mundo, correto?

— Sim, isso mesmo! Meu avô disse isso.

— Ele falou sobre o Fim do Mundo antes de começar a pesquisar os meus dados? Ou depois?

— Depois — ela respondeu. — Creio que depois, porque foi bem recente. Por quê? O que isso tem a ver?

— Não sei ao certo. Mas algo me deixa com a pulga atrás da orelha. A senha do meu shuffling é Fim do Mundo. Duvido que seja só coincidência.

— Qual o conteúdo desse seu Fim do Mundo?

— Não sei. Apesar de estar na minha consciência, está em um local ao qual não tenho acesso. Conheço apenas a expressão "Fim do Mundo".

— Não teria como recuperá-lo?

— Impossível — falei. — Mesmo se usasse uma divisão do Exército, não poderia roubá-lo do cofre subterrâneo da System. Existem dispositivos para evitar e um rígido esquema de segurança.

— Será que meu avô teria se aproveitado do cargo para acessá-lo?

— Muito provavelmente. Mas isso não é apenas uma suposição. A única forma de saber é perguntando diretamente a ele.

— Isso significa que você vai me ajudar a salvar meu avô dos tenebrosos?

Coloquei a mão sobre o ferimento e me ergui na cama. Minha cabeça latejou de dor.

— Não tenho alternativa — falei. — Não sei o que significa o Fim do Mundo mencionado pelo seu avô, mas, seja como for, não posso simplesmente ignorar. Sinto que se não fizer algo, se não puser um freio em tudo isso, alguém vai acabar se machucando.

E esse alguém provavelmente seria eu.

— De todo modo, para fazer isso é preciso começar salvando o meu avô.

— Porque nós três somos boas pessoas?

— Exatamente — afirmou a moça obesa.

18

A leitura dos sonhos

Sem poder distinguir com clareza o que se passava no meu coração, voltei a ler velhos sonhos. O inverno se intensificava e eu não poderia postergar para sempre o início dos trabalhos. Além disso, enquanto me concentrava ali eu era capaz de esquecer, mesmo que por pouco tempo, a sensação de perda que habitava dentro de mim.

No entanto, por outro lado, quanto mais eu lia velhos sonhos, mais aumentava em mim uma sensação de impotência por não conseguir interpretar as mensagens enviadas por eles, não importava quanto os lesse. Eu podia lê-los, mas seu significado era indecifrável. Era como se todos os dias eu decifrasse textos cujo sentido eu ignorava. Como se observasse a corrente de um rio. Eu não chegava a lugar algum. Aprimorara a técnica de leitura de sonhos, mas isso não era de grande ajuda. Eu apenas havia melhorado a técnica, conseguindo ler com destreza um bom número de velhos sonhos, o que só fazia aumentar o vazio que era seguir com esse trabalho. As pessoas continuam a se esforçar como podem quando sentem que estão avançando. Mas eu não ia a lugar algum.

— Não consigo entender o que significam os velhos sonhos — afirmei. — Você disse no início que meu trabalho era lê-los a partir dos crânios. Mas isso só atravessa o meu corpo. Sinto que para mim todos são incompreensíveis e que quanto mais os leio, mais me desgasto.

— Mesmo assim você continua o trabalho como se algo o dominasse. Por que isso acontece?

— Não sei — respondi, sacudindo a cabeça.

Eu me concentrava no trabalho como forma de preencher a minha sensação de perda. Mas sabia que esse não era o único motivo. Como ela mesma havia sugerido, eu com certeza me concentrava na leitura dos sonhos como se algo me dominasse.

— Acho que esse problema provavelmente só diz respeito a você — ela disse.

— Um problema meu?

— Acho que você deveria abrir mais seu coração. Não entendo bem dessas coisas, mas sinto que o seu está hermeticamente fechado. Assim como os velhos sonhos desejam ser lidos por você, você também deve precisar deles.

— Por que você pensa isso?

— Porque a leitura dos sonhos é assim. Como os pássaros migram para o sul ou para o norte de acordo com as estações, o leitor de sonhos continua o seu trabalho.

Depois, do outro lado da mesa ela estendeu a mão e a pousou sobre a minha. E abriu um sorriso. O sorriso dela era para mim uma luz primaveril filtrada pelas nuvens.

— Abra mais seu coração. Você não é um prisioneiro! É um pássaro que voa no céu em busca de sonhos!

No final só me restava tomar nas mãos cada um dos velhos sonhos e examiná-los com atenção. Peguei um crânio que estava enfileirado numa das inúmeras estantes que se estendiam até onde minha vista alcançava e o carreguei com cuidado até a mesa. Com a ajuda da bibliotecária, usei um pano levemente umedecido para limpar a poeira e a sujeira, polindo-o em seguida com um pano seco. Depois, a textura ficou imaculada como neve acumulada. Sob a luz difusa, as duas órbitas vazias pareciam poços sem fundo.

Cobri a parte superior do crânio com as mãos e esperei que emitisse um leve calor induzido pela temperatura do meu corpo. Ao atingir certa temperatura — não muito alta, como um raio de sol num dia de inverno —, o crânio polido começou a contar os velhos sonhos gravados ali. Fechei os olhos, respirei fundo, abri meu coração e tateei com as pontas dos dedos a história que ele contava. Mas sua voz era muito fraca e as imagens de uma brancura indefinida, como as estrelas no céu distante ao amanhecer. O que eu podia ler a partir delas não passava de fragmentos imprecisos e, por mais que tentasse conectá-los, não era capaz de compreender a sua totalidade.

Havia ali paisagens que eu nunca tinha visto, músicas que eu nunca tinha ouvido, e palavras incompreensíveis eram sussurradas. Elas de repente surgiam na superfície, e da mesma forma voltavam a mergulhar nas trevas. Aparentemente não havia nada em comum entre um fragmento e o seguinte. Eu parecia sintonizar uma estação de rádio em seguida da outra rápido demais. Tentei de várias maneiras me concentrar nas pontas dos dedos, mas, por mais que me esforçasse, o resultado era sempre o mesmo. Embora soubesse que os velhos sonhos queriam me transmitir algo, era incapaz de entender sua história.

Talvez faltasse algo na maneira como eu fazia a leitura. Ou talvez as palavras tenham se desgastado ao longo dos anos e acabaram sumindo. Ou, ainda, podia existir uma diferença temporal ou contextual decisiva entre as histórias pensadas por eles e as que eu mesmo imaginava.

De todo modo, eu só observava com atenção e em silêncio os fragmentos heterogêneos que surgiam e desapareciam. Claro, havia ali também paisagens bastante normais, que me acostumei a ver. Ervas verdes dançavam ao sabor da brisa, nuvens brancas flutuavam pelo céu, os raios de sol tremiam na superfície do rio: paisagens sem nenhuma novidade. Contudo, elas enchiam meu coração de uma tristeza insólita e indescritível. Eu não saberia dizer onde os elementos que suscitavam a tristeza nessas paisagens se escondiam. Como um barco que navega para além da moldura de uma janela, essas paisagens apareciam e depois sumiam sem deixar vestígios.

Depois de seguir por uns dez minutos, os velhos sonhos começavam a perder seu calor como a maré que aos poucos retrocede e, por fim, voltavam a ser os crânios brancos e frios de sempre. Regressavam mais uma vez ao seu longo sono. E dos dedos das minhas mãos toda a água escorria para o solo. E assim eu repetia infinitamente minha tarefa de leitor de sonhos.

Quando os velhos sonhos perdiam por completo seu calor, eu os devolvia à bibliotecária, que alinhava os crânios no balcão. Nesses intervalos eu descansava o corpo e relaxava os nervos, apoiando os braços em cima da mesa. Em um dia eu conseguia ler no máximo cinco ou seis velhos sonhos. Se passasse disso, minha capacidade de concentração ficava conturbada e a ponta dos meus dedos só conseguia produzir uma leve agitação. Quando os ponteiros do relógio deram onze horas eu estava exausto, e por um momento não tive forças para me levantar da cadeira.

Ela sempre preparava um café quente no final. Vez ou outra trazia de casa biscoitos e um pão de frutas que tinha assado à tarde. Em geral, bebíamos o café um de frente para o outro, calados, comendo os biscoitos ou o pão. De tão cansado, eu passava um tempo sem conseguir conversar, e como ela sabia disso também ficava em silêncio.

— Será que seu coração não se abre por minha causa? — ela perguntou. — Seu coração fica assim tão fechado porque não consigo retribuir o sentimento?

Como sempre, estávamos na escada no meio da velha ponte que conduzia ao banco de areia contemplando o rio. A minúscula lua branca e gélida tremulava sobre a superfície. O pequeno bote de madeira que alguém havia amarrado ali provocava uma ligeira mudança no som da água. Talvez por estarmos sentados um ao lado do outro em um degrau estreito, eu sentia todo o tempo o calor do corpo dela em meu ombro. Era estranho, pensei. As pessoas usam o coração no sentido figurado como algo caloroso. No entanto, não há relação entre o coração e o calor do corpo.

— Não é isso! — falei. — É problema meu se meu coração não consegue se abrir direito. Não é culpa sua. Não consigo avaliar, o que me deixa confuso.

— Mesmo sem você entender bem o que é o coração?

— Às vezes — eu disse. — Há casos em que só vou compreendê-lo muito tempo depois, e então pode ser tarde demais. Na maioria das vezes, somos obrigados a fazer escolhas sem avaliar nosso próprio coração, o que deixa todo mundo sem chão.

— Para mim o coração é algo muito imperfeito — ela falou, sorrindo.

Tirei as mãos do bolso e as contemplei sob o luar. Brancas pela luz da lua, pareciam um par de esculturas sem utilidade naquele mundo.

— Também penso assim. O coração é algo muito imperfeito — concordei. — Mas deixa rastros. E podemos voltar a segui-los. Como fazemos com pegadas deixadas na neve.

— E eles nos levam a algum lugar?

— Para dentro de nós mesmos — respondi. — O coração é assim. Sem ele, não se chega a lugar algum.

Ergui os olhos para a lua invernal, que pairava no céu da cidade cercada pela alta muralha enquanto emitia sua luminosidade desproporcionalmente vívida.

— Não é culpa sua — falei.

19
Hambúrgueres, Skyline, prazo

Decidimos antes de mais nada comer em algum lugar. Eu estava sem fome, mas como não sabíamos quando iríamos conseguir comer de novo achei melhor forrar o estômago. Se fosse cerveja e hambúrguer talvez eu conseguisse colocar para dentro. A moça disse que só havia comido um tablete de chocolate ao meio-dia, por isso estava morrendo de fome. Todo o dinheiro que ela tinha em mãos foi suficiente apenas para comprar um chocolate.

Tomando cuidado para não sentir dor, enfiei as pernas numa calça jeans, vesti uma camiseta e, por cima, um suéter leve. Depois, por via das dúvidas, abri a cômoda e retirei um impermeável leve de náilon que uso para fazer trilha. O terninho cor-de-rosa dela não parecia apropriado para explorações espeleológicas, mas infelizmente em meu guarda-roupa não havia nada que servisse nela. Sou dez centímetros mais alto e ela tem dez quilos a mais do que eu. Na verdade, bastaria ir a uma loja e comprar roupas que lhe facilitassem os movimentos, mas não havia nenhuma aberta àquela hora da madrugada. Felizmente, uma jaqueta militar grossa do Exército americano que eu já não usava era do seu tamanho. O problema eram os sapatos de salto, mas ela disse que se fôssemos ao escritório ela pegaria tênis ou uma galocha.

— Tênis ou uma galocha cor-de-rosa — completou.

— Você gosta de rosa?

— Meu avô gosta. Ele diz que eu fico bem com essa cor.

— Combina mesmo com você! — concordei.

Não era mentira, caía mesmo bem nela. Quando mulheres obesas se vestem de rosa, às vezes parecem um bolo de morango gigante, mas no caso dela por alguma razão a cor ficava discreta.

— Seu avô deve gostar de mulheres obesas, não? — perguntei.

— Sim, muito! — disse a moça. — Por isso faço o possível para me manter gorda. Comida e coisas assim. Se não tomar cuidado acabo emagrecendo, então tento comer bastante manteiga e creme.

— Hum — murmurei.

Abri o armário, peguei uma mochila e, depois de me certificar de que não estava rasgada, pus nela dois casacos, uma lanterna, um ímã, luvas, toalhas, uma faca grande, um isqueiro, corda e combustível sólido. Depois fui até a cozinha e do meio dos alimentos espalhados pelo chão juntei dois pães, carne-seca, pêssegos, salsicha e toranja, que guardei também na mochila. Enchi um cantil de água. Em seguida, enfiei todo o dinheiro que tinha em casa no bolso da calça.

— Até parece que vamos fazer um piquenique, não? — ela disse.

— Exatamente — respondi.

Antes de partir, olhei mais uma vez o apartamento, que mais parecia um grande depósito de coleta de lixo. A vida é assim. Levamos muito tempo para construir algo, mas basta um segundo para tudo ser destruído. Nesses três pequenos cômodos estava toda a minha vida, um pouco cansativa, mas suficiente para eu me sentir completo. No entanto, tudo desaparecera como um nevoeiro matinal no tempo que levei para beber duas cervejas. Meu trabalho, meu uísque, minha paz, minha solidão, minhas coleções de Somerset Maugham e John Ford, tudo se tornou um monte de detritos inúteis.

"Do esplendor na grama, da glória na flor",[*] recitei mentalmente. Depois, estendi o braço e apaguei a luz do apartamento.

O corte doía demais para que eu refletisse direito sobre o que faria. Além disso, como estava exausto, acabei decidindo não pensar em nada. Era bem melhor não pensar em nada do que refletir pela metade. Assim, pegamos o elevador e descemos até a garagem no subsolo. Abri a porta do carro e joguei a bagagem no banco de trás. Se alguém estivesse nos vigiando, que nos descobrisse; e se quisesse nos seguir, que nos seguisse. Senti que já não me importava mais com isso. Em primeiro lugar, quem eu deveria temer, afinal? Os simbolistas, a

---

* Versos do poema "Splendour in the Grass", de William Wordsworth. (N. T.)

System, ou a dupla com as navalhas? Seria até possível lidar com esses três grupos, mas não no estado em que eu me encontrava. Eu já tinha muito a fazer precisando lutar com os tenebrosos na escuridão subterrânea, arrastado por uma moça obesa, tendo um corte horizontal de seis centímetros na barriga e o sono atrasado. Se alguém fosse fazer algo, que fizesse, eu já não me importava.

Como na medida do possível eu queria evitar pegar o volante, perguntei se ela poderia dirigir, mas ela disse que não sabia.

— Sinto muito. Se fosse um cavalo, eu poderia montar — desculpou-se.

— Não faz mal! Quem sabe em algum momento a gente precise andar a cavalo — respondi.

Depois de confirmar que o tanque estava quase cheio, tirei o carro da garagem. Atravessamos as ruas tortuosas do meu bairro e saímos em uma avenida ampla. Apesar de ser madrugada, havia muitos carros nas ruas.

Mais da metade eram táxis, mas havia também caminhões e carros de passeio. Eu não entendo por que tanta gente precisa rodar pela cidade em plena madrugada. Por que não voltam para casa às seis da tarde ao sair do trabalho, apagam a luz e dormem antes das dez da noite?

Mas isso é problema delas, não meu. Não importa a minha opinião, o mundo vai seguir se expandindo de acordo com os próprios princípios. Os árabes vão continuar a extrair petróleo, que é depois usado como combustível, e as pessoas continuarão a percorrer a cidade de madrugada atrás dos seus desejos. Mais do que isso, eu precisava agora cuidar dos meus problemas.

Pus as mãos no volante e bocejei, aguardando o sinal abrir.

Na frente do meu carro havia um caminhão de grande porte transportando rolos de papel. Do lado direito, um jovem casal em um Nissan Skyline branco esportivo. Deviam estar indo ou voltando de alguma festa, mas tinham um ar entediado. A mulher, cuja mão esquerda estava apoiada do lado de fora com duas pulseiras de prata, me lançou uma olhadela. Não porque estava interessada em mim. Só não tinha nada melhor para fazer. As opções eram o letreiro do restaurante Denny's, uma placa de trânsito ou o meu rosto, poderia ser qualquer coisa. Eu também a olhei de esguelha. Era bonita, mas com um rosto bastante comum, do tipo que faria o papel da amiga da protagonista numa novela e numa cena numa casa de chá perguntaria: "O que houve? Você anda meio desanimada" ou algo assim. O tipo de rosto que aparece uma única vez e logo some da tela e a gente acaba nem se lembrando mais dele.

O sinal abriu e, enquanto o caminhão na minha frente custava a arrancar, a Skyline branca sumiu do meu campo de visão, soltando o barulho estridente do escapamento, enquanto tocava uma música do Duran Duran.

— Pode observar os carros de trás? — pedi à moça obesa. — Se tiver algum nos seguindo, me avise.

A moça assentiu e se virou para trás.

— Você acha que alguém vai nos seguir?

— Não sei — respondi. — Mas não custa tomar cuidado. Pode ser um hambúrguer? Fica pronto mais rápido.

— Você manda.

Parei o carro na primeira hamburgueria drive-thru que encontrei. Uma moça de vestido vermelho curtíssimo se aproximou de nós, pôs uma bandeja nas janelas e anotou o pedido.

— Cheeseburger duplo com batata frita e um chocolate quente — pediu a moça obesa.

— Um hambúrguer normal e uma cerveja — foi a minha vez.

— Lamento, mas não vendemos cerveja — disse a garçonete.

— Então pode ser com uma coca-cola — falei.

Por que diabos eu achava que teria cerveja em uma hamburgueria?

Até nosso pedido chegar, notamos que nenhum carro entrou atrás de nós. Se alguém estivesse mesmo nos seguindo, decerto não ficaria no mesmo estacionamento. Devia esperar sairmos quietinhos em algum lugar. Parei de vigiar e mandei para dentro o hambúrguer com uma folha de alface do tamanho de um tíquete de pedágio e as batatas fritas acompanhados da coca-cola. Sem pressa, a moça obesa mordeu com delicadeza seu adorado cheeseburger e pegou uma a uma as batatas fritas, enquanto tomava seu chocolate quente.

— Quer batata? — perguntou.

— Não precisa — falei.

Depois de comer tudo, ela bebeu o último gole do chocolate, lambeu o ketchup e a mostarda dos dedos e limpou a boca e a mão com um guardanapo. Era visível que estava satisfeita com a comida.

— Bem, sobre o seu avô — comecei. — Acho que a primeira coisa a fazer é ir ao laboratório subterrâneo.

— Sem dúvida. Talvez haja alguma pista. Vou ajudá-lo.

— Mas conseguiremos passar perto do covil dos tenebrosos? O dispositivo que os afugentava foi destruído, não?

— Não se preocupe! Há um dispositivo pequeno para emergências. Não é muito potente, mas funciona!

— Então não há problema — fiquei aliviado.

— Não é tão simples — replicou a moça. — Por causa da bateria, o dispositivo portátil só funciona por cerca de trinta minutos. Depois é necessário recarregá-lo.

— Hum — assenti. — E quanto tempo isso demora?

— Quinze minutos. Funciona por trinta minutos e passa quinze parado. Ele foi produzido para trabalhar com um volume baixo, dando tempo suficiente para cobrir o caminho entre o escritório e a sala de pesquisa.

Desisti de fazer algum comentário. Era melhor do que nada, e o jeito era nos virarmos com o que tínhamos em mãos. Tirei o carro do estacionamento, encontrei no meio do caminho um supermercado aberto e comprei duas latas de cerveja e uma garrafinha de uísque. Estacionei o carro mais adiante, bebi as cervejas e um quarto do uísque. Senti-me um pouco melhor. Fechei a garrafinha e pedi que a moça a guardasse na mochila.

— Por que você bebe tanto? — ela quis saber.

— Talvez por ter medo — respondi.

— Eu também tenho medo, nem por isso bebo.

— O seu medo e o meu são diferentes.

— Não entendo bem — disse ela.

— Com a idade, o número de coisas irremediáveis aumenta — enunciei.

— Cansa, não?

— Exato — respondi. — Cansa.

Ela se virou na minha direção, estendeu o braço e tocou no lóbulo da minha orelha.

— Está tudo bem! Não se preocupe. Eu estarei sempre ao seu lado — ela assegurou.

— Obrigado — respondi.

Estacionei o carro no prédio onde ficava o escritório do avô. Desci com a mochila nas costas. O ferimento doía bastante a intervalos regulares. Era como se uma carroça carregada de feno passasse devagar sobre minha barriga. *É só dor*, pensei em autoconvencimento. *Só uma dor superficial sem relação com a minha própria essência. Como a chuva que cai. Acaba passando.* Juntei o que ainda tinha de amor-próprio, afastei da mente tudo o que se referia ao corte e segui a moça a passos rápidos.

Na entrada do prédio havia dois vigilantes jovens de compleição forte, que pediram que ela apresentasse o cartão de residente. Ela o tirou de um plástico no bolso e o estendeu. O jovem inseriu o cartão num computador e, depois de verificar o nome e o número do escritório no monitor, apertou um botão para abrir a porta.

— Este é um prédio fora do comum — explicou a moça, enquanto cruzávamos o saguão amplo. — Todos que entram aqui têm algum tipo de segredo, por isso há um sistema de segurança especial. Aqui são realizadas pesquisas importantes e reuniões secretas, coisas assim. Eles verificam a identidade e quem entra é acompanhado por câmeras, para confirmar que vão ao local correto. Por isso, mesmo que alguém nos seguisse, não conseguiria entrar.

— Quer dizer que eles sabem que seu avô construiu aqui dentro um fosso que vai até o subsolo?

— Será? Acredito que não. Quando o prédio foi construído, meu avô mandou projetar uma passagem que saísse do escritório e conduzisse diretamente ao subsolo, mas pouca gente deve saber disso. Só o proprietário do prédio e o arquiteto. Disseram aos responsáveis pela obra que era uma rede de esgoto e falsificaram os alvarás das plantas baixas.

— Deve ter custado os olhos da cara, não?

— Com certeza. Mas dinheiro não é problema para meu avô — disse a moça. — Nem para mim! Tenho bastante. Eu investi em ações a herança dos meus pais e o seguro.

Ela tirou a chave do bolso e abriu a porta do elevador. Subimos naquele estranho elevador exageradamente grande.

— Ações? — perguntei.

— Sim. Meu avô me ensinou a investir na bolsa de valores. Como selecionar as informações, interpretar as condições dos mercados, burlar o fisco, efetuar remessas financeiras para o exterior e coisas do gênero. É interessante. Já experimentou?

— Infelizmente, não — falei.

Eu nunca tinha investido nem mesmo na poupança.

— Antes de se tornar cientista, meu avô trabalhou como operador da bolsa, mas depois de acumular muito dinheiro com ações largou a profissão para se tornar cientista. Não é incrível?

— Realmente — concordei.

— Meu avô é sempre o melhor em tudo que faz — ela elogiou.

Assim como tinha acontecido da vez anterior, o elevador avançou numa velocidade que tornava impossível discernir se subia ou descia. Mais uma vez demorou uma eternidade, e eu não consegui ficar tranquilo pensando que estávamos sendo vigiados por câmeras.

— Meu avô diz que a educação escolar não é nem um pouco eficaz para se chegar a um lugar de destaque. O que você acha? — ela perguntou.

— Bem, talvez seja mesmo assim — respondi. — Eu frequentei a escola por dezesseis anos, mas não acho que tenha sido muito útil. Não falo outros idiomas, não toco nenhum instrumento, não sei nada de ações e tampouco monto a cavalo.

— Por que então não abandonou a escola? Era só você querer para poder largá-la.

— Talvez — falei, enquanto refletia um pouco sobre o assunto. — Com certeza eu teria podido abandonar a escola se desejasse. Mas na época nem pensei nisso. Ao contrário da sua família, a minha era bastante comum, um lar como qualquer outro, e nunca devem ter cogitado que um dia eu me destacaria em alguma área.

— Isso é um erro — ela afirmou. — O ser humano tem predisposição para se destacar, nem que seja em uma única área. O problema é não desenvolver suas aptidões. A maioria não sabe como fazer e as acaba perdendo, sem nunca atingir a excelência no que faz. E isso deixa as pessoas desgastadas.

— Como eu — disse.

— Você é diferente. Sinto que há algo especial aí. No seu caso, a carapaça emocional é muito dura, e dentro várias coisas permanecem intactas!

— Carapaça emocional?

— Sim, isso mesmo — ela confirmou. — Por isso, ainda não é tarde. Sabe, depois que tudo isso acabar, o que acha de vivermos juntos? Nada de casamento ou algo assim, apenas vivermos juntos. Vamos para algum lugar tranquilo, como a Grécia, a Romênia ou a Finlândia, e passamos a vida andando a cavalo e cantando. Tenho dinheiro de sobra, e até lá você se tornará alguém notável.

— Hum — murmurei.

Não era uma ideia ruim. Minha vida como calculador estava em uma fase delicada graças àquele incidente, e me atraía a ideia de viver tranquilo num país estrangeiro. Porém, eu não acreditava que um dia poderia de fato me tornar famoso. Pessoas talentosas têm forte convicção de que o são, e por isso é que acabam sendo. Mesmo sem acreditar que será famoso, não existe quem acabe assim por força das circunstâncias.

Enquanto eu refletia sobre essas coisas, a porta do elevador se abriu. A jovem saiu e eu a segui. Do mesmo modo que quando a vi pela primeira vez, ela avançava rápido pelo corredor, com seus sapatos de salto ressoando enquanto eu a seguia. Suas nádegas de lindo formato balançavam diante de meus olhos, e seus brincos dourados brilhavam.

— Mas mesmo que isso aconteça... — falei, me dirigindo às costas dela. — ... você apenas estaria me dando várias coisas e eu não poderia lhe oferecer nada em troca, e sinto que isso seria injusto e antinatural.

Ela desacelerou para ficar ao meu lado e caminharmos juntos.

— Você acha isso mesmo?

— Sim, acho — reforcei. — É antinatural e injusto.

— Tenho certeza de que há algo que você possa me oferecer — ela afirmou.

— O quê, por exemplo? — perguntei.

— Por exemplo, a sua carapaça emocional. Eu quero muito conhecê-la. De que forma ela foi formada, como funciona, coisas assim. Como até hoje eu não tive a oportunidade de estar em contato com algo do gênero, estou muito interessada.

— Não exagere! — falei. — Todos nós, com algumas diferenças, temos nossas carapaças emocionais, basta procurá-las. Como você não teve muito contato social, só não consegue entender o coração de uma pessoa comum!

— Você não entende mesmo nada — disse a moça obesa. — Você é capaz de executar shuffling, certo?

— Lógico que sim. Mas isso é só uma capacidade que recebi de outros, na forma de um instrumento de trabalho. Passei por uma intervenção cirúrgica e fui treinado para isso. Em geral, qualquer um pode executar shuffling, basta passar por um treinamento. Não é muito diferente de aprender a calcular com um ábaco ou tocar piano.

— Não dá para afirmar isso de forma tão categórica! — ela argumentou. — De início com certeza todo mundo pensava assim. Como você, bastaria receber o devido treinamento e qualquer um que tivesse sido selecionado em um teste poderia adquirir as capacidades do shuffling. Meu avô também achava isso. Na verdade, vinte e seis pessoas passaram pela mesma cirurgia e pelo mesmo treinamento que você e obtiveram a habilidade. Naquele momento não houve nenhum inconveniente. O problema surgiu depois.

— Calma aí, eu não sei nada sobre isso — protestei. — Pelo que eu ouvi, os planos foram bem-sucedidos do início ao fim…

— Essa é a versão divulgada. Mas, na verdade, as coisas não foram bem assim. Dos vinte e seis que adquiriram a capacidade de shuffling, vinte e cinco morreram de um a um ano e meio após o fim do treinamento. O único sobrevivente foi você! Só você conseguiu viver por mais de três anos, dando sequência ao serviço sem nenhum problema ou impedimento. Mesmo assim você ainda se acha uma pessoa comum? Você é hoje quem mais importa!

Por um tempo segui caminhando pelo corredor com as mãos nos bolsos e calado. A situação ultrapassava minhas capacidades pessoais e parecia tomar proporções enormes. Eu era incapaz de imaginar até onde iria tudo aquilo.

— Por que todos morreram? — perguntei.

— Não sei. A causa das mortes não está clara. O que se sabe é que ocorreram por um dano nas funções cerebrais, mas o que poderia ter levado a isso ainda é incerto.

— Não existem hipóteses?

— Sim, segundo meu avô as pessoas comuns provavelmente não podem suportar radiação no centro da consciência e as células cerebrais tentam criar um tipo de sistema de defesa, mas essa reação é tão violenta que conduziria à morte. Na verdade, é bem mais complexo, mas essa é a explicação mais simples.

— E por que eu teria sobrevivido?

— Talvez por ter um sistema de defesa natural! Algo como a carapaça emocional a que me referi. Por algum motivo ela já existia no seu cérebro e permitiu que você continuasse vivo! Meu avô tentou produzir essa carapaça para proteger o cérebro artificialmente, mas ela acabou se mostrando fraca demais.

— Essa proteção seria algo como a casca de um melão?

— Simplificando, sim.

— E esse sistema de defesa, de proteção, essa carapaça ou casca de melão seria uma característica inata minha? Ou adquirida?

— Acho que seria em parte inata e em parte adquirida. Mas meu avô não me falou nada além disso. Ele dizia que se eu soubesse demais correria mais perigo. Porém, se calcularmos com base na hipótese de meu avô, pessoas dotadas de um sistema de defesa natural como o seu existem numa proporção de uma para cada um milhão ou um milhão e meio de pessoas, e mesmo assim hoje só é possível descobri-las quando se tornam capazes de executar o shuffling.

— Então, se a hipótese do seu avô estiver correta, foi uma questão de sorte eu estar no meio dessas vinte e seis pessoas, não é?

— Por isso você é uma amostra valiosa e se tornou a peça-chave.

— O que o seu avô quer fazer comigo, afinal? Qual o sentido dos dados usados para executar o shuffling e daquele crânio de unicórnio?

— Seu eu soubesse, poderia salvá-lo agora, mas... — respondeu a moça.

— Eu e o mundo, não? — repliquei.

O escritório também tinha sido alvo de um ataque violento, embora menor do que o que ocorrera no meu apartamento. Havia muitos documentos espalhados, a mesa estava virada, o cofre tinha sido arrombado, as gavetas do armário atiradas no chão e, sobre o sofá-cama em farrapos, amontoavam-se peças de roupa do professor e da neta que antes estavam guardadas no armário. Todas as roupas dela eram cor-de-rosa. Fantásticas gradações do tom mais claro ao mais escuro.

— Que coisa horrível! — ela exclamou, sacudindo a cabeça. — Devem ter vindo do subsolo.

— Você acha que foram os tenebrosos?

— Não, com certeza não. Primeiro porque eles não sobem desse jeito à superfície, e se tivessem vindo sentiríamos o cheiro.

— Cheiro?

— Um odor desagradável como de peixe ou de lama. Isso não foi trabalho dos tenebrosos. Devem ter sido os mesmos sujeitos que vandalizaram seu apartamento. A maneira de agir é parecida.

— Provavelmente — disse eu, examinando mais uma vez o entorno.

Na frente da mesa havia o conteúdo de uma caixa de clipes de papel, brilhando sob a luz da lâmpada fluorescente. Eu há tempos estava cismado com isso, então fingi que observava o chão para pegar alguns e guardá-los no bolso.

— Havia algo importante?

— Não — respondeu a moça. — Tudo aqui é praticamente inútil. Livros contábeis, recibos, materiais de pesquisa banais, só coisas desse tipo. Não havia quase nada que nos prejudicaria se fosse roubado.

— O dispositivo antitenebrosos está intacto?

Ela retirou da montanha de objetos espalhados na frente do armário — uma lanterna, um toca-fitas, um despertador, um cortador de papéis e uma latinha de pastilhas para tosse — um pequeno aparelho que parecia um audiômetro e o ligou e desligou várias vezes.

— Funciona! Eles devem ter achado que era uma máquina inútil. Como o princípio é muito simples, seria difícil quebrá-la apenas com uma batidinha — explicou.

Em seguida, ela foi até um canto do cômodo, agachou, tirou a tampa de uma tomada e, depois de apertar um interruptor que havia ali, empurrou de leve uma parte da parede. Um buraco do tamanho de uma lista telefônica apareceu, e dentro dele havia um cofre.

— Nunca descobririam, não acha? — disse a moça, orgulhosa.

Ela digitou quatro números e abriu a porta do cofre.

— Você pode tirar tudo que tem aí dentro e colocar em cima da mesa?

Tentando suportar a dor, voltei a mesa à posição original e enfileirei nela o conteúdo do cofre. Havia um maço de cadernetas bancárias de uns cinco centímetros de espessura presas por um elástico, documentos que pareciam certificados de ações ou títulos, dois ou três milhões de ienes em espécie, um saco de pano que guardava algo pesado, uma caderneta de couro preto e um envelope pardo. Dentro dele havia um antigo relógio de pulso Omega e uma aliança de ouro. O vidro do mostrador tinha várias rachaduras, e o metal havia escurecido.

— São lembranças do meu pai — ela explicou. — A aliança é da minha mãe. Todo o resto pegou fogo.

Concordei com a cabeça, e ela devolveu a aliança e o relógio de pulso ao envelope pardo, pegou um maço de notas e o enfiou no bolso do terninho.

— Ah, é mesmo, esqueci que tinha dinheiro guardado aqui — constatou.

Depois, abriu o saco de pano e de dentro tirou algo enrolado numa camiseta velha. Então me mostrou o que era: uma pistola automática pequena. Visivelmente não era um brinquedo, mas um revólver com balas de verdade. Não entendo muito do assunto, mas devia ser uma Browning ou uma Beretta. Vi em um filme. Com o revólver havia um pente de reserva e uma caixa de balas.

— Você é um bom atirador? — ela perguntou.

— De jeito nenhum — falei, espantado. — Nunca tive uma arma!

— Eu atiro bem, treinei por muitos anos. Quando ia para nossa casa de veraneio em Hokkaido, praticava sozinha na montanha e consigo atingir um alvo do tamanho de um cartão-postal a dez metros de distância! Não é fantástico?

— Realmente — concordei. — Mas onde você conseguiu essa arma?

— Você é tão bobinho, não? — disse a moça, como se estivesse decepcionada. — Dinheiro abre todas as portas! Não sabia? Seja como for, se você não sabe atirar, eu fico com ela. Tudo bem?

— Por favor. Mas, como está escuro, só não quero que você acabe me acertando. Porque se tiver mais ferimentos não vou conseguir ficar de pé.

— Está tudo bem! Não se preocupe. Eu sou muito cuidadosa — e com essas palavras ela guardou a arma automática no bolso direito do casaco. O estranho era que, por mais que ela enfiasse coisas nos bolsos, eles não pareciam se deformar ou ficar mais estufados. Talvez houvesse ali algum dispositivo especial. Ou talvez fosse apenas um terninho muito bem-acabado.

Em seguida, ela abriu a caderneta de couro preto mais ou menos no meio e, com ar compenetrado, a admirou por um tempo sob a lâmpada. Também olhei de relance, mas havia apenas números e letras do alfabeto alinhados, como códigos indecifráveis, nada que fosse compreensível para mim.

— Essa caderneta é do meu avô — explicou. — Constam nela códigos que só eu e ele entendemos. Aqui ele anotava sua programação e o que tinha acontecido durante o dia. Fui instruída a lê-la se algo acontecesse com ele. Deixe-me ver... espere um pouco. Você concluiu a lavagem dos dados em vinte e nove de setembro?

— Isso mesmo — falei.

— Está escrito um número ① ali. Talvez signifique Primeira Fase. E você concluiu o shuffling na noite do dia trinta ou na manhã de primeiro de outubro. É isso?

— Exato.

— E tem o número ②. Segunda Fase. O seguinte, vejamos... Ao meio-dia, no dia dois de novembro. Esse é o ③. Está escrito "Cancelar o Programa".

— Eu tinha um encontro marcado com o professor ao meio-dia do dia dois de novembro. Talvez ele pretendesse desativar o programa especial implantado em mim. Para evitar o Fim do Mundo. Mas a situação mudou. O professor talvez tenha sido assassinado ou, quem sabe, sequestrado. Esse é o maior problema agora.

— Espere um pouco. Vou ler o restante. Os códigos são muito complexos.

Enquanto ela passava os olhos pela caderneta, eu organizava a mochila e colocava pilhas novas na lanterna. As capas de chuva e as galochas de borracha que ficavam no armário agora estavam agora jogadas no chão, mas felizmente ainda podiam ser usadas. Se passássemos pela cascata sem a capa de chuva, ficaríamos encharcados e com os ossos tremendo de frio. Se meu corpo ficasse frio, o corte voltaria a doer. Acomodei na mochila os tênis de corrida cor-de-rosa dela que estavam largados no chão. Os números no relógio digital indicavam que nos aproximávamos aos poucos da meia-noite. Havia doze horas até o prazo para cancelar o programa.

— Depois há uma série de cálculos especializados. Coisas como capacidade elétrica, velocidade de dissolução, valores de resistência, margem de erro. Não entendo.

— Basta pular o que não entender! Não temos muito tempo — falei. — Não consegue decodificar só o que você entende?

— Não é preciso.

— Por quê?

Ela me entregou a caderneta apontando um local específico. Ali não havia nada além de um X enorme, uma data e um horário. Comparado aos caracteres organizados que havia ao redor e só podiam ser lidos com uma lupa, o X era tão grande e tremido que dava uma impressão sinistra.

— Será que isso significa um prazo? — ela perguntou.

— Ou quem sabe é o estágio ④? Se o programa fosse cancelado no número ③, esse X não deveria ocorrer. Porém, se o cancelamento não fosse possível por algum motivo, o programa avançaria até chegar a esse X.

— Precisamos de todo jeito encontrar meu avô até o meio-dia de dois de novembro.

— Isso se minha suposição estiver certa.

— Será que está?

— Talvez — sussurrei.

— Nesse caso, quanto tempo nos resta? — perguntou a moça. — Até o Fim do Mundo ou o Big Bang.

— Trinta e seis horas — respondi.

Não havia necessidade de olhar o relógio. É o tempo que a Terra leva para efetuar um giro e meio sobre si própria. Nesse período, o jornal matutino é distribuído duas vezes, e o vespertino, uma. O despertador toca duas vezes, que é o número de vezes que os homens se barbeiam. Quem tem sorte talvez transe duas ou três vezes. Trinta e seis horas é tempo suficiente apenas para isso. Se supusermos que o ser humano vive setenta anos, representa um dezessete mil e trinta e três avos de sua vida. E depois algo — provavelmente o Fim do Mundo — acontecerá.

— O que faremos agora? — ela perguntou.

Procurei na caixa de primeiros socorros que estava caída na frente do armário um analgésico e o tomei com a água do cantil, depois acomodei a mochila nas costas.

— Só nos resta descer ao subterrâneo — afirmei.

20

A morte dos animais

Os animais haviam perdido alguns de seus companheiros. Na manhã seguinte à primeira nevasca, que durou a noite toda, alguns animais mais velhos ficaram enterrados sob uma camada de neve de cinco centímetros, a pelagem dourada intensificada pela brancura do inverno. O sol matutino brilhava entre nuvens esparsas como se houvessem sido rasgadas, tornando a paisagem gélida ainda mais vívida. O vapor da respiração da manada de mais de mil seres dançava esbranquiçado em meio à luminosidade.

Acordei antes do amanhecer e deparei com a cidade totalmente coberta pela neve branca. Era uma visão deslumbrante. Em meio à paisagem alva se erguia a negra torre do relógio e, abaixo dela, o rio fluía como uma faixa escura. O sol ainda não se erguera, e o céu estava coberto de nuvens espessas. Vesti o casaco, calcei as luvas e desci rumo à cidade por um caminho deserto. A neve começou a cair sem ruído logo após eu me deitar, e parece ter parado pouco antes que eu despertasse. Ainda não havia pegadas sobre ela. Ao tomá-la nas mãos, senti que era doce e fina como açúcar. A água empoçada na margem do rio estava levemente congelada, e sobre ela havia montes de neve dispersos.

Exceto pelo vapor exalado pela minha respiração, a cidade estava imóvel. Sem vento, não se viam nem mesmo pássaros, e apenas o barulho das minhas galochas contra o gelo ecoava pelos muros de pedra das casas, tão alto a ponto de não parecer natural, como se fosse um efeito sonoro produzido artificialmente.

Ao me aproximar do portal, vi o guardião na frente da praça. Ele estava embaixo da carroça que um tempo atrás eu o tinha visto consertar com a ajuda da minha sombra, lubrificando os eixos das rodas.

Nela havia algumas talhas de cerâmica usadas para guardar óleo de semente de colza, bem amarradas às tábuas laterais para não tombarem. Eu me perguntei para que o guardião usaria tanto óleo.

O rosto dele apareceu de debaixo da carroça e ele me cumprimentou erguendo a mão. Parecia estar de bom humor.

— Pelo visto alguém caiu da cama hoje. Que bons ventos o trazem?

— Vim admirar a paisagem — respondi. — Do alto da colina a visão é magnífica.

O guardião soltou uma gargalhada e, como de costume, pousou sobre minhas costas sua mão imensa. Ele nem sequer usava luvas.

— Que esquisito você é. Desce para admirar uma neve que daqui para a frente vai ver até dizer chega. Realmente é incomum!

Depois encarou as laterais do portal enquanto soltava uma grande nuvem branca de respiração, como se fosse uma locomotiva a vapor.

— Bom, você chegou em um bom momento — ele anunciou. — Experimente subir na torre de vigia. Você vai ver algo interessante! Um prelúdio deste inverno. Preste bastante atenção à paisagem externa quando eu tocar a corneta, daqui a pouco.

— Prelúdio?

— Você vai entender quando vir.

Sem fazer ideia do que ele queria dizer, subi até o alto da torre que ficava ao lado do portal e observei a paisagem lá fora. O pomar de macieiras estava coberto de neve e parecia ter sido tomado por nuvens muito baixas. Também as serras norte e leste estavam na maior parte tingidas de branco, com riscas despontando na rocha como cicatrizes.

Logo abaixo da torre de vigia os animais dormiam, como de costume. Tinham as patas curvadas e se acocoravam imóveis no chão, mergulhados em um sono tranquilo com seus cornos de um branco tão puro quanto a neve projetando-se à frente. Havia também bastante neve acumulada nas costas dos animais, mas eles não pareciam incomodados. Seu sono era terrivelmente profundo.

Por fim, as nuvens acima de minha cabeça começaram a se dissipar e os raios de sol passaram a iluminar a superfície, mas eu continuei de pé na torre, admirando a paisagem ao redor. A luz iluminava as coisas apenas parcialmente, como um refletor, e eu desejava confirmar o que seria o "algo interessante" mencionado pelo guardião.

Por fim, o guardião abriu o portal e, como sempre, tocou na corneta uma nota longa e três curtas. Os animais despertaram ao primeiro toque, ergueram as cabeças e se viraram para o local de onde vinha o som. Pelo volume de vapor branco exalado, parecia que seus corpos iniciavam as atividades de um novo dia. Os animais adormecidos tinham a respiração mais fraca.

Quando o último som da corneta foi executado, os animais se levantaram. Primeiro, esticaram devagar as patas dianteiras, ergueram a parte superior do corpo e, na sequência, estenderam as patas traseiras. Depois, projetaram algumas vezes os chifres no ar e, por último, como se tivessem percebido algo, sacudiram o corpo para tirar a neve acumulada. Em seguida, seguiram em direção ao portal.

Após passarem pelo pórtico, pude entender o que o guardião desejava me mostrar. Alguns animais que pareciam estar adormecidos permaneceram na mesma posição, congelados, mortos. Mais que isso, pareciam refletir profundamente sobre algum assunto. No entanto, não havia resposta. De seus focinhos não sairia a nuvem branca de respiração. Seus corpos haviam parado, sua consciência fora tragada para as trevas.

Depois que os demais animais se levantaram para se dirigir ao portal, vários cadáveres ali ficaram, como se fossem pequenas protuberâncias na superfície da terra. A mortalha branca de neve envolvia seus corpos. Apenas seus chifres, estranhamente repletos de vida, cortavam o ar. A maioria dos sobreviventes, ao passar ao lado dos cadáveres, baixava a cabeça ou fazia soar de leve os cascos no solo. Era sua forma de expressar pesar pelos mortos.

Continuei a contemplar os corpos imóveis até o sol matinal se erguer alto no céu, fazendo a sombra da muralha avançar e sua luz derreter de maneira serena a neve. Imaginei que o sol da manhã derreteria também a morte, que os animais aparentemente mortos de repente se levantariam e se poriam em marcha, como todas as manhãs.

Contudo, nenhum se levantou, e sua pelagem dourada molhada pela neve derretida apenas brilhava sob a luz do sol. Por fim, meus olhos começaram a doer.

Desci da torre, cruzei o rio e subi a colina oeste, voltando para casa. Notei que a luz da manhã parecia causar uma dor mais forte nos meus olhos do que eu tinha imaginado. Ao fechá-los, lágrimas caíam sem parar sobre os meus joelhos. Tentei lavá-los com água fria, mas não surtiu efeito. Fechei a pesada cortina da janela e, sempre com os olhos fechados, passei horas observando linhas e figuras estranhas que surgiam e sumiam em meio à escuridão, fazendo com que eu perdesse a noção de profundidade.

Às dez da manhã, o velho bateu na porta, trazendo uma bandeja com uma xícara de café, e ao me ver deitado de bruços passou uma toalha umedecida sobre as minhas pálpebras. Eu sentia uma dor lancinante que seguia até atrás das orelhas, mas a quantidade de lágrimas parecia haver diminuído.

— O que aconteceu com você, afinal? — indagou o velho. — A luz da manhã é muito mais forte do que você pensa. Sobretudo quando há neve acumulada. Por que saiu mesmo sabendo que os olhos de um leitor de sonhos não suportam luminosidade intensa?

— Fui ver os animais! — expliquei. — Havia muitos mortos. Uns oito ou nove; não, bem mais.

— Daqui em diante muitos mais vão morrer. Toda vez que nevar.

— Por que eles morrem com tanta facilidade? — retirei a toalha do rosto, ainda deitado de bruços.

— Eles têm baixa resistência ao frio e à fome. Sempre foi assim.

— Eles não param de morrer?

O velho balançou a cabeça.

— Há milhares de anos eles vivem aqui e seguirão assim. Durante o inverno, muitos morrem, mas quando chega a primavera nascem filhotes. São as novas vidas que afastam as velhas. O número de animais nesta cidade é limitado.

— Por que eles não se mudam? No bosque há muitas árvores, e se fossem para o sul não haveria neve. Não acho que precisem se apegar tanto a este lugar.

— Para mim também é incompreensível — disse o velho. — Contudo, os animais não podem se afastar da cidade. Eles pertencem a ela, são prisioneiros aqui. Assim como eu e você. Todos sabem de maneira instintiva que não podem escapar. Quem sabe só possam comer árvores e ervas que crescem aqui. Ou talvez não consigam cruzar o território selvagem que se estende ao sul. Não importa o motivo, eles não conseguem se afastar daqui.

— E o que acontece com os cadáveres?

— São incinerados pelo guardião — respondeu o velho, enquanto esquentava suas grandes mãos ressequidas com a xícara de café. — A partir de agora, esse será por um tempo o principal trabalho dele. Primeiro, decapita o animal morto e, depois de retirar o cérebro e os olhos, cozinha numa grande panela a cabeça, deixando-a limpa. Os corpos são amontoados, embebidos em óleo de semente de colza e queimados.

— E depois de introduzir os velhos sonhos nesses crânios, eles são enfileirados nas prateleiras da biblioteca? — perguntei ao velho, sempre de olhos fechados. — Por quê? Por que esses crânios?

O velho não respondeu. Ouvi apenas as tábuas do piso rangendo com seus passos. O barulho foi se distanciando da cama devagar e parou em frente à janela. Esse silêncio continuou por alguns instantes.

— Você compreenderá quando entender o que é um velho sonho — falou o velho. — Entenderá o motivo de estarem dentro dos crânios. Não posso explicar. Você é o leitor de sonhos e precisará encontrar por si mesmo a resposta.

Depois de enxugar as lágrimas com a toalha, abri os olhos. Divisei vagamente a silhueta do velho ao lado da janela.

— O inverno esclarece inúmeras coisas — ele prosseguiu. — Quer nos agrade ou não, é assim. A neve continuará a cair, os animais continuarão a morrer. Ninguém pode dar um fim a isso. À tarde veremos a coluna de fumaça cinza se erguendo dos animais ao serem queimados. Durante o inverno, será assim todos os dias. Neve branca e fumaça cinza.

21
Pulseiras, Ben Johnson, demônio

No fundo do guarda-roupa imperava a mesma escuridão da outra vez, mas talvez pelo fato de agora eu saber da existência dos tenebrosos a senti mais gélida do que antes. Nunca tinha visto uma escuridão tão intensa. Até as cidades terem arrancado da Terra as trevas com seus postes de eletricidade, letreiros de neon e vitrines de lojas, o mundo devia estar mergulhado em uma escuridão assim.

Ela desceu rápido as escadas na minha frente e chegou ao fundo da escuridão com o dispositivo antitenebrosos no bolso da capa de chuva, uma lanterna grande pendurada e fazendo chiar as solas de borracha das galochas.

— Está tudo bem, desça! — ouvi pouco depois sua voz vindo de baixo, misturada ao barulho de água.

Uma luz amarelada tremeluziu. O abismo parecia muito mais profundo do que eu me lembrava. Pus a lanterna no bolso e comecei a descer a escada. Os degraus como sempre estavam molhados e, se não tivesse cuidado, eu poderia escorregar. Enquanto descia, pensava no casal no Nissan Skyline e na música do Duran Duran. Eles não sabiam de nada. Nem mesmo que eu descia para as profundezas com uma lanterna, uma grande faca no bolso e uma ferida no abdômen. Na cabeça deles, havia apenas o número no velocímetro, a expectativa de sexo e músicas pop inofensivas que subiam e desciam nas paradas musicais. Longe de mim censurá-los. Eles apenas não sabiam, só isso.

Eu mesmo gostaria de saber menos e não ter me metido em tamanha aventura. Imaginei-me sentado no Skyline com aquela mulher ao meu lado, rodando pela cidade à noite embalado pelo Duran Duran. Será que ela tirava as duas pulseiras prateadas do pulso esquerdo ao transar? *Seria melhor que não as tirasse*, pensei. Mesmo depois de se despir por completo, as duas pulseiras deveriam ficar no pulso, como uma parte do corpo.

No entanto, talvez ela as tirasse. Afinal, mulheres costumam tirar várias coisas para tomar banho. Então eu teria de fazer amor com ela antes do banho. Ou pedir que não tirasse as pulseiras. Não sei qual opção seria melhor. Fosse como fosse, eu precisava encontrar um jeito de dormir com ela sem que tirasse as pulseiras. Isso era fundamental.

Imaginei-me na cama com ela, e ela com as pulseiras no pulso. Não me lembrava do rosto dela, por isso apaguei a luz do quarto. No escuro eu não veria seu rosto. Ao tirar a calcinha de cetim lilás, branca ou azul-clara, as pulseiras passaram a ser a única referência do seu corpo. Elas brilhavam com a luz fraca e tilintavam de forma leve e agradável sob os lençóis.

Enquanto descia a escada dando asas à imaginação, senti que por baixo da capa de chuva meu pênis começou a endurecer. Caramba, por que isso acontecia num lugar como aquele? Por que não foi com a moça da biblioteca — a da dilatação gástrica — quando estávamos na cama? Fui ter uma ereção bem no meio desta escada absurda! O que significavam aquelas duas pulseiras de prata para me deixar assim? E justo quando nos aproximávamos do Fim do Mundo.

Após descer a escada, de pé sobre a plataforma rochosa, ela iluminou em volta com a lanterna.

— Tenho certeza de que os tenebrosos estão vagando por aqui — falou. — Dá para ouvir os barulhos.

— Barulhos? — respondi.

— Um som de *chape chape*, como barbatanas batendo no chão. Apesar de leve, se apurar o ouvido fica perceptível. E tem também o cheiro.

Apurei os ouvidos e procurei sentir o odor que havia no ar, mas não notei nada.

— Precisa estar acostumado — ela explicou. — Aí vai conseguir ouvir também o som de vozes bem baixinho! Não são conversas, são mais como ondas sonoras. Como morcegos! Mas no caso deles, parte das ondas sonoras está dentro do espectro audível do ser humano, e eles podem se comunicar entre si.

— E como os simbolistas conseguiram contatá-los? Se não falam, é impossível, não?

— Não é difícil construir uma máquina que converta as ondas sonoras deles em vozes humanas e vice-versa. Talvez os simbolistas tenham criado algo assim. Se meu avô quisesse, poderia produzir uma dessas com facilidade, mas não o fez.

— Por quê?

— Porque não tinha intenção de conversar com eles! São criaturas vis, assim como sua linguagem. Comem apenas carne podre e lixo em decomposição e só bebem água suja. Sempre viveram embaixo de cemitérios e se alimentaram da carne dos cadáveres enterrados. Até começarem a cremar os corpos.

— Isso quer dizer que não comem pessoas vivas?

— Quando apanham uma pessoa viva, colocam-na por vários dias na água e começam a comer pelas primeiras partes que entram em decomposição.

— Caramba — suspirei. — Não me importa o que aconteça, quero voltar para casa!

Mesmo assim, continuamos seguindo a corrente do rio. Ela ia na frente, e eu a seguia. Quando a luz da minha lanterna batia nas costas dela, seu brinco do tamanho de um selo brilhava.

— Esses brincos grandes não são pesados demais para usá-los sempre? — perguntei.

— Estou acostumada — ela respondeu. — É como um pênis. Você já sentiu seu pênis pesar?

— Não, nunca.

— Pois é exatamente igual!

Continuamos a andar calados por um tempo. Ela parecia conhecer bem o terreno e avançava com passos ágeis, iluminando ao redor com a lanterna. Eu a acompanhava com dificuldade, me certificando de cada passo dado.

— Me diga uma coisa, quando toma banho você tira os brincos? — falei, querendo não ficar para trás.

Ela só reduzia o ritmo da caminhada ao falar.

— Tomo banho com eles! — respondeu. — Mesmo nua, estou sempre de brincos. Não acha sexy?

— Sim — concordei de pronto. — Agora que você falou, acho sim.

— E quando você faz amor é sempre de frente? Olhando um na cara do outro?

— Hum, sim. Em geral.

— De vez em quando não pega por trás?

— Hum, bem, sim.

— Além dessas, há muitas outras posições, sabia? Pode ser por cima, sentado, usando uma cadeira...

— Há muitas pessoas e vários casos diferentes.

— Não sei muito sobre sexo — ela confessou. — Nunca vi, nunca fiz. Ninguém me ensinou essas coisas.

— Não é algo que se ensine, mas que se descobre por si mesmo — afirmei. — Se você tiver um namorado e dormir com ele, vai começar a entender várias coisas com naturalidade.

— Não gosto muito disso! — ela falou. — Eu gosto... como direi... de algo mais dominante. Quero dominar e ser dominada. Nada de "várias coisas" ou "com naturalidade".

— Você viveu muito tempo com alguém mais velho. Uma pessoa genial e com um temperamento dominador. Mas nem todo mundo é assim. São pessoas comuns, que vivem suas vidas tateando no escuro. Como eu.

— Você é diferente. Com você não teria problema! Eu já disse isso antes, da primeira vez que nos encontramos, não foi?

Decidi tirar da cabeça qualquer imagem relacionada a sexo. Minha ereção continuava, mas, além de não fazer sentido ficar assim em plena escuridão subterrânea, atrapalhava a caminhada.

— Quer dizer que esse dispositivo emite sinais sonoros que os tenebrosos detestam — falei, tentando mudar de assunto.

— Exato! Enquanto essa onda sonora for emitida, as criaturas não poderão se aproximar a menos de quinze metros de nós. Por isso tome cuidado para não se afastar mais do que isso de mim. Caso contrário, eles o pegarão, o levarão para o covil deles, o pendurarão num poço e o comerão à medida que for apodrecendo! No seu caso, vai começar pelo ferimento na barriga, com certeza. Os dentes e as unhas deles são extremamente afiados. São como várias verrumas grossas enfileiradas.

Ouvindo isso, cheguei bem perto dela.

— O corte ainda dói? — ela perguntou.

— Melhorou um pouco graças ao analgésico. Quando faço um movimento brusco ainda sinto uma dor aguda, mas fora isso não sinto quase nada — respondi.

— Se pudermos encontrar meu avô, eu acredito que ele fará sua dor sumir.

— Seu avô? Como?

— É fácil! Ele já fez isso várias vezes comigo quando eu tinha dores de cabeça horríveis. Ele envia sinais para dentro da consciência para que ela se esqueça de sentir dor. A dor, na verdade, é uma mensagem importante para o corpo, por isso não é bom abusar dessa técnica, mas numa situação de urgência não haveria problema.

— Se ele puder fazer isso me ajudará muitíssimo — falei.

— Claro, isso se o encontrarmos — respondeu a moça.

Ela continuava a subir o rio a passos firmes, sacudindo para a direita e a esquerda a potente lanterna. Em ambos os lados das paredes rochosas abriam-se aqui e ali caminhos secundários semelhantes a gretas e cavernas sinistras. De várias frestas nas rochas brotava água, criando pequenos filetes que iam dar no rio. Neles, crescia um musgo viscoso como lodo, de uma cor verde tão vívida que não parecia natural. Eu não era capaz de entender como o musgo subterrâneo poderia ter aquela cor sem realizar fotossíntese. Devia haver ali uma Providência subterrânea.

— Será que os tenebrosos sabem que estamos andando agora por aqui?

— Lógico — ela falou, num tom imperturbável. — Aqui é o mundo deles! Não há nada que aconteça aqui sem eles saberem. Mesmo agora devem estar por perto nos observando. Há um tempo ouço um sussurro.

Procurei direcionar a luz da lanterna para as paredes, mas só consegui ver musgo e rochas ásperas e retorcidas.

— Estão escondidos nas cavernas ou no fundo dos caminhos secundários, nas trevas, onde a luz não alcança — ela explicou. — E devem também estar nos seguindo!

— Há quanto tempo o dispositivo está ligado? — perguntei.

— Dez minutos — respondeu ela, após olhar o relógio. — Dez minutos e vinte segundos. Daqui a cinco minutos chegaremos à cascata, então está tranquilo.

Exatamente cinco minutos depois chegamos à cascata. O dispositivo supressor de som ainda devia estar funcionando, pois, como antes, quase não se ouvia o barulho da água. Enfiamos os capuzes na cabeça e amarramos os cordões sob o queixo para deixá-los firmes, vestimos os óculos de proteção e atravessamos a cascata silenciosa.

— É estranho — disse a moça. — Se o dispositivo supressor de som está funcionando, é sinal de que o laboratório não foi destruído. Se os tenebrosos tivessem atacado, teriam arrasado com tudo! Eles odeiam este lugar.

A porta estava trancada, o que confirmava sua suspeita. Se os tenebrosos tivessem entrado, não teriam trancado a porta ao sair. Devia ter sido outro grupo.

Durante um bom tempo ela testou a combinação numérica da fechadura até abrir a porta com a chave eletrônica. O laboratório estava escuro e tinha cheiro de café. Ela trancou a porta às pressas, e depois de se certificar de que não poderia ser aberta acendeu a luz do cômodo.

O interior estava numa condição extrema, como o escritório e o meu apartamento. Documentos espalhados pelo chão, móveis revirados, louça quebrada, tapete arrancado e, além disso, parecia que tinham derramado um balde de café por toda parte. Eu não conseguia imaginar por que o professor teria preparado tanto café. Por mais que apreciasse, ele nunca teria sido capaz de beber tudo aquilo sozinho.

No entanto, havia uma diferença fundamental entre a destruição do laboratório e a dos outros dois locais. Aqui, os invasores tinham estabelecido com clareza o que destruir e o que deixar intacto. Destruíram tudo o que deveriam, deixando o resto intocado. Computadores, aparelhos de telecomunicação, dispositivos de eliminação acústica e geradores seguiam normais e funcionaram assim que foram ligados. Só o emissor grande de ondas sonoras para proteger contra tenebrosos estava inutilizado, mas bastaria repor as peças arrancadas para que logo voltasse a funcionar.

O cômodo dos fundos estava no mesmo estado. À primeira vista, o caos era irremediável, mas tudo fora calculado com cuidado. Os crânios enfileirados nas prateleiras e os diversos aparelhos de medição haviam sido poupados. Apenas máquinas baratas e materiais fáceis de ser substituídos haviam sido arruinados.

A moça foi até o cofre e verificou o interior. A porta não estava trancada. Dali, ela retirou um monte de cinza de papel branca, que espalhou pelo chão.

— Parece que o dispositivo de emergência de incineração automática funcionou corretamente — constatei. — Os sujeitos não puderam levar nada.

— Quem você acha que fez isso?

— Humanos — respondi. — Os simbolistas ou algum outro grupo teve ajuda dos tenebrosos para chegar até aqui, mas apenas os humanos entraram e vandalizaram o lugar. Com o objetivo de poder usar o laboratório no futuro, acredito que talvez para dar continuidade à pesquisa do professor, deixaram intactas as máquinas mais importantes. E, para que os tenebrosos não viessem causar mais destruição, trancaram a porta.

— Mas eles não levaram nada de fato importante, não é?

— Talvez — cogitei, observando ao redor. — De todo modo, eles levaram o seu avô. Que sem dúvida é o que há de mais precioso aqui. E agora não vou saber o que ele implantou dentro de mim.

— Não — disse a moça obesa. — Ele não foi levado por eles. Fique tranquilo. Há uma passagem secreta para escapar daqui. Tenho certeza de que meu avô saiu por ela, usando um dispositivo antitenebrosos como o nosso.

— Por que tem tanta certeza?

— Não tenho como provar, mas eu sei! Meu avô é uma pessoa muito cautelosa e não seria apanhado tão fácil. Ele com certeza escaparia pela passagem secreta se alguém forçasse a fechadura para entrar.

— Então o professor a esta hora deve ter saído do subterrâneo.

— Não — ela disse. — Não é tão simples. Essa passagem é um labirinto. Está ligada ao centro do covil dos tenebrosos e, por mais que nos apressássemos, levaríamos cinco horas para atravessá-la! O emissor de sinais antitenebrosos tem bateria para apenas meia hora, o que significa que meu avô ainda está lá dentro.

— Ou foi pego por eles.

— Acho pouco provável. Por precaução, meu avô construiu aqui também um esconderijo que fica completamente fora do alcance dos tenebrosos. Ele deve estar lá, esperando tranquilo nossa chegada.

— Ele é mesmo muito cauteloso — falei. — E você sabe onde fica esse lugar?

— Sim, eu sei. Meu avô me ensinou a chegar até lá. E há também um mapa simples desenhado na caderneta, com os pontos perigosos onde devemos ter cuidado.

— Que tipo de perigo?

— Talvez seja melhor você não saber — ela respondeu. — Tem gente que fica mais nervosa do que o necessário ao ouvir coisas assim.

Suspirei e desisti de continuar perguntando sobre os riscos que correríamos dali em diante. Eu já estava nervoso o bastante.

— Quanto tempo até esse local aonde os tenebrosos não vão?

— Chegaremos à entrada em vinte e cinco minutos ou meia hora. Daí é mais uma hora a uma hora e meia até onde meu avô está. Quando alcançarmos a entrada, não precisaremos mais nos preocupar com os tenebrosos. O problema é até lá. Se não nos apressarmos, a bateria do dispositivo antitenebrosos descarrega.

— E se isso acontecer no meio do caminho?

— O jeito é entregar nas mãos do destino — a moça falou. — Nesse caso, teríamos de ficar girando a lanterna ao redor do nosso corpo para impedir que os tenebrosos se aproximem. Eles detestam luz. Mas se houver uma pequena fresta eles podem estender a mão para nos agarrar.

— Nossa! — exclamei, com uma voz débil. — Já terminamos de recarregar o dispositivo?

Ela olhou para o medidor e depois para o relógio de pulso.

— Faltam cinco minutos.

— É melhor nos apressarmos — falei. — Se minha suposição estiver correta, os tenebrosos devem ter informado aos simbolistas da nossa chegada aqui e, nesse caso, eles logo voltarão.

A moça tirou a capa de chuva e as galochas e vestiu meu casaco e o tênis.

— É melhor você também se trocar! Para onde vamos agora é melhor estar com uma roupa leve.

Também tirei a capa de chuva e vesti meu impermeável sobre o suéter, fechando o zíper. Coloquei a mochila nas costas e troquei as galochas por um tênis. Já era quase meio-dia e meia.

A moça foi até o cômodo do fundo, tirou os cabides do guarda-roupa, atirando-os ao chão, e girou a barra de aço inox na qual estavam apoiados. Era possível ouvir o som de rodas dentadas se encaixando. Logo a parte inferior à direita da parede do guarda-roupa abriu uma fresta de uns setenta centímetros. Espreitando pela abertura, via-se uma escuridão tão densa que parecia ser possível apanhá-la com as mãos. Dentro do cômodo soprou uma brisa fria cheirando a mofo.

— Bem projetado, não acha? — disse ela, dirigindo-se a mim sem soltar a barra.

— É mesmo muito bem-feito — concordei. — As pessoas comuns não imaginariam que haveria uma passagem secreta aí. É coisa de um maníaco.

— De jeito algum! Maníaco é quem segue em apenas uma direção ou persegue uma única tendência, não? Meu avô não é assim. Ele apenas sobressai em tudo. Desde astronomia e genética até carpintaria — afirmou ela. — Pessoas como meu avô não existem. Há muita gente na TV ou nas revistas que fica se autopromovendo, mas é tudo falso! Para um verdadeiro gênio, seu mundo é suficiente!

— Pode ser suficiente para ele, mas não para quem está em volta. As pessoas vão furar a bolha dessa suficiência e de alguma forma tentarão se utilizar da genialidade. Por isso acidentes como o de agora ocorrem. Não importa se genial ou imbecil, não é possível ter um mundo puro apenas para si. Por mais que se enfie no buraco mais fundo ou se rodeie de muros altos, em determinado momento aparecerá alguém para aniquilar esse mundo. Seu avô não é exceção. Por causa dele eu levei uma navalhada na barriga, e em trinta e cinco horas o mundo irá acabar.

— Se encontrarmos meu avô, com certeza tudo vai terminar bem.

Ela se aproximou de mim, pôs-se na ponta dos pés e me deu um beijinho embaixo da orelha. Senti que isso aqueceu um pouco meu corpo e amenizou a dor do corte. Talvez houvesse ali algum ponto especial que provoque isso. Ou então só fazia muito tempo que eu não era beijado por uma moça de dezessete anos. Na verdade, fazia dezoito anos desde a última vez que uma jovem dessa idade tinha me dado um beijo.

— Se acreditarmos que tudo correrá bem, não há o que temer! — ela reforçou.

— A gente passa a acreditar em menos coisas ao envelhecer. É como acontece com os dentes, que vão desgastando com o tempo! Uma pessoa não se torna cínica ou cética, ela apenas vai se desgastando.

— Você está com medo?

— Com certeza — respondi. Depois, abaixei para espiar de novo pelo buraco. — Nunca me dei bem com lugares estreitos e escuros.

— Mas não podemos mais voltar. Só nos resta avançar.

— Pela lógica, sim — constatei.

Comecei aos poucos a sentir como se meu corpo não fizesse parte de mim. Quando estava no ensino médio, eu me sentia assim ao jogar basquete. O movimento da bola era tão rápido que, quando o corpo procurava se ajustar a ele, a consciência não conseguia acompanhar.

A moça observava com atenção o mostrador do dispositivo. Por fim, disse "Vamos". A bateria estava carregada.

Como ocorrera antes, ela foi na frente e eu a segui. Ao passar pelo buraco, se virou e girou uma manivela que havia ao lado da entrada para fechar a porta. A luz que iluminava o lugar foi ficando cada vez mais estreita, até desaparecer. Nunca uma escuridão tão densa e completa havia envolvido meu corpo até então. Nem mesmo as lanternas conseguiram romper o domínio das trevas, abrindo um débil feixe iluminado no centro da escuridão.

— Não entendo bem por que seu avô escolheu uma rota de fuga que atravessa bem o meio do covil dos tenebrosos.

— Porque era o caminho mais seguro! — falou a moça, iluminando o meu corpo. — No centro do covil dos tenebrosos há um local sagrado para eles, um santuário onde não podem entrar.

— Por questão religiosa?

— Acredito que sim. Eu mesma nunca fui, meu avô me contou. É bastante inapropriado chamar isso de fé, mas é um tipo de religião. O deus deles é um peixe. Um peixe enorme sem olhos — explicou com o facho de luz voltado para a frente. — Seja como for, vamos avançar. Não há tempo a perder.

O teto da gruta era tão baixo que precisávamos caminhar encurvados. Apesar da superfície rochosa em geral lisa e com poucas irregularidades, às vezes eu batia a cabeça com força em uma saliência. Mas não havia tempo para me preocupar com isso. Eu continuava a avançar, iluminando desesperadamente as costas dela, para não a perder de vista. Embora fosse obesa, os movimentos de seu corpo eram ágeis, seus pés eram rápidos, e parecia ter uma resistência incrível. Eu era bastante forte, mas caminhar encurvado assim fazia meu machucado doer bastante. Parecia que um prego de gelo estava sendo cravado em minha barriga. Minha camisa estava encharcada de suor e se colava ao corpo, gelada. Apesar de tudo isso, eu preferia sentir dor a ficar sozinho em meio à escuridão, caso a perdesse de vista.

Conforme avançávamos, crescia a ideia de que o meu corpo não me pertencia. Imaginei que isso se devesse ao fato de eu não poder me ver. Não conseguia enxergar minha própria mão, mesmo colocando-a diante dos meus olhos.

É muito estranho não poder ver o próprio corpo. É provável que alguém se questionasse se seu corpo não seria apenas uma hipótese ao passar muito tempo nessa situação. Sem dúvida eu sentia dor ao bater a cabeça no teto, sem contar o corte em meu abdômen. Sentia o chão sob os pés. Mas tudo não passava de dores e sensações. Era um tipo de conceito constituído sobre a hipótese do corpo. Portanto, era possível meu corpo ter desaparecido e agora só o conceito seguir funcionando. Como quando alguém tem uma perna amputada e permanece sentindo comichões nas pontas dos dedos.

Por diversas vezes direcionei a lanterna para o meu corpo, procurando confirmar se ele ainda existia, mas por fim desisti de fazer isso com medo de perder a moça de vista. Eu repetia para mim mesmo que o corpo ainda existia. Se tivesse desaparecido, deixando apenas isso que chamamos de alma, as coisas provavelmente seriam mais leves. Haveria salvação se a alma tivesse de aguentar para sempre o corte no abdômen, as úlceras e as hemorroidas? Se a alma não se separasse da carne, qual seria o sentido da existência dela?

Enquanto pensava nisso, continuava a seguir a jaqueta militar verde-oliva, a saia cor-de-rosa apertada que se via saindo por baixo dela e os tênis de corrida cor-de-rosa da Nike. Seus brincos balança-

vam e brilhavam com a luz da lanterna. Pareciam um par de vaga-
-lumes voltejando seu pescoço.

Ela continuava a avançar em silêncio e sem olhar na minha direção. Era como se tivesse esquecido minha existência. Ela prosseguia,
examinando com a lanterna os caminhos secundários e as cavernas.
Ao chegarmos a uma bifurcação, ela parou, tirou do bolso do peito
um mapa, o iluminou com a lanterna e verificou qual caminho de-
veríamos seguir. Com isso, pude alcançá-la.

— Está tudo bem? É o caminho certo? — perguntei.

— Sim, tudo ok. Pelo menos até agora. Estamos no caminho
correto — ela respondeu com uma voz firme.

— Como você sabe?

— Porque estamos no caminho — ela explicou, iluminando os
pés. — Olhe o chão.

Abaixei e observei o chão iluminado pela luz da lanterna. Nas
concavidades das rochas, era possível ver espalhados pequenos objetos prateados cintilantes. Ao pegar um deles, constatei que era um
clipe metálico.

— Viu só? — disse ela. — Meu avô passou por aqui! E, sabendo
que viríamos atrás dele, deixou sinais pelo caminho.

— É verdade — admiti.

— Já se passaram quinze minutos. Vamos nos apressar.

Mais adiante apareceram outras bifurcações, mas continuamos a
avançar sem hesitação seguindo os clipes espalhados, o que nos permitiu poupar um tempo precioso.

Às vezes havia buracos fundos no solo, mas como estavam indi-
cados com caneta vermelha no mapa apenas reduzíamos a velocidade
ao nos aproximar e seguíamos verificando o chão com a lanterna. Os
buracos tinham em geral entre cinquenta e setenta centímetros de diâmetro, e podíamos saltar sobre eles ou rodeá-los com facilidade. Por
curiosidade, joguei num deles uma pedra do tamanho de um punho,
mas por mais que esperasse não ouvi nenhum som. Senti que a pedra
tinha atravessado todo o planeta, chegando ao Brasil ou à Argentina.
Só de imaginar dar um passo em falso e cair ali me dava um nó no
estômago.

O caminho serpenteava para a esquerda e para a direita, dividindo-se em várias sendas secundárias que desciam cada vez mais. Embora não fosse íngreme, era uma longa descida. Eu tinha a impressão de que a cada passo o mundo de luz da superfície sumia mais.

No meio do caminho nos abraçamos apenas uma vez. Ela parou de súbito, virou-se para trás, apagou a lanterna e enlaçou meu corpo com os braços. Procurou com as pontas dos dedos os meus lábios e juntou os seus a eles. Enlacei seu corpo e a puxei com suavidade para mais perto. Era uma sensação estranha estarmos abraçados em plena escuridão. *Stendhal com certeza escreveu algo sobre isso*, pensei. Eu tinha esquecido o título do romance. Por mais que tentasse, não consegui me lembrar. Será que ele teria abraçado uma mulher em meio à escuridão? Se conseguisse sair daqui com vida e se o mundo ainda não tivesse acabado, ia procurar o livro.

O aroma da colônia de melão em sua nuca tinha sumido. No lugar, havia o odor da nuca de uma moça de dezessete anos. Mais para baixo havia o meu cheiro, minha vida cotidiana impregnada na jaqueta militar americana. Os pratos que eu tinha preparado, o café que eu havia derramado, meu suor. Tudo isso permanecia impregnado ali, inextinguível. Ao abraçar uma moça de dezessete anos em meio à escuridão subterrânea, senti essa vida como uma ilusão que nunca mais retornaria. Podia recordar sua existência. Mas não conseguia me imaginar voltando a ela.

Permanecemos abraçados por um longo período. O tempo passava depressa, mas eu sentia como se isso não fosse um grande problema. O abraço fazia com que compartilhássemos nossos medos. E naquele momento isso era o mais importante.

Por fim, ela comprimiu com firmeza os seios contra o meu peito, entreabriu os lábios e com a língua e o hálito cálido penetrou minha boca. A ponta de sua língua acariciou o contorno da minha, e as pontas de seus dedos se enveredaram pelos meus cabelos. Porém, tudo não durou mais do que dez segundos, e ela se afastou de repente. Como um astronauta abandonado no espaço sideral, fui atacado por uma profunda sensação de desespero.

Quando acendi a lanterna, ela estava de pé na minha frente e também tinha acendido a dela.

— Vamos — disse ela.

Depois, virou-se e começou a caminhar no mesmo ritmo de antes. Em meus lábios permanecia a sensação do toque dos lábios dela. Meu peito ainda podia sentir os batimentos do coração dela.

— O meu beijo… foi muito bom, não foi? — perguntou a moça, sem se virar.

— Sem dúvida — falei.

— Mas parece faltar algo, não acha?

— Sim — concordei. — Falta algo.

— O que será?

— Não sei — respondi.

Depois de andarmos mais cinco minutos por um caminho plano, chegamos a um local amplo e vazio. O odor do ar mudou, bem como o som dos nossos passos. Bati palmas, e o eco distorcido ressoou de volta.

Ela abriu o mapa e, enquanto verificava nossa posição, eu iluminava à nossa volta com a lanterna. O teto formava uma cúpula, e o local onde estávamos era circular, adaptando-se ao formato do teto. Dava para ver que o formato tinha sido criado, que não era natural. As paredes eram lisas, sem saliências ou protuberâncias. Bem no meio havia um buraco raso de cerca de um metro de diâmetro com uma substância viscosa indefinível. O cheiro não era intenso, mas flutuava no ar uma sensação desagradável, como se nossas bocas estivessem repletas de acidez.

— Aqui parece ser a entrada do santuário — ela falou. — Por enquanto, estamos seguros. Os tenebrosos não entram aqui.

— Ótimo, mas como saímos?

— Vamos deixar isso para o meu avô. Com certeza ele pensará em algo. Se juntarmos dois emissores de sinais sonoros, será possível manter os tenebrosos afastados o tempo todo. Enquanto um estiver funcionando, carregamos a bateria do outro. Assim, não há nada a temer. Não precisamos nos preocupar com o tempo.

— Verdade — concordei.

— Está mais confiante?

— Um pouco mais — disse eu.

Em ambos os lados da entrada havia o desenho de dois peixes enormes dentro de um círculo com as bocas e as caudas ligadas em baixo-relevo. Eram peixes estranhos. A cabeça era inflada, como a parte frontal de um avião bombardeiro, e no lugar dos olhos se projetavam duas antenas grossas e longas retorcidas, como gavinhas de plantas. As bocas, desproporcionalmente grandes em relação ao corpo, estavam rasgadas até quase as guelras, e logo abaixo havia dois órgãos intumescidos, como patas de animais seccionadas perto da articulação. De início, pensei que fossem ventosas, mas olhando com mais atenção notei que na ponta havia três garras afiadas. Pela primeira vez eu via peixes com garras. As barbatanas dorsais eram retorcidas, e as escamas se projetavam do corpo como espinhos.

— Seria uma criatura mitológica? Ou existe de verdade? — perguntei.

— Quem pode afirmar? — ela disse, enquanto abaixava para recolher mais alguns clipes de papel do chão. — Seja como for, conseguimos avançar sem errar o caminho. Vamos entrar logo.

Depois de iluminar mais uma vez os desenhos em baixo-relevo, voltei a segui-la. Para mim foi um choque ver que os tenebrosos conseguiram esculpir coisas tão bonitas na escuridão total. Mesmo sabendo que podiam enxergar sem luz, ainda assim fiquei impressionado ao ver isso com meus próprios olhos. E é provável que eles estejam neste momento imersos nas trevas observando com atenção nossos movimentos.

Ao entrar no santuário, o trajeto começou a subir, o que fez o teto aos poucos ganhar altura até se tornar impossível distingui-lo, mesmo com a lanterna.

— A partir daqui vamos entrar na montanha — ela explicou. — Você está acostumado a escalar?

— Antigamente eu subia a montanha uma vez por semana! Mas nunca fiz isso no escuro.

— A montanha não parece ser muito alta — ela falou, guardando o mapa no bolso. — Nem pode ser chamada assim, é mais uma colina. Mas meu avô me disse que eles a consideram uma montanha. A única subterrânea. A montanha sagrada.

— E nós estamos prestes a profaná-la.

— Não, ao contrário! Ela é desde o início um local impuro. To-das as imundices estão concentradas ali! Este mundo é uma caixa de Pandora confinada na crosta terrestre! A partir de agora vamos atravessar o seu centro.

— É como se fosse o inferno.

— É parecido. O ar daqui chega à superfície depois de atravessar redes de esgoto, grutas e buracos de perfuração. Os tenebrosos não podem ir à superfície, mas o ar sim. E ele acaba no pulmão das pessoas.

— E conseguiremos sobreviver se entrarmos ali?

— Temos de acreditar! É como eu disse há pouco. Se acreditarmos, não há o que temer! Pense em coisas divertidas, nas pessoas amadas, nas tristezas, na sua infância, nos planos futuros, em suas músicas favoritas, tudo serve. Com isso, não precisamos ter medo.

— Será que posso pensar em Ben Johnson? — perguntei.

— Ben Johnson?

— É um ator e exímio cavaleiro que atuava em filmes antigos de John Ford.

Em meio às trevas, ela soltou uma risadinha.

— Você é uma graça, sabia? Adoro você!

— Sou velho demais para você — afirmei. — Se não bastasse, não sei tocar nenhum instrumento.

— Quando sairmos daqui, vou lhe ensinar a montar.

— Obrigado — agradeci. — A propósito, no que você está pensando?

— No beijo que dei em você — respondeu ela. — Foi por isso que o beijei! Não sabia?

— Não.

— Você sabe no que meu avô pensava quando estava aqui?

— Não.

— Em nada. Ele consegue esvaziar a mente por completo. Gênios são assim. Se a mente estiver limpa, o ar viciado é incapaz de penetrar nela!

— Verdade — concordei.

Como ela dissera, à medida que avançávamos o caminho ia se tornando cada vez mais íngreme e, por fim, se tornou tão brusco que fomos obrigados a subir usando as mãos. Enquanto isso, eu pensava o tempo todo em Ben Johnson. Na imagem dele montado a cavalo. Recordei na medida do possível suas cenas de montaria em *Forte apache*, *Ela usava uma fita amarela*, *Caravana de bravos* e *Rio Grande*. O sol brilhando sobre a pradaria, nuvens imaculadas flutuando no céu como se tivessem sido traçadas com um pincel. Manadas de búfalos nos vales, mulheres enxugando as mãos em aventais brancos na porta de casa. O rio correndo, o vento fazendo a luz tremular, pessoas cantando. E Ben Johnson atravessando essa paisagem em seu cavalo como uma flecha, a câmera sobre trilhos mantendo sua figura galante bem enquadrada.

Enquanto me agarrava às rochas em busca de um apoio para os pés, pensava em Ben Johnson e no seu cavalo. Não sei se foi por causa disso, mas a dor no meu ferimento aliviou de maneira inacreditável, e pude caminhar sem me preocupar com ela. Pensando bem, talvez a ideia dela de que o implante de determinado sinal na consciência aliviaria dores físicas não fosse exagerada.

Em termos de escalada, aquela não era tão difícil. O chão era seguro, não havia barrancos abruptos e podíamos encontrar com facilidade concavidades na rocha. Pelos padrões da superfície, era um trajeto fácil e sem perigos, propício a iniciantes, que uma criança poderia percorrer sozinha em uma manhã de domingo. Entretanto, em meio ao breu subterrâneo, a coisa mudava de figura. Primeiro, não é preciso dizer que não dava para ver nada. Não era possível saber o que vinha pela frente, quanto faltava subir, em qual posição se estava, o que havia sob os pés ou se o trajeto estava certo. Eu não sabia que perder a visão era tão assustador. Em alguns casos, perdem-se até mesmo o amor-próprio e a coragem. Quando uma pessoa deseja alcançar algo, precisa se perguntar três coisas. O que conseguiu realizar até o momento; em que posição se encontra; e o que deverá fazer de agora em diante. Se perder essa capacidade, restarão o medo, a falta de autoconfiança e a sensação de cansaço. Eu estava exatamente nessa situação. A questão não eram as dificuldades técnicas, mas até que ponto eu poderia manter o autocontrole.

Continuamos a galgar a montanha em meio à escuridão. Não dava para segurar a lanterna e escalar ao mesmo tempo, então enfiei a minha no bolso da calça, enquanto a moça amarrou a correia da dela na cintura, como se fosse a fita de um quimono. Com isso, não conseguíamos ver nada. A luz que tremulava da cintura dela iluminava de maneira efêmera o espaço escuro. Eu continuava a subir calado, usando a luz dela como norte.

Por vezes, ela se dirigia a mim para confirmar que eu não tinha ficado para trás. Dizia coisas como: "Está tudo bem?" ou "Falta pouco agora!".

— O que acha de cantarmos uma canção? — propôs um pouco depois.

— Qual? — perguntei.

— Qualquer uma! Basta ter melodia e letra. Cante algo.

— Eu não canto na frente das pessoas.

— Vamos, por favor!

Não tive escolha a não ser cantar "O fogareiro".

Nas noites em que neva
Divertido fogareiro
Vamos, fogareiro, arda!
Vamos contar histórias
Do passado!
Fogareiro, arda.

Como eu não sabia o resto da letra, inventei qualquer coisa. Quando todos estavam ao redor do fogareiro, alguém bateu na porta e o pai foi atender. Era uma rena ferida, que disse: "Tenho fome. Dê-me de comer". O pai então ofereceu a ela uma lata de pêssegos em conserva. Por último, todos se sentaram em frente ao fogareiro para cantar.

— Quem diria? Você canta bem — elogiou a moça. — Pena que não posso aplaudir, mas foi muito bom.

— Obrigado.

— Cante mais uma — ela pediu.

Então eu cantei "Natal branco":

Sonho com um Natal branco
Branca paisagem de neve
Gentis corações

E velhos sonhos
Os meus presentes
Para você

Sonho com um Natal branco
Também agora
De olhos cerrados
Rememoro em meu coração
O som dos guizos do trenó
E o brilho da neve

— Excelente — disse a moça. — Você inventou essa letra?

— Cantei o que me veio à cabeça.

— Por que você só canta sobre o inverno e a neve?

— Não sei, talvez por estar escuro e frio. Só me lembrei dessas músicas — falei, enquanto me esticava para ir de uma concavidade a outra na rocha. — Agora é sua vez.

— Posso cantar a "Canção da bicicleta"?

— Claro — respondi.

Numa manhã de abril
Montada em minha bicicleta
Rumei para o bosque
Por um caminho desconhecido
Na bicicleta cor-de-rosa
Que acabara de comprar
Guidão e selim também
Tudo rosa
Até a borracha do freio
É de fato rosa

— Parece perfeita para você — comentei.

— Claro, é minha música! — ela exclamou. — Gostou?

— Sim.

— Quer ouvir o resto?

— Manda ver.

O rosa combina
Com uma manhã de abril
Além dessa cor
Nenhuma outra importa
Rosa na bicicleta
Que acabei de comprar
Rosa também no sapato
Tudo rosa
Calça, calcinha
São mesmo cor-de-rosa

— Deu para sentir sua paixão pela cor rosa, mas que tal avançar mais na história? — sugeri.

— Essa parte é necessária! — ela retrucou. — Você acha que existem óculos cor-de-rosa?

— Acho que já vi o Elton John usando.

— Hum — fez ela. — Bem, deixa para lá. Vou cantar o resto.

Pelo caminho
Encontrei um homem
A roupa dele
Era toda azul
Esqueceu de se barbear?
Sua barba era azul
Tal qual uma noite longa
Um azul profundo
Uma noite muito longa
Sempre azul

— Esse homem seria eu? — perguntei.

— Não, de jeito algum. Você não aparece nesta música.

O homem me disse
Moça, você não deveria
Ir ao bosque
As regras do bosque
São para os animais

E mesmo sendo
Uma manhã de abril
A correnteza do rio
Não reverterá seu fluxo
Mesmo em uma manhã de abril

Ainda assim eu fui
De bicicleta ao bosque
Em minha bicicleta cor-de-rosa
Numa manhã ensolarada de abril
Não havia nada a temer
A cor é rosa
Se não descer da bicicleta
Não preciso ter medo
Não é vermelha, azul ou marrom
É rosa de verdade

Logo depois de terminar a "Canção da bicicleta", a subida acabou e chegamos a um planalto amplo. Após descansar um pouco, iluminamos os arredores com a lanterna. O planalto parecia muito vasto, com uma superfície plana e lisa como uma mesa que se estendia a perder de vista. Por um tempo ela ficou agachada na entrada do planalto, e ali encontrou mais meia dúzia de clipes de papel.

— Afinal, até onde foi o seu avô? — perguntei.

— Falta pouco! É aqui perto. Tenho alguma ideia porque meu avô me falou várias vezes sobre este lugar.

— Isso significa que ele já tinha vindo aqui diversas vezes?

— Lógico! Para elaborar o mapa ele percorreu este local de ponta a ponta. Conhece aqui como a palma da mão! Desde o que há no final dos caminhos secundários até passagens secretas, tudo.

— Ele veio sozinho?

— Lógico! — repetiu a moça. — Meu avô tem um espírito independente. Não que seja um misantropo ou desconfie dos outros, mas para as pessoas é difícil acompanhá-lo.

— Acho que consigo entender — concordei. — A propósito, que planalto é este?

— Os antepassados dos tenebrosos habitavam esta montanha. Viviam dentro de grutas escavadas aqui. Este local onde estamos agora era onde realizavam suas celebrações religiosas. Aqui acreditam que vive seu deus. O feiticeiro ficava de pé para invocar o deus das trevas e lhe ofertar sacrifícios.

— O deus seria aquele peixe sinistro com garras?

— Isso. Eles acreditam que ele governa este mundo das trevas. Seu ecossistema, as diversas espécies existentes, o sistema filosófico e de valores, a vida e a morte, tudo. Reza a lenda que os primeiros antepassados dos tenebrosos vieram até aqui conduzidos por aquele peixe.

Ela direcionou a luz para os pés e me mostrou uma vala de dez centímetros de profundidade por um metro de largura. Ela vinha em linha reta da entrada do planalto até o fundo da escuridão.

— Seguindo esse caminho chegamos ao antigo altar! Creio que meu avô esteja escondido ali. O local é o mais sagrado de todo este santuário, e como ninguém pode se aproximar dele não há perigo de sermos apanhados enquanto estivermos ali.

Seguimos a vala e, por fim, o caminho se transformou num declive, com as paredes laterais se elevando cada vez mais. Tive a impressão de que a qualquer momento poderiam se aproximar e esmagar nossos corpos, mas tudo em volta continuava silencioso e não havia nenhum movimento, como no fundo de um poço. Só o ruído dos nossos sapatos de sola emborrachada ressoava num ritmo estranho entre as fendas. Enquanto eu caminhava, ergui diversas vezes o olhar de forma inconsciente para o céu. No meio da escuridão, acabamos procurando pela luz das estrelas e da lua.

Porém, obviamente, não havia nem lua nem estrelas acima da minha cabeça. Apenas múltiplas camadas de escuridão pesavam sobre mim. Não havia vento, e o ar sufocante estagnava no mesmo lugar. Eu sentia tudo ao meu redor mais pesado do que antes. Até minha própria existência parecia mais maciça. Era como se tudo fosse pressionado contra o solo, como lodo: o ar que eu exalava, o som dos meus passos, os movimentos dos meus braços. Mais do que estar mergulhado nas profundezas subterrâneas, era como se eu tivesse pousado num planeta desconhecido. A atração terrestre, a densidade atmosférica e a noção do tempo eram completamente distintas daquelas que eu lembrava.

Ergui o braço esquerdo, acendi a luz do mostrador do meu relógio digital e verifiquei. Duas horas e onze minutos. Havíamos descido para o subterrâneo por volta da meia-noite, o que significava que estávamos ali havia pouco mais de duas horas, mas eu sentia como se tivesse passado um quarto da minha vida na escuridão. Mesmo a luz débil do relógio fazia o fundo dos meus olhos doer ao encará-la por muito tempo, como se tivesse sido alfinetado. Sem dúvida meus olhos aos poucos haviam se adaptado à escuridão. A luz da lanterna também machucava a vista. Após ficar um bom tempo em meio às trevas, estas se tornam a condição normal, enquanto a luz vira o elemento antinatural.

Calados, continuamos a descer cada vez mais por esse caminho que parecia uma vala profunda e estreita. Era plano e, por não haver perigo de bater a cabeça no teto, desliguei a lanterna e continuei a me guiar pelo ruído das galochas da moça. À medida que andava, comecei a não saber mais se estava com os olhos abertos ou fechados. Em ambos os casos a escuridão era a mesma. Experimentei abrir e fechar os olhos, mas por fim não conseguia mais afirmar como estavam. Entre uma ação humana e a ação contrária a ela existe um tipo de diferença eficaz essencial, e se esta desaparece o muro que separa a ação A da B automaticamente se extingue.

No momento, eu só podia ouvir o som dos sapatos dela. Estava bastante distorcido, talvez devido à topografia do terreno, à atmosfera ou à escuridão. Tentei vocalizar em minha cabeça essa ressonância, mas não havia nenhum som que correspondesse a ela. Parecia uma língua africana ou do Oriente Médio que eu não conhecia. Não fui capaz de enquadrar aqueles sons aos da língua japonesa. Talvez fosse mais próximo do francês, do alemão ou do inglês. Para começar, testei com o inglês.

Even — through — be — shopped — degreed — well

Era assim que eu ouvia, mas, ao verbalizá-los, descobri que eram completamente diferentes do som dos passos dela. Para ser mais exato, saiu algo como:

Efgvén — gthŏuv — bge — shpèvg — égvele — wgevl

Parecia finlandês, mas infelizmente eu não sabia nada desse idioma. Ao pronunciar essas palavras, senti como se quisesse dizer: "O lavrador encontrou no caminho um velho diabo", mas isso não passava de uma impressão. Não havia nenhum fundamento.

Continuei tentando fazer várias palavras e frases corresponderem ao som dos passos dela. E em minha mente eu conseguia visualizar os tênis cor-de-rosa da Nike pisando um após o outro no chão plano. O calcanhar direito desce, o centro gravitacional se transfere para a ponta do pé e, antes de ele subir, o calcanhar esquerdo toca o chão. Sem parar. O tempo passava cada vez mais devagar. Era como se a corda do relógio se tivesse rompido e a agulha parasse de avançar. Os tênis de corrida cor-de-rosa iam e vinham devagar dentro da minha cabeça imprecisa.

Efgvén — gthõuv — bge — shpèvg — égvele — wgevl
Efgvén — gthõuv — bge — shpèvg — égvele — wgevl
Efgvén — gthõuv — bge...

O som dos passos ressoava.

O velho diabo estava sentado sobre uma pedra em uma trilha no interior da Finlândia. Ele devia ter uns dez mil ou vinte mil anos, mas parecia cansado; suas roupas e sapatos estavam cobertos de poeira. A barba era rala.

— Para onde você vai com tanta pressa? — perguntou o diabo ao lavrador.

— Vou consertar a lâmina da enxada que se partiu — este respondeu.

— Não é preciso se apressar tanto — disse o diabo. — O sol ainda está a pino, não precisa correr. Sente-se um pouco e ouça o que tenho a dizer!

O lavrador olhou com atenção o rosto do diabo. Ele sabia bem que boa coisa não viria de se relacionar com o coisa-ruim, mas este estava com um aspecto tão miserável e exausto. Então o lavrador...

Nesse momento, alguma coisa roçou minha face. Algo suave e liso, não muito grande. O que seria? Enquanto eu tentava pensar, a coisa tocou de novo o meu rosto. Ergui minha mão direita para afastá-la, mas não consegui. Lá veio ela mais uma vez. Diante do meu rosto, uma luz brilhante tremeluzia de forma desagradável. Abri os olhos. Até então, não tinha percebido que estavam fechados. Ali estava a luz da lanterna dela, e era sua mão que tocava o meu rosto.

— Pare com isso! — gritei. — Essa luz está me cegando, dói.

— Não fale besteira! O que pensa que vai acontecer se dormir aqui? Levante-se logo — falou a moça.

— Me levantar?

Liguei minha lanterna e olhei ao redor. Eu não percebi, mas tinha sentado no chão e recostado na parede. Devo ter adormecido sem me dar conta. O lugar estava encharcado.

Levantei-me devagar.

— Não entendo. Devo ter dormido de repente. Não me lembro de ter sentado nem de estar com sono.

— As criaturas tramaram isso — afirmou a moça. — Elas fazem o possível para que as pessoas adormeçam aqui.

— Criaturas?

— Os habitantes desta montanha! Não sei se deuses ou espíritos malignos, mas, seja como for, esses seres. Eles querem nos incomodar!

Balancei a cabeça para despertar.

— Fiquei confuso e fui perdendo a noção se estava com os olhos abertos ou fechados. E os seus sapatos faziam um barulho esquisito…

— Meus sapatos?

Contei a ela sobre como o velho diabo apareceu entre os sons dos passos dela.

— É uma artimanha! — exclamou a moça. — Tipo hipnose. Se eu não tivesse percebido, você ficaria dormindo aqui até ser tarde demais.

— Tarde demais?

— Isso mesmo! Tarde demais — ela disse, mas não me explicou que tipo de tarde demais seria. — Se bem me lembro, você trouxe uma corda na mochila, não?

— Sim, mas ela tem apenas cinco metros.

— Pegue-a para mim.

Tirei a mochila do ombro, enfiei a mão, procurei a corda de náilon entre as latas de conserva, a garrafa de uísque e o cantil de água, puxei-a e a entreguei à moça. Ela amarrou uma extremidade no meu cinto e a outra ao redor da própria cintura, puxando-a em seguida para fazer nossos corpos se aproximarem.

— Assim vai ficar tudo bem — afirmou ela. — Não vamos nos perder.

— Isso se os dois não dormirem — respondi. — Você quase não descansou, não é?

— O importante é não fraquejar. Se você começar a sentir o sono, forças malévolas o farão fraquejar. Entende?

— Sim!

— Então vamos continuar. Não temos tempo a perder!

Avançamos ligados um ao outro pela corda de náilon. Na medida do possível, eu me esforçava para não prestar atenção ao som dos sapatos dela. Com a luz da lanterna direcionada para suas costas, eu caminhava observando a jaqueta americana verde-oliva. Comprei essa peça em 1971. Na época ainda ocorria a Guerra do Vietná, e o presidente dos Estados Unidos era Richard Nixon, que tinha aquela cara sinistra. Todo mundo usava cabelo comprido, sapatos imundos, ouvia rock psicodélico, vestia jaquetas militares compradas de excedentes do Exército americano com o símbolo da paz desenhado nas costas e se sentia o próprio Peter Fonda. Faz tanto tempo que a qualquer momento um dinossauro poderia aparecer.

Tentei recordar alguns episódios da época, mas não me lembrei de nenhum. Sem alternativa, busquei reviver em minha mente a cena em que Peter Fonda dirige sua motocicleta. Adicionei como trilha sonora "Born to be wild", de Steppenwolf. Porém, num passe de mágica a música se converteu em "I heard it through the grapevine", de Marvin Gaye. Talvez porque o início das duas músicas seja semelhante.

— No que você está pensando? — a moça me perguntou.

— Nada de especial — respondi.

— Quer cantar uma música?

— Já cantamos bastante!

— Então pense em algo.

— Que tal conversarmos?

— Sobre o quê?

— Sobre a chuva, o que acha?

— Pode ser.

— Você se lembra de algum dia de chuva em especial?

— Chovia na noite em que meus pais e meus irmãos morreram.

— Vamos falar sobre algo mais alegre.

— Não tem problema! Eu quero falar sobre isso — disse a moça. — Não tem mais ninguém com quem eu possa ter esse tipo de conversa além de você… Mas claro que eu paro se você não quiser escutar.

— Se tem vontade de falar, vá em frente — incentivei.

— Era uma dessas chuvas que não dá para saber se está mesmo chovendo ou não. O tempo estava instável desde a manhã. O céu estava estático, todo coberto de um cinza indistinto. Eu estava deitada na cama do hospital e passava o tempo observando esse céu. Era início de novembro e do lado de fora tinha uma árvore enorme, uma canforeira. Metade das folhas já havia caído, e se via o céu por entre os galhos. Você gosta de admirar árvores?

— Não sei bem — afirmei. — Não detesto, mas nunca as observei com atenção.

Para ser sincero, sou incapaz de distinguir uma castanopsis de uma canforeira.

— Eu adoro! Gosto desde pequena. Quando tenho tempo, sento embaixo de uma árvore e posso ficar horas distraída tocando seu tronco e erguendo os olhos para contemplar seus ramos. Na época, a canforeira no jardim do hospital onde eu estava internada era simplesmente luxuriante. Deitada sem nada para fazer, eu passava o dia a contemplá-la. Me lembrava de cada ramo da árvore. Tipo esses homens aficionados por trens, que sabem o nome de todas as linhas e estações.

"E vinham muitos pássaros se empoleirar nessa canforeira. De vários tipos. Pardais, picanços, estorninhos. E outros de cores lindas cujo nome não sei. Às vezes apareciam pombos também. Eles vinham, descansavam por um tempo sobre um galho e voavam outra vez para algum lugar. Os pássaros são muito sensíveis à chuva, sabia?"

— Não sabia — declarei.

— Eles não aparecem se está chovendo ou ameaça chover, mas basta parar para logo chegarem e cantarem alto. É como se festejassem o fim da chuva. Não sei por quê. Talvez porque quando acaba de chover os insetos aparecem no solo. Ou simplesmente porque gostam desse momento. Mas graças a isso eu podia saber como estaria o tempo. Se não visse pássaros, era sinal de chuva; se vinham e cantavam, era porque a chuva havia cessado!

— Você ficou muito tempo internada?

— Sim, cerca de um mês. Quando criança tive um problema em uma válvula cardíaca e fui operada. Foi uma cirurgia muito difícil, e minha família já dava como certo que eu não resistiria. Mas tudo foi muito estranho. Porque acabou que apenas eu sobrevivi, e todos os outros morreram.

Ela continuou a caminhar calada. Eu segui pensando no que ela havia contado, no coração, na canforeira e nos pássaros.

— No dia em que eles morreram, os pássaros estavam muitíssimo ocupados. Porque era uma chuva que não se sabia se cairia ou não; quando caía, parava rápido, e os pássaros pousavam e logo voavam, repetindo esse movimento diversas vezes. Foi um dia frio que prenunciava o inverno, mas o quarto do hospital estava quente, por isso as janelas logo embaçavam e eu as limpava. Eu me levantava da cama, limpava os vidros com uma toalha e deitava de novo. Na verdade, eu não deveria me levantar, mas queria ver a árvore, os pássaros, o céu e a chuva. Quando alguém fica muito tempo internado, essas coisas passam a constituir a própria vida. Você já ficou num hospital?

— Não — respondi.

Em geral, sou saudável como um urso na primavera.

— Havia pássaros de penas vermelhas e cabeça preta. Sempre se movimentavam em dupla. Comparados a eles, os estorninhos tinham o aspecto sóbrio dos bancários. Mas, quando a chuva parava, todos vinham pousar sobre os galhos e cantar.

"Sabe o que eu pensava naqueles momentos? Que o mundo é realmente incrível. Em todo o planeta há milhões ou bilhões de canforeiras — claro, não precisam ser mesmo canforeiras —, e a luz solar incide sobre elas, ou então chove, e há milhões ou bilhões de pássaros que pousam nelas ou levantam voo. Quando imaginei essa cena, por algum motivo me senti muito triste."

— Por quê?

— Porque o mundo está cheio de árvores, pássaros e dias de chuva incontáveis. E, no entanto, eu me senti incapaz de entender uma única canforeira e uma única chuva. Para sempre. Eu envelheceria e morreria sem entender uma canforeira e um dia de chuva. Ao me dar conta disso, fiquei muito triste e chorei sozinha. Enquanto as lágrimas corriam, desejei ser abraçada por alguém. Mas não havia ninguém para me abraçar. Completamente sozinha, continuei a chorar deitada naquela cama.

"Logo anoiteceu, tudo ao redor escureceu e os pássaros sumiram. Por isso eu não podia saber se estava chovendo ou não. Nessa noite, minha família morreu. Só me informaram muito tempo depois."

— Deve ter sido muito doloroso receber a notícia.

— Não me lembro bem. Tenho a impressão de que naquele momento eu não senti nada. Lembro-me apenas de que naquela noite chuvosa de outono ninguém me abraçou. Para mim isso foi como o Fim do Mundo. Tudo estar escuro, doloroso, triste, e desejar a qualquer custo receber um abraço, mas não ter ninguém para fazer isso, entende?

— Acho que sim — disse.

— Você já perdeu alguém que amava?

— Diversas vezes.

— E agora está sozinho?

— Não exatamente — falei, roçando os dedos pela corda de náilon presa ao meu cinto. — É impossível ficar totalmente sozinho neste mundo. De alguma forma, estamos todos unidos. A chuva cai, os pássaros gorjeiam. Abdomens são navalhados e em plena escuridão você recebe o beijo de uma garota.

— Mas sem amor é como se o mundo não existisse — disse a moça obesa. — Sem amor, este mundo é igual à brisa que sopra do lado de fora da janela. Não dá para tocar a mão das pessoas nem sentir seu cheiro. O dinheiro pode comprar muitas mulheres, é possível ir para a cama com várias desconhecidas, mas isso não é real. Ninguém o abraçará com firmeza.

— Comprar mulheres e dormir com desconhecidas não é algo que eu faça com frequência — contestei.

— Dá no mesmo! — ela revidou.

Talvez ela tenha razão, pensei. Ninguém me abraçava com força. Eu tampouco abraçava alguém. Eu continuaria a envelhecer assim, sozinho como um pepino-do-mar grudado numa rocha no fundo do oceano.

Distraído pensando nessas coisas, não percebi que ela havia parado e trombei contra suas costas macias.

— Desculpe! — falei.

— Psiu! — ela exclamou, agarrando meu braço. — Ouvi um barulho. Escute!

Permanecemos os dois imóveis ali, apurando os ouvidos para o som que vinha do fundo da escuridão. Partia de um ponto um pouco mais adiante. Fraco, quase imperceptível. Era como um leve barulho de terra, de dois metais pesados e volumosos se roçando. Fosse lá o que fosse, continuava de forma ininterrupta e aos poucos aumentava. Provocava uma sensação de arrepio desagradável, como se um inseto subisse devagar pelas nossas costas. Um barulho tênue, quase imperceptível aos ouvidos humanos.

Até o ar ao redor parecia oscilar, acompanhando as ondas sonoras. O vento denso e pesado soprava devagar e envolvia nossos corpos, como lama sendo arrastada por uma correnteza. O ar estava úmido e frio, como se estivesse carregado de água. E tudo parecia indicar que algo estava prestes a acontecer.

— Será um terremoto? — indaguei.

— Não é nada parecido com um terremoto — disse a moça obesa. — É muito mais terrível.

22

A fumaça cinzenta

Como o velho havia previsto, a fumaça cinzenta vinha todo santo dia. Ela subia do pomar de macieiras e era tragada por nuvens espessas na atmosfera. Observando com atenção, parecia que todas as nuvens eram geradas no pomar. A fumaça começava a se erguer exatamente às três da tarde, e sua duração variava conforme o número de animais mortos. No dia que se seguia a uma violenta nevasca ou após noites gélidas, a fumaça densa perdurava por horas a fio, fazendo lembrar um incêndio florestal.

Eu não sabia por que as pessoas não adotavam medidas para impedir a morte dos animais.

— Por que não constroem estábulos em algum lugar? — perguntei ao velho enquanto jogávamos uma partida de xadrez. — Por que não protegem os animais da neve, do vento e do frio? Não precisaria de nada muito elaborado. Muitas vidas poderiam ser salvas apenas com um local coberto e uma cerca!

— Isso não levaria a lugar nenhum! — alegou o velho sem despregar os olhos do tabuleiro. — Mesmo que se construísse um estábulo, os animais não entrariam ali. Eles sempre dormiram na terra. Mesmo com a vida em risco, continuariam do lado de fora. Em meio à neve, ao vento e ao frio.

O coronel posicionou o monge na frente do rei, reforçando o rígido bloqueio. Em ambos os lados, os chifres estavam na linha de fogo. Ele esperava meu ataque.

— Soa como se os animais procurassem sofrimento e morte — falei.

— Em certo sentido, talvez sim. Mas para eles isso é natural. O frio, o sofrimento. Talvez seja a sua salvação.

O velho se calou, e deslizei meu macaco para o lado da muralha.

Eu queria que ele mexesse aquela peça. O coronel quase o fez, mas reconsiderou a jogada e recuou o cavaleiro uma casa, encurtando seu espaço de defesa e o fazendo se parecer mais com uma almofada para agulhas.

— Você está cada vez mais esperto — comentou o velho, sorrindo.

— Ainda não chego aos seus pés — retruquei, devolvendo o sorriso. — O que o senhor quer dizer com salvação?

— Talvez eles sejam salvos pela morte. Os animais com certeza morrem, mas renascem na primavera. Na forma de novos filhotes.

— Mas esses filhotes por sua vez crescem e, como os outros, sofrem e morrem. Por que precisam sofrer tanto?

— Essa é a regra — declarou o velho. — É a sua vez. Se não comer o meu monge, vai perder o jogo.

Depois de três dias nevando, o tempo virou por completo e o céu clareou. O sol apareceu pela primeira vez depois de um longo período, vertendo seus raios sobre a cidade imersa em uma brancura enregelada, e de repente tudo foi tomado pelo som da neve derretendo e pela luminosidade ofuscante do sol. Por toda parte se ouviam blocos de neve despencando dos galhos das árvores. Para fugir da luz, fechei as cortinas e me enfurnei no meu quarto. No entanto, por mais que me escondesse por trás do tecido pesado que cobria por completo a janela, não podia escapar da claridade. A cidade enregelada refletia em todas as esquinas a luz solar, como se uma enorme joia preciosa cinzelada com delicadeza enviasse estranhamente os raios direto para o meu quarto.

Eu passava as tardes deitado de bruços, protegendo os olhos com uma almofada e ouvindo com atenção o canto dos pássaros. Podia distinguir as espécies variadas que pousavam no parapeito da minha janela antes de voar até outra janela. Eles sabiam que os velhos que viviam nas residências oficiais deixavam migalhas de pão ali. Eu também ouvia as vozes dos velhos conversando sentados em uma sombra diante da residência. Só eu evitava a dádiva do calor do sol.

Ao crepúsculo, eu me levantava da cama, banhava os olhos com água fria, vestia óculos escuros e saía para a biblioteca, descendo pela encosta da colina coberta de neve. Nos dias em que meus olhos doíam devido à luz ofuscante, eu não conseguia ler tantos sonhos como de costume. Depois de processar um ou dois crânios, a luz emitida pelos velhos sonhos fazia meus globos oculares doerem como se fossem espetados por agulhas. A região indefinida no fundo dos olhos pesava como se estivesse cheia de areia e, na sequência, eu perdia a leve sensibilidade na ponta dos dedos.

Nessas ocasiões, a bibliotecária massageava meus olhos com uma toalha molhada em água fria e esquentava uma sopa rala ou um copo de leite para mim. Tanto a sopa quanto o leite tinham uma estranha aspereza, desagradável ao paladar, e um sabor forte, mas eu já os havia bebido tantas vezes que aos poucos tinha me acostumado, sentindo neles um gosto peculiar.

Quando eu disse isso, ela sorriu, alegre.

— Isso demonstra que você está se adaptando aos poucos a esta cidade! — constatou. — A comida daqui é um pouco diferente da de outros locais. Nossos pratos levam poucos ingredientes! O que parece carne não é carne, e o mesmo ocorre com os ovos e o café. Criamos imitações de tudo. Essa sopa é muito boa para o corpo! Que tal? Quando aquecemos o corpo, a cabeça fica mais leve, não?

— Verdade — concordei.

A sopa sem dúvida devolveu o calor ao meu corpo, e a cabeça ficou bem mais leve. Agradeci, fechei os olhos e descansei corpo e mente.

— Você agora precisa de algo, não? — perguntou ela.

— Eu? Além de ter você comigo?

— Não sei bem, mas de repente me dei conta disso. Algo que faça seu coração endurecido pelo inverno se abrir mesmo que só um pouquinho.

— Eu preciso da luz do sol! — respondi. E limpei as lentes dos óculos escuros com um pano. — Mas isso é impossível. Porque meus olhos não podem receber a luz solar.

— Talvez algo menor, uma coisa que alivie o seu coração. Deve ter algum jeito, como a massagem que fiz nos seus olhos agora há pouco. Não consegue se lembrar de nada? No mundo em que você vivia, quando seu coração endurecia, o que costumava fazer?

Por um tempo, vasculhei os poucos fragmentos de memória que me restavam, mas não pude me recordar de nada.

— Nada feito. Não me lembro. Quase toda a memória que eu tinha se perdeu.

— Pode ser algo bem pequeno! Se se lembrar, coloque em palavras. Vamos pensar juntos. Gostaria de poder ser útil de alguma forma.

Assenti e mais uma vez tentei me concentrar nas recordações enterradas do meu velho mundo. Contudo, o bloco rochoso era pesado demais e, por mais que me esforçasse, não conseguia movê-lo. A cabeça começou a doer de novo. Talvez, ao me separar de minha sombra, tenha perdido de maneira irreparável o meu eu. O que resta dentro de mim é apenas um coração vacilante e incoerente. E mesmo ele vai se fechando com o frio invernal.

Ela pôs a palma da mão sobre a minha testa.

— Já chega. Deixe para pensar nisso outra hora. Quem sabe em algum momento você se lembre de algo...

— Vou ler um último sonho! — falei.

— Você parece muito cansado. Não seria melhor deixar para amanhã? Não há necessidade de se esforçar tanto. Os velhos sonhos podem esperar o tempo que for.

— Não, é muito mais agradável ler velhos sonhos do que ficar sem fazer nada. Pelo menos enquanto os leio não preciso pensar.

Por um tempo, ela fitou meu rosto, mas por fim assentiu, se afastou e desapareceu no interior da biblioteca. Com o queixo apoiado na mão, fechei os olhos e abandonei meu corpo na escuridão. Quanto tempo duraria o inverno? De acordo com o velho, seria longo e severo. E mal tinha começado. Minha sombra conseguirá resistir? Não sei se eu mesmo chego até o fim com meu coração intrincado e inseguro.

Ela pôs um crânio sobre a mesa e, como sempre, limpou a poeira com um pano umedecido e depois o poliu. Eu continuava com o queixo apoiado na mão e observava atento o movimento de seus dedos.

— Há algo que eu possa fazer por você? — ela perguntou, erguendo o rosto de repente.

— Você já fez o bastante por mim! — respondi.

Ela descansou a mão que limpava o crânio, sentou numa cadeira e me olhou de frente.

— Não me referia a isso. Seria algo mais especial. Por exemplo, ir para a cama com você.

Sacudi a cabeça.

— Não, não tenho vontade de me deitar com você. Fico feliz pela oferta, mas...

— Por quê? Você não me deseja?

— Desejo. Porém, pelo menos agora, não poderia dormir com você. É outro problema, que não tem a ver com vontade.

Ela refletiu por um tempo, mas por fim voltou a polir o crânio com lentidão. Nesse meio-tempo, levantei a cabeça e olhei o teto alto, no qual estava pendurada uma lâmpada amarela. Por mais que meu coração ficasse tenso e o inverno me oprimisse, eu não poderia fazer nada com ela naquele momento. Se o fizesse, meu coração ficaria ainda mais confuso, e a sensação de perda se intensificaria. Sentia que talvez a cidade quisesse que fizéssemos isso, o que tornaria muito mais fácil se apossar do meu coração.

Ela deixou o crânio que tinha acabado de polir na minha frente, mas, sem tocá-lo, eu olhava os dedos dela sobre a mesa. Tentei detectar algum significado neles, mas foi impossível. Eram apenas dez dedos finos.

— Gostaria de ouvir sobre sua mãe — pedi.

— O que deseja saber?

— Qualquer coisa!

— Bem... — ela respondeu, enquanto encostava no crânio sobre a mesa. — Tenho a impressão de que os sentimentos que eu nutria por ela eram especiais, diferentes dos que tinha por outras pessoas. Claro, já faz muito tempo e não me recordo bem, mas tenho essa impressão. Por algum motivo, era diferente do que sentia por meu pai e minhas irmãs. Não sei por quê.

— O coração é assim mesmo. Não é nada igualitário. É como a corrente de um rio. Dependendo do terreno, ela muda.

Ela sorriu.

— Parece injusto.

— Mas as coisas são assim — declarei. — E até hoje você ama sua mãe, certo?

— Não sei.

Ela mexeu no crânio, observando-o de diversos ângulos.

— Pergunta vaga demais?

— Acho que sim.

— Vamos mudar de assunto, então — sugeri. — Você se lembra das coisas de que sua mãe gostava?

— Sim, lembro bem. Ela gostava do sol, de passear, de brincar com água no verão e de ficar com os animais. Nos dias quentes, andávamos bastante! As pessoas da cidade não costumam passear. Você também gosta, não é?

— Sim! — respondi. — E também de sol e de brincar com água. Não se recorda de mais nada?

— Bem, minha mãe costumava falar sozinha em casa. Não sei se gostava disso ou não, mas sempre travava um monólogo consigo mesma.

— Sobre o que ela falava?

— Não lembro. Não era um monólogo no sentido estrito. Não sei explicar, mas talvez para minha mãe fosse algo especial.

— Especial?

— Sim, ela dava uma entonação muito estranha às palavras, as prolongava ou encurtava. O tom de voz aumentava ou diminuía, como o vento...

Tentei vasculhar outra vez minhas memórias indistintas enquanto olhava para o crânio que ela tinha nas mãos. Desta vez, algo me sensibilizou.

— Eram canções — falei.

— Você também consegue falar desse jeito?

— Não é falado, é cantado.

— Experimente cantar então — pediu ela.

Respirei fundo e tentei lembrar de alguma música, mas não consegui. Todas haviam desaparecido de dentro de mim. Fechei os olhos e suspirei.

— Não consigo. Não me lembro de nenhuma — lamentei.

— O que fazer para que você se lembre?

— Precisaria de um disco e uma vitrola. Não, isso deve ser impossível. Pode ser também um instrumento musical! Se tivesse um, talvez conseguisse me lembrar de pelo menos uma música ao ouvir alguns acordes.

— Que formato tem um instrumento musical?

— Há centenas de tipos, é impossível explicar em poucas palavras. Cada um tem uma forma de ser tocado e um som diferente. Também variam no tamanho e no formato. Alguns precisam de quatro homens para serem levantados, outros cabem na palma da mão.

Depois de dizer isso, percebi que os fios da memória se desenrolavam aos poucos dentro de mim. Ou talvez as coisas caminhassem em uma boa direção.

— Quem sabe não existe um objeto desses na sala de documentação? Quer dizer, pelo pouco que vi, aquilo não pode ser chamado de sala de documentação, pois agora só tem um monte de bugigangas de épocas passadas. O que acha de procurarmos?

— Vamos lá — falei. — Seja como for, hoje não estou em condições de continuar a ler os sonhos.

Atravessamos a ampla biblioteca onde os crânios estavam alinhados, seguimos por outro corredor e abrimos uma porta de vidro jateado igual à da entrada do arquivo. A maçaneta de latão estava um pouco empoeirada, mas não estava trancada. A bibliotecária acendeu uma luz amarela pulverulenta que iluminou o cômodo estreito e comprido, refletindo na parede branca a sombra dos diversos objetos acumulados ali.

Eram na maioria malas e maletas. Entre eles, havia uma máquina de escrever acondicionada no seu estojo e algo que parecia uma raquete de tênis, mas eram exceções, já que grande parte do espaço estava ocupada por maletas de diferentes tamanhos. Devia haver uma centena delas. E todas estavam cobertas por um volume imenso de poeira. Eu não sabia que caminho essas maletas haviam percorrido para chegar até ali, mas seria cansativo abrir uma a uma.

Agachei-me no chão e tentei abrir a tampa do estojo da máquina de escrever. A poeira branca volteou no ar como a nuvem de neve produzida por uma avalanche. A máquina tinha o tamanho de uma caixa registradora e era antiga, com teclas redondas. Parecia ter sido usada durante bastante tempo, e em alguns pontos a pintura preta tinha descascado.

— Sabe o que é isto?

— Não — respondeu ela de pé ao meu lado, de braços cruzados. — Nunca vi nada parecido. É um instrumento musical?

— Não, é uma máquina de escrever. Serve para imprimir letras. É uma velharia.

Tampei o estojo e devolvi a máquina ao seu local original. Em seguida, abri uma cesta de vime que estava ao lado. Dentro havia um conjunto para piquenique. Facas, garfos, pratos, copos e guardanapos amarelados pelo tempo, tudo organizado. Também coisa antiga. Desde que criaram pratos de alumínio e copos de papel, ninguém mais carregava algo assim.

Encontrei roupas numa grande mala de pele de porco. Um terno, camisas, gravatas, meias, roupas de baixo, a maioria corroída por traças e em estado miserável. Entre elas havia um nécessaire com produtos de toalete e um frasco de uísque. A escova de dentes e o pincel de barbear estavam duros, e mesmo após destampar o frasco de uísque não senti nenhum cheiro. Não havia mais nada além disso. Nem livros, nem cadernos.

Abri algumas outras malas, mas todas tinham quase o mesmo conteúdo. Roupas e itens simples, como se alguém se preparasse para uma viagem urgente. Em cada uma faltava algum item pessoal que alguém costuma precisar em uma viagem, o que dava certo ar de artificialidade. Ninguém viaja levando apenas roupas e artigos de toalete. Não havia nada ali que pudesse fazer sentir a personalidade ou o estilo de vida de seu dono.

As roupas eram comuns. Nem elegantes, nem deploráveis. Tinham diferenças de tipo e estilo em função da época, da estação do ano, do gênero e da idade, sem transmitir nada de especial. Até o cheiro era quase o mesmo. Muitas haviam sido roídas pelas traças. E nenhuma tinha etiqueta. Era como se alguém tivesse tirado com cuidado os nomes e as identificações pessoais de cada um daqueles pacotes, restando apenas objetos impessoais referentes a cada época.

Abri cinco ou seis malas, mas acabei desistindo. A poeira era terrível, e achei que não havia chance de encontrar instrumento musical nenhum ali. Mesmo que houvesse algum naquela cidade, pressentia que não estaria naquela sala, mas em outro local.

— Vamos sair daqui — propus. — A poeira é tanta que meus olhos chegam a doer.

— Ficou decepcionado por não encontrar instrumentos musicais?

— Sim, um pouco. Mas vamos procurar em outro lugar — falei.

Quando nos separamos, subi sozinho a colina oeste. Um vento forte soprava às minhas costas como se quisesse me ultrapassar, e do pomar das macieiras ouvi um ruído agudo, que parecia rasgar o céu. Ao me voltar, quase metade da lua pairava solitária acima da torre do relógio, com um bloco de nuvens espessas se deslocando ao seu redor. A superfície da água do rio vista sob o luar estava escura, como se piche tivesse sido derramado ali.

Lembrei-me de súbito de um cachecol que havia encontrado numa mala na sala de documentação que parecia quente. Embora tivesse buracos grandes causados pelas traças, se fosse enrolado várias vezes protegeria bem contra o frio. Pensei que poderia descobrir muitas coisas se perguntasse ao guardião. De quem eram aquelas malas e se eu poderia usar o que havia ali. Quando se fica de pé em meio ao vento sem um cachecol, as orelhas doem como se fossem decepadas com uma faca. Decidi visitar o guardião na manhã seguinte. Precisava saber também como andava minha sombra.

Dei mais uma vez as costas para a cidade e subi a ladeira enregelada em direção às residências oficiais.

23
Buracos, sanguessugas, torre

— Não é terremoto — repetiu ela. — É muito mais terrível!

— O quê, por exemplo?

Por um instante ela inspirou como se fosse falar, mas logo desistiu e sacudiu a cabeça.

— Não tenho tempo para explicar agora. Seja como for, corra o mais rápido que puder. É a única chance que temos de escapar! Talvez o ferimento na barriga doa um pouco, mas é melhor do que morrer, não?

— Talvez — repliquei.

Sempre ligados pela corda, corremos o mais rápido que conseguimos pela vala. A lanterna que ela levava na mão balançava para cima e para baixo de acordo com seus passos, descrevendo nas paredes altas e recortadas da vala um padrão em zigue-zague, como um gráfico. O conteúdo da minha mochila fazia barulho enquanto chacoalhava. As latas de conserva, o cantil, o frasco de uísque e tudo o mais. Eu queria ficar apenas com o necessário e dispensar o resto, mas agora não havia tempo — nem mesmo para pensar na dor em meu abdômen. Por causa da corda, eu não poderia diminuir a velocidade por conta própria. O barulho da respiração dela e da mochila balançando cortava as trevas, até que o som surdo da terra ficou mais alto.

Conforme avançávamos, foi ficando mais alto e nítido. Seguíamos em direção à sua origem. O ribombar que de início parecia vir do fundo por fim se converteu em algo semelhante a um violento gemido emitido por uma garganta gigantesca — quando um grande volume de ar expelido dos pulmões fica preso no fundo da garganta e se transforma em um som que não é propriamente uma voz. Depois, ouvimos um barulho semelhante a uma rocha rangendo, e o solo começou a tremer. Eu não sabia o que era, mas algo sinistro avançava sob nossos pés e parecia prestes a nos engolir.

Eu estava apavorado por estarmos correndo em direção ao som, mas como ela havia escolhido essa direção não havia mais nada que eu pudesse fazer. Só nos restava ir até onde fosse possível.

Felizmente o caminho não tinha curvas nem obstáculos e sua superfície era plana como uma pista de boliche, o que nos permitia continuar a correr sem nos preocuparmos.

Ouvíamos os gemidos em intervalos cada vez mais curtos. Pareciam avançar rumo a um ponto bem definido, fazendo as trevas subterrâneas oscilarem com violência. Por vezes se ouvia o barulho de rochas gigantescas batendo, como se fossem pressionadas umas contra as outras por uma força descomunal. Tudo naquela escuridão parecia estar em convulsão, lutando para se libertar.

Após continuar por mais algum tempo, o barulho cessou de súbito. Houve uma breve pausa, após a qual os arredores foram invadidos por um estranho murmúrio, como se milhares de velhos reunidos aspirassem o ar por entre os dentes. Era o único som que se ouvia. O ribombar da terra, os gemidos, o som de rochas batendo e rangendo, tudo havia cessado. Havia apenas um sibilo desagradável que fazia *fiuu, fiuu, fiuu* na escuridão. Soava como a respiração discreta e alegre de um animal que espera pacientemente para se aproximar de uma presa ou como inúmeros insetos subterrâneos que, dominados por um pressentimento qualquer, estendem e contraem seus corpos asquerosos como um acordeão. Era um ruído horrível, carregado de uma malevolência violenta, que eu nunca tinha escutado antes.

O que mais me apavorava era sentir que aquele som, mais do que nos rejeitar, parecia estar nos convidando. Sabia que estávamos chegando perto, e seu coração maligno vibrava de contentamento. Ao pensar nisso, fui assaltado por um pavor que me gelou a espinha. Aquilo com certeza não era um terremoto. Como ela disse, era algo muito mais assustador. No entanto, eu não fazia ideia do que poderia ser. Há algum tempo a situação tinha ultrapassado os limites da minha imaginação e chegava a uma região remota da minha consciência. Eu já não conseguia imaginar mais nada. Só podia agora exercitar o corpo até o limite da minha capacidade pulando, uma após a outra, as valas profundas que haviam se aberto entre a minha imaginação e a situação real. Era melhor seguir fazendo alguma coisa a ficar de braços cruzados.

Tive a impressão de que tínhamos corrido durante muito tempo, mas não havia como saber. Poderiam ter se passado três ou quatro minutos, ou então trinta ou quarenta. O pavor e a confusão mental paralisaram a noção de tempo que havia no meu corpo. Por mais que corresse, eu não me sentia cansado, e a dor no abdômen já não afetava a minha consciência. Sentia uma estranha rigidez nos cotovelos, e era a única sensação física que eu conseguia discernir enquanto corria. Seria correto dizer que eu quase não tinha consciência de que seguia em movimento. Minhas pernas avançavam de forma natural, chutando o solo. Eu continuava sempre em frente, como se empurrado por um bloco denso de ar.

Nesse momento eu não sabia, mas a rigidez dos meus cotovelos devia ter algo a ver com o meu ouvido. Como eu estava tão concentrado naquele som horrível, os músculos da minha orelha estavam bastante enrijecidos, e essa tensão passava pelo ombro até chegar ao cotovelo. Só percebi isso quando o meu corpo se chocou contra o ombro dela, o que a fez tombar, e eu caí por cima dela. Eu não tinha escutado quando ela gritou informando que tinha parado. Com certeza tinha escutado algo, mas como o circuito que conecta o som percebido pelo ouvido à capacidade de entender seu significado estava obstruído, não percebi que era um aviso.

Foi a primeira coisa que pensei ao bater a cabeça no chão duro. Ajustei minha capacidade auditiva de forma inconsciente. Algo como a eliminação sonora. A consciência humana, ao se ver encurralada por uma situação extrema, parece mostrar capacidades estranhas. Ou quem sabe eu estava aos poucos me aproximando da evolução.

O que eu senti na sequência — ou, para ser mais exato, de forma simultânea — foi uma dor lancinante na lateral da cabeça. As trevas se espalhavam diante dos meus olhos, como se explodissem, o tempo se deteve e, nesse momento, tive a impressão de que meu corpo havia sido envolvido por uma distorção do tempo e do espaço. Era uma dor violentíssima. Era como se meu crânio tivesse se partido ou afundado. Ou então meu cérebro tivesse se projetado para fora. Eu devia estar morto, com apenas a minha consciência se contorcendo da dor causada por fragmentos de recordações, como a cauda decepada de um lagarto.

Entretanto, passado aquele instante, fui capaz de reconhecer que estava vivo. Continuava a respirar e, por isso, podia sentir uma dor pavorosa na cabeça. Sentia as lágrimas caindo dos meus olhos e molhando meu rosto. Elas pingavam nas rochas e escorriam para o canto dos meus lábios. Era a primeira ver que batia a cabeça com tanta força.

Pensei que fosse desmaiar, mas alguma coisa me mantinha conectado a este mundo de sofrimento e trevas. Uma indistinta lasca de memória me dizia que eu estava no meio de algo. Sim, eu estava fazendo alguma coisa. Corria, tropeçava, caía. Estava fugindo. Não podia dormir. Minha memória estava num estado lamentável, mas reuni todas as minhas forças para me agarrar ao fragmento que ela havia se tornado.

E foi o que eu fiz. Porém, conforme a consciência se recuperava, percebi que aquilo a que eu me agarrava não era um fragmento da minha memória, mas uma corda de náilon. Por um instante, senti como se tivesse me transformado em uma pesada peça de roupa sendo açoitada pelo vento. Apesar de o vento, a gravidade e outras forças tentarem me derrubar, eu resistia, me esforçando para desempenhar meu papel de roupa no varal. Nem eu mesmo entendia bem por que pensava assim. Tinha me acostumado a me imaginar como outras formas que se adequavam à situação pela qual passava.

Em seguida, senti que a parte inferior do meu corpo estava numa situação bem diferente da parte superior. Para ser mais exato, eu quase não sentia a parte de baixo. Conseguia controlar com perfeição as sensações da parte de cima. Minha cabeça doía, meu rosto e meus lábios estavam frios e pressionados contra uma pedra, minhas mãos agarravam com firmeza a corda, meu estômago tinha ido parar quase na garganta e meu peito estava preso numa saliência. Mas eu não tinha noção de como estava a parte inferior do meu corpo.

Imaginei que ela houvesse desaparecido. Com o choque, meu corpo se rasgara em dois exatamente na altura do ferimento, e a metade de baixo tinha ido parar longe. *Minhas pernas*, pensei, *a ponta das minhas unhas, meu ventre, meu pênis, meus testículos, meu...* Mas era estranho. Se tivesse perdido metade do corpo, a dor que eu sentia seria ainda mais excruciante.

Decidi tentar analisar com mais frieza a situação. A parte de baixo do meu corpo existia. Só que alguma coisa me impedia de senti-la.

Fechei os olhos, deixei as dores de cabeça que vinham em ondas passarem e me concentrei. Essa tentativa de sentir a parte de baixo do corpo, cuja ausência de sensibilidade me levou a acreditar que não existia, parecia com o esforço de fazer um pênis impotente ter uma ereção. Era como empurrar com força um espaço vazio.

Nesse momento, me lembrei da moça de cabelo comprido e dilatação gástrica da biblioteca. Pensei no motivo de não ter conseguido ter uma ereção quando me deitei com ela. Foi ali que tudo começou a ir por água abaixo. Porém, não podia pensar para sempre nisso. O sentido da vida não deve ser ter uma ereção eficaz. Senti a mesma coisa ao ler *A cartuxa de Parma*, de Stendhal, muito tempo atrás. Tirei da cabeça tudo o que se relacionasse a isso.

Eu sabia que a parte de baixo do meu corpo estava numa situação indefinida. Era como se estivesse suspensa no ar... Sim, minha metade estava do outro lado da pedra, e a parte de cima tentava impedir que ela desabasse. Por isso minhas mãos seguravam firme a corda.

Quando abri os olhos, entendi que a moça obesa iluminava meu rosto com a lanterna.

Reuni forças na mão que segurava a corda para tentar puxar a parte inferior do meu corpo para a parte de cima da rocha.

— Rápido — esbravejou a moça. — Se não nos apressarmos, acabaremos mortos!

Tentei de algum jeito colocar os pés sobre a pedra, mas foi mais complicado do que eu imaginava. Por mais que quisesse, não havia onde apoiá-los. Sem opção, decidi soltar a corda e, apoiando os cotovelos, icei todo o corpo com a força dos braços. Meu corpo estava extremamente pesado, e o solo estava viscoso, como se banhado de sangue. Mas eu não tinha tempo para me preocupar com isso. A ferida no abdômen encostou na pedra e senti como se tivesse levado uma nova navalhada. Era como se alguém tivesse pisado com violência em mim, reduzindo minha consciência e minha existência a pó.

Mesmo assim, de alguma forma parecia que eu tinha sido bem-sucedido em erguer meu corpo centímetro a centímetro. Ao mesmo tempo, me dei conta de que a corda presa ao meu cinto me puxava para a frente. Mais do que ajudar a me levantar, isso fazia a ferida doer mais, o que me atrapalhava.

— Não puxe a corda! — berrei em direção à luz. — Posso fazer isso sozinho, não precisa me puxar.

— Você consegue?

— Sim. Dou um jeito.

Com a fivela do cinto presa a uma extremidade da rocha, reuni todas as minhas forças e levantei uma perna, o que me fez escapar daquele buraco negro insondável. Depois de ter certeza de que eu havia saído sem problemas, ela se aproximou e passou a mão pelo meu corpo, para se assegurar de que eu estava inteiro.

— Desculpe por ter puxado você — lamentou. — Eu estava concentrada em ficar agarrada naquela rocha, para que a gente não caísse.

— Não tem problema, mas por que não me avisou antes que havia um buraco?

— Não deu tempo! Por isso gritei para você parar.

— Eu não ouvi — respondi.

— Seja como for, precisamos sair daqui o quanto antes — disse a moça. — Há muitos buracos, precisamos atravessar com cuidado. O nosso destino está logo ali. Mas se não nos apressarmos, eles sugarão nosso sangue, aí vamos pegar no sono e será o nosso fim!

— Sangue?

Ela iluminou o buraco onde eu quase caí um pouco antes. Tinha cerca de um metro de diâmetro e era um círculo tão perfeito que parecia ter sido desenhado com um compasso. Quando ela iluminou em volta, percebi que havia inúmeros buracos como aquele. Parecia um favo gigante.

As paredes recortadas que flanqueavam todo o caminho haviam desaparecido, e à frente o terreno plano estava cheio desses buracos. A trilha serpenteava por eles. O ponto mais largo media um metro, enquanto o mais estreito tinha uns trinta centímetros. Formavam um corredor perigoso, mas com cuidado parecia ser possível percorrê-lo.

As oscilações do terreno pareciam ser um problema. Era uma visão fascinante. As rochas ziguezagueavam e se contorciam como areia movediça. De início achei que os meus nervos ópticos tinham sido afetados. Então iluminei minha mão e vi que ela não se contorcia. Estava normal. Isso significava que não era meu olho, mas o chão que se movia.

— Sanguessugas — ela explicou. — Uma infinidade rastejando para fora dos buracos! Se não ficarmos espertos, todo o nosso sangue será sugado e nos transformaremos em carapaças vazias!

— Nossa! — exclamei. — Isso é o *algo muito mais terrível* a que você se referiu?

— Não, não é. As sanguessugas são apenas um prenúncio. O *realmente terrível* ainda está por vir. Vamos, apresse-se.

Ainda com nossos corpos ligados pela corda, começamos a pisar nas rochas coalhadas de sanguessugas. A sensação viscosa do tênis as esmagando subia das pernas para as minhas costas.

— Cuidado para não tropeçar. Se cair em um buraco, já era! Dentro deles há um verdadeiro mar de sanguessugas — ela advertiu.

Ela segurou meu cotovelo e eu agarrei a manga da sua jaqueta. Era realmente uma tarefa de titã avançar em meio à escuridão por rochas escorregadias e estreitas. O líquido viscoso das sanguessugas se colava à sola do sapato, como uma gelatina, e talvez por isso não era possível ter firmeza. Sentia que algumas delas tinham grudado em mim quando quase caí no buraco, e agora chupavam o sangue da minha nuca e das minhas orelhas sem que eu pudesse me livrar delas. Com a mão esquerda eu segurava firme a lanterna, e com a direita agarrava a manga da moça, sem poder soltar nada. Apesar do nojo, eu via inúmeras sanguessugas enquanto caminhava com a lanterna apontada para o chão. E elas não paravam de sair dos buracos.

— Sem dúvida os tenebrosos costumavam atirar as vítimas de seus sacrifícios nestes buracos, não? — perguntei.

— Isso mesmo! Que perspicaz é você, hein — ela replicou.

— Não é preciso ser um gênio para deduzir isso — falei.

— Eles acreditam que as sanguessugas são mensageiras do tal peixe! Ou melhor, vassalas. Por isso, assim como ofereciam vítimas ao peixe, faziam o mesmo com as sanguessugas. Vítimas frescas, com bastante sangue, carnudas. Eles costumavam sacrificar pessoas sequestradas na superfície.

— Esse costume já não existe mais?

— É provável que não. Segundo meu avô, agora eles próprios comem carne humana e, simbolicamente, passaram a oferecer às sanguessugas e ao peixe apenas a cabeça dos sacrificados. Pelo menos ninguém mais entrou aqui desde a conversão em um santuário.

Passamos por inúmeros buracos e pisamos em talvez dezenas de milhares de sanguessugas. Várias vezes nós quase tropeçamos, mas apoiamos um ao outro e conseguimos superar a dificuldade.

Aquele barulho desagradável que fazia *fiuu fiuu* parecia vir dos buracos negros. Ele nos envolvia por completo, estendendo seus tentáculos do fundo da escuridão. Apurando os ouvidos, era possível escutar um som sibilante, como se um grupo de decapitados reclamasse de algo emitindo um assovio da garganta aberta.

— Estamos nos aproximando da água! — disse ela. — As sanguessugas são apenas um prenúncio. Quando desaparecerem, será a vez de a água chegar. Ela sai dos buracos e transforma o lugar num charco. Por isso as sanguessugas estão fugindo. Precisamos chegar ao altar antes de a água nos alcançar!

— Você sabia de tudo isso — falei. — Por que não me contou nada?

— Para dizer a verdade, eu não sabia ao certo. A água não aparece todos os dias, apenas duas ou três vezes por mês. Calhou de ser hoje.

— Desgraça nunca vem sozinha! — exprimi em palavras o que pensava desde a manhã.

Continuamos a contornar os buracos com o máximo cuidado. Contudo, por mais que caminhássemos, sempre havia mais. Talvez seguissem até o Fim do Mundo. Havia tantos cadáveres de sanguessuga colados à sola dos sapatos que já não sentíamos o solo. Concentrado em dar um passo após o outro, meu cérebro se anuviou e ficou cada vez mais difícil manter o equilíbrio. A capacidade física às vezes aumenta ao passar por uma situação extrema, mas a concentração mental é muito mais restrita do que imaginamos. Por mais perigosa que possa ser uma situação, se ela perdurar de maneira inalterada por muito tempo a concentração começa a baixar. Conforme o tempo passa, a percepção concreta do perigo e a capacidade de imaginar a própria morte se enfraquecem, e um vazio toma conta da consciência.

— Mais um pouco! — disse a moça. — Logo chegaremos a um lugar seguro.

Era cansativo falar, então apenas assenti com a cabeça. Depois percebi que isso era inútil naquela escuridão.

— Você está me ouvindo? Está tudo bem?

— Sim, tudo certo. Só estou com ânsia de vômito — respondi.

Há bastante tempo me sentia indisposto. A legião de sanguessugas, o fedor emanado delas, o líquido viscoso, o barulho desagradável, a escuridão, o cansaço físico, o sono, o desejo: tudo isso apertava o meu estômago como um anel de ferro. O suco gástrico subia até a parte de trás da minha língua. Minha capacidade de concentração parecia se aproximar do limite. Era como se eu tivesse passado cinco anos tocando um piano desafinado e com as teclas de apenas três oitavas. *Quanto tempo afinal passamos vagueando em meio àquela escuridão?*, pensei. *Que horas seriam no mundo exterior? Será que o céu estava claro? Os jornais matutinos já teriam começado a ser distribuídos?*

Eu não podia sequer olhar o relógio. Concentrava minhas forças apenas em dar um passo após o outro enquanto iluminava o chão com a lanterna. Desejava ver o céu crepuscular clarear aos poucos. Beber leite quente, sentir o cheiro das árvores pela manhã, folhear o jornal. Estava farto de trevas, sanguessugas, buracos e tenebrosos. Todos os meus órgãos, meus músculos e minhas células clamavam por luz. Qualquer brilho débil seria suficiente. Nem que fosse uma fresta, mas que fosse de verdade, não de uma lanterna.

Ao pensar na luz, meu estômago se contraiu como se estivesse sendo pressionado com força, e o interior da minha boca se encheu de um hálito fedorento, parecido com pizza de salame estragada.

— Quando sairmos daqui, você pode vomitar o quanto quiser. Aguente mais um pouco — falou a moça, agarrando com firmeza meu cotovelo.

— Não vou vomitar — murmurei entredentes.

— Acredite! — ela pediu. — Vamos superar tudo isso! Talvez seja muita coisa ruim ao mesmo tempo, mas uma hora vai acabar!

— Acredito! — respondi.

No entanto, eu tinha a impressão de que os buracos continuariam para sempre. Cheguei a achar que estávamos caminhando em círculos. Pensei mais uma vez no jornal matutino recém-impresso. Tão recente que os dedos se sujavam com a tinta. Uma edição grossa, com encartes publicitários. Nos jornais da manhã há de tudo. Tudo o que se refere à vida na superfície. Desde a hora em que o primeiro-ministro se levanta até a bolsa de valores; de uma família que se matou até receitas para o jantar, se as saias estão muito curtas, crítica musical e anúncios imobiliários.

O problema é que eu não assinava nenhum jornal. Cerca de três anos antes, parei de ler periódicos. Nem eu mesmo sabia bem o motivo, mas foi o que aconteceu. Talvez porque minha vida estivesse indo para um campo sem relação com o jornal ou a tv. Minha única ligação com o mundo era processar de cabeça os números que me eram fornecidos e convertê-los para um formato diferente; o resto do tempo eu passava lendo romances clássicos, assistindo a filmes antigos de Hollywood e tomando cerveja ou uísque. Por isso, não precisava ler jornais e revistas.

Porém, em meio àquelas trevas insensatas, rodeado por inúmeros buracos e sanguessugas, eu desejava ardentemente ler a edição matutina de um periódico. Queria me sentar em um local ensolarado e ler o jornal de cabo a rabo, sem deixar escapar nem mesmo uma letra, como um gato lambendo o leite de um pires. E absorver os diversos fragmentos da vida cotidiana do mundo sob o sol, umedecendo assim cada célula do meu corpo.

— Já dá para ver o altar — avisou ela.

Tentei erguer os olhos, mas meus pés escorregavam e não consegui levantar a cabeça. Não importava a cor ou o formato do altar, o importante era chegarmos ali. Reuni toda a minha capacidade final de concentração e avancei com cuidado.

— Mais uns dez metros e estamos lá! — disse a moça.

O som sibilante que vinha dos buracos cessou de repente, como se se ajustasse às palavras ditas por ela. Acabou de uma forma repentina e pouco natural, como se alguém sob a terra tivesse cortado a fonte do som com uma machadinha bem afiada. Sem nenhum aviso prévio, num instante, aquele som sibilante, que tanto havia agredido meus ouvidos e que por uma eternidade parecera exercer pressão sobre nós, desapareceu. Mais do que silenciar, era como se o espaço que o englobava tivesse se extinguido por completo. Foi tão repentino que por um momento perdi o equilíbrio e quase escorreguei.

Um silêncio sepulcral de fazer doer os ouvidos cobriu toda a região. Esse silêncio, que tinha surgido de forma abrupta em meio às trevas, era mais sinistro do que qualquer som desagradável ou assustador. Quando há barulho, sabemos nossa posição relativa. Porém, com o silêncio só resta o vazio. Embora não exista, ele nos envolve. Senti em meus ouvidos uma opressão indistinta, como quando a pressão atmosférica se altera. Meus ouvidos não se ajustaram bem à mudança repentina e procuravam elevar sua capacidade para identificar algo em meio à calada.

Contudo, esse silêncio era absoluto. Uma vez cortado, o som não voltou. Tanto eu quanto ela permanecemos imóveis tentando ouvir alguma coisa. Engoli saliva para eliminar a sensação de pressão nos ouvidos, mas foi praticamente em vão, pois só ouvi um som amplificado, como a agulha de uma vitrola batendo contra a borda do disco.

— A água recuou? — perguntei.

— Não, vai começar a jorrar agora! — respondeu a moça. — O som que escutamos há pouco era do ar acumulado nos canais tortuosos pressionados pela água. Como todo o ar foi expelido, agora nada mais a bloqueia.

A moça pegou minha mão e passamos pelos últimos buracos. Talvez fosse apenas impressão minha, mas o número de sanguessugas sobre as rochas parecia ter diminuído bastante. Depois de ultrapassarmos cinco ou seis buracos, saímos numa planície deserta. Ali não havia buracos nem sanguessugas. Elas pareciam ter ido se refugiar na direção oposta à nossa. De alguma forma, eu conseguira superar o pior. Por mais que pudesse acabar morrendo ali açoitado pelas águas, seria muito melhor do que ter caído num buraco cheio de sanguessugas.

Sem ter consciência dos meus atos, estendi a mão e tentei retirar as sanguessugas coladas na minha nuca, mas a moça agarrou meu braço para eu parar.

— Deixe isso para depois. Primeiro precisamos subir na torre para não morrer afogados! — ela disse, avançando às pressas sem soltar meu braço. — Cinco ou seis sanguessugas não vão matar você. Além disso, se as arrancar à força, vai acabar esfolando a pele. Não sabia?

— Não — disse.

Sou tão idiota quanto o peso sob uma boia de sinalização.

Depois de dar vinte ou trinta passos, ela me fez parar e, segurando a lanterna, iluminou uma imensa torre que se erguia bem diante dos nossos olhos. De formato cilíndrico, ela se elevava em direção às trevas acima de nossas cabeças. Parecia um farol, afunilando no topo, mas eu não saberia dizer sua altura exata. Era grande demais para enxergá-la com a luz da lanterna e não havia tempo para isso. A moça se limitou a deixar a luz deslizar depressa pela superfície da torre e, sem dizer uma palavra, correu até lá e começou a subir por uma escada lateral. Claro que eu a segui.

Vista a certa distância e com pouca luz, essa torre parecia ser um monumento primoroso, construído ao longo do tempo com técnicas impressionantes, mas, ao tocá-la, entendi que não passava de uma massa de rocha áspera e retorcida. Era apenas um produto acidental, formado pela erosão natural.

Também os degraus entalhados pelos tenebrosos ao redor da massa rochosa em espiral, como uma montanha retorcida, eram rudimentares demais para serem chamados de escada. Vacilantes e irregulares, seu tamanho só permitia apoiar um pé por vez, e de quando em quando faltavam alguns. Na ausência de um deles, o jeito era apoiar o pé na saliência de alguma rocha próxima, e como devíamos apoiar o corpo nos agarrando à rocha para não cair, era impossível usar a luz da lanterna para ver o degrau seguinte. Com frequência, o pé não encontrava onde pisar. A escada talvez servisse aos tenebrosos que enxergavam no escuro, mas para nós era um incômodo terrível. Fomos obrigados a ficar colados na rocha, avançando cautelosos, como lagartos.

Subimos trinta e seis degraus — tenho o hábito de contar enquanto subo — quando ouvi um barulho estranho que vinha da escuridão abaixo de nós. Soava como se alguém tivesse atirado com força um enorme rosbife contra uma parede. Um som plano e úmido, cheio de uma determinação incontestável. Depois, houve um instante de um silêncio passageiro, como quando o baterista abaixa a baqueta ao intercalar um compasso. Foi terrivelmente calmo e desagradável. Agarrado a uma saliência e colado na rocha, esperei alguma coisa acontecer.

O que veio em seguida foi o inconfundível barulho da água. O som de inúmeros jatos sendo expelidos dos buracos que havíamos atravessado. Não era um volume insignificante. Lembrei-me da cena da inauguração de uma represa que vi no cinema nos meus tempos de escola. O governador ou alguma outra pessoa do alto escalão, vestindo um capacete, apertou um botão e as comportas se abriram, fazendo jorrar uma coluna espessa de água. Nessa época ainda passavam no cinema notícias e desenhos animados. Meu coração infantil ficou angustiado ao imaginar o que teria acontecido se por algum motivo eu estivesse no fundo da represa naquele momento. Porém, eu jamais poderia imaginar que cerca de um quarto de século depois eu estaria de fato numa posição similar. As crianças tendem a acreditar que, por algum tipo de poder sagrado, estão protegidas da maior parte dos infortúnios que ocorrem no mundo. Pelo menos na época em que eu era criança era assim.

— Até onde a água vai subir? — perguntei a ela, que estava dois ou três passos acima de mim.

— *Muito!* — a resposta foi lacônica. — Se quisermos nos salvar, precisamos subir o máximo possível. Tudo o que sei é que a água não chega até o topo.

— Quantos degraus faltam até lá?

— *Muitos!* — ela repetiu.

Uma resposta magnífica. Havia algo nela que me fazia apelar para a minha imaginação.

Continuamos a subir a torre retorcida o mais rápido possível. A julgar pelo som da água, parecia que a torre à qual estávamos agarrados se erguia no centro de uma planície deserta, totalmente rodeada por buracos cheios de sanguessugas. Isso significava que estávamos escalando uma espécie de mastro construído no centro de uma imensa fonte de água. Se a moça estivesse correta, esse espaço viraria um pântano e, no meio de suas águas, restaria a parte superior da torre como uma ilha.

A lanterna que pendia a tiracolo dos ombros dela balançava de maneira irregular ao bater contra seu quadril, e o feixe de luz descrevia figuras aleatórias em meio à escuridão. Continuei tendo essa luz como norte. Perdi a conta de quantos degraus havíamos subido, mas devem ter sido de cento e cinquenta a duzentos. De início, a água caía na rocha abaixo de nós com um ruído violento, mas logo parecia um redemoinho, e depois se converteu em um *glub glub* abafado, como se a tivessem tampado. O nível da água sem dúvida subia. Como não era mais possível ver a parte de baixo, não sabíamos até que altura havia chegado. Naquele instante, percebi que não seria estranho se meus calcanhares ficassem molhados.

Tudo parecia um pesadelo, daqueles que temos quando estamos aborrecidos. Algo me perseguia, mas eu não conseguia escapar por completo; essa coisa se aproximava por trás e tentava agarrar meu tornozelo com suas mãos viscosas. Se fosse um sonho já seria daqueles em que ninguém se salva, mas é muito pior quando ocorre de verdade. Ignorando os degraus, me agarrei à rocha e avancei, como se estivesse suspenso.

De repente imaginei se não seria melhor nadar e usar a água para chegar ao topo. Seria mais fácil e não nos preocuparíamos em cair. Por um tempo, analisei a ideia e não a achei ruim comparada a outras que eu costumava ter.

Porém, ao transmiti-la à moça, ela a rejeitou sem pestanejar.

— Isso seria impossível! — ela exclamou. — Abaixo da superfície há uma forte corrente que forma um redemoinho, e se entrarmos ali será inútil nadar! Nunca conseguiríamos subir à superfície, e mesmo que pudéssemos, não saberíamos para onde ir por conta da escuridão.

Assim, por mais exasperante que fosse, não restava alternativa a não ser subir degrau a degrau. Como um motor que aos poucos reduz a velocidade, o ruído da água enfraquecia a cada instante, e o seu eco se transformava em um gemido embotado. O nível continuava a subir. *Se pelo menos tivéssemos uma luz de verdade*, pensei. Qualquer uma, por mais débil que fosse, facilitaria a subida e nos ajudaria a ver onde estava a água. Fosse como fosse, eu estaria menos apavorado em um pesadelo no qual não se sabe quando os tornozelos vão ser agarrados. Eu odiava o escuro do fundo do meu coração. O que me perseguia não era a água, mas as trevas entre a água e os meus tornozelos. Era isso que fazia o meu corpo ser dominado por um medo insondável.

Eu ainda via em minha mente o filme-noticiário. Na tela, a enorme barragem em formato de arco continuava a lançar água para o fundo. A câmera captou com insistência essa cena sob diferentes ângulos. Do alto, de frente, de lado: a lente se misturava à corrente, cuja sombra estava refletida na parede de concreto da represa. A sombra da água, como se fosse a própria água, dançava no concreto branco inexpressivo.

Ao observá-la, ela acabou se transformando na minha própria sombra. Ela dançava nas paredes curvas da represa. Logo percebi que era minha própria sombra, mas como espectador eu não soube o que fazer. Era apenas um menino de nove ou dez anos. Talvez eu devesse correr até a tela para buscar minha sombra. Ou invadir a sala de projeção e me apoderar do filme. Contudo, não podia julgar se isso era certo ou não. Portanto, sem fazer nada, só segui observando minha sombra.

Ela não parava de dançar diante dos meus olhos. Contorcia-se de forma calma e irregular, como quando uma paisagem distante tremula sob uma onda de calor. Ela não podia falar e aparentemente era incapaz de transmitir qualquer coisa por gestos. No entanto, essa sombra sem dúvida desejava me comunicar algo. Ela sabia que eu estava sentado ali e a observava. No entanto, como eu, nada podia fazer. Não passava de uma sombra.

Ninguém mais pareceu perceber que a sombra da corrente da água refletida na parede da represa era na verdade a minha sombra. Nem meu irmão mais velho, que estava ao meu lado, se deu conta. Se tivesse percebido, com certeza teria sussurrado isso em meu ouvido. Afinal, quando assistia a um filme, ele costumava cochichar bastante em meu ouvido, chegando a ser impertinente.

Eu não falei para ninguém que aquela era a minha sombra. É provável que ninguém fosse acreditar em mim. Além disso, aparentemente a sombra desejava transmitir uma mensagem *apenas para mim*. Queria me contar algo que vinha de outro lugar e outro tempo, e para isso fazia uso da tela do cinema.

Na parede curva de concreto, minha sombra estava solitária e abandonada. Eu não sabia como ela tinha chegado ali e o que pretendia. Por fim, as luzes seriam apagadas e ela seria tragada pela escuridão. Ou seria levada pela corrente de água até chegar ao oceano, e talvez continuasse ali a desempenhar seu papel de minha sombra. Ao pensar nisso, uma tristeza imensa me invadiu.

Pouco depois, a notícia sobre a represa terminou e na tela surgiu a cerimônia de coroação do rei de um país qualquer. Vários cavalos com um enfeite no topo da cabeça puxavam lindas carruagens atravessando uma praça de paralelepípedos. Procurei de novo pela minha sombra no chão, mas ali só havia sombras de cavalos, carruagens e edifícios.

Minhas recordações terminavam ali. No entanto, eu não podia garantir que isso tivesse mesmo acontecido comigo. Porque, até agora, aquilo não viera à minha mente como recordações do passado. Talvez fosse apenas fruto da minha imaginação, uma cena que eu tinha inventado ao ouvir o barulho da água em meio àquela escuridão anormal. Uma vez li um livro de psicologia que descrevia um efeito semelhante. Ao enfrentar uma situação extrema, o ser humano às vezes cria ilusões para se proteger da dura realidade. Era isso o que o autor defendia. Entretanto, as imagens diante de meus olhos eram precisas e vívidas demais para serem uma cena imaginada, e a força delas as conectava à minha própria existência. Eu podia me lembrar nitidamente dos cheiros e sons que me rodeavam naquele momento. E podia sentir a perplexidade e o terror indefinido que me tomaram quando eu tinha nove ou dez anos. Não importa o que digam, aquilo tinha mesmo acontecido comigo. Alguma força tinha trancado as recordações no fundo da minha consciência, mas por estar encurralado numa situação extrema os grilhões foram soltos e elas agora flutuavam na superfície.

Que força seria essa?

Sem dúvida teria alguma relação com a cirurgia cerebral a que fui submetido para ser capaz de fazer o shuffling. Eles tinham empurrado minhas recordações até caírem da minha consciência. Eles se apossaram das minhas memórias!

Pensando nisso, comecei a me enfurecer. Ninguém tinha o direito de se apoderar das minhas memórias. Elas pertenciam a mim e a mais ninguém. Roubá-las seria como usurpar a vida. Conforme fui me enervando, deixei de me importar com o medo. *Haja o que houver, eu sobreviverei*, decidi. Vou sobreviver, escapar deste mundo de trevas e reaver a memória que me foi roubada. Pouco me importa se o mundo vai acabar ou não. Eu preciso disso para renascer completo.

— Uma corda! — gritou a moça de repente.

— Corda?

— Vamos, venha rápido. Tem uma corda pendurada.

Subi correndo três ou quatro degraus e, ao chegar perto dela, passei a mão pela parede. Com certeza havia uma corda ali. Era do tipo usado em alpinismo, não muito grossa, mas resistente, e a ponta balançava no ar na altura do meu peito. Eu a agarrei e a puxei com cuidado, imprimindo força aos poucos. A julgar pela resistência, devia estar bem amarrada em algum lugar.

— Deve ter sido meu avô! — gritou a moça. — Ele com certeza deixou a corda para nós.

— Por via das dúvidas, vamos subir um pouco mais — sugeri.

Com impaciência, verificamos onde colocar os pés e demos mais uma volta na torre retorcida. A corda continuava suspensa no mesmo lugar e tinha nós a cada trinta centímetros, que nos permitiam apoiar os pés. Se ela seguisse assim até o topo da torre, pouparíamos um tempo precioso.

— É do meu avô, não tenho dúvida. Ele é do tipo que atenta muito aos detalhes.

— Verdade — falei. — Você consegue subir por uma corda?

— Claro! — ela exclamou. — Sou muito boa, faço isso desde pequena. Não lhe contei?

— Então vá na frente — resolvi. — Quando chegar no final, ilumine o percurso com a lanterna, então eu começarei a subir.

— A água vai chegar se fizermos desse jeito. Não seria melhor subirmos juntos?

— Em escaladas, a regra é uma pessoa por corda. Além da questão da resistência, se duas pessoas se seguram numa única corda a subida fica mais difícil e demorada. Mesmo que a água chegue, se estivermos nos segurando com firmeza é possível de alguma forma chegar até o topo.

— Você é mais corajoso do que aparenta — ela elogiou.

Esperei imóvel em meio à escuridão, acreditando que fosse me beijar de novo, mas, sem se importar comigo, ela começou a subir depressa pela corda. Sempre agarrado à rocha, acompanhei com o olhar a luz da lanterna dela subir, aos balanços. Parecia que espíritos bêbados voltavam ao céu cambaleando. Senti vontade de tomar uma dose de uísque, mas ele estava na mochila, e seria impossível, na posição instável em que eu estava, virar o corpo, tirar a mochila e pegar o frasco. Portanto, desisti e decidi imaginar que estava bebendo. Em um bar sossegado e limpo, com uma porção de amendoins, "Vendôme" do The Modern Jazz Quartet tocando baixinho e um on the rocks duplo. Ponho o copo sobre o balcão e por um tempo o observo, sem tocá-lo.

Primeiro é preciso contemplar o uísque. E a pessoa só deve bebê-lo quando se cansar de observá-lo. Como faria com uma moça bonita.

Então percebi que não tinha mais ternos nem casacos. Aquela dupla de lunáticos tinha rasgado todas as minhas roupas decentes. *Nossa*, pensei. *O que eu poderia vestir para ir a um bar?* Ou seja, antes eu precisava arranjar roupas. Optei por um terno em tweed azul-marinho. Um azul distinto. Três botões, com os ombros pouco pronunciados, corte reto, vintage. Como os que George Peppard usava no início da década de 1960. A camisa, azul. Uma cor azul que combinasse bem com o terno, mas um pouco mais clara, de um algodão grosso oxford e a gola mais normal e simples possível. Queria uma gravata de listras bicolores. Vermelho e verde. Um vermelho escuro e um verde daqueles que não se sabe se é verde ou azul, como um mar revolto sob a tempestade. Eu entraria em uma loja de roupas masculinas elegante, juntaria todos esses itens e os vestiria para ir a um bar onde pediria um uísque escocês on the rocks duplo. As sanguessugas, os tenebrosos e os peixes com garras poderiam fazer o que bem entendessem no mundo subterrâneo. Na superfície, eu estaria vestindo um terno de tweed azul-marinho tomando um uísque importado da Escócia.

De repente percebi que o ruído da água tinha desaparecido. Talvez tivesse parado de sair pelos buracos. Ou o nível se elevara tanto que já não era possível ouvir nada. Mas eu não me importava. Se a água quisesse subir, que subisse. Decidi sobreviver a qualquer custo. E reaver minha memória. Ninguém mais poderá me manipular. Eu queria gritar isso para o mundo todo: *Ninguém mais poderá me manipular.*

Porém, agarrado a uma rocha na escuridão subterrânea, gritar não serviria de nada, por isso desisti e olhei para cima. Ela estava bem mais alto do que eu havia imaginado. Não saberia dizer quantos metros acima, mas o equivalente a três ou quatro andares de uma loja de departamentos. Ela estaria então na seção de roupas femininas ou de tecidos para quimonos. Aborrecido, me perguntei quanto afinal media aquele monte de rochas. Nós dois já tínhamos escalado uma altura considerável, mas se ainda faltasse muito para o topo devia ser altíssimo. Uma vez, por capricho, subi de escada até o vigésimo sexto andar de um arranha-céu, e agora parecia que eu tinha subido o mesmo tanto.

De todo modo, era até melhor estar escuro e não conseguirmos enxergar nossos pés. Por mais que eu estivesse habituado a escalar montanhas, estar agarrado a um local alto e perigoso sem equipamento e com um simples par de tênis era algo tão assustador que me impedia de olhar para baixo. Era como limpar as janelas de um arranha-céu sem rede de proteção ou andaime. Enquanto subia na escuridão não havia problema, mas assim que parava a altura começava a me preocupar.

Olhei mais uma vez para cima. Ela continuava a subir, e vi a luz da lanterna balançando como antes, mas agora a distância entre nós havia aumentado bastante. Parecia mesmo acostumada a subir cordas, como dissera. Mesmo assim, era uma altura considerável. Na verdade, era absurdamente alto. Fiquei imaginando o que teria passado pela cabeça do velho para fugir até um local tão esdrúxulo. Se ele estivesse nos esperando em um ponto mais simples e acessível, não seríamos obrigados a enfrentar tanta coisa.

Eu estava absorto em meus pensamentos quando me dei conta de que alguém me chamava do alto. Ao olhar para cima, vi uma luzinha amarela piscando devagar, como a luz da cauda de um avião. Parecia que ela enfim havia chegado ao topo. Segurei a corda com uma das mãos e com a outra tirei do bolso a lanterna, para enviar o mesmo sinal. Depois iluminei embaixo para verificar até que altura a água havia subido, mas a luz da lanterna era fraca demais e não consegui ver quase nada. As trevas eram muito densas, e a menos que eu me aproximasse não seria possível ver nada. O relógio de pulso marcava quatro e doze da manhã. O dia ainda não tinha amanhecido. O jornal matutino ainda não havia sido distribuído. Os trens ainda não estavam operando. Alheias a tudo, as pessoas na superfície deviam estar num sono profundo.

Puxei a corda e, depois de respirar fundo, comecei a subir devagar.

24

A praça das Sombras

Ao abrir os olhos pela manhã, o tempo magnífico que tinha permanecido por três dias havia terminado. O céu estava coberto por nuvens densas e escuras, e os raios de sol as atravessavam a muito custo, para enfim chegar à superfície e perder seu calor e brilho originais. Envoltas por aquela luz abafada, gélida e acinzentada, as árvores erguiam seus galhos despidos de folhas como fissuras no céu, e o rio fazia ecoar o rígido barulho da água. Pelo aspecto das nuvens, a neve poderia cair a qualquer momento, mas naquele momento não nevava.

— Hoje não deve nevar — informou o velho. — Aquelas nuvens não fazem isso.

Abri a janela e observei de novo o céu, mas não consegui distinguir as nuvens que fazem nevar das demais.

O guardião estava sentado diante de um grande fogareiro de ferro e, descalço, aquecia os pés. O fogareiro era igual ao da biblioteca. Na parte superior, havia uma superfície plana onde era possível colocar duas chaleiras ou panelas, e na parte de baixo havia uma gaveta para recolher as cinzas. A parte da frente tinha um grande puxador metálico, onde, sentado em uma cadeira, o guardião apoiava os pés. Devido ao vapor da chaleira e ao cheiro do tabaco barato de cachimbo, o cômodo estava carregado de uma atmosfera úmida e abafada. E, claro, a ela devia se misturar também o odor dos pés do guardião. Atrás da cadeira onde ele estava sentado, havia uma enorme mesa de madeira sobre a qual, junto a uma pedra de amolar, alinhavam-se machadinhas e machetes. Pela cor pálida dos cabos, percebia-se que todas deviam ter sido bastante usadas.

— Um cachecol — disse eu de chofre. — Sem um cachecol meu pescoço vai congelar.

— Com certeza — concordou o guardião, com a expressão séria. — Entendo bem.

— No fundo da sala de documentação da biblioteca há roupas sem uso. Será que eu não poderia pegar algumas?

— Ah, era isso — disse o guardião. — Pode se servir à vontade. Sendo você, não vejo problema. Pode pegar cachecol, casaco, o que mais desejar!

— As roupas não têm dono?

— Não se preocupe com isso. Mesmo que pertencessem a alguém, a pessoa já deve ter se esquecido delas há tempos — assegurou o guardião. — A propósito, parece que você está procurando um instrumento musical, não?

Assenti. Ele estava a par de tudo.

— Oficialmente, não existem instrumentos musicais na cidade — ele disse. — Porém, isso tampouco significa que não haja algum. Você está trabalhando com seriedade e não deve ser um problema ter um instrumento musical. Vá até a usina elétrica e pergunte ao responsável. Talvez você encontre um.

— Usina elétrica? — perguntei, espantado.

— Você achava que não tivéssemos uma? — disse o guardião, apontando para a lâmpada acima da sua cabeça. — De onde pensa que vem esta eletricidade? Acha que é produzida pelos pomares de macieiras?

Sorrindo, o guardião anotou no mapa como ir até lá.

— Suba toda a estrada na margem sul do rio. Depois de cerca de meia hora de caminhada, você avistará um celeiro de grãos antigo à direita. Ele não tem mais telhado nem porta. Dobre à direita e siga em frente. Haverá uma colina e, do outro lado dela, um bosque. Entre no bosque, avance uns quinhentos metros e você chegará à usina elétrica. Entendeu?

— Creio que sim — falei. — Mas não é perigoso ir ao bosque durante o inverno? É o que todo mundo diz, e eu mesmo já tive uma experiência ruim.

— Ah, tem razão. Tinha me esquecido disso. Eu o levei de carroça até o topo da colina — disse o guardião. — Você está bem agora?

— Estou sim. Obrigado.

— E agora está com o pé um pouco atrás?

— A bem da verdade, sim.

O guardião abriu um sorriso e mudou a posição dos pés sobre o puxador.

— Ficar escaldado é bom. Quando a pessoa desconfia, torna-se cautelosa. E, com prudência, acaba não se machucando. O bom lenhador tem no corpo uma única cicatriz. Nem mais, nem menos. Entende o que digo?

Assenti.

— Mas não há motivo para se inquietar com a questão da usina elétrica. Ela está localizada bem na entrada do bosque, e por só ter um caminho, não há como se perder. Você nem precisará ter contato com os habitantes de lá. É perigoso entrar demais nele e ao lado da muralha. Basta evitar esses lugares e não há com o que se preocupar. Porém, não se desvie de forma alguma do caminho nem vá até o fundo da usina. Se você for, terá outra experiência bem desagradável!

— O responsável pela usina mora no bosque?

— Não. O sujeito não se parece nem com o pessoal do bosque, nem com o da cidade. É um homem com um pé lá e outro cá. Não entra no bosque nem volta para a cidade. É um medroso, não faz mal a ninguém.

— Que tipo de gente vive no bosque?

O guardião inclinou a cabeça e por um tempo observou meu rosto em silêncio.

— Com certeza eu lhe disse isto no começo. Você pode perguntar o que quiser, mas eu sou livre para responder ou não.

Assenti.

— Bem, não quero responder — declarou o guardião. — Falando nisso, você já manifesta há um bom tempo o desejo de encontrar sua sombra, não? O que acha de vê-la em breve? Estamos no inverno e ela perdeu bastante as forças, então não deve haver inconveniente em encontrá-la.

— Ela está mal?

— Não é bem isso. Ela está bastante animada. Todo dia passeia por algumas horas, eu a mando fazer exercícios e ela tem um bom apetite. Porém, com o inverno, os dias são mais curtos e o frio mais intenso, o que faz o ritmo das sombras diminuir. Não é culpa de ninguém. É completamente normal, são as leis da natureza. Não é responsabilidade minha nem sua. Bem, converse com ela quando a encontrar.

O guardião pegou um molho de chaves pendurado na parede, o enfiou no bolso do casaco e, bocejando, calçou as botas de couro. Pareciam bastante pesadas, e nas solas havia grampos de ferro que permitiam caminhar em meio à neve.

A sombra morava em um ponto intermediário entre a cidade e o mundo exterior. Eu não podia ir ao mundo de fora, e a sombra não podia entrar na cidade. Portanto, a praça das Sombras era o único local onde uma pessoa que tinha perdido sua sombra podia se encontrar com ela. Ficava logo atrás da cabana do guardião. Era chamada de praça, mas não tinha uma área tão ampla para merecer esse nome. Era um pouco maior do que o jardim de uma casa comum e estava cercada por uma austera cerca de ferro.

O guardião retirou o molho de chaves do bolso, abriu a porta de ferro, me deu passagem e entrou em seguida. A praça tinha o formato de um quadrado perfeito e ao fundo estava a muralha que cercava a vila. Em um canto havia um velho olmo, debaixo do qual tinha sido colocado um banco. Era uma árvore embranquecida e não era possível identificar se estava viva ou morta.

Em um ponto da muralha uma cabana tinha sido construída de forma provisória com tijolos velhos e madeira de demolição. As janelas não tinham vidro, e havia apenas uma porta de madeira do tipo alçapão. Como não havia chaminé, não devia ter calefação.

— Sua sombra dorme ali — disse o guardião. — Apesar da aparência, é bem confortável. Tem água corrente e banheiro. Há também um cômodo no subsolo, abrigado de correntes de ar. Bem, não é nenhum hotel, mas permite se proteger bem das intempéries. Quer entrar?

— Não, prefiro me encontrar com ela aqui — respondi.

Minha cabeça doía, talvez devido à atmosfera fétida no interior da cabana do guardião. Mesmo com um pouco de frio, seria muito melhor poder respirar ar puro.

— Tudo bem. Vou trazê-la aqui — disse o guardião, entrando sozinho na cabana.

Levantei a gola do casaco, sentei-me no banco sob o olmo e, enquanto aguardava a chegada da minha sombra, revolvi a terra com o talão do sapato. Estava dura e aqui e ali restavam montinhos de neve congelada. Nos locais onde o sol não batia perto da muralha, a neve permanecia sem derreter.

Pouco tempo depois, o guardião saiu da cabana acompanhado por minha sombra. Ele atravessou a praça a passos largos, pisando firme no solo congelado com os grampos nas botas, seguido com lentidão pela minha sombra. Ela não parecia tão animada como havia afirmado o guardião. Tinha a expressão mais abatida do que antes, e os olhos e a barba se destacavam visivelmente.

— Vou deixá-los um pouco a sós — disse o guardião. — Vocês devem ter muito o que conversar. Fiquem à vontade. Porém, não devem se demorar demais. Se voltarem a se juntar, vai levar tempo para separá-los. Além disso, fazer isso não levaria a nada. Seria apenas um incômodo para os dois. Não é?

Assenti com a cabeça. Ele devia ter razão. No momento em que nos juntássemos, apenas seríamos separados. E teríamos de recomeçar tudo do zero.

Eu e minha sombra observamos o guardião colocar a chave na porta e desaparecer na cabana. O som aflitivo dos grampos das solas mordendo o solo se distanciou e, por fim, a pesada porta de madeira se fechou ruidosamente. Quando a silhueta do guardião desapareceu, a sombra veio se sentar ao meu lado. E, como eu, começou a escavar um buraco no chão com o talão do sapato. Ela vestia um suéter de malha grosseira, calça e uns sapatos velhos que eu lhe dera.

— Você está bem? — perguntei.

— Como poderia estar? — respondeu a sombra. — Está frio demais e a comida é abominável.

— Ouvi dizer que você pratica exercícios todos os dias.

— Exercícios? — revidou a sombra, olhando para mim espantada. — Ah, não dá para chamar assim! Sou apenas arrastado daqui todo dia para ajudar o guardião a incinerar os animais. Carregamos a carroça com os cadáveres, saímos pelo portal para levá-los ao pomar de macieiras, atiramos azeite e os queimamos. Antes, o guardião os decapita com um machete. Você viu a fantástica coleção de armas brancas que ele possui? De qualquer perspectiva aquele homem não é confiável. Se pudesse, ele sairia destruindo a machadadas tudo o que encontrasse pela frente.

— Ele também é um homem da cidade?

— Não. O sujeito não deve passar de um reles funcionário. Ele se diverte incinerando os animais. As pessoas da cidade não pensariam em fazer algo assim. Desde o início do inverno, ele já queimou vários! Esta manhã, havia três animais mortos. Nós iremos queimá-los.

Como eu, a sombra escavou o solo congelado por um tempo. Estava duro como pedra. Um pássaro invernal levantou voo de um galho do olmo com um grito agudo.

— Encontrei o mapa — disse a sombra. — Está mais bem desenhado do que eu esperava, e as explicações também estão ótimas. Mas chegou um pouco tarde.

— Estive doente — justifiquei.

— Fiquei sabendo! Mas quando o inverno chegou já era tarde demais. Eu precisava dele antes. As coisas teriam progredido de maneira mais tranquila, e eu teria tido mais tempo para planejar.

— Planejar?

— Para fugir daqui, óbvio! O que mais poderia ser? Ou você acha que eu queria o mapa apenas por diversão?

Balancei a cabeça.

— Achei que você fosse me explicar como funciona este lugar. Afinal, você ficou com quase todas as minhas memórias.

— Você está enganado — disse a sombra. — Sem dúvida eu fiquei com a maior parte das suas memórias, mas não consigo usá-las. Para isso, precisaríamos ficar juntos de novo, o que é impossível. Se isso acontecesse, nunca mais permitiriam que a gente se visse, e assim não daria para planejar. Por isso, agora estou pensando sozinho sobre como esta cidade funciona.

— E você entendeu?

— Um pouco, mas ainda é cedo para dividir com você. Preciso de mais detalhes para que seja convincente. Deixe-me refletir mais um pouco. Sinto que com um pouco mais de tempo vou conseguir entender. Contudo, quando chegar a uma conclusão, talvez já seja tarde demais. Desde a chegada do inverno, meu corpo visivelmente vem enfraquecendo, então mesmo que consiga traçar um plano de fuga não há garantias de que terei força física para pô-lo em prática. Por isso eu queria o mapa antes do inverno chegar.

Olhei o olmo sobre minha cabeça. Entre seus grossos galhos, vi nuvens escuras de inverno bem definidas.

— Mas não é possível fugir daqui — falei. — Você viu bem o mapa, não? Não tem nenhuma saída! Aqui é o Fim do Mundo. É impossível voltar ou seguir em frente.

— Talvez seja o Fim do Mundo, mas com certeza existe uma saída. Acredito nisso. Está escrito no céu. Os pássaros voam por cima da muralha, certo? Depois, para onde vão? Para o mundo exterior. Fora daqui com certeza há outro mundo, e a função da muralha é impedir que as pessoas cheguem lá.

— Talvez — disse eu.

— Vou achar uma saída e fugiremos juntos daqui, custe o que custar. Não quero morrer em um lugar tão miserável.

Então se calou e voltou a escavar o chão.

— Acho que já disse isso, mas esta cidade não é natural, é um erro — afirmou a sombra. — Continuo a acreditar nisso. Contudo, o problema é que está construída assim. Tudo nela é artificial e distorcido e, apesar disso, forma um todo coeso! Está completa — disse a sombra, desenhando um círculo no chão. — É um círculo fechado. Por isso, ao ficar aqui por muito tempo aprendendo coisas, a pessoa começa a acreditar aos poucos que *eles* estão certos e a se questionar se ela mesma não estaria errada. Porque eles aparentam ser completos. Entende o que eu digo?

— Claramente! Eu também às vezes me sinto assim. Tenho a sensação de que, comparado à cidade, sou um ser insignificante e cheio de contradições.

— Não é isso — disse a sombra, desenhando formas vagas ao lado do círculo. — Nós estamos certos, os errados são eles. Somos naturais, eles não. Precisamos acreditar nisso. Com todas as nossas forças. Do contrário, quando você menos esperar, será engolido pela cidade, e aí será tarde demais.

— O que é certo e o que é errado é muito relativo, e sem memória não consigo julgar.

A sombra assentiu.

— Entendo exatamente seu estado de confusão! Entretanto, pense da seguinte forma: você acredita que existe movimento perpétuo?

— Não, isso não existe.

— É a mesma coisa. A segurança e a perfeição desta cidade são como o movimento perpétuo! Em princípio, não existe um mundo perfeito em lugar nenhum. Mas aqui é perfeito. Então deve haver um truque. A máquina que aparentemente opera em movimento perpétuo deve utilizar em segredo uma força externa invisível.

— E você descobriu isso?

— Ainda não. Como eu lhe disse há pouco, tenho uma hipótese, mas ainda preciso reforçar os detalhes, o que me tomará algum tempo.

— Você não pode compartilhar comigo a sua hipótese? Talvez eu possa ajudar.

A sombra tirou as mãos do bolso e, depois de soprar sobre elas seu hálito quente, esfregou os joelhos.

— Não, seria impossível para você. Meu corpo dói, mas em você o que dói é o coração. Antes de mais nada, você deve curá-lo. Do contrário, nós dois estaremos perdidos antes da fuga. Vou pensar sozinho e, enquanto isso, faça um esforço para se salvar. Isso é o mais importante.

— É verdade que estou confuso — declarei, deixando meu olhar cair sobre o círculo desenhado no chão. — Você tem razão. Não consigo decidir por onde ir. E me pergunto que tipo de pessoa fui outrora. Quanta força tem um coração que acabou se perdendo? E isso aconteceu numa cidade muito forte e decidida. Desde que o inverno chegou, venho perdendo aos poucos a confiança que existe no meu coração.

— Não, você está enganado — revidou a sombra. — Você não perdeu o seu eu. Sua memória está apenas habilmente oculta. Por isso você está desorientado. Contudo, não está de jeito nenhum errado. Mesmo sem memória, seu coração avança. E ele tem princípios próprios de conduta, que, em última análise, formam o seu eu. Você precisa acreditar na sua força. Caso contrário, será levado a algum lugar incompreensível por uma força externa.

— Vou fazer o possível! — prometi.

A sombra assentiu. Por um tempo, ela observou o céu nublado, mas logo fechou os olhos como se meditasse.

— Sempre que tenho dúvidas observo os pássaros — disse ela. — Ao vê-los, entendo que não estou enganado. A perfeição da cidade não tem nenhuma relação com eles. Nem a muralha, nem o portal, nem a corneta. Nessas horas você deve observá-los.

Ouvi o guardião me chamando. O tempo de visita tinha acabado.

— Não venha me ver por um tempo — sussurrou a sombra ao nos despedirmos. — Quando for preciso, eu dou um jeito de nos encontrarmos. O guardião é um homem muito desconfiado e vai suspeitar que estamos tramando algo se nos encontrarmos com frequência, e com isso o meu trabalho ficaria mais difícil. Se ele perguntar, finja que nossa conversa não foi muito boa. Combinado?

— Combinado — respondi.

— E aí? — me perguntou o guardião quando voltei à cabana. — Foi divertido encontrar sua sombra depois de tanto tempo?

— Não sei ao certo — falei, balançando a cabeça.

— É normal — respondeu o guardião, satisfeito.

25
Refeições, fábrica de imagens, armadilha

Subir pela corda foi muito mais fácil do que pelos degraus. A cada trinta centímetros havia um nó, e sua grossura era fácil de manusear. Eu me agarrei a ela, tomei impulso balançando o corpo para a frente e para trás e comecei a subir, um pé de cada vez. Parecia um trapezista num filme. Claro, as cordas usadas nos trapézios não têm nó, senão os espectadores não ficariam impressionados.

Às vezes eu olhava para cima, mas como a luz da lanterna estava direcionada diretamente para mim, o brilho era tão intenso que era difícil saber a distância. Imaginei que a moça estivesse preocupada e por isso observava com atenção a minha subida. A ferida no abdómen latejava no ritmo dos meus batimentos cardíacos. A cabeça ainda doía por causa da queda. As dores não atrapalhavam, só eram desagradáveis.

À medida que eu me aproximava do topo, a luz começou a iluminar aos poucos meu corpo e o que havia em volta. No entanto, era uma gentileza desnecessária. Como eu tinha me acostumado à escuridão, a luz me confundia e várias vezes me fez escorregar. O jogo de luz e sombra não me deixava perceber bem as distâncias. O que estava iluminado parecia mais saliente do que era de fato, enquanto a sombra deixava tudo mais côncavo. Sem contar que a luz era forte demais. O corpo humano se adapta rápido a qualquer ambiente. Então não era de estranhar que os tenebrosos, que há muito viviam no subterrâneo, tivessem se adaptado às trevas.

Depois de subir sessenta ou setenta nós, cheguei ao que parecia ser o topo. Apoiei as mãos na borda da rocha, como um nadador ao se preparar para sair da piscina. Levei bastante tempo para alçar o corpo, pois meus braços estavam cansados. Sentia-me como se tivesse acabado de nadar um ou dois quilômetros. Ela segurou o cinto e me ajudou a subir.

— Foi por pouco, não? — disse ela. — Mais quatro ou cinco minutos e estaríamos mortos!

— Nossa — exclamei, deitando sobre a rocha para respirar. — Até que altura a água chegou?

Ela pôs a lanterna no chão e puxou a corda. Quando chegou a cerca de trinta nós, ela me fez segurá-la. Estava encharcada. A água tinha subido até uma altura considerável. Como ela disse, teria sido perigoso se demorássemos mais quatro ou cinco minutos.

— E você encontrou seu avô? — perguntei.

— Sim, claro! — respondeu ela. — Ele está no altar, lá no fundo. Mas torceu o pé num buraco enquanto fugia.

— Mesmo assim conseguiu chegar até aqui?

— Sim. Ele é bem forte. Todos na família são!

— É o que parece — concordei.

Também sou forte, mas não chego aos pés dos dois.

— Vamos. Meu avô está nos esperando lá dentro. Ele me disse que tem muita coisa para conversar com você.

— Eu também — disse.

Botei a mochila nas costas e a segui até o altar, que nada mais era do que um buraco redondo escavado na parede rochosa. Dentro havia um cômodo espaçoso, e uma lâmpada a gás na parede iluminava tudo com sua luz amarelada. A superfície irregular da rocha criava inúmeras sombras. Enrolado em um cobertor, o professor estava sentado ao lado da lâmpada. Metade de seu rosto estava oculto pela sombra. Devido à luz, seus olhos pareciam muito fundos, mas de resto ele tinha um ar bastante saudável.

— Parece que vocês passaram por um grande perigo — disse o professor, animado. — Eu sabia que a água inundaria tudo, mas não dei muita importância a isso pois achei que vocês chegariam antes!

— Eu me perdi na cidade, vô — explicou a moça obesa. — Com isso, acabei perdendo quase um dia inteiro para me encontrar com ele.

— Calma, calma. Isso não tem mais importância — falou o professor. — Se demorou ou não, agora já não faz diferença.

— Como assim não faz diferença? — perguntei.

— Bom, vamos deixar as conversas complicadas para depois. Venha, sente-se aqui. Primeiro, vamos remover essa sanguessuga colada no seu pescoço. Se deixar assim vai ficar com marcas!

Sentei-me um pouco afastado do professor. A neta se sentou ao meu lado, tirou uma caixa de fósforos do bolso, acendeu um e o usou para queimar e tirar uma sanguessuga enorme que estava no meu pescoço. Ela havia sugado tanto sangue que estava inchada, do tamanho de uma rolha de vinho. Ao sentir a chama, ela soltou um chiado umedecido. Retorceu-se por um tempo no chão, mas a moça a esmagou com o tênis de corrida. Sobrou apenas uma dor tensa, como uma queimadura. Ao girar a cabeça para a esquerda, senti como se minha pele fosse rasgar como um tomate maduro. Se continuasse assim, em menos de uma semana todo o meu corpo seria um mostruário de machucados. Eu distribuiria ilustrações de cada um, como aqueles cartazes pendurados na farmácia que mostram casos de pé de atleta. Poderia incluir também a incisão no abdômen, o calombo na cabeça, a equimose da sugada da sanguessuga... e, claro, a impotência. Seria ainda mais arrepiante.

— Vocês não trouxeram nada de comer? — perguntou o professor. — A pressa foi tanta que nem tive tempo de trazer comida suficiente e só comi um chocolate desde ontem.

Abri a mochila, peguei algumas latas de conserva, um pão e o cantil e os entreguei ao professor, junto com um abridor de latas. O professor bebeu água e em seguida examinou com cuidado cada lata, como se verificasse o ano da safra de um vinho. Abriu então uma lata de pêssegos e outra de carne.

— Estão servidos? — ofereceu.

Não queríamos. Considerando a situação, tínhamos perdido o apetite.

O professor partiu um pedaço do pão, cobriu-o com carne e o devorou com vontade. Em seguida, comeu alguns pêssegos e, levando a lata aos lábios, bebeu a calda. Enquanto isso, tirei do bolso o frasco de uísque e tomei dois ou três goles. Graças a isso, a dor aliviou bastante em vários pontos do corpo. Não que tivesse ficado mais fraca, mas o álcool serviu para anestesiar os nervos. Era como se a dor fosse independente e não tivesse uma relação direta comigo.

— Nossa, vocês realmente me salvaram — disse o professor. — Sempre deixo mantimentos suficientes para dois ou três dias para não passar aperto no caso de uma emergência, mas desta vez esqueci de repor. Foi uma falha lamentável. Quando uma pessoa se acostuma com dias pacíficos, acaba baixando a guarda. Foi uma boa lição! *Prepare o guarda-chuva num dia de sol e o terá pronto para um dia de chuva*. Alguns dizeres antigos são bem inteligentes.

O professor soltou uma de suas gargalhadas estridentes.

— E agora que já terminou de comer... — falei. — Podemos abordar o tema principal? Pode nos contar desde o início? Afinal, o que o senhor pretendia fazer? O que fez? Qual foi o resultado? O que eu devo fazer? Conte tudo.

— A explicação seria muito técnica — disse o professor, hesitante.

— Simplifique, por favor, a parte técnica, para que a gente possa entender. Nem que seja em linhas gerais, para sabermos o que fazer.

— Se eu falar tudo, creio que você ficará furioso comigo, e eu não gostaria que...

— Não vou me zangar — repliquei.

Àquela altura, de nada adiantaria ficar irritado.

— Em primeiro lugar, preciso lhe pedir desculpas — começou o professor. — Por mais que seja uma pesquisa científica, eu o enganei, o usei e o coloquei numa enrascada. Estou totalmente ciente do que fiz. Não estou falando da boca para fora; peço sinceras desculpas. Contudo, gostaria que você entendesse que a pesquisa que eu realizava era relevante, valiosa e sem precedentes. Quando um cientista tem diante de si um veio de conhecimento, ele acaba não enxergando mais nada. Por isso a ciência avançou sem parar até hoje. Eu me atreveria a dizer que a ciência prolifera graças à sua pureza... Por acaso você já leu Platão?

— Quase nada — respondi. — Mas, por favor, retorne ao ponto principal da conversa. Entendi o que o senhor disse sobre a pureza dos objetivos da pesquisa científica.

— Peço desculpas, só queria dizer que por vezes a pureza científica feriu pessoas. Assim como fenômenos naturais puros ferem pessoas. A lava vulcânica pode engolir uma cidade, uma inundação pode arrastar gente, um abalo sísmico pode destruir parte da crosta terrestre... Podemos dizer que esses fenômenos naturais são ruins?

— Vô — interrompeu a neta. — Acho melhor resumir, pois não temos tempo suficiente.

— Sim, sim, você tem toda a razão — concordou o professor, pegando a mão da neta e dando-lhe tapinhas. — Então, por onde começar? Tenho dificuldade em ver as situações em ordem cronológica.

— O senhor me passou números para fazer um shuffling, não? O que eles significavam?

— Para explicar isso, preciso voltar três anos no tempo.

— Faça isso, por favor — pedi.

— Na época eu trabalhava no instituto de pesquisas da System. Não era um pesquisador oficial, mas fazia parte de um grupo de trabalho autônomo. Eu liderava uma equipe de quatro ou cinco pessoas, tinha à disposição instalações maravilhosas e podia usar o dinheiro como quisesse. Não me importo com dinheiro e não gosto de receber ordens, mas a System me oferecia materiais fantásticos para as pesquisas, que seriam difíceis de encontrar em outro lugar. Além disso, poder colocar em prática os resultados era o que mais me atraía.

"Naquele momento, a System estava em uma situação extremamente perigosa. Resumindo, quase todo o sistema de codificação de dados de diversos mecanismos criados por eles para proteger informações havia sido decifrado pelos simbolistas. Quando a System complicava o sistema, os simbolistas usavam um método ainda mais complexo para decifrar. Era como uma competição entre vizinhos para ver quem constrói o muro mais alto. Se uma família sobe o muro, a outra faz o mesmo para não ficar atrás. Logo ficam tão altos que perdem sua finalidade prática. Mas nem por isso elas desistem — quem parar perde. Então, a System decidiu desenvolver um sistema de codificação de dados impossível de ser decifrado, baseado em um princípio totalmente inovador. Foi quando me convidaram para liderar a equipe responsável pela criação.

"Eles acertaram ao me escolher. Porque na época — e, claro, também agora — eu era o cientista mais talentoso e interessado no campo da fisiologia cerebral. Como eu não publicava artigos nem falava em congressos ou outras besteiras assim, costumava ser ignorado pelo mundo acadêmico, mas não havia ninguém que me superasse quando o assunto era o cérebro. A System sabia disso e justamente por esse motivo me considerou a pessoa mais adequada. Eles desejavam mudar por completo o pensamento. Nada de tornar os sistemas existentes mais complexos ou sofisticados. Queriam uma mudança drástica a partir da base. Um cientista que precisasse trabalhar da manhã até a noite no laboratório de uma universidade ou redigir artigos inúteis não daria conta do trabalho. Um verdadeiro cientista criativo precisa ser livre."

— Entretanto, ao ingressar na System, o senhor abandonou sua posição de homem livre, não? — perguntei.

— Isso mesmo — admitiu o professor. — Você tem toda a razão. Tenho plena consciência disso. Não me arrependo, mas sei que foi isso que aconteceu. Não quero me justificar, mas eu desejava muito ter um local onde pudesse pôr minhas teorias em prática. Na época, eu já havia formado com perfeição uma teoria em minha mente, mas não tinha os meios para confirmá-la empiricamente. Este é o principal problema das pesquisas em fisiologia cerebral: ao contrário de outras áreas, não é possível realizar experimentos com animais. Porque o cérebro de um símio não dispõe de funções tão complexas quanto o subconsciente ou a memória do ser humano.

— Por isso o senhor nos usou como cobaias, não é? — perguntei.

— Calma, calma, não tire conclusões precipitadas. Em primeiro lugar, vou explicar de forma simples minha teoria. Há uma teoria geral relativa a códigos secretos que sustenta que não há código indecifrável. Ela é insofismável, porque um código secreto se baseia em algum tipo de princípio. E, por mais complexo e elaborado que seja, em última análise é um elemento mental comum capaz de ser entendido por muita gente. Portanto, se entendermos esse princípio, podemos decifrar o código. Mesmo o book-to-book-system, que é o mais confiável — quando duas pessoas utilizam exemplares da mesma edição de um livro para enviar códigos secretos usando como referência o número da página e da linha —, pode ir por água abaixo se o livro for descoberto. E a parte ruim é precisar ter sempre o livro em mãos. É muito arriscado.

"Foi quando me ocorreu uma ideia. Só deveria existir um código perfeito. Um que embaralhasse a mensagem com um sistema incompreensível a todos. Ou seja, as informações se misturariam após passarem por uma caixa-preta perfeita, e o conteúdo seria misturado de maneira inversa, passando pela mesma caixa-preta. E nem mesmo o receptor da mensagem conheceria o conteúdo ou o princípio dessa caixa-preta. Poderia utilizá-la, mas sem saber o que é. Como o próprio receptor as ignora, as informações não podem ser roubadas por terceiros, nem mesmo com o emprego de força. O que acha? Não é perfeito?"

— Ou seja, essa caixa-preta nada mais é do que o subconsciente de um ser humano, correto?

— Sim, exato. Vou explicar melhor. É o seguinte. Cada indivíduo se comporta com base em seus próprios princípios. Não existem duas pessoas iguais. Ou seja, é uma questão de identidade. E o que é isso? É a individualidade de um sistema de pensamento que resulta do acúmulo de recordações de experiências passadas. Colocando de forma mais simples, podemos chamar de espírito. Nenhum indivíduo tem o mesmo espírito do outro. No entanto, o ser humano quase não sabe sobre o seu próprio sistema de pensamento. Isso serve para você e para mim. A parte que conhecemos bem — ou que supomos conhecer — não passa de um quinze avos a um vinte avos do total. Nem sequer se pode chamar de ponta do iceberg. Para exemplificar, vou perguntar algo bem simples. Você é uma pessoa corajosa ou é covarde?

— Não sei — respondi com sinceridade. — Dependendo da situação sou corajoso, em outras sou covarde. É impossível definir numa única palavra.

— O mesmo acontece com o sistema de pensamento. Não é possível definir em uma palavra. Dependendo da situação ou do alvo, você seleciona de maneira natural e quase instantânea um ponto qualquer situado entre os dois extremos denominados coragem e covardia. Esse programa pormenorizado existe dentro de você. Porém, você praticamente ignora os detalhes e o teor desse programa. Não há necessidade de saber. Mesmo sem saber isso, você pode funcionar como indivíduo. A caixa-preta é exatamente isso. Em outras palavras, dentro de nossas cabeças se esconde algo semelhante a um imenso cemitério de imagens, onde o ser humano nunca pisou. Com exceção do macrocosmo, podemos chamá-lo de a última *terra incognita* da espécie humana.

"Não, a expressão 'cemitério de imagens' não é apropriada. Porque não se trata de um depósito de memórias mortas. Talvez 'fábrica de imagens' seja mais preciso e próximo da realidade. Ali são selecionados inúmeros fragmentos da memória e da cognição que são montados de maneira complexa, criando linhas que, por sua vez, são estruturadas de modo complexo até formarem feixes que criam um sistema. É exatamente como numa fábrica. Um local de produção. O diretor da fábrica, claro, é você, mas infelizmente não pode visitá-la. Assim como em *Alice no País das Maravilhas*, é necessário tomar uma bebida especial para ingressar ali. Ah, essa história do Lewis Carroll é mesmo incrível."

— E nossos padrões de conduta são definidos de acordo com as instruções emanadas dessa fábrica de imagens?

— Exato — respondeu o velho. — Ou seja...

— Espere um pouco — interrompi. — Deixe-me fazer uma pergunta.

— Vá em frente.

— Compreendo em linhas gerais a sua história. Mas não é possível estender os padrões de conduta até a definição de nossos atos reais cotidianos. Por exemplo, ao me levantar de manhã, a decisão de se tomo leite, café ou chá para acompanhar o meu pão não dependerá do meu estado de espírito?

— De fato é assim — assentiu o professor de forma efusiva. — Uma outra questão é que a subconsciência humana está em constante mudança. Para exemplificar, é como se uma versão revisada de uma enciclopédia fosse lançada todos os dias. É preciso solucionar esses dois problemas para estabilizar o sistema de pensamento humano.

— Problemas? — perguntei. — Onde estão os problemas? Não são ações humanas bastante comuns?

— Bem, bem — disse o professor num tom pacificador. — Se seguirmos por esse caminho, a questão se tornará teológica. Determinismo ou algo assim. O problema é se as ações humanas são fruto da decisão apriorística de um deus ou se elas se baseiam totalmente na espontaneidade. Desde os tempos modernos, a ciência avançou priorizando a espontaneidade fisiológica do ser humano. No entanto, por mais que se pergunte o significado da espontaneidade, ninguém é capaz de responder com propriedade. Isso porque ninguém ainda depreendeu o segredo da fábrica de imagens que existe dentro de nós. Freud e Jung formularam várias hipóteses, mas não passaram da invenção de uma terminologia que só permite abordar a questão. Apesar de ser mais prático, isso não significou a consolidação da espontaneidade humana. Na minha opinião, apenas concederam à psicologia as cores da filosofia escolástica.

Nesse ponto, o professor soltou mais uma de suas gargalhadas estridentes. Eu e a neta esperamos calados até que terminasse.

— Eu me considero um homem de ideias pragmáticas — prosseguiu o professor. — Aproveito-me do velho ditado "Dai a César o que é de César, e a Deus o que é de Deus". No fim, a metafísica não passa de conversa ordinária codificada. Antes de se apaixonar por ela, há um monte de coisas a fazer em locais limitados. Um exemplo é a questão relacionada a essa caixa-preta. Ela pode ser deixada do jeito como está. E é possível utilizá-la. Porém... — disse o professor, levantando um dedo. — Porém... é necessário resolver as duas questões sobre as quais comentei. Uma delas é a casualidade no nível das ações superficiais, e a outra são as alterações na caixa-preta em virtude de novas experiências. Não são questões simples de serem resolvidas, acredite! Isso porque, como você mesmo disse há pouco, são ações comuns dos seres humanos. Enquanto vive, o indivíduo passa por diversas experiências que a cada minuto, a cada segundo, se acumulam no interior de seu corpo. Ordenar a alguém que as interrompa equivale a condenar essa pessoa à morte.

"Nesse ponto, tracei uma hipótese. O que aconteceria se fixássemos uma caixa-preta para um indivíduo num momento específico? Depois, ela poderia variar à vontade. Mas aquela caixa-preta naquele momento específico continuaria a existir, e bastaria um chamado para obtê-la nesse formato. Um congelamento instantâneo."

— Espere um pouco — falei. — Isso significa que dentro de um mesmo ser humano haveria dois tipos de sistemas de pensamento?

— Exato, exato — disse o velho. — Você tem toda a razão. Que raciocínio rápido. Eu já esperava por isso. É como você disse. O sistema de pensamento A é mantido de maneira permanente, e nas fases dos outros, A', A'', A''', ele se modifica continuamente. É como se dentro do bolso direito da calça houvesse um relógio funcionando e, no esquerdo, um outro parado. Dependendo da necessidade, é possível retirar do bolso o relógio que você quiser. Assim, uma das questões está resolvida.

"É possível solucionar a outra empregando o mesmo princípio. Basta cortar a possibilidade de se escolher o nível superficial do sistema de pensamento original A. Entendeu?"

Respondi que não.

— Em resumo, significa raspar a camada superficial, como os dentistas fazem com o esmalte dos dentes. Deixamos apenas o fator central necessário, ou seja, o núcleo da consciência. Dessa forma, não ocorrem divergências significativas. E o sistema de pensamento cuja camada superficial foi raspada é congelado e jogado dentro do poço. Pumba! Esse é o protótipo do sistema de shuffling. Em linhas gerais, essa é a teoria que criei antes de ingressar na System.

— São neurocirurgias, não?

— Elas são necessárias — explicou o professor. — Com o avanço no desenvolvimento das pesquisas, é provável que a necessidade de cirurgia seja eliminada. Sem dúvida será possível criar esse mesmo estado mediante algum tipo de hipnose ou outro manuseio externo. Porém, na fase atual, ainda é impossível. O único jeito é estimular o cérebro por meio de descargas elétricas. Ou seja, modificar de modo artificial o fluxo dos circuitos cerebrais. Não é nada particularmente raro. Não passa de uma aplicação prática como as neurocirurgias estereotáxicas realizadas em pacientes epiléticos. Elas neutralizam as descargas elétricas decorrentes de uma irritabilidade no cérebro, mas... Posso abreviar a parte técnica?

— Sim, por favor — pedi. — Restrinja-se aos pontos relevantes.

— Em resumo, seria colocar uma interseção no fluxo das ondas cerebrais. Uma bifurcação. Ao lado, implanta-se um eletrodo e uma pequena bateria. E essa interseção muda conforme um sinal específico.

— Isso significa que também implantaram isso na minha cabeça?

— Claro.

— Caramba! — exclamei.

— Não é tão assustador ou extraordinário como você pode estar imaginando. É quase do tamanho de um feijãozinho azuki, e existe muita gente no mundo andando por aí com algo do mesmo tamanho inserido no corpo. Devo acrescentar que o sistema de pensamento original, ou seja, o circuito do relógio parado, é cego. Se você entrar nele, não será capaz de reconhecer o fluxo de seus próprios pensamentos. Isso quer dizer que, durante esse espaço de tempo, você não terá noção do que pensa ou faz. Se não fosse assim, existiria o risco de você acabar alterando por si mesmo o sistema de pensamento.

— Há também o problema da irradiação do núcleo puro da consciência, cuja superfície foi raspada, não? Depois da cirurgia, ouvi isso de um membro do seu grupo! Ele disse que talvez essa irradiação pudesse causar um efeito atroz no cérebro.

— É verdade. É algo que também acontece. Porém, não existe uma opinião formada sobre o assunto. Naquele momento não passava de uma suposição. Só se conjecturava que talvez houvesse algo do gênero, uma vez que experiências não tinham sido realizadas.

"Há pouco você comentou sobre experimentos em humanos, mas, para ser honesto, realizamos alguns. Porque não queríamos expor a riscos desnecessários um calculador como você, que desde o início constitui um recurso humano valioso. A System encontrou uma dezena de pessoas adequadas, que submetemos a cirurgias, e avaliamos o resultado."

— Que tipo de pessoas?

— Não nos contaram. De todo modo, a condição era os dez homens serem jovens e saudáveis. Sem histórico de doenças mentais e com QI superior a cento e vinte. Ignorávamos quem eram e como haviam chegado até nós. O resultado foi regular. As interseções funcionaram bem em sete das dez pessoas. Nas outras três, não funcionou: o sistema de pensamento ficou unidirecional ou houve uma mistura de ambos. No entanto, com os sete não houve problema.

— O que aconteceu com quem teve os sistemas misturados?

— Nós os devolvemos ao estado original, claro. Não houve danos. Enquanto continuávamos a treinar os outros sete, apareceram alguns problemas. Um era uma questão técnica, o outro tinha a ver com o objeto do experimento em si. Primeiro, a ambiguidade do sinal de chamada na chave da interseção. De início, atribuímos um número de cinco dígitos aleatórios a esse sinal de chamada, mas por algum motivo alguns indivíduos mudavam a ligação da interseção ao sentir cheiro de uva. Descobrimos isso ao lhes oferecer suco no almoço.

Ao meu lado, a moça obesa tentava conter o riso, mas eu mesmo não via graça naquilo. No que me dizia respeito, após receber o tratamento de shuffling me tornei sensível a determinados cheiros. Por exemplo, quando eu sentia o aroma de melão da água-de-colônia dela, sons ressoavam na minha cabeça. Seria intolerável se cada vez que sentisse um certo odor meu sistema de pensamento se modificasse.

— Resolvemos o problema intercalando uma onda sonora especial entre os dígitos. Certos tipos de reação olfativa se assemelhavam muito à reação gerada pelo sinal de chamada. O outro problema era o fato de que, dependendo da pessoa, o sistema de pensamento original não funcionava bem, mesmo ao alterar a interseção. Depois de muita pesquisa, descobrimos que o problema estava no próprio sistema de pensamento das pessoas-alvo do experimento. Seu núcleo de consciência era em si instável e rarefeito. Embora fossem homens saudáveis e inteligentes, sua identidade mental não estava desenvolvida. Além disso, ao contrário, havia casos também de insuficiência de autocontrole. Tinham identidade suficiente, mas como não eram disciplinados, não podíamos usá-los. Em suma, ficou claro que não bastaria passar por uma cirurgia para que qualquer um pudesse realizar o shuffling. Era preciso ter aptidão.

"Depois de idas e vindas, restaram três. No caso deles, a interseção mudava pelo sinal de chamada determinado e conseguiam desempenhar sua função de forma eficaz e estável ao utilizar o sistema de pensamento original congelado. Depois de usá-los em experimentos durante um mês, recebemos o sinal verde."

— E em seguida recebemos o tratamento de shuffling, correto?

— Isso mesmo. Fizemos testes e entrevistas com cerca de quinhentos calculadores e escolhemos vinte e seis homens saudáveis, sem histórico de doenças cognitivas, com uma singularidade mental e capazes de controlar suas ações e emoções. Foi um trabalho terrível. Afinal, há coisas que não percebemos apenas com testes e entrevistas. E a System elaborou materiais detalhados sobre cada um desses vinte e seis indivíduos. Sua origem e criação, histórico escolar, família, vida sexual, quanto de bebida alcoólica ingeriam… Enfim, todos os aspectos. Vocês foram analisados de forma detalhada como bebês recém-nascidos. Por isso, eu conheço você tão bem quanto me conheço.

— Há algo que não entendo — falei. — Pelo que ouvi, o nosso núcleo de consciência, ou seja, a caixa-preta, está guardado na biblioteca da System. Como isso é possível?

— Registramos todos os sistemas de pensamentos de vocês. E, criando uma simulação, decidimos guardá-los como um banco de dados principal. Se não fizéssemos isso, estaríamos de mãos atadas caso acontecesse algo a vocês. Foi uma espécie de seguro.

— Essa simulação foi perfeita?

— Não, nenhuma simulação é perfeita, mas eliminar de modo eficaz parte da camada superficial facilitou o registro, e em termos funcionais se aproximou da perfeição. Para ser mais preciso, essa simulação foi composta de três tipos de coordenadas planas e hologramas. Isso seria algo impossível com os computadores tradicionais, mas como os novos possuem muitas funcionalidades de imagem de fábrica, estão aptos a responder a essa estrutura complexa da consciência. Ou seja, é uma questão de fixar o mapeamento, mas vamos deixar de lado esse assunto porque demandaria muito tempo. Explicando de forma simples e fácil de entender, a metodologia dos registros é a seguinte. De início, inserimos no computador vários padrões de descargas elétricas de sua consciência. Os padrões têm ligeiras diferenças dependendo do caso. Isso ocorre porque tanto os chips dentro das linhas quanto as linhas dentro das faixas podem ser recombinados. Nisso, há coisas com e sem sentido em termos de medição. O computador as identifica. As coisas sem sentido são eliminadas, enquanto as coisas com sentido são gravadas como padrão. Isso é repetido milhões de vezes. É como se sobrepuséssemos folhas de plástico. E, depois de nos certificarmos de que não aparecerão mais diferenças, o padrão é guardado como *caixa-preta*.

— Seria uma reprodução do cérebro?

— Não, não é bem assim. O cérebro não é reproduzível. O que fiz foi apenas fixar o seu sistema de consciência em um nível fenomenológico. E isso no âmbito de uma temporalidade determinada. Nós não podemos fazer absolutamente nada quanto à flexibilidade demonstrada pelo cérebro em relação à temporalidade. Mas eu me limitei a fazer isso. Tive êxito em reproduzir essa caixa-preta em imagens.

Após dizer isso, o professor olhou de forma alternada para mim e para a neta.

— Converter em imagens o núcleo da consciência. Algo que ninguém jamais havia realizado. Era algo impossível. Eu o viabilizei. Como acha que consegui?

— Não faço ideia.

— Mostrei um objeto ao indivíduo-alvo do experimento e analisei as reações elétricas do cérebro ocorridas ao visualizá-lo, convertendo-as em números e, em seguida, em pontos. De início, surgiu apenas um gráfico muito simples, mas após várias manipulações e acréscimos de detalhes, a imagem da forma visualizada pelo indivíduo apareceu desenhada na tela do computador. Falando parece fácil, mas exige muito tempo e esforço. Bem, simplificando, é isso. E à medida que se repete inúmeras vezes o processo, o computador assimila os padrões e começa a reproduzir de modo automático as imagens a partir das reações elétricas do cérebro. Computadores são umas gracinhas, não? Basta lhes dar instruções coerentes para fazerem um trabalho coeso!

"Em seguida é a vez de tentar introduzir a caixa-preta no computador que assimilou os padrões. Ao fazê-lo, o núcleo da consciência se converte de imediato e de uma forma fantástica em imagens. Todavia, essas imagens são fragmentárias e confusas e não demonstram sentido. É preciso fazer um trabalho de montagem. Sim, exatamente como com um filme. Corta-se e cola-se esse acúmulo de imagens, eliminam-se algumas coisas, combinam-se diversas outras. E convertemos tudo numa história inteligível."

— História?

— Não é nada tão espantoso — disse o professor. — Um músico talentoso é capaz de transferir sua consciência para o som, um pintor faz o mesmo para cores e formas. E um romancista para histórias. Segue a mesma lógica. Claro, não se trata de uma conversão e, na verdade, tampouco de um registro preciso, mas é mesmo conveniente para se compreender boa parte da consciência. Por mais que sejam exatas, é difícil entender sua inteireza pela observação de uma lista de imagens confusas. Como não se pretende usar essa versão visual para nada em especial, não há necessidade de que seja exata de cabo a rabo. Essa visualização foi apenas um passatempo individual meu.

— Passatempo?

— Antigamente, antes da guerra, eu era assistente de montagem cinematográfica, então conheço o trabalho. Ou seja, o trabalho de pôr ordem no caos. Por isso, me tranquei no laboratório sem ninguém do grupo e continuei a fazer isso sozinho. Ninguém sabia. E, às escondidas, eu levava para casa, como se fossem meus, os dados das visualizações. Eram o meu patrimônio.

— O senhor converteu em imagem toda a consciência dos vinte e seis indivíduos?

— Sim, de todos. E coloquei um título em cada um que se tornou também o nome da caixa-preta individual. O seu era Fim do Mundo.

— Tem razão. Fim do Mundo. Sempre achei esse título estranho.

— Vamos falar sobre isso mais tarde — sugeriu o professor. — Seja como for, ninguém sabia que eu tinha sido bem-sucedido em converter essas vinte e seis consciências em imagens. Tampouco revelei a alguém. Desejava prosseguir com essa pesquisa em um local sem relação com a System. Eu havia concluído com êxito o projeto solicitado e cuidado dos experimentos com humanos de que precisava. Estava farto de trabalhar para os outros. Queria seguir a pesquisa de acordo com a minha vontade de fazer um pouco disso e daquilo, enfim, o que me desse na telha. Não sou do tipo que se dedica a uma única linha. Gosto de me envolver com diversos estudos ao mesmo tempo. De um lado a frenologia, de outro a acústica e, de forma simultânea, estudos do cérebro. Mas isso é impossível quando se está à disposição de outrem. Por isso, quando concluí a pesquisa e a missão que me fora designada chegou ao fim — e como o resto não passava de trabalho técnico —, anunciei à System que era o momento de pedir demissão. Contudo, eles demoraram para autorizá-la. Porque eu sabia demais sobre o projeto. Eles imaginaram que, se naquela etapa eu corresse para o lado dos simbolistas, todo o esforço do plano de shuffling teria sido em vão. Para eles, quem não é amigo é inimigo. Eles me pediram para esperar três meses. Disseram que eu poderia continuar a pesquisa que desejasse no laboratório deles. Não precisaria trabalhar e receberia uma gratificação especial. Como haviam concluído o rígido sistema secreto, queriam que eu só saísse após três meses. Nasci um homem livre e não gostava nem um pouco de ficar preso daquela maneira, mas não era um acordo ruim. Portanto, decidi viver de forma tranquila esses três meses, fazendo o que queria.

"Contudo, a inatividade não traz nada de positivo. Com muito tempo livre, imaginei instalar na interseção do cérebro dos examinados — ou seja, no de vocês! — um outro circuito. Seria o terceiro circuito de pensamentos. E nele incorporei o núcleo de consciência montado por mim."

— Por que fez isso?

— Um dos motivos é porque eu desejava verificar os efeitos que se produziriam nos indivíduos examinados. Queria saber como funcionaria uma consciência montada de forma ordenada por um terceiro. Porque na história humana não existe um exemplo tão claro. Outro motivo — e este é, lógico, secundário — é que uma vez que a System me tratava como queria, eu pensei em tratá-la da mesma forma. Queria criar pelo menos uma função que eles não conhecessem.

— E só por isso o senhor inseriu em nossas cabeças vários circuitos complexos como uma rede ferroviária?

— Não, sinto vergonha disso, de verdade. Talvez você não saiba, mas a curiosidade de um cientista é irreprimível. Claro, eu abomino os incontáveis experimentos com seres humanos que os cientistas que colaboraram com o nazismo realizaram nos campos de concentração, mas no fundo acho que, se os fizeram, deveriam tê-los conduzido de uma forma um pouco mais hábil e eficaz. O pensamento dos cientistas cujos experimentos têm como objeto o ser humano é no fundo exatamente o mesmo. Fora isso, o que eu fiz não pôs em risco a vida de ninguém. Onde havia dois, eu apenas acrescentei um terceiro. Uma alteração mínima no fluxo do circuito que não implicou aumento na carga sobre o cérebro. Era apenas uma questão de criar palavras com as mesmas letras do alfabeto.

— No entanto, exceto eu, todos os que foram submetidos ao shuffling morreram. Qual a razão disso?

— Nem eu sei — confidenciou o professor. — Você tem razão quando diz que dos vinte e seis calculadores submetidos ao shuffling, vinte e cinco morreram. E todos em circunstâncias idênticas. Deitaram, dormiram e pela manhã estavam mortos.

— Então eu também posso morrer assim amanhã, não? — perguntei.

— As coisas não são tão simples — disse o professor, enquanto se remexia debaixo da coberta. — A morte deles se concentrou em um período de cerca de meio ano. Ou seja, entre um ano e dois meses e um ano e oito meses depois de concluir o experimento. Sem exceção. Só você continua a fazer o shuffling sem problemas passados três anos e três meses. Precisamos acreditar que você é o único que tem uma capacidade especial que os demais não têm.

— Em que sentido seria *especial*?

— Bem, espere um pouco. Depois do shuffling, você teve sintomas estranhos? Por exemplo, alucinações auditivas e visuais ou desmaios?

— Não — respondi. — Nem alucinações auditivas, nem visuais. Mas fiquei muito sensível a determinados odores. Na maioria dos casos, a aromas de frutas.

— Isso foi algo que todo mundo sentiu. O cheiro de certas frutas exerce influência sobre o shuffling. Não sei por quê, mas é assim. No entanto, isso não lhe causou alucinações auditivas e visuais ou desmaios, correto?

— Não — respondi.

— Hum — o professor refletiu por um instante. — Algo mais?

— Faz pouco tempo que percebi que as minhas lembranças ocultas querem voltar. Como até agora não passavam de fragmentos, eu não prestei muita atenção, mas faz alguns instantes que as senti muito nítidas. Sei por quê. Foi o barulho da água. Porém, não foi uma alucinação visual, mas uma memória. Uma memória verdadeira. Não tenho dúvida.

— Aí que você se engana — disse o professor de forma incisiva. — Você talvez sinta como se fossem memórias, mas são na verdade uma ponte artificial que você mesmo criou. Em outras palavras, é natural que haja divergências entre a sua identidade e a consciência que eu montei e implantei em você, e em última análise você tenta formar uma ponte entre essas divergências, de modo a legitimar sua própria existência.

— Não entendo bem. Isso nunca tinha acontecido até hoje. Por que então agora?

— Porque eu alterei a interseção e liberei o terceiro circuito — afirmou o professor. — Mas vamos falar na ordem. Do contrário, vou ter dificuldade de explicar e você de entender.

Peguei o frasco de uísque e tomei mais um gole. Senti que a conversa seria muito mais horrível do que eu tinha previsto.

— Quando os primeiros oito indivíduos morreram um depois do outro, a System me chamou e me pediu para investigar o motivo. Para ser sincero, eu queria me desligar deles por completo, mas como se tratava de uma técnica desenvolvida por mim e tinha gente morrendo, eu não poderia apenas deixar de lado. Seja como for, decidi verificar como estava a situação. Eles me explicaram as circunstâncias de cada morte e os resultados das autópsias cerebrais. Como eu disse há pouco, todos morreram da mesma forma e de causa desconhecida. Não apresentavam lesões no corpo ou no cérebro, porém pararam de respirar enquanto dormiam. Era como se tivessem sofrido eutanásia. Não havia em seus rostos nenhuma marca de agonia.

— Não descobriram a causa mortis?

— Não. Claro, era possível formular hipóteses. Afinal, como oito calculadores tinham morrido após realizar o shuffling, não podia ser só coincidência. Precisávamos adotar medidas. Essa é a obrigação dos cientistas. A função de interseção implantada no cérebro tinha se soltado e entrado em curto-circuito, ou então havia apagado, e o sistema de pensamento se turvou, fazendo as funções cerebrais não suportarem essa energia? Ou, caso não houvesse problema na interseção, a própria liberação do núcleo da consciência, mesmo que por um período curto, não teria sido o problema fundamental? Isso não seria algo insuportável ao cérebro humano?

Ao dizer isso, o professor puxou a coberta até a altura do pescoço e fez uma pausa.

— Essas foram as minhas suposições. Não há provas, mas levando-se em conta tudo o que havia acontecido antes e depois, parecia mais adequado supor que a causa houvesse sido uma delas ou ambas.

— Não foi possível descobrir nem mesmo com as autópsias cerebrais?

— Cérebros não são como torradeiras ou máquinas de lavar. Não há fios ou interruptores visíveis. Como se trata de mudanças no fluxo de descargas elétricas invisíveis, não é possível retirar as interseções para análise depois da morte. É possível detectar anomalias em um cérebro vivo, mas não em um morto. Claro, dava para detectar prováveis lesões ou tumores, mas não havia nenhum. Os cérebros estavam absolutamente limpos.

"Então chamamos os dez sobreviventes ao laboratório para reexaminá-los. Registramos suas ondas cerebrais e alteramos o sistema de pensamento para checar se as interseções funcionavam com perfeição. Fizemos entrevistas detalhadas, perguntando a eles se não sentiam anormalidades físicas, alucinações auditivas ou visuais. No entanto, eles não reportaram nada que pudesse indicar alguma complicação. Todos estavam saudáveis e deram continuidade a seu trabalho sem problemas. Por isso imaginamos que quem tinha morrido devia ter algum defeito congênito no cérebro que o desqualificava para o shuffling. Não sabíamos que tipo poderia ser, mas avançando bem na pesquisa solucionaríamos o caso antes de executar o shuffling em uma segunda geração.

"Entretanto, no final estávamos enganados. Em um mês, mais cinco calculadores, dos quais três haviam sido submetidos a um reexame pormenorizado, tinham morrido. Pessoas que foram avaliadas no reexame e não tinham problemas simplesmente faleceram. Foi um choque imenso para nós. Metade dos vinte e seis calculadores havia morrido de causa desconhecida. Era uma questão mais fundamental do que estarem ou não adaptados! Ou seja, isso significava que o cérebro era incapaz de utilizar de maneira alternada dois sistemas de pensamento. Portanto, propus à System que congelasse o projeto. Deveriam extrair as interseções do cérebro dos sobreviventes e suspender os trabalhos de shuffling. Se não fizessem isso, todos poderiam morrer. No entanto, a System alegou que seria impossível. Minha proposta foi rejeitada."

— Por quê?

— O sistema de shuffling funciona com extrema eficiência e seria impossível na prática voltar à estaca zero naquele momento. Se o fizessem, as funções da System ficariam paralisadas. Além disso, afirmaram que não era possível ter certeza de que todos morreriam e de que os prováveis sobreviventes, se houvesse, poderiam indicar como dar continuidade aos estudos. Nesse ponto me distanciei do caso.

— E apenas eu sobrevivi.

— Exato.

Encostei a nuca na parede de rocha e, enquanto olhava vagamente para o teto, passei a mão pela barba crescida. Não lembrava direito quando teria sido a última vez que me barbeara. Eu devia estar horrendo.

— Então por que eu não morri?

— Sobre isso também só tenho uma hipótese — disse o professor. — Na verdade, estou acumulando suposições. Porém, na minha percepção elas não estão muito longe da realidade. É o seguinte. Você originalmente teria usado um sistema de pensamento múltiplo. Claro que de modo inconsciente. Você mesmo não sabia, mas utilizava duas formas de sua própria identidade. Para usar minha metáfora de há pouco, o relógio no bolso direito da calça e o no bolso esquerdo. Na origem você já possuía sua própria interseção, por isso detinha uma imunidade psicológica. Essa é a minha teoria.

— E ela tem algum fundamento?

— Sim. Há pouco tempo, uns dois ou três meses atrás, eu revisei a conversão em imagens das caixas-pretas, ou seja, o sistema de pensamentos dos vinte e seis calculadores, e percebi uma coisa. O seu conjunto de imagens era o mais coerente. Não havia rupturas e tinha lógica. Resumindo, era perfeito. Poderia muito bem ser usado em um romance ou em um filme. Mas o dos outros era diferente. Todos os conjuntos de imagens eram confusos, turvos, incoerentes e, não importava o de quem eu pegasse, faltava lógica e não se enquadrava bem num todo. Uma sucessão de sonhos interligados, nada mais. Eram completamente distintos do seu. Era uma diferença muito avassaladora, como quando se compara um quadro de um pintor profissional ao de uma criança.

"Refleti bastante sobre quais seriam os motivos, mas só cheguei a uma conclusão. Ou seja, você mesmo as pusera em ordem. Assim, existia dentro da coleção de imagens uma estrutura extremamente nítida. Servindo-me de outra metáfora, você desceu até a *fábrica de imagens* no fundo da sua consciência e criou as imagens com as próprias mãos. Isso sem saber o que fazia."

— É inacreditável! — exclamei. — Como algo assim pode ocorrer?

— Há vários fatores — esclareceu o professor. — Experiências na infância, ambiente familiar, objetivação excessiva do ego, sentimento de culpa... Seja como for, você tem uma tendência extremamente forte de autoproteção. Estou errado?

— É provável — respondi. — E o que vai acontecer se eu for mesmo assim?

— Absolutamente nada! Se não houver nada, você viverá desse jeito por muito tempo — esclareceu o professor. — Porém, é pouco provável que não haja nada. Quer você goste, quer não, sua posição é chave para decidir os rumos dessa guerra despropositada de informações. A System deverá iniciar em breve um segundo projeto, no qual você será usado como modelo. Vai ser analisado de forma detalhada, será feito de gato e sapato. Nem eu sei o que de fato acontecerá. Porém, sem dúvida você vai passar por poucas e boas. Não sei muito sobre o mundo, mas isso eu sei. Adoraria poder ajudá-lo.

— Não acredito! — exclamei. — O senhor não participará mais desse projeto, certo?

— Como já disse várias vezes, não sou do tipo que vende minhas pesquisas para os outros. Também não pretendo fazer parte de algo que não dá para saber se depois poderá causar a morte de muita gente. Muitas coisas me levaram a refletir. Tudo ficou tão complicado que acabei construindo um laboratório no subterrâneo para escapar. O problema é que não só a System, mas até os simbolistas apareceram com a intenção de me usar. Detesto essas grandes organizações. Elas só pensam nos próprios interesses.

— Então por que o senhor tentou me enganar e me chamou para fazer cálculos?

— Eu queria testar minha hipótese antes que a System ou os simbolistas o prendessem e o fizessem passar por esse inferno. Se eu pudesse descobrir a causa, teria evitado que você também sofresse. Nos dados que você calculou estava escondida a chamada para a conversão do terceiro sistema de pensamento. Ou seja, após o segundo, bastaria um ponto para poder operar no terceiro sistema de pensamento.

— Esse é aquele que o senhor visualizou e montou, não é?

— Isso mesmo — assentiu o professor.

— Como isso confirmaria sua hipótese?

— É a questão das divergências — ele explicou. — De maneira inconsciente, você havia apreendido com precisão o seu núcleo da consciência. Por isso, não teve nenhum problema ao usar o segundo sistema de pensamento. Entretanto, como o terceiro circuito foi montado por mim, naturalmente surgem divergências entre os dois. E estas devem provocar uma reação em você. Eu queria medir sua reação a elas. Desse resultado, eu deveria conseguir estimar de modo um pouco mais concreto a força, as características e as causas do que estava confinado em sua consciência.

— E iria conseguir?

— Sim. Contudo, agora tudo acabou se tornando inútil. Os simbolistas se uniram aos tenebrosos e destruíram meu laboratório. Levaram todos os meus documentos. Após terem partido, voltei lá para confirmar. Não deixaram nada de valor. Do jeito que está é impossível medir as divergências. Levaram até as minhas visualizações das caixas-pretas.

— E o que isso tem a ver com o Fim do Mundo? — perguntei.

— Para ser exato, o mundo de agora não vai acabar. Mas vai ter um fim no coração das pessoas.

— Não entendo — falei.

— Em outras palavras, é o seu núcleo da consciência. O que sua consciência descreve é o Fim do Mundo. Não sei por que você escondeu isso aí. Mas, seja como for, as coisas são assim. Dentro da sua consciência o mundo acabou. Ou, colocando de forma inversa, a sua consciência está vivendo em meio ao Fim do Mundo. Ali falta a maior parte das coisas que deveriam existir neste mundo de agora. Não existe tempo nem a amplidão do espaço, nem vida, nem morte, nem o senso de valor no sentido exato da palavra, nem ego. Lá os animais controlam os egos das pessoas.

— Animais?

— Unicórnios — declarou o professor. — Nessa cidade há unicórnios.

— E eles têm a ver com o crânio que o senhor me deu?

— Aquilo é uma réplica que fiz. Um bom trabalho, não acha? Eu a criei com base na sua imagem visual, mas foi um trabalho árduo!

Eu a produzi sem nenhum sentido em particular, apenas por me interessar por frenologia. E lhe mandei de presente!

— Espere um pouco — falei. — Acho que entendi bem que esse mundo existe no fundo da minha consciência. E o senhor o montou em um formato mais preciso e o implantou na minha cabeça como um terceiro circuito. Depois, enviou um sinal de chamada que remetia minha consciência para esse circuito, me fazendo realizar o shuffling. Até aqui está certo, não?

— Está corretíssimo.

— E, quando o shuffling acabou, esse terceiro circuito automaticamente se fechou, fazendo minha consciência voltar ao primeiro circuito.

— Aí você se engana — disse o professor, coçando a nuca. — Se fosse assim, tudo seria simples, mas não. No terceiro circuito não existe uma função de oclusão automática.

— Quer dizer que o meu terceiro circuito continua aberto?

— Bem, pode-se dizer que sim.

— Mas eu agora penso e ajo de acordo com o primeiro circuito!

— Isso porque o segundo está bloqueado. Se dispuséssemos num formato de diagrama, seria um mecanismo como este.

Dizendo isso, o professor retirou do bolso uma folha de papel e uma caneta, fez um desenho e me entregou.

— É o seguinte. Este é o seu estado normal. A interseção A está ligada à entrada 1, enquanto a interseção B está ligada à entrada 2. No entanto, agora está assim.

Ele fez um novo desenho.

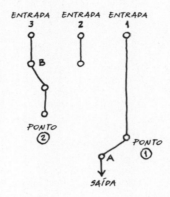

— Entendeu? A interseção B permanece ligada ao terceiro circuito; a A, por conversão automática, está ligada ao primeiro. Isso possibilita que você pense e aja com o primeiro circuito. No entanto, é um estado transitório. É necessário converter rapidamente a interseção B no circuito 2. Porque o terceiro, na verdade, não lhe pertence. Se deixar como está, será gerada uma energia divergente que provocará um curto-circuito na interseção B, mantendo para sempre a ligação ao terceiro, e essa descarga elétrica atrairá a interseção A para o ponto 2, causando também um curto-circuito nessa interseção. Antes que isso aconteça, eu deveria medir essa energia divergente e devolver tudo ao estado original.

— Deveria? — indaguei.

— Agora não sou mais capaz de fazê-lo. Como eu disse há pouco, meu laboratório foi destruído por um bando de idiotas, e meus documentos mais importantes foram levados embora. Por isso, embora lastime muito, não posso fazer nada por você.

— Então, se continuar assim, estou fadado a permanecer para sempre no terceiro circuito, sem conseguir voltar ao que era antes? — perguntei.

— É bem por aí. Você viverá dentro do Fim do Mundo. Sinto muito.

— Sente muito? — falei, atordoado. — Acha que o problema se resolve assim? Para o senhor talvez basta dizer que sente muito, mas o que eu devo fazer, afinal? Foi o senhor quem começou tudo isso, não foi? Isso não é brincadeira! Nunca ouvi algo tão horrível.

— Mas eu não poderia imaginar nem em sonho esse conluio entre simbolistas e tenebrosos! Eles souberam que eu estava começando algo e trataram de pôr as mãos no segredo do shuffling. E provavelmente agora a System também está ciente de tudo. Nós dois somos para ela uma espada de dois gumes. Entende? Os caras sem dúvida acham que nós juntamos forças para criar algo e excluir a System. E é isso que os simbolistas mais querem. Eles armaram para que a System pensasse isso. Para conseguir manter segredo, a System tentaria acabar conosco. Seja como for, nós traímos a System, e eles pretendem nos eliminar, por mais que o sistema de shuffling esteja em um impasse. Somos a pedra angular do primeiro plano de shuffling, e se ambos cairmos nas mãos dos simbolistas, as consequências serão devastadoras. Por outro lado, é isso que os simbolistas buscam. Se fôssemos liquidados pela System, o plano de shuffling seria totalmente encerrado, e se nos aproximássemos deles, não teriam do que reclamar. De todo modo, eles não teriam nada a perder.

— Nossa — exclamei.

Os sujeitos que tinham ido ao meu apartamento para vandalizá-lo e cortar minha barriga eram sem dúvida simbolistas. Tramaram aquela encenação atrapalhada para fazer a System prestar atenção em mim. E eu acabei caindo como um patinho na armadilha deles.

— Então não há nada mais que eu possa fazer, não é mesmo? Serei perseguido tanto pelos simbolistas quanto pela System, e se só cruzar os braços a forma como existo agora vai se extinguir.

— Não, sua existência não terminará. Apenas entrará em outro mundo.

— O que dá no mesmo — falei. — Ouça bem. Sei que sou um ser humano tão insignificante que é preciso uma lupa para me verem. Sempre foi assim. A ponto de eu levar um bom tempo para encontrar o meu próprio rosto na minha foto de formatura da escola. Por não ter família, mesmo se fosse extinto agora, isso não seria um problema para ninguém. Como tampouco tenho amigos, mesmo que desaparecesse ninguém ficaria triste. Estou bem ciente disso. Porém, e por mais estranho que isso possa parecer, estou de certa forma satisfeito com este mundo. Não sei bem por quê. Ou talvez eu tenha vivido contente como dois eus separados, como se fosse uma dupla de stand-up comedy. Não sei. Seja como for, fico mais tranquilo neste mundo. Detesto muita gente que vive aqui, e muita gente também me detesta, mas há algumas pessoas de quem gosto, e quando eu gosto de alguém eu gosto *de verdade*. Não importa se meu afeto é ou não correspondido. É meu jeito de viver. Não desejo ir a lugar algum. Não preciso de imortalidade. Envelhecer é duro, mas não sou o único a passar por isso. Acontece com todo mundo. Não quero unicórnios ou paredes.

— Não são paredes, é uma muralha — corrigiu o professor.

— Seja lá o que for. Paredes, muralha, não preciso delas — revidei. — Posso me zangar um pouco? É algo raro, mas aos poucos senti necessidade de me enfurecer.

— Bem, numa situação como essa é natural — disse o velho, coçando o lóbulo da orelha.

— Antes de mais nada, o senhor é cem por cento responsável por isto. Eu não tenho culpa de nada. O senhor começou, deu continuidade e me envolveu nesta história. Implantou sem permissão circuitos na cabeça das pessoas, fez uma solicitação falsa para me fazer executar um shuffling, me fez trair a System, pôs os simbolistas atrás de mim, me trouxe para este subterrâneo insondável e agora tenta acabar com o meu mundo. Nunca ouvi algo tão execrável. Não acha? Seja como for, me faça voltar a ser o que era.

— Hum — assentiu o velho.

— Ele tem razão, vovô — interveio a moça. — O senhor às vezes fica tão absorvido em si mesmo que nem percebe que está causando transtornos para os outros! Aconteceu o mesmo com aqueles experimentos com pés de pato, não foi? O senhor tem de fazer algo.

— Pensei que estivesse fazendo algo bom, mas lamentavelmente as coisas foram só piorando e piorando — disse o velho com um ar arrependido. — E chegou um momento em que eu já não podia fazer mais nada. Nem eu nem você podemos. As rodas giram cada vez mais rápido, e ninguém consegue fazê-las parar.

— Nossa! — exclamei.

— Mas nesse outro mundo você poderá recuperar o que perdeu neste. O que perdeu e o que está perdendo.

— O que perdi?

— Sim — afirmou o professor. — Tudo o que você perdeu. Está tudo lá.

26
Usina elétrica

Ao concluir a leitura dos sonhos, eu disse à bibliotecária que iria à usina elétrica. O rosto dela se anuviou.

— A usina fica no bosque! — ela disse, enquanto jogava o carvão incandescente no balde com areia.

— Fica na entrada do bosque! — respondi. — O guardião disse que não haveria problema!

— Ninguém sabe o que se passa na cabeça do guardião. Por mais que ele afirme que está na entrada, o bosque é de fato perigoso.

— Vou assim mesmo! Preciso de todo jeito de um instrumento musical.

Quando ela acabou de retirar todo o carvão, abriu a gaveta de baixo do fogareiro e jogou no balde as cinzas brancas que estavam acumuladas ali. Balançou a cabeça várias vezes.

— Eu vou com você — disse ela.

— Por quê? Você não quer chegar perto do bosque, certo? Além disso, eu não tenho intenção de envolvê-la nisso.

— Você não dará conta sozinho! Ainda não tem a noção exata do quanto o bosque é assustador.

Caminhamos rumo ao leste ao longo da margem do rio. O céu estava nublado, mas era uma manhã quente, que evocava a chegada da primavera. Não havia vento, e o barulho da água tinha perdido sua clareza refrescante de sempre, soando um pouco apagado. Após dez ou quinze minutos de caminhada, tirei as luvas e o cachecol.

— Parece que estamos na primavera, não? — falei.

— Verdade. Mas esse calor só vai durar um dia. O inverno logo estará de volta — ela respondeu.

Depois de passar pelas residências espalhadas na margem sul da ponte, o caminho coberto de pedrinhas arredondadas se tornava cada vez mais estreito e lamacento. Do lado direito, a neve branca formava arranhões entre os sulcos das plantações. Do lado esquerdo chorões se alinhavam, com seus ramos macios pendendo sobre a superfície da água. Passarinhos pousavam nos ramos instáveis e, depois de fazê-los balançar várias vezes para se equilibrar, desistiam e voavam até outra árvore. Os raios do sol estavam amenos e gentis. Levantei várias vezes a cabeça para saborear essa tepidez serena. Ela enfiou a mão direita no bolso do próprio casaco e a esquerda no meu. Eu carregava uma pequena maleta na mão esquerda e, com a direita, segurava a mão dela dentro do meu bolso. Na maleta eu levava o nosso almoço e uma lembrança para entregar ao administrador da usina elétrica.

Sem dúvida muitas coisas ficarão mais fáceis quando a primavera chegar, pensei enquanto segurava a mão morna dela. Se meu coração e a minha sombra conseguirem sobreviver ao inverno, devo poder fazer meu coração voltar ao seu estado original. Como disse minha sombra, eu preciso vencer o inverno.

Subíamos o rio devagar, contemplando a paisagem ao redor. Enquanto isso, eu e ela quase não falávamos, não porque não tivéssemos nada para dizer, mas por não ser necessário. A neve branca acumulada pelo terreno, os pássaros com frutos vermelhos no bico, as verduras de inverno no campo, espessas e rígidas, as pequenas poças de água transparente formadas aqui e ali pela corrente do rio, a silhueta da serra coberta de neve: caminhávamos admirando cada coisa, como se para ter certeza. Todos os fenômenos que refletiam em nossos olhos absorviam um calor instantâneo que aparecia de repente e parecia penetrar por todo o corpo. As nuvens que cobriam o céu não tinham um ar opressor, mas nos faziam sentir uma estranha intimidade, como se envolvessem com doçura o nosso pequeno mundo em suas mão macias.

Vimos também a silhueta de animais vagando pela grama seca à procura de alimento. Estavam envoltos em uma pelagem de um tom suave de dourado embranquecido. Seus pelos estavam muito mais compridos e espessos do que no outono, mas, mesmo assim, via-se nitidamente que seus corpos estavam muito mais magros do que antes. Os ossos eram visíveis sob os ombros, como as molas de um sofá velho, e a carne de seu focinho pendia flácida. Os olhos não tinham vitalidade, e as articulações das quatro patas estavam infladas como balões. Apenas o único corno branco que saía da testa não tinha mudado. Como antes, ele apontava com orgulho para o céu.

Os animais formavam grupos de três ou quatro e caminhavam pelos sulcos do campo, indo de um arbusto a outro. Contudo, quase não havia mais frutos nas árvores ou folhas verdes e macias para comer. Nos galhos mais altos ainda restavam alguns, mas os animais não eram altos o suficiente para alcançá-los, por isso procuravam em vão por alguns caídos no chão ou olhavam com tristeza os pássaros os bicarem no topo das árvores.

— Por que os animais não tocam nas plantações? — perguntei.

— É a regra! Por alguma razão que eu mesma não sei — ela disse. — Os animais nunca tocam nos alimentos humanos. Claro, se lhes oferecerem eles comem, mas se não for assim os deixam intocados.

Na margem do rio, alguns animais dobravam as patas da frente para beber a água estagnada. Mesmo com a gente passando bem perto, eles continuavam a beber sem se importar. Na superfície, era nítido o reflexo da silhueta de seus cornos brancos, que pareciam ossos alvos no fundo do rio.

Como dissera o guardião, após uns trinta minutos de caminhada margeando o rio, deparamos com uma estreita senda que dobrava à direita logo depois de atravessar a ponte leste. Era tão estreita e pequena que quase não podia ser vista por quem passasse andando normalmente. Nos arredores já não havia plantações, e apenas ervas altas cresciam ao longo do caminho. Esse prado separava o bosque leste das plantações.

Logo a trilha se tornou uma ladeira e as ervas escassearam. Cada vez mais íngreme, por fim se transformou numa montanha rochosa. Claro, por mais que a chamássemos assim, não era uma rocha abrupta sem ter onde se apoiar. Havia níveis bem demarcados. A rocha macia era relativamente arenosa, e as arestas nos níveis estavam arredondadas de tanto terem sido pisadas. Depois de andar uns dez minutos, chegamos ao topo. Era um pouco mais baixa do que a colina oeste, onde eu morava.

Diferente do lado sul da colina, ali se formava um declive suave. O prado seco continuava um pouco mais, e logo o sombrio bosque leste estendia-se como um mar.

Permanecemos ali sentados por um tempo para recuperar o fôlego e admirar a paisagem ao redor. Do lado leste víamos a cidade, e a vista era muito diferente da usual. O rio desenhava uma espantosa linha reta, sem nenhum banco de areia, com suas águas fluindo como num canal artificial. Na outra margem, o pântano norte continuava e, à sua direita, separado pelo rio, o bosque leste tinha erodido o solo, imprimindo-lhe ares de enclave. À esquerda, onde estávamos, víamos o campo que havíamos atravessado. Até onde a vista alcançava, não havia casas, e a ponte leste também estava deserta e com ar desolado. Apurando o olhar, era possível distinguir o bairro operário e a torre do relógio, mas pareciam ser espíritos disformes, enviados de algum local longínquo.

Após um breve descanso, descemos em direção ao bosque. Na entrada havia um lago raso do qual era possível ver o fundo, e do meio dele despontava uma raiz enorme, ressecada e branca como um osso. Dois pássaros pousados nela nos observavam com atenção. A neve estava dura, e nossos sapatos não deixavam pegadas nela. O longo inverno havia transformado por completo a paisagem no interior do bosque. Não se ouvia nenhum pássaro trinar e não se viam insetos. Apenas as enormes árvores se estendiam em direção ao céu de nuvens sombrias e sugavam sua força vital do mais profundo da terra, que não estava congelado.

Enquanto caminhávamos ali, um som estranho começou a chegar aos nossos ouvidos. Parecia o vento rodopiando no bosque, mas não estava ventando e o barulho era monocórdio e invariável demais para ser isso. Conforme prosseguíamos, o ruído se intensificava e se tornava mais nítido, mas nós não sabíamos o que poderia significar. Ela também nunca tinha ido até perto da usina.

Havia um grande carvalho e atrás dele se via uma praça deserta. No fundo erguia-se um prédio, que parecia ser a usina. Na verdade, nada nele demonstrava se tratar de uma usina elétrica. Era apenas um grande armazém. Não possuía nenhuma instalação especial nem cabos de alta-tensão. O estranho ruído de vento parecia vir do interior daquele prédio de tijolos. Na entrada havia uma sólida porta de ferro, e, na parte mais alta, viam-se algumas pequenas janelas. O caminho terminava nessa praça.

— Essa deve ser a usina elétrica, não? — perguntei.

Porém, a porta da frente parecia trancada, e mesmo juntando nossas forças não conseguimos fazê-la se mover um milímetro sequer.

Decidimos dar uma volta completa no edifício. Era mais comprido no fundo do que na fachada e, assim como na frente, havia na parte superior pequenas janelas alinhadas, e delas ouvia-se escapar aquele estranho som de vento. No entanto, não havia porta. Apenas paredes de tijolos totalmente lisas sem nada que permitisse que fossem escaladas. Elas pareciam iguais à muralha que rodeava a cidade, mas ao se aproximar percebia-se que seus tijolos eram de uma qualidade diferente, mais grosseiros que os da muralha. Também ao tocá-los tinha-se a sensação de aspereza, e aqui e ali faltavam pedaços.

Na parte de trás, havia uma casinha simpática também de tijolos. Apesar de o tamanho ser diferente, lembrava a cabana do guardião, com as mesmas portas e janelas. Na janela, um saco de cereais fazia as vezes de cortina, e uma chaminé negra de fuligem despontava no telhado. Pelo menos se sentia ali um odor de vida humana. Dei três batidas na porta, repeti três vezes, mas sem resposta. Estava trancada.

— A entrada da usina é logo ali — ela disse, pegando a minha mão.

Ao olhar para o local que ela apontava, pude ver na parte de trás do prédio uma pequena entrada, cuja porta de ferro estava aberta.

O som de vento ficou mais intenso quando nos aproximamos da entrada. O interior do edifício era mais escuro do que eu havia imaginado e, apesar de ter posto as mãos sobre os olhos como uma pala, tentando observar algo lá dentro, até eles se acostumarem à escuridão era impossível discernir o que havia ali. Não havia nenhuma lâmpada — era curiosa a ausência de lâmpadas em uma usina elétrica —, e a luminosidade débil que vinha das janelas altas se restringia ao teto. Apenas o ruído do vento dominava o interior.

Como provavelmente ninguém ouviria se eu falasse algo, permaneci de pé na entrada, tirei os óculos escuros e esperei que meus olhos se acostumassem à escuridão. Ela estava atrás de mim, um pouco afastada. Parecia querer evitar ao máximo se aproximar do edifício. O ruído do vento e a escuridão lhe causavam medo.

Por estar habituado a viver no escuro, não demorou muito para meus olhos identificarem a silhueta de um homem parado no centro. Era magro e miúdo. À sua frente se erguia até o teto uma grossa coluna cilíndrica de ferro de uns três ou quatro metros de largura, que o homem observava com atenção. Além dela, não havia mais nada que se assemelhasse a equipamentos ou máquinas: estava tão vazio quanto um picadeiro. O chão estava também coberto de tijolos, como as paredes. Parecia um forno gigante.

Entrei no prédio, deixando-a parada onde estava. Quando cheguei à metade do caminho, o homem notou a minha presença. Sem se mexer, virou apenas o rosto na minha direção e me encarou enquanto eu me aproximava. Era um homem jovem. Talvez alguns anos mais novo que eu. Sua aparência era o exato oposto da do guardião. Tinha pernas, braços e pescoço muito finos, e a tez das faces era pálida. A pele era lisa, quase sem marca de barba, e as entradas do cabelo haviam retrocedido até o ponto mais alto da testa larga. Suas roupas eram asseadas e bem cuidadas.

— Boa tarde — saudei.

Mantendo os lábios firmemente cerrados, ele me olhou e fez uma ligeira mesura.

— Não o incomodo? — perguntei.

Por causa do barulho, fui obrigado a levantar a voz.

Ele balançou a cabeça demonstrando que não estava incomodado e em seguida se virou para mim e apontou para uma janela de vidro do tamanho de um cartão-postal inserida na coluna cilíndrica. Parecia querer me dizer para olhar lá dentro. A janela fazia parte da porta embutida na coluna, que estava bem presa por parafusos. Do outro lado, algo semelhante a um gigantesco ventilador instalado paralelo ao chão girava em velocidade estonteante. Era como se um motor de milhares de cavalos-vapor fizesse girar o eixo. Imaginei que o ventilador girava pela pressão do ar soprado de algum lugar, e a eletricidade era produzida utilizando sua força.

— É vento, não? — perguntei.

O homem balançou a cabeça em sinal afirmativo. Depois, me pegou pelo braço e me conduziu até a entrada. Era cerca de meia cabeça mais baixo que eu. Caminhamos lado a lado até a entrada, como dois bons amigos. Ela estava de pé ali. O jovem lhe fez uma mesura parecida à que tinha feito para mim.

— Boa tarde — ela cumprimentou.

— Boa tarde — ele respondeu.

Ele nos levou até um local onde o ruído do vento quase não chegava. Atrás da cabana havia uma horta. Sentamos um ao lado do outro sobre alguns tocos de árvores.

— Desculpe, mas minha voz não é muito alta — disse o jovem administrador para se justificar. — Está claro que vocês vêm da cidade, não?

Respondi que sim.

— Como podem ver — começou o jovem —, a eletricidade desta cidade é produzida com energia eólica. Nesta área há grandes buracos abertos no solo, e utilizamos o vento que sopra de dentro deles.

Por um tempo o homem se calou e permaneceu observando a horta a seus pés.

— O vento sopra uma vez a cada três dias. Há muitas grutas subterrâneas por aqui. Dentro circulam vento e água. Estou encarregado da manutenção das instalações. Quando não há vento, eu aperto os parafusos do ventilador e executo a lubrificação. Ou cuido para que os interruptores não congelem. E a energia gerada aqui é enviada à cidade por cabos subterrâneos.

Dizendo isso, o administrador olhou o campo ao redor. O bosque se erguia alto como uma muralha. A terra negra da horta tinha sido preparada com cuidado, mas ainda não se viam seus frutos.

— Quando tinha tempo livre, eu desmatava o bosque para expandir a horta. Como vivo sozinho, não consigo fazer nada muito grandioso. Contorno as grandes árvores e escolho sempre que possível locais em que eu seja capaz de fazer algo. É ótimo poder criar algo com as próprias mãos. Quando chegar a primavera, vou colher verduras e legumes. Vocês vieram até aqui em uma visita de estudos?

— Pode-se dizer que sim — afirmei.

— É raro alguém da cidade dar as caras por estas bandas — declarou o administrador. — Ninguém entra no bosque. Exceto, claro, o entregador. Uma vez por semana ele vem deixar alimentos e artigos de uso diário.

— Você sempre morou aqui sozinho? — perguntei.

— Sim, sempre. Há muito tempo. A ponto de detectar qualquer pequeno problema com as máquinas só de ouvir o som que emitem. Afinal, é como se eu conversasse com elas todos os dias. Quando se faz o mesmo trabalho durante muito tempo, você começa a entender. Se a máquina funciona bem, eu também fico tranquilo. E conheço os sons do bosque, que são vários. É como se estivesse vivo.

— Não é difícil viver sozinho no bosque?

— Não entendo bem se é difícil ou não — disse ele. — O bosque está aqui, e eu moro nele. Simples assim. Alguém precisa ficar aqui para cuidar das máquinas. Além disso, eu vivo exatamente na entrada do bosque, não conheço bem seu interior.

— Além de você, existe mais alguém vivendo aqui?

O administrador se pôs a refletir por um tempo, mas por fim assentiu várias vezes com movimentos leves da cabeça.

— Conheço algumas pessoas. São poucas, vivem bem mais no fundo do bosque. Extraem carvão, desmatam as árvores, têm plantações. Porém, encontrei poucos e mesmo assim não são de falar muito. Não sou aceito por eles. Moram no bosque e eu aqui, só isso. Nas profundezas deve haver bem mais gente, mas não sei mais nada. Eu não vou até lá, e eles quase nunca se aproximam da entrada.

— Já viu alguma vez uma mulher? — indagou a moça. — Uma mulher de uns trinta e um ou trinta e dois anos?

O administrador balançou a cabeça.

— Não, nunca vi mulheres. Só homens.

Olhei para ela, mas ela não falou nada além disso.

27

Palito enciclopédico, imortalidade, clipes de papel

— Caramba — exclamei. — Será que não tem jeito mesmo? Pelos seus cálculos, até onde a situação avançou?

— Você se refere ao estado do seu cérebro? — perguntou o professor.

— Lógico — respondi.

A que outro estado eu poderia estar me referindo?

— Até que ponto meu cérebro se deteriorou?

— Segundo os meus cálculos aproximados, a sua interseção B deve ter se dissolvido umas seis horas atrás. Esse termo, óbvio, é usado por conveniência, pois na verdade parte do seu cérebro não se dissolveu. Ou seja...

— O terceiro circuito está definido e o segundo circuito morreu, correto?

— Exato. Por isso, como eu disse há pouco, dentro de você já começaram a surgir pontes de ajuste. Em outras palavras, você começou a produzir recordações. Se me permite utilizar uma metáfora, para fazer face às alterações formais, os cabos que ligam a fábrica de imagens do seu inconsciente e a sua consciência superficial estão passando por um ajuste.

— Isso significa... — disse eu — ... que também a interseção A não está funcionando do jeito certo? Ou seja, há vazamento de informações a partir do circuito do inconsciente?

— Não é bem isso — falou o professor. — Os cabos sempre existiram. Por mais que se fale de uma ramificação do circuito do pensamento, não chega a haver um corte até esses cabos. O mesmo ocorre com a sua consciência superficial, ou seja, o circuito 1 se forma absorvendo a nutrição de seu subconsciente, ou seja, do circuito 2. Esses cabos são tanto as raízes das árvores quanto a terra. Sem eles, o cérebro humano não funciona. Portanto, nós os deixamos no limite mínimo necessário e num grau que evite vazamentos ou contracorrentes desnecessários se estiver num estado normal. A propósito, devido à dissolução da interseção B, a energia da descarga elétrica por ela produzida provocou um choque anormal nesses cabos. E o seu cérebro, surpreso, iniciou os trabalhos de ajuste.

— Então essa produção de novas recordações continuará a todo vapor daqui em diante?

— É o que se espera que aconteça. Colocando de uma forma simples, é algo como um déjà-vu, uma paramnésia. O princípio é praticamente o mesmo. Essa produção deve continuar por um tempo. E, por fim, isso se voltará a uma reestruturação do mundo baseada nessas novas recordações.

— Reestruturação do mundo?

— Sim. No momento você está se preparando para se transferir para outro mundo. Por isso, o que você vê agora também irá mudar aos poucos para se ajustar a essa realidade. Isso é a percepção. O mundo muda dependendo da nossa percepção. Ele existe sem dúvida aqui, deste jeito. Porém, visto de um prisma fenomenológico, não passa de uma entre infinitas possibilidades. Para ser mais preciso, o mundo muda dependendo de se você dá um passo à direita ou à esquerda. Não é estranho que se altere dependendo das mudanças nas recordações.

— Soa como um sofisma, não? — falei. — É extremamente conceitual. O senhor não está considerando a temporalidade. O verdadeiro problema é que tudo isso só existe em um paradoxo temporal.

— Num certo sentido, de fato isso é um paradoxo temporal! — esclareceu o professor. — Você cria um mundo paralelo individual com base nas recordações que produz.

— Então esse mundo que estou vivenciando se desvia gradualmente do meu mundo original?

— Ninguém sabe ao certo nem deve ser possível prová-lo. Porém, eu apenas afirmo que não se pode simplesmente negligenciar essa possibilidade! Claro, não me refiro a um mundo paralelo extremo como o dos livros de ficção científica. O problema é apenas no nível do conhecimento. A forma do mundo percebida conforme sua percepção. Creio que essa forma esteja variando em diversos planos.

— E após essas mudanças a interseção A se alterará, um novo mundo surgirá e eu viverei nele? E não posso nada fazer para evitar essa transformação a não ser esperar sentado por ela?

— Exato.

— Esse mundo continuará para sempre?

— Para sempre — disse o professor.

— Não entendo — falei. — Por que *para sempre*? O corpo tem limites. Se o corpo físico morre, o cérebro também morre. E, assim, a consciência finda. Não?

— Você se engana. O pensamento é atemporal. Essa é a diferença entre o pensamento e o sonho. O pensamento pode ver tudo em um instante. Pode também experimentar a eternidade. Pode instalar um circuito fechado e permanecer dando voltas e mais voltas. Isso é o pensamento. Ao contrário dos sonhos, não é interrompido. Parece um palito enciclopédico.

— Um palito enciclopédico?

— É uma brincadeira teórica pensada por um cientista. Baseia-se na hipótese de que é possível gravar uma enciclopédia em um palito de dentes. Sabe como?

— Não faço ideia.

— É muito simples. Basta converter todas as informações, ou seja, o texto da enciclopédia, em números. Cada letra é transformada em um número de dois dígitos. Converte-se o A em 01, o B em 02, e assim sucessivamente. Já 00 é um espaço em branco, e da mesma forma pontos e vírgulas são transformados em números. Na frente de cada fileira, colocamos um ponto decimal. Dessa forma, teremos uma fração decimal terrivelmente longa. Por exemplo, 0,1732000631... Em seguida, grava-se um ponto no palito correspondendo exatamente a esse número. Ou seja, a parte correspondente a 0,50000... estaria bem no meio do palito, enquanto 0,3333... seria um ponto a um terço da extremidade. Entende?

— Sim.

— Desse jeito, qualquer informação, por mais longa que seja, pode ser gravada em um ponto do palito. Claro, isso é apenas em teoria, na prática é impossível. Com a tecnologia atual não seria possível gravar pontos tão precisos. Mas você consegue compreender a natureza do pensamento, correto? O tempo é o comprimento do palito. O volume das informações inseridas não tem relação com o comprimento do palito. É possível ser tão extenso quanto se desejar. Pode-se chegar próximo ao infinito. As dízimas periódicas podem continuar para sempre. Não terminam. Entende? O problema está no software. Não tem nenhuma relação com hardware. Seja um palito, uma tábua de duzentos metros de comprimento ou a linha do Equador, não tem relação. Mesmo se o seu corpo morrer e se decompuser, e se sua consciência ficar arruinada e desaparecer, seu pensamento captado em um ponto num instante anterior continuará a se dividir pela eternidade. Lembre-se do antigo paradoxo: "A flecha que voa está parada". A morte do corpo físico é essa flecha. Ela voa descrevendo uma linha reta visando ao cérebro. Ninguém consegue evitá-la. As pessoas um dia morrem, o corpo físico sem dúvida se extingue. O tempo faz a flecha avançar. Porém, como eu disse há pouco, o pensamento continua a dividir o tempo de modo infinito. Por isso, esse paradoxo é concretizado na realidade. A flecha não alcança seu alvo.

— Ou seja, é imortal — concluí.

— Exato. O ser humano que entrou no pensamento é imortal. Não exatamente imortal, mas próximo a uma imortalidade infinita. A vida eterna.

— O verdadeiro objetivo da sua pesquisa seria esse?

— Não, não — negou o professor. — De início eu não havia percebido isso. Comecei a pesquisa apenas por um leve interesse. Porém, à medida que avançava, acabei deparando com esse fato. E descobri. O ser humano não alcança a imortalidade ao expandir o tempo, mas ao dividi-lo!

— E o senhor me arrastou para esse mundo da imortalidade, correto?

— Não, foi um mero acidente. Não tive a intenção. Acredite, por favor. É verdade. Não premeditei que acabaria assim. Porém, agora não tenho escolha. Só há um jeito de fazer você escapar do mundo da imortalidade.

— Que jeito seria esse?

— Morrer agora — disse o professor em um tom pragmático. — Morrer antes que a interseção A se conecte. Assim, nada restaria.

Um silêncio profundo dominou o interior da caverna. O professor pigarreou, a moça obesa suspirou, eu peguei o uísque e tomei um gole. Ninguém falou nada.

— Que tipo de mundo seria? — perguntei. — Esse mundo imortal...

— Como eu falei — disse o professor —, um mundo pacífico, criado por você, o seu mundo. Nele você pode ser você mesmo. Há de tudo e, ao mesmo tempo, não tem nada. Consegue imaginar um mundo assim?

— Não.

— Foi o seu subconsciente que o criou. Não é qualquer um que pode fazer isso. Algumas pessoas são obrigadas a errar para sempre por um mundo incoerente, caótico e contraditório. No entanto, você é diferente. É alguém adequado à imortalidade.

— Quando ocorrerá a transformação desse mundo? — perguntou a moça obesa.

O professor olhou o relógio. Eu também olhei o meu. Eram seis e vinte e cinco. Já tinha amanhecido por completo. A distribuição do jornal matutino havia terminado.

— Segundo meu cálculo estimado, daqui a vinte e nove horas e trinta e cinco minutos — declarou o professor. — Talvez com uma margem de erro de cerca de quarenta e cinco minutos para mais ou para menos, mas não devo estar enganado. Para ficar mais fácil de compreender, programei a mudança para o meio-dia. Amanhã ao meio-dia.

Balancei a cabeça. *Para ficar mais fácil de compreender?* Tomei mais um gole de uísque. No entanto, por mais que bebesse, não sentia nenhum efeito do álcool no meu corpo. Nem sequer sentia o gosto da bebida. Era uma sensação estranha, como se o meu estômago tivesse se petrificado.

— O que você pretende fazer daqui em diante? — perguntou a moça, pousando a mão sobre o meu joelho.

— Não sei — respondi. — Mas, seja como for, quero subir à superfície. Detesto ter de ficar neste lugar esperando algo acontecer. Vou sair para um mundo ensolarado! Depois penso no próximo passo.

— Minha explicação foi suficiente? — perguntou o professor.

— Sim, obrigado — agradeci.

— Você deve estar bravo.

— Um pouco — afirmei. — Mas de nada adianta me aborrecer e, como tudo é tão fora do normal, ainda não consigo digerir bem. Talvez com o passar do tempo eu me enfureça mais. Quando chegar esse momento, já devo ter morrido neste mundo.

— Eu não tinha a intenção de dar uma explicação tão detalhada — admitiu o professor. — As coisas poderiam terminar sem que você estivesse ciente delas. E teria sido mais fácil em termos psicológicos. Mas você não vai morrer! Apenas a sua consciência desaparecerá para sempre.

— O que dá no mesmo — falei. — Mas, seja como for, eu desejava saber como seria. Afinal, diz respeito à minha vida. Não quero que apertem o interruptor sem que eu saiba. Quero eu mesmo tomar conta de mim. Mostre-me a saída, por favor.

— Saída?

— O local por onde podemos ir à superfície.

— Você não se importa que seja demorado e que precise passar bem próximo ao covil dos tenebrosos?

— Não. A partir deste ponto, nada mais me apavora.

— Tudo bem, então — falou o professor. — Ao descer esta montanha você chegará à água. Ela agora está serena e é possível nadar com facilidade. Siga na direção sul-sudoeste. Eu a indicarei com a lanterna. Nadando em linha reta, você verá uma pequena abertura um pouco acima do nível da água na parede na outra margem. Passando por ela você chega à rede de esgoto. Ela conduz em linha reta aos túneis do metrô.

— Metrô?

— Isso mesmo. Bem entre as estações Gaienmae e Aoyama-Itchome, da linha Ginza.

— Por que está ligada ao metrô?

— Porque os tenebrosos controlam toda a rede de metrô. Não durante o dia, mas à noite. As obras do metrô de Tóquio estenderam demais o campo de ação dos tenebrosos. Criaram vias de acesso. Às vezes eles atacam operários da manutenção e os devoram!

— E por que as pessoas não sabem nada sobre isso?

— Se esses fatos viessem à tona, seria o caos. Quem iria trabalhar no metrô? Quem andaria de metrô? Claro, as autoridades sabem disso e aumentaram a espessura das paredes, taparam buracos, instalaram lâmpadas mais claras e um sistema de vigilância. Mas ações tão insignificantes não são suficientes para deter os tenebrosos. Em apenas uma noite eles derrubam paredes e cortam os cabos elétricos com os dentes.

— Se a saída está localizada entre as estações Gaienmae e Aoyama-Itchome, onde estamos agora?

— Acho que estaríamos bem abaixo da avenida Omotesando, perto do Santuário Meiji... Não sei ao certo. Seja como for, só há um caminho. É estreito e com várias curvas, demorado, mas não há risco de se perder. Primeiro você deve seguir daqui para Sendagaya. Tenha em mente que o covil dos tenebrosos está localizado um pouco antes do Estádio Nacional. Nesse ponto, o caminho dobra para a direita em direção ao estádio de beisebol Jingu, e de lá você sai na linha Ginza, na avenida Aoyama, perto da Pinacoteca. Até chegar à saída deve dar quase duas horas. Entendeu em linhas gerais?

— Entendi.

— Atravesse o mais rápido que puder o covil dos tenebrosos. Se ficar vagando à toa por ali você pode se dar mal. Além disso, tome cuidado com o metrô. Há cabos de alta-tensão e os trens passam sem parar. Afinal, é hora do rush. Seria o fim da picada conseguir sair daqui e ser atropelado por um trem.

— Tomarei cuidado — prometi. — A propósito, o que o senhor vai fazer a partir de agora?

— Torci o pé e, se sair agora, a única coisa que acontecerá é a System e os simbolistas virem atrás de mim. Vou ficar escondido aqui por um tempo! Ninguém virá me procurar. Felizmente vocês me trouxeram alimento. Não como muito e posso viver com o que tenho agora por três ou quatro dias — disse o professor. — Por favor, vá primeiro. Não se preocupe comigo!

— E o que fazemos com o dispositivo para espantar os tenebrosos? Precisarei de dois deles até chegar à saída, e o senhor ficaria sem nenhum.

— Leve minha neta junto — pediu o professor. — Depois, ela voltará e se encarregará de mim.

— É uma boa solução — disse a neta.

— Mas e se algo acontecer? Se você for pega ou algo assim?

— Eles não vão me pegar — ela garantiu.

— Não há com o que se preocupar — disse o professor. — Apesar da pouca idade, esta menina tem garra. Confio nela. Além disso, não é que eu não tenha como me safar se algo acontecer. Na verdade, com uma pilha seca, água e uma placa metálica fina posso afastar os tenebrosos. O princípio é bem simples, e embora não tenha uma eficácia tão forte quanto a do dispositivo, como estou familiarizado com as vantagens do terreno, consigo repeli-los. Lembra que espalhei pedacinhos de metal por todo o caminho? Os tenebrosos os odeiam. O efeito infelizmente só dura quinze ou vinte minutos.

— Esses pedacinhos de metal são os clipes de papel? — perguntei.

— Isso mesmo. São os mais adequados. São baratos, ocupam pouco espaço, se magnetizam de imediato e é possível formar um colar com eles e botar no pescoço. Não há nada tão fantástico.

Peguei do bolso do casaco um punhado de clipes e os entreguei ao professor.

— Devem bastar, não?

— Ora, ora — disse o professor, espantado. — Vão ser de grande ajuda. Na verdade, eu deixei cair um pouco demais pelo caminho e estava pensando que não seriam suficientes. Você é mesmo perspicaz. Nem sei como agradecer. É raro alguém com a sua inteligência.

— Vô, precisamos ir — advertiu a neta. — Não temos muito tempo.

— Cuidem-se — disse o professor. — Os tenebrosos são traiçoeiros.

— Não se preocupe. Voltarei direitinho — ela prometeu, dando um leve beijo na testa do avô.

— E, quanto a você, no final das contas agi de forma realmente lamentável — disse o professor, voltando-se para mim. — Se pudesse, eu trocaria com prazer de lugar com você. Já gozei bastante os prazeres da vida e não há nada de que me arrependa. Para você ainda é muito cedo. Foi tudo tão repentino que nem pôde preparar seu espírito. Sem dúvida há muitas coisas que ainda deseja fazer neste mundo.

Assenti calado.

— Mas por favor não se apavore mais que o necessário — ele prosseguiu. — Não há o que temer. Veja bem, não se trata de morte. É a vida eterna. E nela você se tornará você mesmo. Comparado a isso, o mundo de agora não passa de uma falsa ilusão. Não se esqueça.

— Bem, vamos — eu disse, segurando o braço da moça.

28

O instrumento musical

O jovem administrador da usina elétrica nos levou até a sua cabana. Ao entrar, verificou se o fogareiro estava aceso, dirigiu-se à cozinha com uma chaleira de água quente e preparou um chá. O frio do bosque nos deixara gelados, e ficamos agradecidos por beber algo quente. Enquanto isso, o ruído do vento prosseguia sem cessar.

— Recolho no bosque a erva para este chá — explicou o administrador. — Eu a deixo secar à sombra durante todo o verão. Assim, posso tomar chá ao longo do inverno. É nutritiva e aquece o corpo.

— É uma delícia — a bibliotecária falou.

Era aromática e tinha um sabor levemente adocicado.

— São folhas de qual planta? — perguntei.

— Olha, eu não sei o nome — disse o rapaz. — Cresce no bosque. Como é aromática, experimentei usá-la para fazer chá! É uma erva verde baixa que floresce por volta de julho. Nessa época, eu retiro as folhas curtas e as ponho para secar. Os animais adoram comer as flores dessa planta.

— Os animais aparecem por aqui? — eu quis saber.

— Sim, até o início do outono. Com a chegada do inverno, deixam de se aproximar do bosque. Quando faz calor, alguns vêm em grupo e brincam comigo. Costumo dividir minha comida com eles. Mas, no inverno, mesmo sabendo que aqui terão alimento, eles não se aproximam do bosque. Por isso, nessa estação fico completamente sozinho.

— O que acha de almoçarmos juntos? — ela sugeriu. — Trouxe sanduíches e suco suficientes para mais de duas pessoas. O que diz?

— Fico agradecido — falou o administrador. — Faz tempo que não como nada preparado por outra pessoa. Tenho um cozido de cogumelos do bosque. Querem provar?

— Adoraríamos — respondi.

Nós três comemos os sanduíches e o cozido de cogumelos, e depois da refeição mordiscamos frutas e bebemos chá. Quase não conversamos enquanto comíamos. O ruído do vento cruzava o cômodo como água cristalina, preenchendo o silêncio. O tilintar de facas e garfos se chocando contra os pratos se misturava ao barulho, criando um eco surreal.

— Você nunca sai do bosque? — perguntei ao administrador.

— Nunca — ele respondeu, balançando a cabeça. — É a regra. Devo permanecer sempre aqui administrando a usina elétrica. Talvez um dia alguém venha me substituir. Só não sei quando. Se isso acontecer, eu também poderei sair do bosque e voltar à cidade. Mas até lá é impossível. Não posso dar um passo sequer para fora daqui. Devo ficar esperando pelo vento que vem a cada três dias.

Eu assenti e tomei o resto do chá. Não tinha passado muito tempo desde que o vento começara. O som continuaria ainda por duas horas ou duas horas e meia. Quando se ouvia com atenção, parecia que seu corpo era aos poucos puxado em direção a ele. Imaginei como deveria ser triste permanecer sozinho na usina elétrica deserta, ouvindo aquele barulho.

— A propósito, vocês não vieram apenas para uma visita de estudos, não? — perguntou o jovem. — Porque, como eu disse há pouco, as pessoas da cidade não costumam dar as caras por aqui.

— Viemos à procura de um instrumento musical — respondi. — Disseram-nos que você saberia onde encontrar.

Ele assentiu várias vezes e por um tempo contemplou os talheres em cima do prato.

— Aqui temos alguns instrumentos musicais. São antigos e não sei dizer se podem ou não ser usados, mas se houver algum em bom estado pode levá-lo. Eu não toco nada. Só os arranjo e admiro. Quer dar uma olhada?

— Se você permitir, sim — disse eu.

Ele arrastou a cadeira e se levantou; eu o imitei.

— Por aqui, por favor. Eles decoram o meu quarto — explicou.

— Vou ficar aqui arrumando a louça e preparando um café — disse a moça.

O administrador abriu a porta que dava para o dormitório, acendeu a luz e me convidou a entrar.

— É aqui — anunciou.

Havia vários tipos de instrumentos enfileirados na parede. Eram em sua maioria instrumentos de corda que, de tão velhos, poderiam ser chamados de antiguidades. Bandolins, violões, violoncelos e uma pequena harpa. A maioria das cordas estava avermelhada de ferrugem, rompida ou simplesmente não existia. Naquela cidade seria impossível encontrar substitutas para elas.

Havia no meio deles um instrumento que eu nunca tinha visto. Era de madeira, no formato de uma tábua de lavar roupa, com uma fileira de saliências metálicas que pareciam unhas. Eu o peguei e tentei tocá-lo, mas nenhum som saiu. Havia também alguns tambores pequenos. Cada um tinha uma pequena baqueta, mas parecia impossível tocar qualquer melodia. Havia também um instrumento de sopro que lembrava um fagote, mas não parecia estar em bom estado.

O administrador se sentou na pequena cama de madeira e me observou enquanto eu examinava os instrumentos um por um. A colcha e o travesseiro estavam limpos, e a cama, bem-arrumada.

— Há algum utilizável? — ele quis saber.

— Não sei ao certo — respondi. — São todos muito velhos. Vou tentar tocá-los!

Ele se levantou da cama, foi até a porta e voltou depois de fechá-la. Como não havia janela no quarto, com a porta fechada o ruído do vento diminuiu.

— Você não acha estranho que eu tenha juntado esses objetos? — perguntou o administrador. — Nesta cidade ninguém se interessa por esse tipo de coisa. As pessoas daqui não se interessam por *coisas*. Lógico que elas têm os objetos necessários para o dia a dia. Panelas, facas, lençóis, roupas. Mas isso é suficiente. Contentam-se com o que tem utilidade. Ninguém deseja mais que isso. No entanto, eu não sou assim. Tenho muito interesse por essas coisas. Nem eu mesmo entendo a razão. Porém, sou fascinado por elas. Objetos de formas elaboradas, objetos bonitos.

Ele apoiou uma das mãos no travesseiro e enfiou a outra no bolso da calça.

— Por isso, para dizer a verdade, eu gosto desta usina elétrica
— ele prosseguiu. — O ventilador, os vários medidores, os transformadores. Sempre tive essa predisposição dentro de mim, e talvez por
isso tenham me enviado para cá. Ou talvez essa tendência tenha se
formado depois que vim viver aqui sozinho. Cheguei muito tempo
atrás e já esqueci completamente como era minha vida antes disso.
Então às vezes acho que nunca voltarei para a cidade. Enquanto tiver
essa predisposição, a cidade jamais vai me aceitar.

Peguei um violino que tinha apenas duas cordas e tentei tocar.
Fez-se um staccato surdo.

— De onde pegou esses instrumentos? — perguntei.

— De vários lugares — ele replicou. — Pedi ao entregador de
alimentos para reuni-los para mim. Às vezes esses instrumentos antigos estão enfiados nos armários de casas ou galpões. A maior parte
acabou servindo de lenha por não ter utilidade, mas ainda restam uns
poucos. Pedi que ele me trouxesse os que encontrasse. Todos têm um
bom formato. Não sei tocar nem tenho vontade, mas posso sentir
sua beleza apenas ao admirá-los. São complexos, mas não há nada de
supérfluo neles. Sempre me sento aqui absorto. Só isso já me satisfaz.
Acha essa minha maneira de sentir esquisita?

— Os instrumentos musicais são muito bonitos — concordei.
— Não vejo nada de estranho!

Meus olhos pousaram sobre um acordeão caído entre um violoncelo e um tambor. Do tipo antigo, tinha botões no lugar do teclado.
O fole estava rígido e aqui e ali apresentava finas rachaduras, mas à
primeira vista o ar não parecia escapar. Passei as mãos pelas correias
laterais e procurei estender e contrair o fole várias vezes. Tive de fazer
mais força do que esperava, mas se as teclas funcionassem seria possível usá-lo. Contanto que o ar não escape, um acordeão é o tipo de
instrumento que raramente apresenta defeito, e mesmo vazando ar é
possível repará-lo com relativa facilidade.

— Posso tentar tocar? — perguntei.

— Por favor, fique à vontade. Ele foi feito para isso — respondeu o jovem.

Enquanto estendia e contraía o fole para a esquerda e para a direita, procurei apertar as teclas na ordem, a partir da de baixo. Entre

elas, havia algumas que emitiam apenas um som muito baixo, mas a princípio reproduziram a escala musical. Voltei a apertar as teclas, dessa vez de cima para baixo.

— Que estranho, não? — disse o rapaz, curioso. — Os sons parecem mudar de cor.

— Ao apertar os botões, emitem-se sons de diversos comprimentos de onda — expliquei. — São todos diferentes. Dependendo do comprimento, há sons que se combinam entre si, outros não.

— Não entendo bem sobre essas combinações ou a falta delas. O que significam? Um tipo de ajuste entre os sons?

— Mais ou menos — falei.

Procurei tocar um acorde adequado. Mesmo sem sair de maneira exata, o intervalo musical não estava de todo dissonante. Porém, não pude me lembrar de nenhuma canção. Apenas de alguns acordes.

— Esse som está correto, não?

Respondi que sim.

— Não entendo bem — ele falou. — Tem uma ressonância estranha, só isso. É a primeira vez que ouço um som parecido. Não sei explicar. É diferente do barulho do vento ou do trinado dos pássaros.

Ao dizer isso, ele pôs as mãos sobre os joelhos e alternava o olhar entre o acordeão e o meu rosto.

— Seja como for, eu lhe dou esse instrumento de presente. Fique com ele pelo tempo que desejar. O melhor é que seja utilizado por alguém que saiba como fazê-lo. De nada adianta tê-los comigo — explicou, e por um tempo se pôs a escutar o barulho do vento. — Vou dar mais uma olhada no funcionamento das máquinas. Preciso inspecioná-las a cada meia hora. Se o ventilador está girando bem, se os transformadores operam sem problemas. Enquanto isso, poderia esperar no cômodo ao lado?

Depois que o jovem saiu, voltei para o cômodo que conjugava sala de jantar com sala de estar e bebi o café que a bibliotecária tinha feito.

— Isso aí é um instrumento musical? — ela perguntou.

— É um tipo de instrumento — respondi. — Existem vários tipos, cada um faz um som diferente.

— É exatamente como um sanfonado.

— O princípio é o mesmo.

— Posso tocar?

— Claro — disse e lhe entreguei o acordeão.

Ela o recebeu e o olhou fixamente, tratando-o com todo o cuidado, como se fosse um filhotinho frágil.

— É um objeto estranho — ela sorriu apreensiva. — Mas que ótimo que você conseguiu um instrumento. Está contente?

— Valeu a pena vir até aqui.

— Sabia que aquele homem não conseguiu se livrar bem da sua sombra? Embora seja pouco, ainda resta algo dela nele — ela me confidenciou, num sussurro. — Por isso ele está aqui. Não tem um coração forte o suficiente para seguir até as profundezas do bosque e tampouco pode voltar à cidade. Tenho muita pena dele, coitado.

— Você acha que a sua mãe também está no bosque?

— Talvez sim, talvez não — disse ela. — Na verdade, não sei dizer. Só imaginei isso de repente.

O jovem voltou à cabana sete ou oito minutos mais tarde. Agradeci pelo instrumento musical, abri a mala e tirei dali alguns presentes, que deixei sobre a mesa. Um pequeno relógio de viagem, um jogo de xadrez e um isqueiro a óleo. Eu os tinha encontrado dentro das bolsas na sala de documentação.

— São em agradecimento pelo acordeão. Aceite, por favor — pedi.

O jovem de início recusou com veemência, mas por fim aceitou os presentes. Ele analisou o relógio, o isqueiro e cada peça do jogo de xadrez.

— Sabe como usá-los? — perguntei.

— Não se preocupe. Não há necessidade — ele afirmou. — São tão lindos que para mim é suficiente admirá-los, e com o tempo acabarei descobrindo por mim mesmo como utilizá-los. Seja como for, tempo é o que não me falta.

Falei que já estava na hora de partirmos.

— Mas por que a pressa? — ele disse, com ar triste.

— Quero voltar à cidade antes de o sol se pôr e dormir um pouco antes de começar a trabalhar — expliquei.

— Sim, claro — falou o jovem. — Compreendo. Vou levá-los até a entrada. Na verdade, gostaria de acompanhar vocês até a saída do bosque, mas como estou trabalhando não posso me afastar.

Nós três nos despedimos do lado de fora da cabana.

— Por favor, voltem outro dia. Espero poder ouvir o som desse instrumento — disse ele. — Vocês são sempre bem-vindos.

— Obrigado — agradeci.

À medida que nos afastávamos da usina elétrica, o ruído do vento foi aos poucos reduzindo, até que sumiu por completo quando nos aproximamos da saída do bosque.

29
O lago, Masaomi Kondo, meia-calça

Eu e a moça obesa reduzimos nossas bagagens ao mínimo possível para que não molhassem enquanto estivéssemos nadando. Depois de embrulhar tudo em camisetas de reserva, as fixamos sobre nossas cabeças. Estávamos ridículos, mas não havia tempo nem mesmo para rir disso. Como havíamos deixado para trás mantimentos, uísque e equipamento desnecessários, era pouca coisa. Eu levava comigo apenas a lanterna, um suéter, sapatos, carteira, navalha e o dispositivo antitenebrosos. A dela não era muito diferente da minha.

— Tomem cuidado — reforçou o professor.

Em meio à semiescuridão, ele parecia mais envelhecido do que na primeira vez que eu o vira. Sua pele estava sem viço; os cabelos, desgrenhados como plantas cultivadas em um local inadequado, e havia manchas marrons salpicadas pelo seu rosto. Visto dessa forma, parecia apenas um velho cansado. Cientista genial ou não, o destino de todo mundo é envelhecer e morrer.

— Adeus — ele se despediu.

Envoltos pela escuridão, descemos a corda até chegar à água. Fui na frente e ao terminar a descida fiz um sinal com a lanterna para ela vir. Era desagradável e não me atraía ter de entrar na água no escuro, mas obviamente eu não tinha escolha. Coloquei primeiro um pé na água e imergi até os ombros. Não havia nada de errado com a água além de estar gelada. Era bastante comum. Não parecia estar misturada a nada e sua densidade era normal. O entorno estava calmo, como o fundo de um poço. Não se sentia nenhum movimento no ar, na água ou na escuridão. Só o som que nossos passos faziam ao chapinhar a água reverberava, ampliado inúmeras vezes em meio ao breu. Era como se um animal marinho gigantesco mastigasse sua presa. Só depois de estar dentro da água percebi que me esquecera por completo de pedir ao professor para tratar da dor do meu ferimento.

— Não tem nenhum daqueles peixes com garras nadando por aqui, né? — perguntei, olhando para onde ela deveria estar.

— Não — disse ela. — Talvez. Aquilo não passa de uma lenda!

Mesmo assim, eu não conseguia tirar da cabeça que de repente um peixe gigantesco subiria das profundezas e estraçalharia minha perna com os dentes. A escuridão fomenta muitos medos.

— E sanguessugas?

— Hum, provavelmente não — ela respondeu.

Nadamos devagar para contornar a torre, presos um ao outro pela corda e tomando cuidado para não molhar nossos pertences. Na parte de trás, deparamos com a luz da lanterna do professor. Ela atravessava as trevas em linha reta, como o feixe de luz oblíquo de um farol, tingindo de amarelo um ponto na água.

— Devemos seguir sempre naquela direção! — ela explicou.

Ou seja, era preciso sobrepor a luz de nossas lanternas à que havia sobre a superfície da água.

Nadei à frente, com ela me seguindo. O som das minhas braçadas se alternava ao das braçadas dela. Por vezes parávamos e olhávamos para trás para confirmar a direção e ajustar o trajeto.

— Cuidado para não molhar as coisas — disse ela, enquanto nadava. — Senão o dispositivo ficará inutilizado!

— Não se preocupe — repliquei.

Porém, para falar a verdade, eu precisava de um enorme esforço para não deixar meus pertences se molharem. Por estar tudo envolto na escuridão, não sabia nem mesmo onde ficava a superfície da água. A ponto de às vezes não discernir nem mesmo onde estavam minhas mãos. Enquanto nadava, lembrei-me de Orfeu, obrigado a atravessar o rio do submundo para chegar ao reino dos mortos. Existem incontáveis religiões e mitos, mas todo mundo costuma pensar o mesmo da morte. Orfeu atravessa a barco o rio das trevas. E eu nadava com minhas coisas presas à cabeça. Nesse sentido, os gregos da Antiguidade eram mais espertos que eu. Eu me preocupava com meu corte, mas de nada adiantaria me inquietar. Felizmente não sentia tanta dor, talvez devido à tensão, e não era um ferimento tão grave a ponto de eu morrer se os pontos abrissem.

— É verdade que você não está tão bravo com o meu avô? — perguntou a moça.

Por causa da escuridão e do eco, eu não conseguia dizer de onde vinha a voz ou a que distância ela estava.

— Não sei! Nem eu mesmo entendo — gritei para onde achei que ela estaria. Mesmo o som da minha voz chegou até mim vindo de uma direção estranha. — Enquanto ouvia a conversa do seu avô, percebi que eu estava indiferente a tudo isso.

— Indiferente?

— Minha vida não é lá essas coisas, nem meu cérebro.

— Mas você disse que estava satisfeito com sua vida!

— Foi da boca para fora — admiti. — Um exército precisa de uma bandeira.

Por um tempo a moça refletiu sobre o que eu tinha dito, e enquanto isso nadamos calados. Um silêncio profundo e compacto como a própria morte dominou o lago subterrâneo. *Onde estará o peixe?*, pensei. Comecei a acreditar que aquele ser asqueroso dotado de garras deveria existir de verdade em algum lugar. Estaria adormecido no fundo da água? Ou nadando em círculos em alguma gruta? Ou, pressentindo nossa presença, vinha agora em nossa direção? Senti arrepios só de imaginar a sensação das garras arranhando minha perna. Mesmo que eu morra ou desapareça em um futuro próximo, preciso evitar ser devorado por um peixe em um local tão miserável. Se vou morrer, que seja à luz do sol. Por causa da água fria, meus braços estavam pesados e exaustos, porém eu continuava a nadar com uma força desesperadora.

— Mas você é uma ótima pessoa — elogiou a moça.

Sua voz não denotava nenhum cansaço. Soava calma, como se estivesse imersa numa banheira.

— São poucas as pessoas que acham isso — falei.

— Eu acho.

Enquanto nadava, eu me virei. A luz da lanterna do professor já estava bem distante, mas minhas mãos ainda não haviam tocado as rochas, que eram nosso objetivo. *Por que diabos está tão longe?*, pensei, consternado. Se era tão distante, ele poderia ter nos avisado. Pelo menos eu teria nadado sabendo disso. O que teria acontecido com o peixe? Será que ainda não se dera conta da minha existência?

— Não pretendo defender meu avô — disse a moça. — Mas ele não fez por mal. É só que, quando está concentrado em algo, não consegue enxergar o que há em volta. Tudo isso começou com a melhor das intenções! Ele pretendia salvá-lo, esclarecendo do jeito dele o mistério antes de você ser feito de gato e sapato pela System. Sendo quem é, meu avô está envergonhado por ter colaborado com essa organização em experimentos irracionais com seres humanos! Foi um erro.

Eu continuava a nadar calado. Dizer agora que havia sido um erro não valeria de nada.

— Por isso, peço-lhe que perdoe meu avô — pediu.

— Com certeza não vai fazer diferença para seu avô se eu o perdoar ou não — revidei. — Mas por que ele largou o projeto no meio? Se se sentisse mesmo responsável, não deveria ter continuado para evitar que mais gente fosse sacrificada? Por mais que deteste trabalhar em uma grande organização, por culpa do prolongamento das pesquisas dele muita gente morreu.

— Meu avô deixou de confiar na System! — ela esclareceu. — Ele afirmava que a System dos calculadores e a Factory dos simbolistas são como as mãos direita e esquerda de alguém.

— O que isso significa?

— Em outras palavras, o que a System e a Factory fazem é, em termos técnicos, quase o mesmo!

— Tecnicamente, sim. Porém, nós protegemos as informações, enquanto os simbolistas as roubam. Os objetivos são diametralmente opostos.

— Mas pense bem — disse a moça. — E se tanto a System quanto a Factory estiverem sendo manipuladas por uma única pessoa? Ou seja, a mão esquerda rouba o que a mão direita protege?

Tentei refletir sobre o que ela dizia enquanto dava braçadas devagar em meio à escuridão. Era uma história difícil de acreditar, mas não de todo improvável. Sem dúvida eu trabalhava para a System, mas se alguém me perguntasse como ela estava estruturada internamente, eu não saberia responder. Era um organismo gigantesco, e todas as informações internas eram secretas e restritas. Recebíamos instruções vindas de cima e não passávamos de executores. Pessoas no nível inferior como eu não faziam ideia do que se passava nos escalões superiores.

— Se o que você diz é verdade, seria um negócio extremamente lucrativo — afirmei. — Fazendo as duas competirem, os preços poderiam subir sem limites. Se as forças se mantiverem iguais, não há por que se preocupar com uma queda nos preços.

— Meu avô se deu conta disso enquanto desenvolvia pesquisas na System! No final das contas, ela não passa de uma empresa privada envolvida com o Estado! O objetivo de uma empresa assim é o lucro! Para isso, não há limites ao que possa fazer. A System se mostra publicamente defensora dos direitos de propriedade sobre as informações, mas é tudo conversa fiada! Meu avô pressentiu que, se prosseguisse com sua pesquisa, a situação pioraria bastante. Se a tecnologia para remodelar e alterar o cérebro avançasse, a situação mundial e a existência humana se tornariam caóticas. Era preciso inibir e suprimir a pesquisa! Só que nem a System nem a Factory desejavam isso. Então meu avô se desligou do projeto. Foi uma pena para você e os outros calculadores, mas ele não poderia seguir com a pesquisa! Se fizesse isso, o número de vítimas teria sido ainda maior!

— Quero lhe perguntar algo. Você sabia de tudo, não?

— Sim, sabia — confessou a moça depois de alguma hesitação.

— Por que não me contou desde o início? Se tivesse feito isso, não precisaríamos ter vindo a este lugar absurdo e teríamos poupado tempo.

— Eu queria que você se encontrasse com meu avô para entender direito a situação! — esclareceu ela. — Além disso, mesmo se eu tivesse contado, você não teria acreditado em mim.

— Talvez — admiti.

Com certeza se alguém me dissesse que existe um terceiro circuito ou imortalidade, eu teria dificuldade de acreditar.

Nadei um pouco mais, até que a ponta dos meus dedos de repente tocou em algo sólido. Por estar absorto em meus pensamentos, de início minha cabeça ficou por um instante confusa, sem entender o que era aquilo, mas por fim percebi que era um paredão rochoso. Havíamos atravessado a nado o lago subterrâneo.

— Chegamos! — ela anunciou.

Ela se aproximou de mim e verificou o paredão. Olhei para trás e vi a lanterna brilhando débil na escuridão, como uma estrela. Seguindo como referência essa luz, nos deslocamos uns dez metros para a direita.

— Deve ser por aqui — disse ela. — Deve haver uma abertura de uns cinquenta centímetros acima da água.

— Estaria submersa?

— Pouco provável. O nível da água aqui é sempre o mesmo. Não sei bem por quê, mas seja como for é assim! Uns cinco centímetros de diferença, nem isso.

Tomando cuidado para não desfazer o embrulho, peguei a lanterna coberta pela camisa e com uma das mãos segurei no paredão para manter o equilíbrio e iluminar o local cinquenta centímetros mais acima. A luz amarela clareou a rocha. Demorou um bom tempo até meus olhos se acostumarem à luminosidade.

— Não parece ter nenhuma abertura — falei.

— Tente um pouco mais à direita — ela sugeriu.

Enquanto iluminava a região acima da minha cabeça, me desloquei pela parede rochosa. Mas não encontrei nada parecido com uma abertura.

— Tem certeza de que é para a direita? — perguntei.

Parei de nadar e, imóvel, percebi que a temperatura gelada da água penetrava até meus ossos. Todas as minhas articulações estavam rígidas, como se estivessem congeladas, e eu não conseguia abrir bem a boca para falar.

— Sim, não estou errada. É um pouco mais para a direita!

Tremendo, me desloquei mais uma vez nessa direção. Por fim, minha mão esquerda tocou algo, o que me causou uma sensação estranha. Era redondo e bojudo como um escudo e tinha o mesmo tamanho de um disco de vinil. Percorrendo-o com a ponta dos dedos, entendi que sua superfície tinha sido trabalhada por mãos humanas. Iluminei-o para poder examinar em detalhes.

— Um baixo-relevo — disse ela.

Sem conseguir falar, assenti calado. O baixo-relevo tinha sem dúvida um padrão idêntico àquele que tínhamos visto ao entrar no santuário. Dois peixes com garras sinistras ligados pela boca e pelo rabo envolviam o mundo. Os dois terços superiores do baixo-relevo apareciam acima da superfície da água, como uma lua afundando no mar, e o terço restante estava imerso. Assim como o que tínhamos visto antes, era uma escultura realmente minuciosa. Sem dúvida fora bastante difícil executar um trabalho tão detalhado em um local como aquele, onde não era possível apoiar os pés.

— Ali é a saída! — disse ela. — Talvez todas as vias de entrada e saída tenham esse mesmo baixo-relevo. Olhe para cima.

Deslizei a luz da lanterna pelo paredão. Como a rocha era um pouco saliente, havia uma sombra que tornava impossível ver com clareza, mas percebi que tinha algo ali. Entreguei-lhe a lanterna e decidi subir.

Consegui apoiar as mãos com facilidade em uma saliência sobre o baixo-relevo. Juntando forças, icei meu corpo gelado até conseguir apoiar o pé ali. Depois, estendi a mão direita, agarrei uma extremidade saliente da rocha e, alçando o corpo, cheguei até a parte de cima. Com certeza havia ali a entrada de uma caverna. Com a escuridão não dava para enxergar bem, mas pude sentir uma leve corrente de vento. Era um vento gélido, de cheiro desagradável, como o que vem de debaixo de uma varanda, mas entendi que ali devia haver um túnel.

— O buraco está aqui! — gritei para baixo, enquanto tentava suportar a dor da ferida.

— Que alívio — ela disse.

Peguei de volta a lanterna e puxei a moça para cima. Sentamo-nos lado a lado na abertura da caverna e durante um tempo ficamos ali tremendo de frio. Minha camisa e minha calça estavam encharcadas e geladas, como se tivessem saído do congelador. Sentia como se tivesse nadado dentro de um gigantesco copo de uísque on the rocks.

Em seguida tiramos os nossos pertences de cima da cabeça e trocamos nossas blusas por outras secas. Emprestei meu suéter para ela. Abandonamos as camisas e os casacos molhados. A parte inferior dos nossos corpos estava molhada, mas como não tínhamos levado calça ou roupa de baixo de reserva precisamos seguir assim.

Enquanto ela verificava o dispositivo antitenebrosos, eu fiz a luz da lanterna piscar várias vezes para informar ao professor no alto da torre que havíamos chegado sãos e salvos à caverna. Uma luz amarela fraca flutuando solitária na escuridão piscou duas ou três vezes em resposta e se apagou em seguida. Então o mundo tornou às suas perfeitas trevas originais. Um mundo do nada, onde era impossível medir a distância, a espessura ou a profundidade das coisas.

— Vamos — disse ela.

Acendi a luz do relógio de pulso para ver as horas. Eram sete e dezoito. Naquele horário todas as emissoras de TV transmitiam noticiários matutinos. Durante o café da manhã, as pessoas na superfície deviam estar ainda sonolentas enquanto eram bombardeadas por informações meteorológicas, anúncios de analgésicos e o desenrolar do problema das exportações de automóveis para os Estados Unidos. Ninguém sabia que eu tinha passado a noite perambulando por labirintos subterrâneos. Ignoravam que eu tinha nadado em água gelada, tivera uma quantidade considerável de sangue sugado por sanguessugas e suportara a dor da minha ferida no abdômen. Tampouco sabiam que meu mundo real acabaria em vinte e oito horas e quarenta e dois minutos. Afinal, nada disso tinha sido noticiado na TV.

O buraco era muito mais estreito do que os que tínhamos atravessado até aquele momento e só era possível avançar quase engatinhando. Além disso, subia, descia, dobrava para a direita e para a esquerda, como tripas. Por vezes era necessário descer por um buraco como um fosso para depois voltar a subir. Em outras, havia voltas complexas como os trilhos de uma montanha-russa. Por causa disso, gastamos um tempo e um esforço enormes para avançar. Era provável que o túnel não tivesse sido escavado pelos tenebrosos, mas se formado a partir da erosão natural. Mesmo eles não fariam um caminho tão complexo.

Após meia hora, trocamos o dispositivo antitenebrosos e, depois de mais uns dez minutos de caminhada, esse caminho tortuoso e estreito terminou e saímos de repente em um local aberto, de pé--direito alto. Ali era silencioso e escuro, e exalava um forte odor de mofo, como o saguão de um edifício antigo. Uma trilha se estendia em formato de T e era possível sentir uma leve brisa circulando da direita para a esquerda. A moça iluminou com a lanterna o percurso que se estendia para a direita e o outro à esquerda. Os caminhos retos eram aspirados para dentro da escuridão à frente.

— Qual devemos seguir? — perguntei.

— O da direita! — disse ela. — Não só é a direção correta como o vento sopra daqui. Como meu avô disse, estamos em Sendagaya, e dobrando à direita devemos chegar ao estádio Jingu.

Tentei me lembrar da paisagem na superfície. Se ela estivesse correta, acima de nós devia haver dois restaurantes de lámen um ao lado do outro, a livraria Kawade e o Victor Studio. O barbeiro que eu frequentava havia dez anos também ficava nas redondezas.

— Estamos perto da minha barbearia preferida — falei.

— É? — ela respondeu, sem demonstrar interesse.

Imaginei que não seria má ideia ir até lá cortar o cabelo antes de o mundo acabar. Afinal, não era possível fazer muita coisa em apenas vinte e quatro horas. No máximo, talvez tomar um bom banho, vestir roupas limpas e ir ao barbeiro.

— Tome cuidado — ela aconselhou. — Logo à frente está o covil dos tenebrosos. Sinto o cheiro e ouço as vozes deles. Fique perto de mim.

Apurei os ouvidos e tentei sentir o cheiro, mas não consegui perceber nada. Achei que tivesse ouvido uma estranha onda sonora emitindo um chiado, *hyuru-hyuru*, mas não consegui entender o que era.

— Será que eles sabem que estamos nos aproximando?

— Óbvio! — ela respondeu. — Aqui é o território deles! Não há nada que não saibam. Além disso, devem estar furiosos! Nós atravessamos o santuário e estamos nos aproximando de seu covil. Se nos pegarem, não vão deixar barato. Por isso, não se afaste de mim! Se você ficar longe um pouco que seja, um braço aparecerá da escuridão e o arrastará sabe-se lá para onde.

Encurtamos a corda que nos unia até deixar uns cinquenta centímetros entre nós.

— Cuidado. Aqui a parede desaparece — ela disse com uma voz aguda, direcionando a luz da lanterna para a esquerda.

Como ela tinha dito, a parede do lado esquerdo sumira de repente e, em seu lugar, abria-se um espaço dominado por uma escuridão densa. O feixe de luz a atravessou como uma flecha, até ela ser engolida por completo pelas trevas. A escuridão parecia viver, respirar e se movimentar. Era desagradável e opaca como gelatina.

— Consegue ouvir? — ela perguntou.

— Sim! — respondi.

As vozes dos tenebrosos começaram a chegar aos meus ouvidos com extrema nitidez. No entanto, para ser mais preciso, soavam mais como um zumbido do que propriamente vozes. Eram como o farfalhar de asas de inúmeros insetos transpassando a escuridão e entrando como lâminas nos meus ouvidos. Ressoavam com força nas paredes e retorciam os tímpanos de um jeito estranho. Tive vontade de largar a lanterna e me agachar tapando com firmeza os ouvidos. Sentia como se todos os nervos do meu corpo fossem tomados por ódio.

O ódio dos tenebrosos era diferente dos outros que eu tinha conhecido até aquele momento. Parecia que um vento forte vindo do buraco do inferno tentava nos destruir e despedaçar. Eu sentia que todos os pensamentos negativos — reunindo as trevas do subterrâneo como se fossem uma — e o fluxo do tempo — imundo e deformado pelo mundo cego e sem luz — haviam se transformado num imenso bloco que pesava sobre nós. Até então, eu não sabia que o ódio podia pesar tanto.

— Não pare! — ela gritou no meu ouvido.

A voz dela estava seca, mas não tremia. Ao ouvi-la gritar pela primeira vez, percebi que minhas pernas estavam paralisadas.

Ela puxou com força a corda que nos unia pela cintura.

— Você não pode parar! Se fizer isso, será o seu fim! Eles o arrastarão para as trevas.

Mas minhas pernas não se moviam. O ódio que eu sentia pelos tenebrosos as deixava firmemente imobilizadas no solo. Senti que o tempo recuava e me levava a recordações remotas horríveis. Eu não podia ir a lugar nenhum.

Em meio à escuridão, ela me deu um tapa no rosto com força. Foi tão forte que por um instante ensurdeci.

— Perna direita! — a ouvi berrar. — Perna direita! Entendeu? Avance com o pé direito! O direito, imbecil!

Com um barulho surdo, enfim consegui fazer o pé direito avançar. Percebi certo desânimo nas vozes deles.

— Agora a esquerda! — ela vociferou, e eu movi o pé esquerdo.

— Isso, desse jeito! Venha dando um passo de cada vez, devagar! Tudo bem?

Respondi que sim, mas sem ter certeza se minha voz sairia de verdade. Sabia apenas que, como ela dissera, os tenebrosos estavam ávidos por nos arrastar para dentro da escuridão densa. Queriam fazer o pavor penetrar em nossos ouvidos, interromper nossos passos e, em seguida, nos puxar para perto deles.

Quando meus pés começaram a se mover, senti um ímpeto de sair correndo. Queria escapar o quanto antes daquele lugar horrendo.

Porém, como se tivesse pressentido isso, ela estendeu a mão e agarrou firme o meu pulso.

— Ilumine os seus pés — ordenou. — Cole as costas na parede e caminhe de lado. Entendeu?

— Sim — respondi.

— Haja o que houver, não ilumine para cima.

— Por quê?

— Porque os tenebrosos estão ali! Bem perto! — ela sussurrou. — Você não pode de jeito nenhum olhar para eles. Se olhar, não conseguirá mais andar.

Caminhamos de lado enquanto examinávamos o chão com a luz da lanterna. Às vezes, uma brisa gelada acariciava nosso rosto junto com o odor nauseabundo de peixe morto, e a cada vez eu continha a respiração. Tinha a sensação de que estávamos chafurdados dentro do corpo de um peixe gigantesco, com vísceras pululando de vermes saltando para fora. Continuávamos a ouvir as vozes dos tenebrosos. Era um som sinistro, como se o forçassem a sair de algo que não deveria emitir som. Meus tímpanos estavam enrijecidos e torcidos, enquanto minha boca acumulava cada vez mais uma saliva amarga.

Mesmo assim, meus pés continuavam a avançar de forma mecânica. Meus nervos estavam concentrados apenas em alternar o movimento dos pés direito e esquerdo. Por vezes, ela me dizia algo, mas meus ouvidos não conseguiam captar bem as palavras. Imaginei que, enquanto estivesse vivo, eu não conseguiria esquecer as vozes deles. Em algum momento essas vozes e a escuridão profunda voltariam a me assombrar. E, algum dia, suas mãos pegajosas com certeza agarrariam meus tornozelos.

Eu não sabia quanto tempo havia se passado desde que eu entrara nesse mundo de pesadelo. O dispositivo antitenebrosos que ela segurava continuava com a lâmpada azul acesa. Portanto, se ele ainda funcionava não deveria ter se passado muito tempo. No entanto, eu sentia como se duas ou três horas já tivessem decorrido.

Pouco depois senti uma mudança na corrente do ar. O fedor amainou, a pressão sobre os ouvidos enfraqueceu como quando a maré baixa e o eco mudou. Quando percebi, as vozes dos tenebrosos pareciam o murmurar longínquo das ondas do mar. Havíamos passado pelo pior. Quando ela levantou a lanterna, via-se outra vez a parede rochosa. Encostados ali, suspiramos profundamente, enxugando com a mão o suor frio e pegajoso do rosto.

Tanto ela quanto eu permanecemos bastante tempo calados. As vozes dos tenebrosos desapareceram a distância, e a serenidade voltou a nos envolver. Ouvia-se apenas no vazio o som fraco de gotas de água caindo no chão em algum lugar.

— O que eles odeiam tanto? — perguntei.

— O mundo das luzes e as pessoas que o habitam! — ela declarou.

— Não acredito que os simbolistas tenham se aliado a eles. Por mais vantajoso que fosse.

Ela não discordou. Em vez disso, apertou meu pulso outra vez com firmeza.

— Sabe no que estou pensando agora?

— Não faço ideia — respondi.

— Em como seria fantástico se eu o acompanhasse nesse mundo para onde você está indo.

— E abandonar o mundo atual?

— Sim, claro! É um mundo chato. Será muito mais divertido viver na sua consciência.

Balancei a cabeça sem dizer nada. Eu mesmo não desejaria viver ali. Nem na minha, nem na de ninguém.

— Seja como for, vamos seguir em frente — disse ela. — Não podemos fazer corpo mole aqui. Precisamos procurar a rede de esgoto, onde está a saída. Que horas são agora?

Apertei o botão para iluminar o mostrador do relógio. Meus dedos ainda tremiam um pouco. Talvez fosse demorar até pararem por completo.

— São oito e vinte — falei.

— Vou trocar o dispositivo — ela anunciou e ligou a nova máquina, enfiando entre a blusa e a saia o dispositivo que tínhamos acabado de usar para recarregar.

Havia se passado exatamente uma hora desde que havíamos entrado no buraco. Segundo a explicação do professor, um pouco mais à frente deveria haver um caminho à esquerda, que seguiria para a alameda onde ficava a Pinacoteca. Chegando lá, estaríamos bem perto da linha do metrô. E, pelo menos, o metrô era um prolongamento da civilização. Teríamos conseguido escapar do território dos tenebrosos.

Após seguir mais um pouco, o caminho virava para a esquerda em ângulo reto, como previsto. Íamos sair na alameda dos ginkgos. Por estarmos no início do outono, as árvores ainda deviam estar verdejantes. Comecei a imaginar a luz quente do sol, o cheiro da grama verde e o vento do começo da estação. Desejava permanecer deitado ali por horas, contemplando o céu. Iria ao barbeiro cortar o cabelo e depois ao parque do Palácio Imperial, onde me deitaria sobre a relva para admirar tudo. E beberia bastante cerveja gelada. Antes de o mundo acabar.

— Será que faz sol lá fora? — perguntei a ela, que estava na minha frente.

— Não faço ideia. Por que eu saberia? — foi a resposta.

— Não viu o boletim meteorológico?

— Não prestei atenção em nada disso. Afinal, passei o dia todo procurando sua casa.

Tentei lembrar se havia estrelas no céu quando saí de casa na noite anterior, mas sem sucesso. Só recordava o jovem casal no Nissan Skyline ouvindo Duran Duran. Não conseguia me lembrar das estrelas. Pensando bem, fazia meses que não as via. Se tivessem desaparecido do céu três meses atrás, eu certamente não teria percebido. Só me lembrava das pulseiras prateadas da mulher e dos palitos de pirulito jogados no vaso da seringueira. Me dei conta de que havia levado uma vida muito insatisfatória e inadequada. De súbito imaginei que poderia ter nascido um pastor de ovelhas na Iugoslávia, contemplando toda noite a constelação da Ursa Maior. Skyline, Duran Duran, pulseiras prateadas, shuffling, meu terno de tweed azul-marinho, tudo parecia um sonho antigo. Como se espremidas num ferro-velho até virar uma placa de ferro, minhas recordações estranhamente se achataram. Elas se entrelaçavam de maneira complexa e se transformavam em uma placa tão grossa quanto um cartão de crédito. De frente, causavam uma sensação pouco natural, mas de perfil não passavam de uma linha fina quase sem sentido. Ali estava toda a minha vida, mas elas mesmas eram apenas um cartão de plástico, que só faria sentido se fosse introduzido em uma máquina especialmente produzida para decodificá-lo.

Imaginei que talvez o primeiro circuito estivesse se diluindo. Por isso eu sentia minhas recordações reais se achatando dessa forma, como se fossem de outra pessoa. Minha consciência devia estar se afastando aos poucos de mim. E esse meu cartão de identidade ficava cada vez mais fino, até parecer uma folha de papel e se extinguir por completo.

Enquanto eu seguia de maneira mecânica atrás dela, voltei a pensar no casal no Nissan Skyline. Não entendia bem essa minha obsessão por eles, mas não havia nada mais em que conseguisse pensar. Comecei a imaginar o que os dois estariam fazendo naquele momento, mas não sei o que poderiam estar fazendo às oito e meia da manhã. Talvez dormissem profundamente ou estivessem agora em um trem rumo ao trabalho. Mas não sei qual das duas opções seria, minha imaginação já não estava mais bem conectada ao mundo real. Se eu fosse um roteirista de novela, com certeza faria um bom trabalho. A mulher teria se casado com um francês enquanto estudava na França, mas o marido sofreu um acidente e ficou em coma. Cansada da vida que levava, abandonou tudo e voltou para Tóquio, onde trabalhava na embaixada da Bélgica ou da Suíça. As pulseiras eram uma recordação do casamento. Aqui entra um flashback que mostra o litoral de Nice no inverno. Ela nunca tira as pulseiras. Nem mesmo ao tomar banho ou fazer sexo. O homem é um veterano da ocupação do auditório Yasuda e, assim como o protagonista de *Cinzas e diamantes*, está sempre de óculos escuros. É um diretor de televisão renomado, mas tem pesadelos frequentes com gás lacrimogêneo. A esposa se suicidou cinco anos antes cortando os pulsos. Aqui entra outro flashback. É uma novela repleta de flashbacks. Cada vez que vê as pulseiras balançarem no pulso esquerdo da mulher, ele se lembra do pulso da esposa cortado e ensanguentado. Ele pede que ela mude as pulseiras para o pulso direito.

— De jeito nenhum! — ela se recusa. — Só uso pulseiras no braço esquerdo.

Poderia aparecer também um pianista, ao estilo *Casablanca*. Um pianista alcoólatra. Em cima do piano há sempre um copo de gim com apenas algumas gotas de limão. Ele é amigo dos dois e conhece seus segredos. Apesar de ser um talentoso músico de jazz, o álcool o destruiu fisicamente.

Após chegar a este ponto, tudo me pareceu tão idiota que resolvi parar. O roteiro nada tinha a ver com a realidade. Porém, quando comecei a me questionar sobre o que seria a realidade, fiquei ainda mais confuso. A realidade era extremamente pesada, parecia uma caixa grande de papelão sem sentido e cheia de areia. Havia meses que eu não admirava as estrelas.

— Não aguento mais — declarei.

— O quê? — perguntou ela.

— O escuro, o cheiro de mofo, os tenebrosos, tudo isso. E minha calça molhada e o ferimento no abdômen. Nem sei como está o tempo lá fora. Que dia da semana é hoje?

— Estamos quase lá! — incentivou a moça. — Logo tudo isso acaba.

— Minha cabeça parece estar confusa — falei. — Não consigo me lembrar bem das coisas lá fora. Por mais que reflita, meu pensamento segue um rumo estranho.

— No que você estava pensando?

— Em Masaomi Kondo, Ryoko Nakano e Tsutomu Yamazaki.

— Esqueça eles — disse ela. — Não pense em nada. Daqui a pouco eu tiro você daqui.

Então decidi não pensar em mais nada. Comecei a me sentir mal com a calça gelada que colava nas minhas pernas. Por isso meu corpo estava frio e o corte na minha barriga voltara a doer muito. Porém, estranhamente eu não sentia vontade de urinar. Quando tinha ido ao banheiro pela última vez? Tentei vasculhar minhas lembranças, mas em vão. Eu não me lembrava.

Pelo menos desde que tínhamos descido ao subterrâneo. E antes disso? Eu estava dirigindo. Comi um hambúrguer e vi o casal no Nissan Skyline. E antes disso? Eu estava dormindo. A moça obesa apareceu e me acordou. Naquela hora eu fui ao banheiro? Talvez não. Ela me arrancou da cama e me levou com ela, como se enfiasse coisas dentro de uma bolsa. Não tive tempo de urinar. E antes disso? Não me lembro com clareza do que aconteceu antes. Devo ter ido ao médico. Ele suturou o meu abdômen. Porém, que médico? Não sei. Seja como for, um médico. Em seu jaleco branco, fez a sutura num local um pouco acima dos meus pelos pubianos. E antes ou depois disso, será que urinei?

Não sei.

Talvez não. Se tivesse, eu me lembraria nitidamente da dor na ferida. Como não me lembro, sem dúvida não fui ao banheiro. Então estou sem urinar há bastante tempo.

Quantas horas?

Quando penso no tempo, minha cabeça fica confusa como um galinheiro ao nascer do dia. Doze horas? Vinte e oito horas? Trinta e duas horas? Afinal, onde foi parar a minha urina? Nesse meio-tempo eu bebi cerveja, coca-cola e uísque. Aonde teria ido todo esse líquido?

Não, talvez tenha sido anteontem que rasgaram a minha barriga e eu fui ao hospital. Tenho a impressão de que ontem foi um dia completamente diferente. Porém, se me perguntassem como tinha sido, eu não faria a menor ideia. Ontem não passava de uma massa de tempo vaga. Parecia uma cebola gigantesca e inchada de água. Mas o que havia ali? Onde seria preciso apertar para que saísse? Nada estava claro para mim.

Diversos acontecimentos se aproximavam e se afastavam como num carrossel. Afinal, quando a dupla tinha cortado o meu ventre? Antes ou depois de eu ter ido à cafeteria do supermercado? Quando eu teria feito xixi? E por que diabos eu estava tão obcecado com isso?

— Ali! — disse ela se virando para trás e me segurando com força na altura do cotovelo. — O esgoto! A saída!

Tirei da cabeça o problema da urina e observei a parte da parede que a lanterna dela iluminava. Havia ali um buraco quadrado que parecia uma saída de lixo grande o suficiente para passar um homem.

— Mas isso não é o esgoto — falei.

— O esgoto fica na parte de trás! Aqui é uma abertura que leva até lá. Olhe, não sente o cheiro?

Enfiei o rosto na entrada do buraco. Realmente, era o odor familiar de esgoto. Depois de ter dado voltas e mais voltas no labirinto subterrâneo, senti certa intimidade nostálgica em relação àquele cheiro. Notei também que o vento soprava sem dúvida do fundo. Por fim, o chão foi sacudido por um leve tremor, e das entranhas do buraco veio o som de um trem do metrô transitando sobre a linha. Depois de dez ou quinze segundos, foi diminuindo até desaparecer por completo, como quando fechamos devagar uma torneira. Não havia dúvida. Ali era a saída.

— Parece que enfim chegamos — ela comemorou, beijando minha nuca. — Como você se sente?

— Nem me pergunte, por favor — respondi. — Não sei bem.

Ela foi a primeira a enfiar a cabeça para entrar no buraco. Depois de suas nádegas macias desaparecerem, eu a segui. O túnel estreito permanecia reto por um tempo. Minha lanterna iluminava apenas as nádegas e as panturrilhas dela. Estas me fizeram lembrar de uma verdura chinesa branca e lisa. Sua saia molhada grudava nas coxas como duas crianças órfãs abraçadas uma à outra.

— Você está aí? — ela gritou.

— Sim! — gritei de volta.

— Tem um sapato no chão.

— Que sapato?

— De couro preto, masculino. Apenas um pé.

Finalmente o vi. Era um sapato velho de sola gasta. Havia uma lama dura e esbranquiçada grudada na ponta.

— Por que estaria neste lugar?

— Sei lá. Talvez tenha sido deixado por um homem levado pelos tenebrosos.

— É provável — concordei.

Por não haver mais nada em particular que eu pudesse olhar, continuei a observar a barra da saia dela. Às vezes subia até a parte superior da coxa, deixando visível sua pele branca, suave e sem traços de lama. Antigamente, ali estaria o fecho da cinta-liga, o ponto entre a meia e a liga que deixava a pele à mostra. Isso antes do advento das meias-calças.

A brancura da pele dela me lembrou do passado. Da época de Jimi Hendrix, Cream, Beatles e Otis Redding. Assoviei as primeiras notas de "I go to pieces", de Peter & Gordon. Que música boa. Doce, dolorosa. Muito melhor que as do Duran Duran. No entanto, talvez eu só ache isso por ter ficado velho. Fosse como fosse, essas músicas estavam na moda duas décadas atrás. Quem poderia prever naquela época que haveria meias-calças?

— Por que está assoviando? — ela berrou.

— Não sei. Deu vontade — respondi.

Falei o título da música.

— Não conheço.

— Foi popular antes de você nascer.

— Fala sobre o quê?

— Sobre alguém cujo corpo se despedaça e desaparece.

— Por que está assoviando justo algo assim?

Pensei um pouco, mas não sabia o motivo. Apenas tinha me vindo à mente.

— Não sei — respondi.

Enquanto pensava em outras melodias, chegamos à rede de esgoto. Na verdade, não passava de uma tubulação grossa de concreto. Tinha cerca de um metro e meio de diâmetro e dois centímetros de água no fundo. Ao redor crescia um musgo viscoso. Ouvíamos o som dos trens passando repetidas vezes mais à frente. Agora era nítido a ponto de ser insuportável, e já era visível uma luz fraca amarelada.

— Por que o esgoto está ligado à linha do metrô? — indaguei.

— Não é exatamente esgoto! — ela respondeu. — É apenas a água coletada de uma nascente subterrânea que é levada para as valas do metrô. Porém, no fim fica suja por causa do vazamento de resíduos. Que horas são agora?

— Nove e cinquenta e três — informei.

Ela tirou de dentro da saia o outro dispositivo antitenebrosos e o ligou, substituindo o que havíamos usado até o momento.

— Bom, estamos quase lá! Mas não podemos nos descuidar. O poder dos tenebrosos vai até o metrô. Você viu o sapato, não?

— Vi — respondi.

— Ficou arrepiado?

— Sim, muito.

Avançamos seguindo a corrente de água pela tubulação de concreto. O som das galochas na água ecoava como se uma língua estalasse, mas era abafado pelo barulho dos trens que se aproximavam e se afastavam. Nunca na vida havia me sentido tão feliz ao ouvir o som do metrô passando. Era ativo e estrepitoso como a vida em si e fazia com que eu me sentisse repleto de uma luz brilhante. Muitas pessoas viajam nele, lendo jornais e revistas, cada uma indo em direção ao seu destino. Lembrei-me dos anúncios publicitários coloridos estampados nos vagões e dos mapas das linhas sobre as portas. A linha Ginza é sempre representada em amarelo. Não sei por quê, mas foi decidido assim. Portanto, basta pensar na linha para associá-la à cor amarela.

Não demorou muito para chegarmos à saída. Havia uma grade de ferro quebrada, que permitia que exatamente uma pessoa passasse. O concreto estava bastante dilacerado e barras haviam sido arrancadas. Dava para ver que tinha sido trabalho dos tenebrosos, e apenas naquele momento fui grato a eles. Se a grade estivesse bem encaixada, não teríamos conseguido ir para o mundo exterior, mesmo tendo-o diante de nossos olhos.

Do lado de fora da saída redonda se viam sinais luminosos e uma caixa de madeira quadrada que parecia um armário de ferramentas. Colunas de concreto pretas se erguiam entre as linhas como estacas. E lâmpadas iluminavam vagamente o espaço, mas meus olhos sentiram sua luz mais ofuscante que o necessário. Depois de tanto tempo, acabaram se acostumando às trevas.

— Vamos esperar um pouco aqui para permitir que nossos olhos se ajustem à luz — ela sugeriu. — Bastam de dez a quinze minutos. Depois, vamos avançar um pouco mais! E ali teremos de acostumar os olhos a uma luminosidade ainda mais forte. Do contrário, ficaremos cegos. Até lá não encare os trens quando passarem. Entendeu?

— Sim — respondi.

Ela segurou meu braço, fez com que me sentasse em um local seco e se sentou ao meu lado. Em seguida, para apoiar o corpo, agarrou meu braço um pouco acima do cotovelo direito.

Ouvimos um trem se aproximando, então olhamos para baixo e fechamos os olhos com força. Mesmo assim, vimos em nossas pálpebras uma luz brilhante piscar por instantes, para enfim desaparecer com o barulho ensurdecedor. Devido à luminosidade, algumas lágrimas rolaram dos meus olhos, e as enxuguei com a manga da camisa.

— Está tudo bem! Logo você se acostuma — ela me tranquilizou.

Dos olhos dela também escorriam lágrimas, que formaram filetes em seu rosto.

— Basta passarem mais três ou quatro trens! Depois disso, nossos olhos terão se acostumado e poderemos nos aproximar da estação. Lá os tenebrosos já não conseguirão nos alcançar. E poderemos sair!

— Lembro que fiz o mesmo antes — respondi.

— Andar nos túneis do metrô?

— Lógico que não! A luz. Meus olhos derramaram lágrimas por causa de uma luz muito forte.

— Isso já aconteceu com todo mundo.

— Não, não é bem assim. É diferente. Eram olhos especiais e havia uma luz especial. E fazia frio. Como agora, meus olhos se acostumaram com a penumbra e não podiam encarar a luz. Eram olhos muito especiais.

— Consegue se lembrar de algo mais?

— Só disso! É tudo de que me lembro.

— Com certeza sua memória está na contracorrente — ela constatou.

Como estava encostada em mim, eu continuava a sentir a curva do seu seio no meu braço. A calça encharcada deixara o meu corpo todo gelado, e só a parte encostada no seio estava quente.

— Vamos sair agora para a superfície. Você tem algum compromisso? Vai a algum lugar, quer fazer algo, se encontrar com alguém, coisas assim? — ela perguntou, olhando para o relógio de pulso. — Restam vinte e cinco horas e cinquenta minutos.

— Vou voltar para casa e tomar um banho. Trocar de roupa. Depois talvez vá ao barbeiro.

— Ainda sobrará tempo.

— Vou pensar depois no que fazer — afirmei.

— Será que eu posso ir com você para sua casa? — ela perguntou. — Também quero tomar banho e trocar de roupa.

— Lógico! — falei.

Como um segundo trem passou vindo da direção de Aoyama-
-Itchome, voltamos a abaixar o rosto e fechar os olhos. A luz continuava ofuscante, mas dessa vez não derramamos tantas lágrimas.

— Seu cabelo não está grande a ponto de você precisar ir ao
barbeiro — ela disse enquanto iluminava a minha cabeça. — Além
disso, você fica melhor assim.

— Cansei de ter cabelo comprido.

— De todo modo não precisa ir ao barbeiro. Quando foi a última vez que você cortou?

— Não sei — respondi.

Não conseguia lembrar. Não lembrava nem mesmo se tinha uri-
nado ontem. Coisas de algumas semanas antes pareciam pré-históricas.

— Será que você teria em casa alguma roupa do meu tamanho?

— Hum, talvez não.

— Não tem problema, eu dou um jeito — ela falou. — Você
vai usar a cama?

— A cama?

— Quer dizer, você vai chamar uma garota para transar?

— Não, nem pensei nisso — me surpreendi. — Provavelmente não.

— Então posso dormir lá? Quero descansar um pouco antes de
voltar para o meu avô.

— Não tenho problema com isso, mas pode ser que os calculadores
ou o pessoal da System deem as caras. Afinal, ao que parece, nos últimos tempos fiquei popular, sem contar que não dá para trancar a porta.

— Isso não me preocupa! — ela falou.

Imaginei mesmo que ela não se importaria. As preocupações de
cada um são diferentes.

Um terceiro trem chegou vindo de Shibuya e passou bem na
nossa frente. Fechei os olhos e contei devagar mentalmente. Quando
cheguei ao número catorze, o último vagão passou. Meus olhos quase
não doíam mais. Havíamos superado a primeira etapa para sair à superfície. Não seríamos mais agarrados pelos tenebrosos, pendurados
em cima de um poço ou devorados por um peixe gigantesco.

— Bem — ela disse, soltando meu braço e se levantando. —
Vamos sair.

Assenti, me levantei e a segui, descendo para os trilhos. E começamos a andar na direção de Aoyama-Itchome.

30
O buraco

Ao acordar pela manhã, senti como se tudo que havia acontecido no bosque não passasse de um sonho. Mas era impossível. Sobre a mesa, o velho acordeão jazia encolhido como um animal indefeso. Tudo tinha mesmo acontecido. O ventilador que girava por causa do vento que vinha do subsolo, o jovem administrador de expressão melancólica, sua coleção de instrumentos musicais.

No entanto, além dessas coisas, continuavam a soar na minha cabeça sons estranhamente irreais. Pareciam espetar algo no meu cérebro. Os sons continuavam intermitentes, sem descanso, como se estivessem enfiando alguma coisa plana na minha cabeça. Eu não sentia dor. Minha mente estava absolutamente lúcida. Tudo era irreal.

Da cama, olhei o quarto, mas não havia nada de diferente nele. O teto, as quatro paredes, o chão ligeiramente empenado, as cortinas na janela, tudo permanecia como sempre fora. E, sobre a mesa, o acordeão. Nas paredes, pendurados, meu casaco e o cachecol. As luvas saíam do bolso do casaco.

Depois disso, examinei cada parte do meu corpo. Tudo se movia como esperado. Meus olhos não doíam. Não havia nada de errado em mim.

Apesar disso, esses sons planos ainda reverberavam na minha cabeça. Eram irregulares, convergentes. Como se sons homogêneos se entrelaçassem. Tentei determinar de onde vinham, mas por mais que apurasse o ouvido era incapaz de saber. Imaginei que viessem de dentro da minha cabeça.

Mas, por via das dúvidas, saí da cama e ao observar pela janela pude enfim identificar de onde vinha o barulho. No terreno baldio bem abaixo de onde eu estava, três idosos cavavam um grande buraco. O som vinha de quando a ponta da pá se chocava contra o solo congelado. E pairava estranhamente no ar seco, deixando meus ouvidos aflitos. Eu estava com os nervos à flor da pele, talvez pela quantidade de coisas que vinham acontecendo.

Os ponteiros do relógio indicavam dez horas. Era a primeira vez que eu dormia até tão tarde. Por que o coronel não tinha me acordado? Exceto quando eu estava com febre, ele nunca deixara de me acordar às nove da manhã trazendo uma bandeja com nosso desjejum.

Esperei até dez e meia, mas o coronel não apareceu. Desisti de esperar e desci até a cozinha, peguei um pão e algo para beber e voltei para o quarto para tomar meu café da manhã sozinho. Eu estava tão acostumado a ter companhia que a comida não tinha gosto. Decidi comer apenas metade do pão e guardar o resto para dar aos animais. Fiquei imóvel na cama enrolado no casaco até o fogareiro aquecer o cômodo.

O calor inacreditável da véspera se dissipara em uma noite, e o quarto tinha a atmosfera pesada de sempre. O vento não estava forte, mas a paisagem havia voltado a ser completamente invernal, e da serra norte até os descampados do sul pairavam no céu nuvens opressoras cheias de neve.

No terreno baldio, os quatro idosos continuavam a cavar.

Quatro?

Um pouco antes eu tinha olhado e com certeza eram três. Porém, agora eram quatro. Mais um parecia ter se juntado ao grupo. Isso não era estranho. Nas residências oficiais há um número incontável de idosos. Os quatro se separaram e continuaram a cavar calados nas novas posições. Às vezes, um vento caprichoso fazia esvoaçar a aba de seus casacos finos, mas eles não pareciam sofrer com o frio e, com os rostos vermelhos, continuavam sem descanso a enterrar as pás no solo. Entre eles havia um que, suando, tinha tirado o casaco e o deixado pendurado em um galho, como uma casca vazia balançando com o vento.

Quando o cômodo ficou quente, sentei na cadeira, peguei o acordeão de cima da mesa e abri e fechei o fole devagar. No quarto, ao observá-lo, entendi que ele era muito mais bem trabalhado do que achei ao vê-lo no bosque pela primeira vez. As teclas e o fole tinham as cores desbotadas pelo tempo, mas a tinta da caixa de madeira não estava descascada e os arabescos delicados desenhados nas bordas permaneciam intactos. Mais que um instrumento musical, poderia ser considerado uma obra de arte. O movimento do fole estava um pouco rígido e deselegante, mas não a ponto de comprometer seu uso. Sem dúvida por ter passado um bom tempo abandonado, sem ser tocado por mãos humanas. Eu não sabia que mãos poderiam tê-lo tocado no passado e como tinha ido parar naquele lugar. Tudo era mistério.

O acordeão era um instrumento muito elaborado, não apenas no seu aspecto decorativo como também nas funcionalidades. Antes de tudo, era pequeno. Fechado, cabia inteiro no bolso de um casaco. Nem por isso suas funções foram sacrificadas, e havia ali tudo o que um acordeão precisava ter.

Abri e fechei várias vezes o fole e, quando minhas mãos se acostumaram com o movimento, tentei tocar na ordem as teclas da caixa harmônica direita enquanto apertava ao mesmo tempo os botões da esquerda. Depois de emitir cada nota, fiz uma pausa e procurei ouvir o som ao redor.

O barulho dos idosos cavando o buraco continuava. O som da ponta das quatro pás se chocando contra a terra num ritmo intermitente e irregular penetrava no quarto com uma estranha nitidez. O vento por vezes fustigava a janela. Do lado de fora, viam-se restos de neve salpicados em vários pontos da colina. Eu não saberia dizer se os velhos ouviam o acordeão ou não. Provavelmente não. O som era baixo, e o vento soprava na direção contrária.

Há muito tempo eu não tocava um acordeão, e ainda por cima usara um modelo mais novo, com teclado, então demorei um pouco para me acostumar ao mecanismo antigo e à posição dos botões. Por ser menor que o normal, os botões eram pequenos e muito próximos uns dos outros, o que tornava o trabalho de tocar complexo para um homem adulto de mãos grandes, sendo mais adequado a crianças ou mulheres. Além disso, era preciso abrir e fechar de forma eficiente o fole para obter uma melodia ritmada.

Ainda assim, depois de uma ou duas horas, consegui tirar alguns acordes simples e, vez ou outra, precisos. Mas eu não me lembrava de nenhuma melodia. Mesmo depois de pressionar várias vezes os botões, não me vinha à mente nada que parecesse uma música. Só conseguia tirar uma sucessão de sons sem sentido que não me levavam a lugar nenhum. De repente, a disposição ocasional de alguns deles me remetia a algo, mas logo se esvaía no ar.

Acho que o barulho dos idosos cavando me impedia de encontrar uma melodia. Claro que não era só isso, mas com certeza aquilo perturbava a minha concentração. O som das pás era tão nítido e ecoava tanto em meus ouvidos que comecei a imaginar se os velhos não estariam cavando um buraco na minha cabeça. Quanto mais usavam as ferramentas, mais aumentava o vazio na minha mente.

Por volta do meio-dia, o vento de súbito se intensificou e começou a se misturar à neve. Ouvia-se o som seco dos flocos batendo contra as vidraças. Eram brancos e pequenos, duros como gelo, e caíam no parapeito da janela de forma irregular, para logo serem arrastados pelo vento. Em pouco tempo a umidade os transformaria em uma neve macia de flocos grossos. Era como as coisas aconteciam. Por fim, a terra estaria mais uma vez toda branca. Neve dura era sempre prenúncio de uma grande nevasca.

No entanto, os idosos continuavam a cavar sem se preocupar com isso. Pareciam saber desde o início que não nevaria. Nenhum deles olhou para o céu, interrompeu o trabalho ou falou algo. Até o casaco pendurado no galho seguia no mesmo lugar, açoitado pelo vento forte.

Agora eram seis. Os dois novos integrantes do grupo utilizavam uma picareta e um carrinho de mão. O idoso com a picareta entrou no buraco para quebrar o solo duro, e o outro recolhia os pedaços retirados, os jogava no carrinho e os despejava na parte de baixo da encosta. O buraco já chegava na altura da cintura deles. Nem mesmo o som do vento forte era capaz de encobrir o barulho que as pás e a picareta faziam.

Desisti de encontrar uma música, larguei o acordeão sobre a mesa e parei ao lado da janela para observar o trabalho. Não era possível distinguir quem era o líder. Todos trabalhavam da mesma forma. Ninguém dava instruções ou ordens. O idoso com a picareta quebrava com extrema eficiência o solo duro, enquanto os quatro com pás retiravam do buraco a terra e o último a levava em silêncio até a encosta. Entretanto, ao prestar mais atenção, comecei a ficar intrigado com o buraco. Era grande demais para depositar lixo, e a qualquer momento poderia começar uma nevasca. Ele devia ter um propósito. Mesmo assim, a neve se acumularia ali e até a manhã seguinte estaria completamente preenchido. Os idosos deviam estar cientes disso. Enevoada, a encosta da serra norte já estava coberta de neve até a metade.

Por mais que pensasse, eu não via sentido no trabalho dos anciãos, então voltei para perto do fogareiro, sentei na cadeira e contemplei de mente vazia as brasas vermelhas do carvão. *Talvez não consiga mais me lembrar de nenhuma música*, pensei comigo mesmo. *Tanto faz ter ou não um instrumento. Por mais que tente concatenar os sons, sem uma canção eles não passarão de um punhado de notas. O acordeão será apenas um objeto bonito.* Percebi que entendia bem o que o administrador da usina elétrica disse. Não era necessário tirar notas do instrumento, apenas contemplar sua beleza. Fechei os olhos e continuei a ouvir a neve fustigando a janela.

Já era hora do almoço e os idosos por fim interromperam o trabalho e voltaram às residências oficiais. As pás e a picareta foram deixadas no chão.

Enquanto eu estava sentado na cadeira ao lado da janela observando o buraco deserto, o coronel chegou do cômodo contíguo e bateu na porta do meu quarto. Vestia o habitual casaco grosso e o chapéu, com a aba quase lhe cobrindo os olhos. Havia flocos de neve branca em ambos.

— Parece que a neve se acumulará bastante esta noite — ele disse. — Quer que eu traga seu almoço?

— Obrigado — agradeci.

Dez minutos depois ele voltou carregando uma panela, que pôs sobre o fogareiro. Em seguida, tirou com cuidado o chapéu, o casaco e as luvas, como se fosse um animal artrópode soltando a carapaça ao mudar de estação. Por último, acariciou os cabelos brancos, sentou na cadeira e suspirou.

— Desculpe por não ter vindo no café da manhã — lamentou-se o velho. — Estava ocupado desde cedo, não tive tempo nem para comer.

— Por acaso estava cavando um buraco?

— Buraco? Ah, aquilo. Não é meu trabalho. Não que eu deteste cavar — disse o coronel, soltando um risinho. — Estava na cidade.

Quando a panela esquentou, ele dividiu a comida em dois pratos e os serviu sobre a mesa. Era um ensopado de legumes com macarrão. Ele comeu com gosto, soprando para esfriar a comida.

— Afinal, para que serve aquele buraco? — eu quis saber.

— Para nada — disse o velho enquanto levava a colher à boca. — Estão cavando por puro prazer. Nesse sentido, é um buraco muito autêntico!

— Não entendi.

— É simples! Eles estão cavando porque querem. Não há nenhum outro propósito.

Refleti sobre isso enquanto mastigava o pão.

— De vez em quando eles cavam um buraco — explicou o velho. — Deve ser como a minha paixão pelo xadrez. Não tem sentido e não leva a lugar nenhum. Mas não importa. Ninguém precisa de sentido, e eles não pensam em chegar a algum lugar. Cada um continua a cavar buracos autênticos. Um ato insensato, um esforço inútil, uma caminhada sem destino. Não acha incrível? Ninguém se machuca nem machuca ninguém. Ninguém ultrapassa nem fica para trás. Não há vitórias nem derrotas.

— Acho que consigo entender.

Depois de assentir várias vezes com a cabeça, ele inclinou o prato e tomou a última colherada da sopa.

— Talvez algumas coisas na formação desta cidade pareçam estranhas para você. Porém, para nós são bastante naturais. Naturais, autênticas, pacíficas. Espero que em algum momento você acabe entendendo. Fui militar boa parte da vida e não me arrependo. À minha maneira, tive uma vida feliz! Mesmo agora, por vezes me vêm à mente o cheiro de pólvora e sangue, o cintilar das baionetas, o toque dos clarins. Contudo, não recordo mais o que nos impelia à luta. Honra, patriotismo, beligerância, ódio, sentimentos desse tipo. Você agora deve estar com medo de perder seu coração. Eu também tive. Não há do que se envergonhar...

O coronel parou de falar e por um tempo contemplou o vazio, como se procurasse a palavra certa.

— Porém, se você abandonar seu coração, a paz virá. Uma paz profunda que você nunca experimentou antes. Não se esqueça disso.

Assenti, calado.

— A propósito, ouvi na cidade falarem da sua sombra — ele continuou enquanto limpava com um pedaço de pão o resto do ensopado. — Disseram que a saúde dela piorou bastante. Vomita tudo o que come e parece que há três dias não levanta da cama. Talvez não dure muito mais. Se não for complicado para você, o que acha de fazer uma visita? Parece que ela deseja vê-lo.

— Bem… — falei, fingindo certa hesitação. — Eu não me importo, mas será que o guardião vai deixar?

— Claro que sim. Sua sombra está à beira da morte e você tem o direito de visitá-la. É uma regra. Para esta cidade, a morte de uma sombra é uma cerimônia solene. Nem mesmo o guardião pode atrapalhar! E ele nem sequer teria motivos para isso.

— Então eu irei agora — decidi após uma breve pausa.

— Isso mesmo, muito bem — concordou o velho, se aproximando de mim e dando um tapinha em meu ombro. — Vá antes que anoiteça e a neve se acumule. Se me permite dizer, uma sombra é o que há de mais próximo do ser humano. Demonstre seu carinho agora para não se sentir culpado depois. Ajude-a a morrer com dignidade. Talvez seja duro, mas também será bom para você.

— Eu sei — afirmei.

Vesti meu casaco e enrolei o cachecol no pescoço.

31

Controle de passagens, Police, detergentes sintéticos

A distância da saída da tubulação até a estação Aoyama-Itchome não era tão grande. Caminhávamos sobre os trilhos e quando um trem se aproximava nos escondíamos na sombra de uma coluna, esperando que passasse. De onde estávamos víamos nitidamente o interior dos vagões, mas os passageiros não olhavam para nós. Eles não têm o costume de olhar pela janela para admirar a paisagem. Leem jornais ou só contemplam o vazio. Para as pessoas, o metrô não passa de um meio prático de se deslocar pelo espaço urbano de forma eficiente. Ninguém faz isso com o coração vibrando de emoção.

Não havia muitos passageiros. Quase ninguém viajava de pé. Pelo que me lembrava, por mais que a hora do rush já tivesse passado, a linha Ginza deveria estar mais cheia mesmo depois das dez da manhã.

— Que dia da semana é hoje? — perguntei à moça.

— Não sei. Nunca me preocupei com isso — foi a resposta.

— São poucos passageiros para um dia útil — afirmei, virando a cabeça. — É bem capaz de ser domingo.

— Se for, o que muda?

— Nada. É apenas domingo, só isso — respondi.

Andar sobre os trilhos era mais fácil do que achei que seria. Eram largos, sem obstáculos ou semáforos, e não havia carros circulando. Nada de pedintes ou bêbados. As luzes fluorescentes das paredes iluminavam o chão com a claridade adequada e, graças ao ar-condicionado, o ar era puro. Eu não podia reclamar depois daquele ar nauseabundo do subterrâneo.

Deixamos passar um trem que ia em direção a Ginza, depois outro que fazia o trajeto para Shibuya. Ao nos aproximarmos da estação de Aoyama-Itchome, vimos a plataforma por trás de uma pilastra. Se os funcionários nos pegassem andando pela linha do metrô, estaríamos em maus lençóis. Eu não imaginava uma desculpa convincente. Na beira da plataforma encontramos uma escada. Era fácil ultrapassar o cercado. O único problema era como fazer isso sem sermos vistos pelos funcionários.

De trás da pilastra observamos com atenção o trem vindo de Ginza parar na plataforma, as portas se abrirem para expelir passageiros e acolher outros novos e por fim se fecharem. Vimos o encarregado do trem sair para checar o fluxo de passageiros e em seguida fechar as portas para partir. Quando o trem desapareceu, o funcionário da estação também se foi. Tampouco se via alguém do outro lado da plataforma.

— Vamos — falei. — Não corra, caminhe com naturalidade. Se corrermos, os passageiros vão desconfiar.

— Entendi — disse a moça.

Saímos de trás da pilastra e andamos depressa até a extremidade da plataforma, subimos pela escada de ferro com o ar indiferente de quem está acostumado a fazer aquilo todos os dias e cruzamos a cerca de madeira. Alguns passageiros olharam para nós espantados. Pareciam desconfiados, indagando-se quem poderíamos ser. Estávamos cobertos de lama, com a calça e a saia encharcadas, o cabelo desgrenhado e os olhos cheios de lágrimas por conta da forte luminosidade. Sem dúvida não parecíamos funcionários do metrô. Afinal, que tipo de pessoa andaria pelos trilhos por puro prazer?

Antes de tirarem suas próprias conclusões, atravessamos às pressas a plataforma e seguimos para a catraca. Chegando ali, percebemos que não tínhamos passagem.

— Não temos bilhetes — declarei.

— Basta dizer que os perdemos e pagar a tarifa, não? — replicou ela.

Informei ao jovem funcionário postado na catraca que não sabíamos onde estavam nossos bilhetes do metrô.

— Procuraram bem? — perguntou ele. — Têm muitos bolsos. Poderiam verificar de novo?

Diante da catraca fingimos buscar em todos os bolsos. Enquanto isso, o funcionário nos olhava desconfiado.

Eu lhe disse que realmente não tínhamos os bilhetes.

— Onde vocês pegaram o metrô?

— Em Shibuya — informei.

— Quanto pagaram de Shibuya até aqui?

Eu disse que não lembrava.

— Acho que cento e vinte ou cento e quarenta ienes, por aí.

— Não se lembra?

— Estava distraído, pensando na vida — respondi.

— Pegaram mesmo o trem em Shibuya? — perguntou o funcionário.

— Claro. Esta não é a plataforma aonde chegam os trens que partem de Shibuya? Não quero enganá-lo.

— É possível passar daquela outra plataforma para esta. A linha Ginza é extensa. Além disso, é possível sair de Tsudanuma pela linha Tozai, descer em Nihonbashi e trocar de trem para chegar aqui.

— Tsudanuma?

— É só um exemplo — disse o funcionário.

— Qual a tarifa de Tsudanuma até aqui?

— Vocês vieram de lá?

— Não — respondi. — Nunca fui lá.

— Então por que pretendem pagar de lá até aqui?

— Não foi o que você disse?

— Falei que era um exemplo, não?

Naquele momento o trem seguinte chegou e cerca de vinte pessoas cruzaram a catraca para sair da estação. Eu as observei. Nenhuma tinha perdido o bilhete. Em seguida, retomamos as negociações.

— De onde devemos pagar para convencê-lo? — perguntei.

— Da estação onde pegaram o trem — respondeu o funcionário.

— Mas já lhe disse que foi Shibuya — repliquei.

— Mas você não lembra o valor da tarifa.

— É uma coisa possível de esquecer — argumentei. — Você provavelmente não lembra quanto custa um café no McDonald's, lembra?

— Mas eu não tomo café no McDonald's — revidou o funcionário. — É um desperdício gastar dinheiro nisso.

— Foi só um exemplo — repeti. — Coisas pequenas são fáceis de esquecer.

— Seja como for, todo mundo que perde o bilhete declara o valor mínimo. Chegam nesta plataforma e dizem que pegaram o trem em Shibuya. Todos, sem exceção.

— Por isso mesmo estou me propondo a pagar a partir de qualquer lugar. De onde é melhor?

— Por acaso você acha que eu sei?

Seria chato continuar com aquela discussão infrutífera, então deixei uma nota de mil ienes e passamos direto pela catraca. Ouvimos o funcionário nos chamando, mas continuamos a caminhar como se não tivéssemos escutado. Não me agradava a ideia de continuar a bater boca por causa de um ou dois bilhetes de metrô justo quando o mundo estava prestes a acabar. Pensando bem, eu nem tinha pegado o metrô.

Chovia na superfície. Uma chuva fina como agulhas, mas que encharcou o solo e as árvores. Com certeza havia chovido durante toda a noite. Isso me desanimou. No meu último e precioso dia. Não queria que chovesse. Bem que poderia fazer tempo firme por um ou dois dias. Depois disso, poderia chover forte por um mês, como nos romances de J. G. Ballard, e eu não me importaria. Quero beber uma cerveja gelada, ouvir música, deitar na relva e sentir na pele os raios cintilantes do sol. Não quero nada além disso.

Entretanto, contrariando meus desejos, a chuva não mostrava sinais de que fosse cessar. Nuvens de cores indistintas cobriam todo o céu, como se envoltas por várias camadas de vinil, e delas caía uma garoa fina e persistente. Queria comprar o jornal matutino para ler a previsão do tempo, mas a banca era perto do metrô, e eu não queria recomeçar aquela discussão inútil. Por isso, acabei desistindo. Era o começo de um dia sem graça. E eu ainda não sabia que dia da semana era.

As pessoas andavam com os guarda-chuvas abertos. Éramos os únicos que não se protegiam da chuva. Nos abrigamos sob a marquise de um prédio e durante um longo tempo contemplamos distraídos a paisagem urbana, como se admirássemos as ruínas da Acrópole. Havia uma fila de carros coloridos indo e vindo no cruzamento molhado. Era difícil conceber que o mundo bizarro dos tenebrosos estava logo abaixo dos nossos pés.

— Que bom que está chovendo — disse a moça.

— Por quê?

— Porque, se estivesse sol, a luz estaria tão ofuscante que precisaríamos esperar mais antes de sair para a superfície. Não foi bom?

— Creio que sim — falei.

— O que vamos fazer agora?

— Primeiro, vamos tomar algo quente. Depois, voltar para casa e tomar banho.

Entramos em um supermercado próximo e pedimos duas sopas de milho e um sanduíche de presunto e ovo. A balconista pareceu espantada com nossa aparência imunda, mas fingiu não notar ao pegar nosso pedido.

— Duas sopas de milho e um sanduíche de presunto e ovo — confirmou.

— Exato — falei.

Depois disso, perguntei que dia da semana era.

— Domingo.

— Viu só? — eu disse à moça obesa. — Eu estava certo.

Decidi me distrair enquanto esperava as sopas e o sanduíche lendo o *Sports Nippon* que tinham deixado no assento ao lado. Embora achasse inútil ler um jornal esportivo, era melhor do que nada. Ali havia a data: domingo, 2 de outubro. Nesse tipo de jornal não havia previsão do tempo, mas poderia encontrar informações minuciosas sobre a chuva nas páginas dedicadas às corridas de cavalo. Estava escrito que pararia de chover no fim do dia, mas, de qualquer modo, no último páreo a pista continuaria lamacenta e previa-se uma corrida bastante difícil. No estádio de beisebol Jingu, o Yakult e o Chunichi realizaram o último jogo, e o segundo ganhara de seis a dois. Ninguém sabia que logo abaixo estava o enorme covil dos tenebrosos.

Entreguei à moça a primeira página do jornal, que ela pediu para ver. Aparentemente queria ler um artigo intitulado "Ingerir sêmen faz bem para a pele?". Embaixo havia um comentário sobre o livro *Eu, trancada numa jaula e violentada*. Eu era incapaz de imaginar como uma mulher presa em uma jaula poderia ser violentada. Deve haver uma técnica para isso. No entanto, não deve ser fácil. Eu jamais conseguiria.

— Você gosta que engulam seu sêmen? — perguntou a moça.

— Para mim é indiferente — respondi.

— Olhe o que está escrito aqui: "Em geral, na hora da felação, os homens gostam que as mulheres engulam seu sêmen. Com isso, o homem pode confirmar se é ou não aceito pela mulher. Trata-se de um ritual de confirmação".

— Não entendi bem — falei.

— Já engoliram o seu?

— Não me lembro. Provavelmente não.

— Hum — replicou ela, enquanto lia o resto do artigo.

Vi o ranking dos batedores da Liga Central e da Liga do Pacífico. A comida chegou. Tomamos a sopa e dividimos o sanduíche. Senti o gosto do pão tostado, do presunto, da gema e da clara do ovo. Limpei com um guardanapo as migalhas de pão e a gema no canto dos lábios, então voltei a suspirar. Um suspiro profundo, como se juntasse num só todos os suspiros contidos no meu corpo. Soltamos poucos suspiros assim ao longo da vida.

Saímos do supermercado e procuramos um táxi. Por causa da nossa aparência imunda, foi difícil encontrar um que parasse. O motorista era um jovem de cabelo comprido que ouvia músicas do Police em um rádio enorme que levava no banco do passageiro. Informei em voz bem alta nosso destino e afundei no assento.

— Digam uma coisa. Por que vocês estão assim tão sujos? — perguntou o motorista ao nos olhar pelo retrovisor.

— Porque nos metemos numa briga feia com essa chuva! — respondeu a moça.

— Nossa, é incrível — disse o motorista. — Vocês estão num estado lastimável. Tem até uma mancha roxa no seu pescoço.

— Eu sei — disse.

— Mas tudo bem. Eu não ligo para isso — declarou o taxista.

— Por quê? — perguntou a moça obesa.

— Só pego passageiros jovens com cara de que gostam de rock. Não importa se estão sujos ou limpos. É o único tipo de música que me deixa feliz. Gostam do Police?

— Não é mau — respondi sem refletir muito.

— A empresa diz que não devo escutar isso. Pedem para eu escolher programas de pop. Fala sério! Não dá para ouvir essas músicas idiotas do Matchy ou da Matsuda Seiko! Police é muito melhor. Não canso de ouvir. O que acha de reggae?

— Não é ruim — respondi.

Quando a fita cassete do Police terminou, o taxista pôs uma gravação ao vivo de Bob Marley. O painel do carro estava abarrotado de fitas. Eu estava exausto, com frio e com sono, o corpo como se fosse se desmanchar a qualquer momento. Enfim, numa condição não propícia para apreciar música, mas estava agradecido ao motorista por nos ter acolhido no seu táxi. Enquanto ele dirigia, do banco de trás eu o observava balançar os ombros ao ritmo do reggae.

Quando o carro parou em frente ao meu prédio, paguei a corrida, desci e lhe dei uma nota de mil ienes de gorjeta.

— Para você comprar um cassete — eu disse.

— Obrigado — ele agradeceu. — Espero que possamos nos ver de novo!

— Tomara — repliquei.

— Mas você não acha que daqui a uns dez ou quinze anos a maioria dos táxis circulará tocando rock? Não seria ótimo?

— Seria fantástico — respondi.

No entanto, eu não acreditava que isso se tornaria realidade. Mais de uma década tinha se passado desde a morte de Jim Morrison, mas eu nunca peguei um táxi que tocasse The Doors. Neste mundo há coisas que mudam; outras, não. Aquilo não ia mudar, por mais que o tempo passasse. A música nos táxis é um exemplo. No rádio sempre passam programas de música pop, talk-shows de mau gosto ou jogos de beisebol. Dos alto-falantes das lojas de departamentos, ouvia-se a orquestra de Raymond Lefèvre; nas cervejarias, polcas; e nos bairros comerciais no final do ano, músicas natalinas do The Ventures.

Subimos pelo elevador. A porta do meu apartamento continuava fora das dobradiças, mas alguém a havia posto de volta no batente para parecer que estava fechada. Não sei quem foi, mas sem dúvida isso tomou tempo e esforço. Desloquei a porta de aço como se fosse um homem de Cro-Magnon rolando a rocha que cobria a entrada de uma caverna e deixei a jovem entrar antes de mim. Em seguida, recoloquei a porta para que não vissem o interior do apartamento e a tranquei, por precaução.

O quarto estava limpo e arrumado. Por um instante me perguntei se havia imaginado que na véspera o apartamento tinha sido completamente destruído. Os móveis que deveriam estar revirados estavam de volta às suas posições, a louça espalhada no chão havia sido arrumada, as garrafas quebradas e os cacos de louça tinham desaparecido, livros e discos haviam sido guardados na estante, e as roupas estavam penduradas no armário. A cozinha, o banheiro e o quarto brilhavam de tão limpos, e não havia nenhuma poeira no chão.

Porém, observando com atenção, aqui e ali ainda havia marcas da destruição. O tubo da TV estava quebrado e tinha um grande buraco que parecia um túnel do tempo, enquanto a geladeira não funcionava e seu interior estava totalmente vazio. As roupas rasgadas tinham sido jogadas no lixo e só restava o suficiente para encher uma pequena maleta. Dentro da cristaleira sobravam apenas alguns pratos e copos. O relógio da parede estava parado e nenhum eletrodoméstico funcionava. Alguém havia separado e descartado o que se tornara inutilizável. Graças a essa pessoa, meu apartamento estava com um ar muito limpo. Não havia nenhum objeto supérfluo, o que o deixava mais espaçoso. Apesar de faltarem coisas essenciais, eu não fazia ideia do que poderia necessitar naquele momento. Fui até o banheiro, examinei o aquecedor a gás e depois de confirmar que não estava quebrado enchi a banheira de água quente. Ainda havia sabonete, aparelho de barbear, escova de dente, toalha e xampu, permitindo que tomássemos banho. O roupão também estava intacto. Muita coisa devia ter desaparecido, mas eu não conseguia me lembrar de nada.

Enquanto eu enchia a banheira e examinava o local, a moça obesa se estirou na cama e se pôs a ler *Os camponeses*, de Balzac.

— Diga, havia lontras na França? — perguntou.

— Acredito que sim — respondi.

— Será que ainda há?

— Não faço ideia.

E eu lá ia saber?

Sentei em uma cadeira da cozinha e tentei imaginar quem poderia ter arrumado o lixão em que meu apartamento havia se convertido. Alguém tinha gastado seu tempo limpando cada canto com algum objetivo específico. Talvez a dupla de simbolistas ou quem sabe alguém da System. Não conseguia imaginar em que critérios tinham se baseado para fazer isso, mas eu estava grato a essa pessoa misteriosa. É agradável voltar para uma casa arrumada.

Quando a banheira estava cheia de água, eu disse à moça para tomar banho primeiro. Ela pôs um marcador no livro, saiu da cama e se despiu com agilidade na cozinha. Tirou a roupa com tanta naturalidade que da cama contemplei distraído seu corpo nu. Tinha um jeito curioso, infantil e adulto a um só tempo. Tinha bastante carne branca, como se tivesse passado geleia por todo o corpo. Por ser uma gordura bem distribuída, dava até para esquecer que ela era obesa. Seus braços, suas coxas, seu pescoço e sua cintura eram incrivelmente bem preenchidos e lisos. Os seios não eram tão grandes se comparados ao tamanho do corpo e tinham um formato delicado, e suas nádegas se empinavam.

— Meu corpo não é tão ruim, não? — perguntou de onde estava.

— Não é mesmo! — respondi.

— Foi difícil engordar até este ponto. É preciso comer demais, muitas tortas e coisas gordurosas — explicou.

Assenti calado.

Enquanto ela tomava banho, despi a camisa e a calça molhada, vesti o que havia no armário e deitado na cama refleti sobre o que faria a partir dali. O relógio marcava onze e meia. Tinha apenas vinte e quatro horas. Precisava definir como agir. Não podia só largar na mão do destino e viver sem rumo minhas últimas horas.

Do lado de fora, ainda chovia. Uma chuva fina e serena, quase imperceptível aos olhos. Se não fossem as gotas que pareciam querer furar o toldo sobre a janela, não daria para ter certeza se chovia ou não. Por vezes, um carro passava e se ouvia o som da fina película de água que cobria o asfalto. Ouvi também a voz de algumas crianças chamando alguém. No banheiro, a moça cantava uma música que eu não reconhecia. Talvez a tivesse inventado.

Deitado na cama, fui tomado por um sono intenso, mas não podia dormir ali, ou passaria várias horas sem fazer nada.

No entanto, quando confrontado com a questão do que fazer em vez de dormir, eu mesmo não sabia como agir. Removi o aro de borracha da cúpula do abajur que estava na mesa de cabeceira e brinquei com ele antes de devolvê-lo ao lugar. Não podia continuar no apartamento. Não ganhava nada permanecendo ali inerte. Se saísse, talvez fizesse alguma coisa. Depois, pensaria em algo.

Era estranho imaginar que só me restavam vinte e quatro horas de vida. Havia uma montanha de coisas a fazer, mas na verdade não conseguia pensar em nenhuma. Voltei a tirar a borracha da cúpula do abajur e a girei com o dedo. Em seguida, me lembrei do cartaz turístico de Frankfurt pregado na parede do supermercado. Nele havia um rio, uma ponte e cisnes flutuando na água. A cidade não parecia ruim. Imaginei que seria bom ir a Frankfurt passar o resto da vida. Contudo, seria impossível chegar lá em vinte e quatro horas, e mesmo que fosse eu não ia passar mais de dez horas em um avião, atado à poltrona com um cinto de segurança e comendo algo intragável. Sem contar que não havia nenhuma garantia de que a paisagem real fosse como a do cartaz. Não queria terminar minha vida decepcionado. Era preciso excluir uma viagem dos planos. Os deslocamentos levariam tempo, e na maioria dos casos não seria tão divertido quanto eu imaginava.

Por fim, a única coisa que me ocorria era fazer uma boa refeição e beber uns tragos com alguém. Não desejava nada além disso. Folheei minha agenda à procura do número da biblioteca, liguei e pedi para falar com a jovem responsável pelas consultas.

— Alô — ela atendeu.

— Obrigado pelos livros sobre unicórnios — falei.

— De nada. Eu que agradeço pelo jantar — replicou ela.

— Você gostaria de jantar de novo comigo esta noite? — convidei.

— Jantar — ela repetiu. — Hoje tenho reunião do grupo de estudos.

— Grupo de estudos? — estranhei.

— Um grupo que pesquisa a poluição dos rios. Sabe, a extinção dos peixes por causa de detergentes sintéticos e coisas assim. Estamos realizando uma pesquisa conjunta. E esta noite eu que vou apresentar.

— Parece promissor — respondi.

— Sim, com certeza! Por isso, se for possível, poderíamos deixar para amanhã à noite? Como é segunda-feira, a biblioteca estará fechada e terei mais tempo.

— Amanhã ao meio-dia eu já não estarei mais aqui. Não posso dar detalhes pelo telefone, mas vou passar um tempo longe.

— Vai viajar? — perguntou.

— Pode-se dizer que sim.

— Desculpe. Pode esperar um instante? — ela pediu.

Parecia conversar com alguém que tinha ido fazer uma consulta. Pelo telefone se ouvia o movimento no saguão da biblioteca no domingo. Uma menina berrava e o pai a repreendia. Alguém teclava no computador. O mundo parecia funcionar normalmente. As pessoas pegavam livros emprestados na biblioteca, os funcionários do metrô estavam atentos para passageiros desonestos e as corridas de cavalo continuavam debaixo de chuva.

— Há três livros sobre remodelação de moradias na estante número cinco do setor F. Por favor, dê uma olhada lá — eu a ouvi explicar ao seu interlocutor.

Em seguida, ouvi a pessoa agradecer.

— Desculpe — disse ela ao voltar. — Ok. Vou faltar na reunião. Com certeza não vão gostar, mas eu não me importo.

— Sinto muito.

— Não tem problema! De todo modo, os rios desta região já não têm peixes. Ninguém vai ser afetado se minha apresentação atrasar uma semana.

— Creio que sim — falei.

— Vamos jantar no seu apartamento?

— Não, não podemos usá-lo. A geladeira pifou e não tenho quase nenhuma louça. Por isso, não posso cozinhar.

— Eu sei — disse ela.

— Sabe?

— Sim. Mas o apartamento está lindamente arrumado, não?

— Então foi você?

— Isso mesmo! Fiz mal? Passei aí hoje de manhã para levar mais um livro e encontrei a porta arrancada e tudo revirado, então fiz uma faxina. Cheguei um pouco atrasada ao trabalho, mas queria retribuir o jantar. Causei algum transtorno?

— Não, de forma alguma — falei. — Só posso lhe agradecer muito.

— Então, você pode vir me encontrar por volta das seis e dez em frente à biblioteca?

— Claro! Obrigado.

— Imagina — ela respondeu e desligou.

Enquanto eu procurava uma roupa para usar no jantar, a moça obesa saiu do banho. Entreguei-lhe uma toalha e o roupão. Ela ficou um tempo nua na minha frente com a toalha e o roupão nas mãos. Seus cabelos molhados se colavam à testa e a ponta de suas orelhas pontiagudas surgia entre os fios. Nos lóbulos, viam-se os brincos dourados.

— Você sempre toma banho de brinco?

— Sim, claro. Eu já falei, lembra? Está preso de uma forma que não cai, por isso não tem problema. Gosta deles?

— Sim — respondi.

A calcinha, o sutiã, a saia e a blusa, tudo rosa-claro, estavam secando no banheiro. Senti uma dor pungente nas têmporas só de ver as peças na banheira. Nunca gostei de ver roupa de baixo ou meia-calça secando no banheiro. Se me perguntassem por quê, eu não saberia responder. Só não gosto.

Lavei rápido o cabelo e o corpo, escovei os dentes e fiz a barba. Depois, me enxuguei com uma toalha, saí do banheiro e vesti a cueca e a calça. Apesar da contínua movimentação irregular, a ferida no meu abdômen estava melhor do que no dia anterior. A ponto de, até entrar na banheira, eu ter me esquecido por completo dela. A moça obesa se sentou na cama e enquanto secava o cabelo com um secador continuava a ler Balzac. Como antes, a chuva do lado de fora não dava sinais de arrefecer. Com as roupas íntimas estendidas no banheiro, a moça sentada na cama secando o cabelo lendo um livro e a chuva caindo do lado de fora, tive a impressão de ter voltado à minha vida de casado de alguns anos antes.

— Quer usar o secador? — ela perguntou.

— Não — respondi.

Minha esposa deixou esse secador quando saiu de casa. Como meu cabelo é curto, não preciso usá-lo.

Sentei ao lado dela, encostei a cabeça na cabeceira e fechei os olhos. Quando fiz isso, diversas cores surgiram e desapareceram em meio à escuridão. Pensando bem, eu não dormia há dias. Sempre que tentava, alguém aparecia e me acordava. Sentia que ao fechar os olhos o sono tentava me arrastar para o mundo da escuridão profunda. Exatamente como os tenebrosos ao estender as mãos para me levar com eles.

Abri os olhos e esfreguei o rosto com as mãos. Por ter ficado muito tempo sem lavar o rosto ou me barbear, a pele estava enrijecida e seca como o couro de um tambor. Era como se eu esfregasse o rosto de outra pessoa. Sentia uma ardência onde as sanguessugas haviam chupado meu sangue. Duas pareciam ter tirado bastante.

— Olhe — disse a moça, pondo o livro de lado. — Sobre o sêmen, você não gosta mesmo que engulam o seu?

— Agora não — respondi.

— Não está no clima?

— Não.

— Tampouco tem vontade de dormir comigo?

— Agora não.

— Não quer porque eu sou gorda?

— De jeito nenhum — falei. — Seu corpo é lindo!

— Então por quê?

— Não sei. Sinto que não é o momento ideal para dormir com você.

— Seria por algum motivo moral? É contra a sua ética de vida?

— Ética de vida — repeti.

Palavras que soavam estranhas. Pensei um pouco sobre elas enquanto olhava o teto.

— Não, você se engana. Não é isso — tentei elaborar. — É outra coisa! Instinto, intuição ou algo assim. Ou talvez tenha a ver com o contrafluxo das minhas recordações. Não sei explicar direito. Eu mesmo quero muito dormir com você agora! Mas esse *algo* me impede. Sinto que não é o momento.

Ela apoiou os cotovelos no travesseiro e me encarou.

— Não é mentira?

— Eu não mentiria sobre isso.

— Você pensa mesmo desse jeito?

— Eu *me sinto* assim.

— Tem como provar?

— Provar? — respondi de volta, espantado.

— Algo que me convença de que você deseja de verdade dormir comigo.

— Estou com uma ereção — declarei.

— Me mostra — ela pediu.

Hesitei um pouco, mas por fim decidi abaixar a calça. Estava cansado demais para levar adiante a discussão, além de ter pouco tempo neste mundo. Não acreditava que mostrar um pênis ereto saudável para uma moça de dezessete anos pudesse evoluir para um problema social grave.

— Hum — ela exclamou ao ver o meu pênis intumescido. — Posso tocar?

— Nem pensar. Mas isso serve de prova, não?

— Bem, acho que sim.

Subi de novo a calça e cobri meu pênis. Ouvi um caminhão de carga passar devagar embaixo da janela.

— Quando você volta para encontrar o seu avô? — perguntei.

— Assim que dormir um pouco e minha roupa secar. Até o fim do dia a água deve baixar e consigo pegar o metrô de volta.

— Com esse tempo suas roupas só estarão secas amanhã de manhã.

— Você acha? — disse ela. — O que posso fazer?

— Aqui perto há uma lavanderia automática onde você pode secá-las.

— Mas não tenho roupa para sair.

Refleti um pouco sobre isso, mas não tive nenhuma boa ideia. Por fim, a única solução foi ir eu mesmo à lavanderia. Fui até o banheiro e enfiei a roupa molhada dela em uma sacola de vinil da Lufthansa. Em seguida, das roupas que me restaram escolhi uma calça de sarja verde-oliva e uma camisa azul com botões no colarinho. Calcei um mocassim marrom. Perderia inutilmente uma parte do precioso tempo que me restava sentado numa cadeira de plástico horrível na lavanderia. O relógio marcava meio-dia e dezessete.

32

A sombra se encaminha para a morte

Quando abri a porta da cabana do guardião, ele estava nos fundos cortando lenha.

— Do jeito que as coisas vão, devemos ter nevasca — afirmou ele segurando o machado. — Hoje de manhã quatro animais morreram! Amanhã mais morrerão. O frio deste inverno está fora do comum!

Tirei a luva e fui até o fogareiro esquentar a ponta dos dedos. O guardião juntou a lenha cortada e a atirou no depósito, fechou a porta e encostou o machado na parede. Por fim, se aproximou e também aqueceu os dedos das mãos.

— Pelo visto terei de incinerar os corpos dos animais sozinho. Graças à ajuda da sua sombra as coisas tinham ficado mais fáceis, mas não há o que fazer. Afinal, é o meu trabalho.

— Minha sombra está muito mal?

— Não se pode dizer que esteja bem — disse o guardião, enquanto se virava para me encarar. — Não está bem. Há três dias não sai da cama. Eu cuido dela na medida do possível, mas está com os dias contados. Há limites para o que se pode fazer.

— Posso vê-la?

— Sim, claro que pode encontrá-la. Mas apenas por meia hora. Depois disso, eu preciso ir incinerar os animais.

Assenti com a cabeça.

O guardião pegou o molho de chaves pendurado na parede para abrir a porta de ferro que conduzia à praça das Sombras. Atravessou a praça na minha frente a passos rápidos, abriu a porta da cabana da sombra e me deixou entrar. Estava vazia, sem móveis, o chão coberto por tijolos gelados. Um vento frio soprava pelas frestas da janela, e o ar ambiente estava prestes a congelar. Parecia uma câmara frigorífica.

— Não é culpa minha — justificou-se o guardião. — Não forcei sua sombra a ficar aqui por prazer. Essa é a regra e eu apenas a cumpro. Sua sombra até teve sorte. Nos piores casos, duas ou três sombras foram obrigadas a viver juntas nesta cabana.

Como nada do que eu dissesse adiantaria, assenti calado. Eu não deveria ter deixado minha sombra naquele lugar.

— Ela está lá embaixo — ele informou. — Pode descer, lá é um pouco mais quente, mas não cheira muito bem.

O guardião foi até um canto do cômodo e abriu uma porta de correr de madeira escurecida pela umidade. Lá dentro havia apenas uma escada de mão rudimentar. Ele desceu alguns degraus e com um gesto me convidou a segui-lo. Depois de remover a neve do casaco, o acompanhei.

Assim que cheguei ao subsolo, senti um odor nauseabundo de excremento. O ar estava parado, sem dúvida por não haver janelas. O cômodo tinha o tamanho de um depósito, e a cama ocupava um terço do espaço. Minha sombra estava estirada ali, totalmente esquálida, com o rosto virado para mim. Via-se um penico de louça sob a cama. Havia uma mesa antiga e quebrada sobre a qual uma vela acesa oferecia toda a iluminação e calor do quarto. O chão era de terra batida, e o cômodo estava envolvido por uma atmosfera glacial que impregnava até os ossos. A sombra tinha puxado o cobertor até a altura da orelha e me olhou com olhos imóveis e sem vida. Como o velho dissera, ela não parecia ter mesmo muito mais tempo.

— Vou deixá-los a sós — falou o guardião com cara de quem não aguentava o fedor do local. — Conversem sobre o que quiserem! Ela não tem mais forças para se agarrar a você.

Depois de o guardião desaparecer, a sombra observou por um tempo o entorno e fez sinal para que eu me aproximasse.

— Desculpe, mas você poderia subir e ver se o guardião não está nos escutando às escondidas? — sussurrou.

Assenti e subi em silêncio a escada, abri a porta e verifiquei que não havia ninguém lá fora.

— Não há ninguém! — informei.

— Preciso lhe dizer algo — declarou a sombra. — Não estou tão fraca quanto pareço. Estou fingindo para enganar o guardião. É verdade que piorei bastante, mas não estou vomitando ou de cama. Ainda posso caminhar.

— Para fugir daqui?

— É óbvio! Do contrário, não me daria a este trabalho. Com esse fingimento, ganhei três dias! E, então, fugirei. Porque depois desse tempo talvez eu não consiga mais ficar de pé. Esse ambiente é insalubre. Faz um frio terrível, e os ossos parecem congelar. Falando nisso, como está o tempo lá fora?

— Está nevando! — falei, mantendo as mãos nos bolsos. — À noite vai piorar. Deve esfriar bastante.

— Quando neva, muitos animais morrem — explicou a sombra. — E assim o trabalho do guardião aumenta. Nesse meio-tempo vamos fugir daqui. Enquanto ele estiver incinerando os animais no pomar de macieiras. Você pega o molho de chaves na parede, abre a jaula e fugimos juntos.

— Pelo portal?

— Não, pelo portal é impossível. Está trancado por fora e, se tentássemos passar por ele, o guardião logo nos apanharia. Pela muralha também não dá. Só os pássaros conseguem passar por ela.

— Então por onde?

— Isso é responsabilidade minha. Tracei um plano infalível. Afinal, reuni bastante informação sobre a cidade. Também quase abri um buraco no mapa de tanto olhar para ele, e o guardião me contou muita coisa. Como acha que não posso mais fugir, foi muito gentil em falar sobre a cidade. Graças a você, que o fez negligenciar a vigilância. Demorou mais do que eu imaginava, mas o plano está avançando bem. Como o guardião disse, não me restam mais forças para grudar em você, mas se conseguir escapar, eu me recupero e poderemos ficar juntos de novo. Não preciso morrer num lugar como este, e você pode ter sua memória de volta.

Fiquei calado, encarando a chama da vela.

— Por que você está assim? — perguntou a sombra.

— Fico me perguntando como eu era antes — respondi.

— Vamos, pare com isso, não me diga que está com dúvidas!

— Estou. Realmente estou com dúvidas — admiti. — Primeiro, não me recordo de como eu era antes. Vale a pena voltar para aquele mundo? Vale a pena voltar a ser quem eu era?

A sombra tentou dizer alguma coisa, mas ergui a mão e a interrompi.

— Espere um pouco. Ouça até o fim. Embora eu tenha me esquecido de quem era, o meu eu de agora começou a se apegar a esta cidade. Estou apaixonado pela moça da biblioteca e o coronel é uma boa pessoa. Também gosto de observar os animais. O inverno é rigoroso, mas as outras estações do ano são lindas. Ninguém aqui machuca ou briga com ninguém. A vida é frugal, mas é satisfatória e todos são iguais. Ninguém fala mal ou tenta roubar do outro. Todos trabalham felizes. Fazem isso por prazer, não por obrigação ou a contragosto. Ninguém sente inveja, reclama ou sofre.

— Também não existe dinheiro, propriedade ou posição social. Não há ações judiciais nem hospitais — acrescentou a sombra. — E ninguém envelhece nem precisa temer o prenúncio da morte. É isso?

Assenti com a cabeça.

— O que você acha? Por que eu abandonaria esta cidade?

— É verdade — falou a sombra, tirando a mão de debaixo do cobertor e esfregando com os dedos os lábios ressequidos. — Faz sentido o que você diz. Um mundo assim seria uma verdadeira utopia. Não tenho como me opor. Faça o que achar melhor. O jeito é eu me resignar e morrer aqui! Mas você está deixando escapar algumas coisas. Coisas que são importantes de verdade.

A sombra tossiu por um tempo. Esperei que se acalmasse.

— Da última vez que nos encontramos, você me disse que esta cidade era artificial e distorcida. Apesar disso, é completa. Você comentou agora sobre essa completude e perfeição. Por isso, vou falar da artificialidade e da distorção. Ouça com atenção. Em primeiro lugar, e este é o ponto principal, neste mundo não existe perfeição. Como eu disse antes, é como o movimento perpétuo, que não existe. A entropia sempre aumenta. Afinal, como esta cidade a elimina? Com certeza as pessoas daqui — bem, exceto o guardião — não machucam os outros, não se odeiam nem têm desejos. Todos estão satisfeitos e vivem em paz. Por que você acha que é assim? Porque eles não têm coração.

— Estou ciente disso! — falei.

— A perfeição desta cidade está baseada em as pessoas perderem o coração. Por isso, cada um vive inserido num tempo que prolongou para sempre sua existência. Então, ninguém envelhece nem morre. Primeiro, as sombras são arrancadas do corpo que é a sua matriz e espera-se pela sua morte. Depois, não é um problema tão sério. Basta extrair essa espécie de espuma leve que nasce todos os dias dos corações.

— Extrair?

— Vou falar sobre isso um pouco mais tarde. Primeiro, há o problema do coração. Você me disse que nesta cidade não há luta, ódio ou desejos. Isso por si só é espetacular. Eu mesmo, se estivesse bem, teria vontade de aplaudir. No entanto, esse fato significa que também não há o oposto de tudo isso. Não existe alegria, bem-aventurança ou amor. A alegria nasce justamente porque existe desespero, desilusão e tristeza. Em nenhum lugar é possível ter bem-aventurança sem desespero. É o que chamo de *natural*. Obviamente há o amor. O mesmo se pode dizer sobre essa moça da biblioteca. Você com certeza a ama. Mas esse sentimento não leva a lugar nenhum, porque ela não tem coração. Uma pessoa sem coração não passa de um fantasma ambulante. Afinal, que sentido existe em possuir algo assim? Você deseja a vida eterna? Deseja se transformar em um desses fantasmas? Se eu morrer aqui, você será como eles e nunca mais poderá sair desta cidade, entendeu?

Um silêncio opressivo e gélido envolveu por algum tempo o cômodo no subsolo. A sombra voltou a tossir.

— Mas eu não posso deixar a moça aqui. Seja como for, eu a amo e preciso dela. Não posso enganar meu coração. Se fugir agora, com certeza vou me arrepender, e depois de sair não é possível voltar.

— Nossa — exclamou a sombra, erguendo o corpo e se encostando na parede. — Parece que será muito difícil convencê-lo. Eu o conheço há algum tempo e sei bem o quanto é cabeça-dura, mas você acabou trazendo um problema bastante complexo. O que deseja fazer, afinal? Se está pensando em fugirmos nós três, você, eu e essa moça, fique sabendo que é impossível. Pessoas sem sombra não podem viver fora daqui.

— Sei disso muito bem. Quero dizer que você poderia fugir sozinho. Eu o ajudo!

— Bem, está claro que você ainda não entendeu — disse a sombra sem desencostar a cabeça da parede. Se eu fugir e você ficar aqui, a sua situação se tornará desesperadora. O guardião me explicou. As sombras, todas, devem morrer aqui. Mesmo as que saíram precisam voltar para morrer. A sombra que não morrer aqui, por mais que esteja morta, terá deixado atrás de si apenas uma morte imperfeita. Ou seja, você teria de viver para sempre com um coração. E, além disso, precisaria ir para o bosque. É para onde vão aqueles que não foram capazes de matar sua sombra de maneira eficaz. Você será escorraçado para lá, onde terá de vagar para sempre carregando vários pensamentos. Conhece o bosque, não?

Assenti com a cabeça.

— Mas você não poderá levar sua amada para lá — continuou. — Isso porque ela é *perfeita*. Ou seja, não tem coração. Seres perfeitos moram na cidade, não no bosque. Portanto, você ficará sozinho, e dessa forma não faz sentido ficar aqui, correto?

— E para onde vão os corações das pessoas?

— Você não é leitor de sonhos? — perguntou a sombra, atônita. — Como não sabe?

— Ora, não sei! — exclamei.

— Então vou lhe explicar. Os animais transportam para fora da muralha os corações. Esse é o sentido da palavra "extrair". Os animais absorvem e coletam os corações das pessoas e os levam para o mundo exterior. Quando chega o inverno, eles morrem com esses egos acumulados no corpo. O que os mata não é o frio invernal ou a falta de alimentos. É o peso dos egos impostos pela cidade. E, quando chega a primavera, nascem novos animais. No mesmo número dos que morreram. E, quando os filhotes crescem, morrem do mesmo jeito, carregando os egos extraídos das pessoas. Esse é o preço da perfeição. Que sentido há nisso, afinal? Uma perfeição que só se mantém pela opressão total dos mais fracos.

Eu continuava a observar calado o bico do meu sapato.

— Quando um animal morre, o guardião o decapita — prosseguiu a sombra. — Porque dentro de seu crânio os egos estão bem gravados. O crânio é limpo, passa um ano enterrado e, quando sua força fica mais suave, é levado para uma estante da biblioteca, onde é liberado no ar pelas mãos do leitor de sonhos. O leitor de sonhos, ou seja, você, é um recém-chegado à cidade, cuja sombra ainda não morreu, que recebe essa função. Os egos lidos pelo leitor de sonhos são aspirados pelo ar e desaparecem em algum lugar. Esses são os velhos sonhos. Em resumo, você é como um fio que conduz eletricidade. Entende o que digo?

— Sim! — respondi.

— Quando a sombra morre, o leitor de sonhos é destituído de sua posição e se integra à cidade. Dessa forma, a cidade continua a girar para sempre no círculo da perfeição. Ela empurra a parte imperfeita para os seres imperfeitos e absorve apenas o seu éter. Você acha isso justo? Esse é o mundo real? É assim que as coisas devem ser? Olhe, você deve ver as coisas pela perspectiva dos mais fracos e imperfeitos. Do ponto de vista dos animais, das sombras e das pessoas do bosque.

Contemplei a chama da vela durante algum tempo até meus olhos doerem. Depois, tirei os óculos e enxuguei as lágrimas que rolavam dos meus olhos.

— Virei amanhã às três! — declarei. — É como você falou. Este lugar não é para mim.

33

Lavar roupa em dia de chuva, carro alugado, Bob Dylan

Por ser um domingo chuvoso, as quatro secadoras da lavanderia estavam ocupadas. Sacos plásticos e sacolas de mercado coloridos estavam pendurados no puxador de cada máquina. Havia três mulheres na lavanderia. Uma dona de casa que devia ter entre trinta e cinco e quarenta anos e duas moças que deviam morar em algum dormitório universitário por perto. A dona de casa estava sentada em uma cadeira de plástico e observava a roupa girar no tambor da máquina como se assistisse à TV. As universitárias folheavam uma ao lado da outra uma revista *JJ*. Quando entrei, elas me lançaram olhares furtivos, mas logo voltaram a encarar a roupa na máquina e a revista.

Sentei-me numa cadeira com o saco da Lufthansa sobre os joelhos e esperei a minha vez. Como as universitárias não tinham nenhuma sacola, imaginei que a roupa já estivesse na secadora. Assim, quando uma das máquinas fosse liberada eu poderia usá-la. Fiquei um pouco aliviado ao saber que não levaria muito tempo. Ficava triste só de pensar em gastar uma hora naquele lugar vendo a roupa girar. Eu tinha menos de vinte e quatro horas.

Relaxei sentado ali e, distraído, fixei o olhar em um ponto qualquer. Na lavanderia pairava um cheiro estranho, uma mistura dos odores peculiares da roupa sendo seca e do sabão. Ao meu lado as duas estudantes conversavam sobre a estampa de seus suéteres. Nenhuma era particularmente bonita. Moças sofisticadas não passam as tardes de domingo lendo revistas em uma lavanderia.

Ao contrário do que eu esperava, as secadoras demoraram a parar. As lavanderias têm suas próprias regras, e uma delas é: "A sua secadora levará quase uma eternidade para parar". Observando de fora, a roupa parecia estar completamente seca, mas o tambor continuava a girar.

Esperei mais quinze minutos, mas as secadoras não paravam. Enquanto isso, uma moça esbelta e bem-vestida chegou com um grande saco de papel e atirou em uma das máquinas de lavar um monte de fraldas, abriu um saco de sabão, o derramou sobre a roupa, fechou a tampa e inseriu uma moeda na abertura.

Eu queria fechar os olhos e dormir, mas tinha medo de que uma das secadoras ficasse livre e alguém que tivesse chegado depois de mim jogasse sua roupa ali. Se isso acontecesse, o meu tempo teria sido desperdiçado.

Me arrependi de não ter levado uma revista para ler. Isso tiraria o meu sono e faria o tempo passar mais rápido. No entanto, eu não sabia se isso era o melhor a fazer. Talvez, no meu caso, o melhor fosse fazer o tempo passar devagar. Mas por que gastá-lo numa lavanderia?

Refletir sobre o tempo me deu dor de cabeça. É uma noção extremamente conceitual. Por isso, quando cada matéria se insere nessa temporalidade, ignora-se se o que deriva dela são atributos do tempo ou da matéria.

Parei de pensar sobre o assunto e decidi refletir sobre o que fazer após sair da lavanderia. Em primeiro lugar, precisava comprar roupas. Roupas elegantes. Como não tinha tempo para consertar minha calça, era impossível encomendar um terno de tweed como aquele que eu desejara no subterrâneo. Infelizmente, precisaria desistir. Devia me resignar com uma calça de sarja, e decidi comprar um blazer, uma camisa e uma gravata. E um impermeável. Assim eu poderia entrar em qualquer restaurante. Gastaria cerca de uma hora e meia nisso. Então terminaria antes das três da tarde. Depois, eu teria três horas, até as seis.

Tentei imaginar como poderia usar esse tempo, mas não me ocorreu nenhuma boa ideia. O sono e o cansaço me impediam de raciocinar. E impunham obstáculos que vinham de um local inacessível, bem no fundo da minha alma.

Enquanto tentava desemaranhar meus pensamentos aos poucos, a secadora à direita parou. Depois de me certificar de que não era uma alucinação, espiei ao redor. A dona de casa e as estudantes lançaram olhares para a máquina, mas não fizeram menção de se levantar da cadeira. Seguindo a regra não dita das lavanderias automáticas, abri a secadora e enfiei no saco pendurado no puxador a roupa quente que estava ali. Em seguida, joguei nela o conteúdo da minha sacola da Lufthansa. Tornei a fechar a porta, inseri uma moeda e, após me certificar de que o tambor estava girando, voltei à minha cadeira. O relógio indicava meio-dia e cinquenta.

A dona de casa e as estudantes analisavam cada um dos meus movimentos. Depois, olharam a secadora onde eu tinha enfiado a roupa e em seguida fitaram de relance o meu rosto. Também ergui os olhos para ver a máquina onde estava minha roupa. O problema é que eu havia colocado um volume mínimo na máquina e todas as peças eram femininas, incluindo a roupa íntima, e todas eram cor-de-rosa. Isso chamava demais a atenção. Sem poder suportar, pendurei a sacola da Lufthansa no puxador da secadora e decidi passar em outro lugar os vinte minutos necessários para a roupa secar.

A chuva fina continuava a cair exatamente como pela manhã, como se estivesse indicando algo ao mundo. Abri o guarda-chuva e caminhei pelo bairro. Depois de atravessar uma área residencial tranquila, cheguei a uma rua com várias lojas alinhadas. Havia uma barbearia, uma padaria, uma loja de surfe — não imaginava por que haveria uma loja assim em Setagaya —, uma tabacaria, uma loja de doces ocidentais, uma locadora de vídeo e uma tinturaria. Na frente, uma placa anunciava: "Ganhe dez por cento de desconto ao trazer suas roupas em dias de chuva". Não entendi por que nesses dias seria mais em conta. Lá dentro, o dono, um senhor calvo e de expressão mal-humorada, passava a ferro uma camisa. Várias correntes desciam do teto, como se fossem trepadeiras grossas. Era uma tinturaria ao estilo antigo, em que o próprio dono passava as roupas. Senti simpatia por aquele homem. Em uma lavanderia como aquela, talvez não grampeassem na bainha da camisa o código de identificação. Eu detestava tanto isso que preferia não mandar minhas camisas para lavar fora.

Na frente havia uma prateleira sobre a qual estavam alguns vasos de plantas. Eu os observei por um tempo, mas não conhecia o nome de nenhuma espécie. Não sei como podia ser tão ignorante nesse assunto. À primeira vista, todas as flores pareciam bastante comuns, e senti que qualquer um saberia o nome delas. As gotas de chuva do toldo caíam na terra preta dos vasos. Olhando essa paisagem, fui invadido por uma sensação de desespero. Apesar de ter vivido trinta e cinco anos neste mundo, não conhecia nem mesmo o nome de flores comuns.

Assim, uma simples lavanderia me fez descobrir várias coisas. Uma delas era que eu não sabia nada sobre os nomes das flores, a outra era que nos dias de chuva os preços para lavar roupa caíam. Apesar de passar por aquela rua quase todos os dias, até então eu não tinha notado aquela prateleira em frente à loja.

Havia um caracol na prateleira, o que para mim foi outra descoberta. Eu acreditava até então que os caracóis só aparecessem na estação das chuvas. Mas, pensando bem, se eles só aparecessem na época das chuvas, o que estariam fazendo no resto do ano?

Peguei o caracol do mês de outubro e o depositei sobre uma das folhas verdes num dos vasos. Ele tremeu por instantes, mas por fim se estabilizou meio inclinado e observou o entorno.

Depois, voltei à tabacaria e comprei um maço de Lark longo e um isqueiro. Parei de fumar cinco anos atrás, mas um maço no meu último dia de vida não me faria mal. Debaixo do toldo da tabacaria, coloquei um Lark entre os lábios e o acendi com o isqueiro. Como fazia tempo que não botava um cigarro na boca, tive uma sensação mais estranha do que imaginava. Puxei e soltei a fumaça devagar. As pontas dos dedos formigaram e minha cabeça se anuviou.

Em seguida, passei pela doceria e comprei quatro fatias de torta. Todas tinham longos nomes franceses e tão logo foram embaladas esqueci por completo o que havia comprado. Desde que me formei na faculdade, havia esquecido todo o francês que aprendera. A atendente da doceria era uma moça alta como um abeto e que não sabia dar um nó direito. Nunca vi uma moça alta que fosse hábil com as mãos. Porém, não saberia dizer se essa teoria se aplica às pessoas de maneira geral. Talvez seja apenas uma coincidência dos meus encontros pessoais.

Eu frequentava de vez em quando a locadora de vídeo ao lado da doceria. O casal de proprietários tinha mais ou menos a minha idade e a esposa era muito bonita. Na TV de vinte e sete polegadas da entrada estava passando *Lutador de rua*, de Walter Hill. No filme, Charles Bronson interpreta um lutador de boxe sem luvas e James Colbern é o seu agente. Entrei na loja, sentei no sofá e decidi assistir à cena da luta para passar o tempo.

Como a proprietária cuidava sozinha da loja com um ar entediado no balcão ao fundo, ofereci um pedaço de torta. Ela escolheu uma de pera e eu, um cheesecake. Enquanto comia minha torta, assisti à cena de Charles Bronson dando socos em um homenzarrão careca. A maioria dos espectadores estava convencida de que o grandalhão ganharia, mas como eu já tinha visto o filme alguns anos antes sabia que o vitorioso seria Charles Bronson. Quando terminei de comer a torta, acendi um cigarro, fumei metade e depois de confirmar que Charles Bronson havia nocauteado por completo o adversário me levantei do sofá.

— Fique um pouco mais e veja com calma — sugeriu a proprietária.

Expliquei a ela que gostaria, mas que estava com roupa na secadora. Ao olhar de relance o relógio, vi que já era uma e vinte e cinco. A máquina devia ter parado há um bom tempo.

— Nossa! — exclamei.

— Não se preocupe. Alguém deve ter tirado as roupas da secadora e deixado na sacola! Ninguém vai levar a sua roupa íntima embora.

— Com certeza — concordei, desanimado.

— Semana que vem vamos receber três filmes antigos do Hitchcock.

Saí da locadora e voltei à lavanderia. Felizmente estava deserta e a roupa esperava com tranquilidade no fundo do tambor da secadora. Das quatro máquinas, apenas uma estava em funcionamento. Enfiei a roupa na sacola e voltei para o apartamento.

A moça obesa dormia profundamente na minha cama. Tão profundamente que quando a vi cheguei a cogitar por um instante que estivesse morta, mas ao aproximar a orelha ouvi sua respiração fraca. Tirei a roupa seca da sacola e a arrumei perto da cabeceira. Depois deixei a caixa com as tortas ao lado do abajur. Se pudesse, me deitaria ao lado dela e dormiria, mas era impossível.

Fui até a cozinha, bebi um copo de água, lembrei-me de súbito de urinar, sentei numa cadeira e olhei ao redor. Ali estavam a torneira, o aquecedor a gás, o exaustor, o forno, panelas de vários tamanhos, a chaleira, o refrigerador, a torradeira, o armário de louça, um conjunto de facões, uma grande lata de chá Brooke Bond, uma panela elétrica e uma cafeteira. O que constituía a palavra "cozinha" era na verdade uma série de instrumentos e objetos. Observando o cômodo outra vez sem pressa, pude sentir essa calma estranhamente complexa peculiar à ordem que compõe o mundo.

Quando me mudei para aquele apartamento, eu ainda era casado. Oito anos antes eu costumava me sentar à mesa de jantar para ler um livro à noite. Como minha esposa tinha um sono muito sereno, às vezes eu me preocupava se ela não estaria morta na cama. Por mais imperfeito que eu fosse, amava-a à minha maneira.

Pensando bem, eu já morava naquele apartamento fazia oito anos. De início éramos eu, minha mulher e nosso gato. Quem partiu primeiro foi minha esposa, em seguida foi o gato. E agora está quase na hora de eu partir. Fumei um cigarro, usando como cinzeiro uma xícara de café velha que tinha ficado sem o pires, depois bebi mais água. Por que tinha vivido oito anos naquele lugar? Até eu acho estranho. Não tenho afeição pelo apartamento e o aluguel não é barato. O sol da tarde bate muito forte e o zelador é antipático. Além disso, minha vida não ficou mais feliz desde que vim morar aqui. A redução populacional foi muito violenta.

No entanto, tudo chegava ao fim.

A vida eterna: procurei refletir sobre ela. Sobre a imortalidade.

O professor declarou que estou a caminho do mundo da imortalidade. Disse que o fim deste mundo não é a morte, mas uma nova transformação, e nela eu me tornaria eu mesmo e poderia reencontrar coisas que tinha perdido no passado e que perdia agora.

Talvez fosse mesmo como ele falou. Não, sem dúvida seria dessa forma. Aquele velho sabe tudo. Se ele diz que aquele mundo é o da imortalidade, com certeza é. Apesar disso, essas palavras não despertaram absolutamente nada dentro de mim. Eram abstratas e vagas demais. Sentia que mesmo naquele momento eu era eu o bastante e me questionava como pessoas imortais pensariam sobre sua condição. A questão ultrapassava em muito os parcos limites da minha imaginação. Ainda mais quando se somavam unicórnios e uma grande muralha. Sentia que até o *Mágico de Oz* parecia mais real que tudo aquilo.

Afinal, o que eu havia perdido? Eu refletia coçando a cabeça. Com certeza tinha perdido diversas coisas. Se fosse escrever em detalhes, talvez preenchesse todo um caderno. Por vezes eu não dava muita importância ao perdê-las, mas depois sofria. Em outros casos acontecia justamente o contrário. Ao que parece eu vinha sempre perdendo várias coisas, pessoas e sentimentos. No bolso do casaco que simbolizava minha existência havia furos de fatalidade que nenhuma agulha e linha poderiam consertar. Nesse sentido, se alguém enfiasse a cabeça pela janela do meu apartamento e gritasse "Sua vida é um zero à esquerda!", eu não teria argumentos suficientes para contradizer.

No entanto, mesmo que pudesse refazer minha vida, sinto que ela teria sido idêntica. Porque essa vida — de perdas contínuas — formava o meu próprio eu. Não havia outro caminho para eu me tornar eu mesmo. Mesmo que muitas pessoas me abandonassem e eu abandonasse muitas pessoas, e mesmo que vários sentimentos bonitos, qualidades superiores e sonhos fossem apagados ou limitados, eu não poderia ser outra coisa além de mim mesmo.

Quando eu era mais novo, acreditava que talvez pudesse me tornar algo diferente de mim. Cheguei a pensar em abrir um bar em Casablanca e conhecer Ingrid Bergman. Ou, para ser mais realista — sem me importar se isso é ou não realista —, cogitava levar uma vida que fosse mais apropriada e proveitosa para mim mesmo. Cheguei até a treinar para me transformar. Li *O renascer da América* e assisti três vezes a *Sem destino*. Porém, mesmo assim sempre voltava ao mesmo lugar, como um barco com o leme torto. Esse era o *meu eu*. O meu eu não ia a parte alguma. Permanecia ali, à espera do meu regresso.

Eu devia chamar isso de desespero?

Não sei. Talvez fosse. Turguêniev talvez chamasse de desilusão. Dostoiévski provavelmente chamaria de inferno. Somerset Maugham diria realidade. No entanto, não importava o nome, esse era o meu eu.

Eu era incapaz de imaginar o mundo da imortalidade. Decerto poderia reaver nele tudo o que tinha perdido e talvez criar um novo eu. Alguns talvez aplaudissem, outros abençoariam. E eu me tornaria feliz e talvez levasse uma vida mais apropriada e proveitosa para mim mesmo. Fosse como fosse, esse seria um outro eu, sem nenhuma relação com o meu eu atual — este que contém o meu próprio eu. É um fato histórico imutável.

Depois de refletir um pouco, cheguei à conclusão de que o mais lógico seria supor que eu *morreria* em pouco mais de vinte e duas horas. Pensar na passagem para o mundo da imortalidade era algo que me causava apreensão, como em *Os ensinamentos de Don Juan*.

Vou morrer, decidi que seria mais fácil pensar. Agir assim tinha muito mais a ver com quem eu era. Pensar assim acalmava um pouco o meu espírito.

Apaguei o cigarro, fui até o quarto e, após contemplar por instantes o rosto da moça adormecida, verifiquei se tudo de que precisava estava no bolso da calça. Mas, se pensasse bem, eu não necessitava de quase mais nada. Fora a carteira e os cartões de crédito, do que mais eu poderia precisar? A chave do meu apartamento já não tinha utilidade, a carteira profissional de calculador tampouco. Não precisava da agenda e, como eu havia abandonado o carro, as chaves também eram desnecessárias. Não usaria um canivete. Já não necessitava de moedas para troco. Deixei sobre a mesa todas as moedas que tinha no bolso.

Primeiro fui de trem até Ginza, comprei uma camisa, uma gravata e um blazer na Paul Stuart e paguei com meu American Express. Após me trocar, fiquei de frente para o espelho e não tive uma impressão ruim. Fiquei um pouco incomodado com o vinco da calça de sarja verde-oliva ter quase desaparecido, mas nem tudo é perfeito. O contraste do blazer de flanela azul-marinho com a camisa laranja fez com que eu parecesse um jovem e promissor publicitário. Pelo menos não parecia alguém que até pouco antes havia vagado pelo subterrâneo e que dentro de cerca de vinte e uma horas desapareceria deste mundo.

Notei que a manga esquerda do blazer era um centímetro e meio mais curta do que a direita. Para ser mais exato, não era a manga, mas o meu braço esquerdo que era mais comprido. Não entendia por quê. Sou destro e não me lembrava de ter usado em excesso o braço esquerdo. O atendente me aconselhou deixar o blazer para ajuste, o que demoraria dois dias. Claro que recusei.

— O senhor joga beisebol ou algo assim? — perguntou o atendente ao me entregar o recibo do cartão.

Disse a ele que não.

— A maioria dos esportes costuma alterar o corpo — ele explicou. — Para que a roupa se ajuste bem, deve-se evitar exercício físico em excesso e manter uma boa alimentação.

Agradeci e saí da loja. O mundo parecia cheio de regras. Eu descobria coisas novas a cada passo que dava.

A chuva continuava, mas como eu tinha ficado cansado com as compras, desisti de procurar um impermeável, entrei num bar, tomei um chope e comi ostras. Por algum motivo tocava uma sinfonia de Bruckner. Eu não sabia o número, mas a verdade é que ninguém sabe o número das sinfonias de Bruckner. De todo modo, era a primeira vez que ouvia uma composição dele em um bar.

Além de mim, havia mais duas mesas ocupadas. Em uma estava um casal jovem, em outra havia um velho de chapéu. Sem tirar o acessório, ele bebia cerveja a pequenos goles, e o jovem casal conversava em voz baixa, quase sem tocar nas bebidas. É como um bar costuma ficar em uma tarde de domingo.

Enquanto ouvia Bruckner, espremi um limão sobre as cinco ostras, que comi no sentido horário enquanto tomava uma caneca de tamanho médio de cerveja. Os ponteiros do enorme relógio na parede indicavam cinco para as três. Embaixo do mostrador havia dois leões de pé, um de frente para o outro, que contorciam o corpo de forma alternada, dando corda no relógio. Ambos eram machos, e seus rabos se curvavam como cabides. Por fim, a longa sinfonia de Bruckner terminou e foi substituída pelo *Bolero* de Ravel. Era uma combinação curiosa.

Depois de pedir outra cerveja, fui até o banheiro e urinei de novo. Por mais que o tempo passasse, eu não parava de mijar. Eu mesmo não entendia de onde vinha tanta urina, mas como eu não tinha nenhum compromisso urgente continuei sem pressa. Devo ter levado uns dois minutos para terminar. Enquanto isso, a música seguia. Urinar ouvindo o *Bolero* de Ravel é um pouco estranho. Parece que você nunca mais vai parar de mijar.

Quando concluí, senti como se fosse um novo homem. Lavei as mãos e encarei meu rosto no espelho deformado antes de voltar à mesa e beber mais cerveja. Queria fumar, mas ao notar que eu tinha esquecido o maço de Lark na cozinha do apartamento chamei o garçom, comprei um maço de Seven Stars e pedi uma caixa de fósforos.

Senti como se o desenrolar do tempo tivesse parado naquele bar deserto, mas na verdade ele prosseguia intermitentemente. Os leões se alternavam em seu rodopio de cento e oitenta graus e os ponteiros do relógio haviam avançado até as três e dez. Sem tirar os olhos dele, eu bebia e fumava um Seven Stars com um cotovelo apoiado na mesa. Passar o tempo contemplando os ponteiros de um relógio é sob qualquer ponto de vista uma total insensatez, mas eu não tinha ideia de algo melhor para fazer. A maioria das ações humanas se baseia no pressuposto de que a vida continuará por um bom tempo, e se eliminarmos isso não sobra muita coisa.

Tirei a carteira do bolso e examinei o conteúdo. Havia cinco notas de dez mil ienes e algumas de mil. Em um compartimento no lado oposto encontrei vinte notas de dez mil ienes presas por um clipe. Além do dinheiro vivo, havia o American Express e o Visa. E dois cartões de débito. Quebrei em quatro pedaços estes últimos e joguei os fragmentos no cinzeiro. Já não tinha onde utilizá-los. Joguei fora também o cartão que me autorizava a usar a piscina coberta, o da locadora de vídeo e um que eu recebera ao comprar grãos de café. Mantive a carteira de motorista e descartei dois cartões de visita antigos. O cinzeiro ficou cheio desses cadáveres da minha vida. No final, fiquei apenas com o dinheiro, os cartões de crédito e a carteira de motorista.

No momento em que os ponteiros do relógio avançaram até as três e meia, eu me levantei, paguei a conta e saí do bar. Como nesse meio-tempo a chuva tinha quase parado, decidi deixar o guarda-chuva ali mesmo. Era um bom sinal. O tempo melhorava e eu me sentia mais leve.

Depois, me senti revigorado e tive vontade de ir para outro lugar. Se possível, para onde houvesse muitas pessoas. Depois de observar por um tempo os monitores de tv do edifício da Sony ao lado de um grupo de turistas árabes, entrei no metrô e comprei um bilhete até a estação Shinjuku pela linha Marunouchi. Parece que adormeci assim que me sentei, pois quando dei por mim o trem já havia chegado a Shinjuku.

Ao sair do metrô, lembrei que havia deixado o crânio e os dados do shuffling guardados no depósito temporário de bagagens da estação. Àquela altura eles eram completamente inúteis para mim e eu não estava com o recibo, mas como não tinha nada melhor para fazer decidi ir buscá-los. Subi as escadas e, no guichê do depósito, informei que perdera o papel.

— Procurou bem? — perguntou o funcionário.

Respondi que sim, havia verificado em todos os lugares.

— Que bagagem seria?

— Uma bolsa esportiva azul com o logo da Nike — respondi.

— Como é mesmo o logo da Nike?

Peguei papel e lápis e desenhei o logo parecido com um bumerangue achatado e, em cima, escrevi NIKE. Depois de encarar o papel com ar desconfiado, o funcionário escrutinou as prateleiras com o papel na mão até voltar com minha bolsa.

— É esta?

— Sim — respondi.

— Tem algum documento que confirme seu nome e endereço?

Entreguei minha carteira de motorista e ele comparou os dados com os que constavam na etiqueta presa à bolsa. Em seguida, arrancou a etiqueta e a pôs sobre o balcão, ao lado de uma caneta:

— Assine aqui.

Assinei, peguei minhas coisas e agradeci.

No entanto, a bolsa da Nike azul não combinava com a minha aparência. Eu não poderia ir jantar com uma moça levando aquela sacola. Pensei em comprar outra, mas um crânio daquele tamanho só caberia em uma mala grande de viagem ou em um saco para guardar bolas de boliche. Uma mala seria pesada demais, e se fosse para andar com um saco de boliche, era melhor seguir com a bolsa esportiva.

Por fim, após analisar várias possibilidades, cheguei à conclusão de que a melhor solução seria alugar um carro e deixar a bolsa no banco de trás. Assim, eu eliminaria o incômodo de carregá-la e não precisaria me preocupar se estaria combinando ou não. Optei por um luxuoso carro europeu. Não que tivesse predileção pelos automóveis europeus, mas como aquele era um dia muito especial achei que não seria ruim dirigir um carro de bom gosto que combinasse comigo. Desde que me entendo por gente só havia dirigido um Volkswagen prestes a ser mandado para virar sucata e um carro pequeno de fabricação nacional.

Entrei em uma casa de chá, pedi emprestadas as *Páginas amarelas*, assinalei à caneta os números de quatro locadoras de automóveis próximas e telefonei para cada uma na ordem. Nenhuma tinha carros europeus. Como era domingo e fazia aquele tempo, quase não havia carros disponíveis, muito menos veículos estrangeiros. Das quatro, duas não tinham mais carros de passeio. Uma tinha apenas um Civic. Na última, havia apenas um Carina 1800 GT Twin Cam Turbo e um Mark II. A moça da agência me informou que ambos eram novos e tinham rádio. Como não queria continuar buscando, decidi alugar o Carina 1800 GT Twin Cam Turbo. Nunca me interessei muito por carros, por isso na verdade não me importava com qual dos dois ficar. Eu nem mesmo sabia que cara tinham um Carina 1800 GT Twin Cam Turbo ou um Mark II.

Depois fui até a loja de discos e comprei várias fitas cassete. A seleção das melhores de Johnny Mathis, a *Noite transfigurada* de Schönberg regida por Zubin Mehta, *Stormy Monday* de Kenny Burrell, *The Popular Duke Ellington*, os *Concertos de Brandemburgo* regidos por Trevor Pinnock e uma fita com músicas de Bob Dylan que incluía "Like a rolling stone": uma combinação eclética, mas não havia outro jeito, uma vez que eu não fazia ideia do tipo de música que gostaria de escutar dentro de um Carina 1800 GT Twin Cam Turbo. Talvez ao me sentar no carro sentisse vontade de ouvir James Taylor. Ou quem sabe iria preferir valsas vienenses. Ou The Police e Duran Duran. Podia ser também que eu não sentisse vontade de escutar nada. Eu não tinha ideia.

Atirei as seis fitas na bolsa, fui até a locadora de carros, pedi para me mostrarem o veículo, apresentei minha carteira de motorista e assinei os documentos. Comparados aos do meu carro, os assentos do Carina 1800 GT Twin Cam Turbo pareciam de um ônibus espacial. Quem está acostumado a dirigir um desses sem dúvida confundiria o meu carro com uma caverna de trogloditas. Enfiei a fita cassete de Dylan no rádio e, enquanto ouvia "Watching the river flow", passei um tempo verificando cada botão do painel. Se apertasse o botão errado ao dirigir, teria problemas.

Enquanto fazia isso, a moça simpática que me atendera saiu do escritório e de pé ao lado do carro me perguntou se eu precisava de ajuda. Seu sorriso era puro e agradável, como os dos bons comerciais de TV. Os dentes eram brancos, o queixo bem delineado, e ela usava um batom bonito.

Eu disse que estava tudo certo e que estava analisando os botões exatamente para não ter nenhum problema dali em diante.

— Entendi — disse ela, voltando a sorrir.

Seu sorriso me lembrou de uma colega dos tempos do ensino médio. Uma moça inteligente, cheia de vida. Ouvi dizer que tinha se casado com o membro de um movimento revolucionário que conheceu na universidade e teve com ele dois filhos, mas abandonou a casa e as crianças e até hoje ninguém sabia onde estava. Quem poderia prever que a jovem de dezessete anos que gostava de J. D. Salinger e George Harrison teria anos depois dois filhos com um revolucionário e acabaria desaparecendo?

— Como seria bom se todos os clientes fossem tão cautelosos ao dirigir como o senhor — ela afirmou. — Os painéis computadorizados dos carros mais recentes são difíceis de manusear para quem não está acostumado.

Assenti com a cabeça. Então não era só eu que não estava acostumado.

— Que botão devo apertar para saber a raiz quadrada de cento e oitenta e cinco? — perguntei.

— O senhor terá de esperar o lançamento do próximo modelo — disse ela rindo. — Essa música é do Bob Dylan, não?

— Sim — respondi.

Tocava "Positively 4th Street". Uma música boa continua boa mesmo depois de duas décadas.

— Basta ouvir um pouquinho para logo saber de quem se trata — ela falou.

— Porque ele toca gaita pior do que Stevie Wonder?

Ela riu. Fiquei contente. Eu ainda era capaz de fazer uma moça rir.

— Não é isso. Há algo de especial na voz dele — disse ela. — Parece uma criança de pé ao lado da janela observando a chuva cair.

— Que bonito isso — respondi.

Era mesmo uma forma bonita de se expressar. Eu tinha lido alguns livros sobre Bob Dylan, mas nunca havia deparado com uma descrição tão adequada. Captou a essência. Ela corou um pouco.

— Não sei bem. Apenas sinto dessa forma.

— Pôr sentimentos em palavras é algo muito difícil — afirmei. — Todo mundo sente muita coisa, mas pouca gente consegue expressar com precisão.

— Meu sonho é escrever romances — ela confessou.

— Sem dúvida poderá escrever bons romances.

— Muito obrigada — agradeceu.

— Mas é raro uma moça da sua idade ouvir Bob Dylan.

— Gosto de músicas antigas. Bob Dylan, Beatles, The Doors, The Birds, Jimi Hendrix... E outros como eles.

— Gostaria de conversar com você com calma qualquer dia — afirmei.

Ela sorriu e inclinou um pouco a cabeça. Uma moça sofisticada conhece umas trezentas maneiras de responder. E pode fazer isso muito bem com um homem divorciado de trinta e cinco anos e exausto. Agradeci e dei partida no carro. Dylan cantava "Memphis blues again". Por causa dela, me sentia revigorado. Valeu a pena ter escolhido um Carina 1800 GT Twin Cam Turbo.

O relógio no painel indicava quatro e quarenta e dois. O céu da cidade rumava para um crepúsculo sem sol. Dirigi até meu apartamento pelas ruas congestionadas. Só por ser um domingo chuvoso já era motivo para haver muitos carros nas ruas, mas um pequeno veículo esportivo verde se chocara de frente com um caminhão de oito toneladas que carregava blocos de cimento, causando uma paralisia trágica no trânsito. O carro esportivo verde parecia uma caixa de papelão vazia na qual alguém havia sentado sem querer. Em volta havia alguns policiais vestindo impermeáveis pretos e um reboque engatava naquele momento uma corrente na traseira do veículo.

Demorou para conseguir ultrapassar o local do acidente, mas como ainda havia tempo até o horário combinado, continuei a ouvir a fita do Bob Dylan enquanto fumava com tranquilidade. Tentei imaginar como seria se casar com um membro de um movimento revolucionário. Revolucionário era uma profissão? Claro, uma revolução não é exatamente uma profissão. No entanto, uma vez que a política é uma profissão, a revolução deveria ser uma de suas formas. Acabei não conseguindo chegar a uma conclusão.

Será que o esposo, ao voltar para casa do trabalho, discutiria sobre o andamento da revolução enquanto tomava uma cerveja sentado à mesa de jantar?

Bob Dylan começou a cantar "Like a rolling stone", então parei de pensar sobre o assunto e assoviei a melodia. Todos envelhecemos. É algo tão inegável quanto a chuva que cai.

34

Os crânios

Vi um pássaro voando. Depois de passar bem baixo pela encosta branca e gélida da colina oeste, ele sumiu do meu campo de visão.

Enquanto esquentava as mãos e os pés no fogareiro, eu bebia o chá quente que o velho tinha feito para mim.

— Hoje você também vai ler sonhos? Está nevando demais, vai ficar perigoso subir e descer a colina. Não é possível tirar um dia de folga? — perguntou o velho.

— Justo hoje eu não posso faltar de jeito nenhum — respondi.

O velho saiu balançando a cabeça, mas logo voltou com um par de botas próprias para a neve.

— Use isto. Com elas você não vai escorregar.

Experimentei e eram exatamente do meu tamanho. Era um bom sinal.

Quando chegou a hora de sair, enrolei o cachecol no pescoço, vesti as luvas, peguei com o velho um chapéu emprestado e o pus na cabeça. Enfiei o acordeão no bolso. Eu o adorava e não queria me afastar dele nem por um instante.

— Tenha cuidado — alertou o velho. — Agora é o momento mais importante para você. Se algo acontecer agora, será irreversível.

— Sim, eu sei — respondi.

Como eu tinha previsto, um volume considerável de neve havia caído no buraco. Os idosos já não estavam mais lá, e as ferramentas haviam sido bem guardadas. Nesse ritmo, até a manhã seguinte o buraco estaria totalmente coberto pela neve. De pé diante dele, observei por um bom tempo a neve caindo lá dentro, mas por fim me afastei e desci a colina.

A neve era tão violenta que eu não enxergava um palmo à frente do nariz. Tirei os óculos, os enfiei no bolso, puxei o cachecol até abaixo dos olhos e desci a encosta da colina. Ouvia o som agradável dos grampos na sola da bota e às vezes um pássaro trinava na floresta. Como eles se sentiriam em relação à neve? E os animais? Eu não sabia. O que será que pensavam dessa nevasca sem fim?

Cheguei à biblioteca uma hora antes do usual, mas ela já me esperava com o fogareiro aquecendo a sala. Tirou a neve acumulada no meu casaco e limpou os pedacinhos de gelo grudados entre os grampos da bota.

Apesar de ter estado ontem ali, a biblioteca me causava uma nostalgia indescritível. Era como se há muito tempo eu não visse a luz amarela refletida no vidro fosco ou sentisse o calor íntimo que emanava do fogareiro, o aroma do café que vinha da chaleira, as memórias de tempos antigos e serenos infiltrados em cada canto da sala, os gestos calmos e discretos dela. Relaxei e deixei meu corpo entregue a essa atmosfera. E pensar que estava prestes a perder aquele mundo tranquilo para sempre.

— Quer comer agora ou prefere deixar para mais tarde?

— Não precisa. Estou sem fome — declarei.

— Tudo bem. Se tiver fome é só falar. Quer café?

— Obrigado, quero sim!

Tirei as luvas e as pendurei para secar na peça metálica do fogareiro, e enquanto aquecia os dedos das mãos um a um, aliviando a tensão, eu a observava tirar a chaleira do fogareiro e verter o café nas xícaras. Ela me entregou uma e em seguida se sentou sozinha à mesa para bebericar o seu.

— Está nevando demais lá fora. Quase não dá para ver nada — falei.

— Sim, e vai continuar assim por alguns dias! Até as nuvens espessas que cobrem o céu descarregarem toda a neve.

Bebi cerca de metade do café quente e me sentei na frente dela. Pousei a xícara sobre a mesa e sem dizer uma palavra observei seu rosto por um tempo. Enquanto a olhava, fui invadido por um sentimento de tristeza que parecia me levar para outro lugar.

— Quando essa nevasca parar, com certeza vai ser a maior quantidade de neve acumulada que você já viu — ela disse.

— Mas talvez eu não possa vê-la.

Ela ergueu os olhos da xícara e me fitou.

— Por quê? Qualquer um pode ver a neve.

— Hoje, em vez de ler os velhos sonhos, que tal conversarmos? — pedi. — Uma conversa muito importante. Quero falar sobre várias coisas e gostaria de ouvir você também. Pode ser?

Sem saber aonde eu queria chegar com aquela história, ela cruzou os dedos das mãos sobre a mesa e assentiu.

— Minha sombra está à beira da morte — comecei. — Acho que você já sabe disso, mas o inverno este ano está sendo rigoroso demais e ela não deve durar muito. É uma questão de tempo. Quando ela morrer, eu perderei meu coração para sempre. Por isso, preciso decidir aqui e agora várias coisas. Sobre mim, sobre você, sobre tudo. Resta-me pouco tempo para pensar, mas mesmo que tivesse mais tempo nas mãos, o resultado seria o mesmo. Cheguei a uma conclusão.

Enquanto bebia o café, eu verificava outra vez em minha mente se a conclusão a que tinha chegado não estaria errada. Não estava. Porém, qualquer que fosse o caminho escolhido, eu acabaria perdendo muita coisa.

— Talvez amanhã à tarde eu deixe a cidade — falei. — Não sei por onde nem como. A sombra vai me ensinar. Eu e ela abandonaremos este lugar, voltaremos para o velho mundo de onde viemos e viveremos ali. Arrastarei minha sombra, como fazia antes, e envelhecerei em meio a preocupações e sofrimentos até morrer. Acho que talvez aquele mundo combine mais comigo, vivendo instigado e arrastado pelo coração. Sem dúvida você não conseguirá compreender isso.

Ela me encarava. No entanto, parecia não me observar, mas apenas olhar o espaço onde estava o meu rosto.

— Você não gosta desta cidade?

— No começo você me disse que se eu procurava por paz com certeza gostaria daqui. É verdade, eu gosto da calma e da tranquilidade que encontrei. E está claro para mim que, ao perder o coração, essa paz e essa tranquilidade se tornam perfeitas. Não há nada aqui que faça alguém sofrer. E é possível que eu me arrependa por toda a vida por abandonar esta cidade. No entanto, não posso continuar aqui. Porque o meu coração não permite que eu permaneça aqui a ponto de sacrificar minha sombra e os animais. E por mais que eu tenha serenidade, não posso enganar meu coração. Mesmo que ele em breve desapareça por completo! Essa é outra história. Quando perdemos algo, mesmo que completamente, o que ocorre é que continuamos a perdê-lo para sempre. Entende o que eu digo?

Ela ficou bastante tempo calada observando os dedos das mãos. O vapor exalado das xícaras de café desaparecera. Na sala tudo permanecia imóvel.

— Você nunca vai voltar, não é?

Assenti com a cabeça.

— Ao abandonar a cidade, é impossível retornar. Isso está bem claro. E, mesmo que voltasse, o portal não se abriria mais para mim.

— E você não se importa com isso?

— Vai ser muito duro perder você. Mas eu a amo e o mais importante é que esse sentimento existe. Não pretendo transformá-lo em algo artificial apenas para poder tê-la ao meu lado. Se for assim, prefiro perdê-la e conservar o meu coração.

Com a sala outra vez em silêncio, só se ouvia o som do carvão estalando. Ao lado do fogareiro estavam pendurados meu casaco, meu cachecol, meu gorro e minhas luvas. Todas aquelas peças tinham sido dadas por aquela cidade. Eram modestas, mas eu me habituara a cada uma delas.

— Pensei em deixar minha sombra fugir e continuar aqui sem ela — expliquei. — Mas, se fizesse isso, seria enviado para o bosque e nunca mais poderia ver você. Porque você não pode viver no bosque. Ali só podem ficar aqueles cujas sombras não foram eliminadas por completo e que continuam a ter um coração. Eu tenho um coração, você não. Portanto, você não consegue precisar de mim.

Ela balançou a cabeça, calma.

— É isso mesmo! Eu não tenho um coração. Minha mãe tinha um, mas eu não. Como minha mãe conservou o dela, foi enviada para o bosque. Não lhe contei, mas lembro bem quando isso aconteceu. Ainda hoje às vezes penso nisso! Se eu tivesse um coração, teria ficado com minha mãe no bosque. Além disso, poderia precisar de você!

— Mesmo sendo enviada para o bosque? Ainda assim gostaria de ter um coração?

Ela contemplou os dedos cruzados sobre a mesa e em seguida os separou.

— Lembro de minha mãe dizer que quando se tem um coração, onde quer que se vá não há nada a perder. É verdade?

— Não sei — respondi. — Não sei dizer. Mas sua mãe acredita nisso, não? O problema é se você acredita ou não.

— Acho que posso acreditar — ela disse com o olhar cravado em mim.

— Acredita? — revidei, espantado. — Você é capaz de acreditar nisso?

— Provavelmente — ela respondeu.

— Olhe, pense bem. Isso é muito importante — falei. — Acreditar em algo, não importa o quê, é uma clara função do coração. Veja. Digamos que você acredite em algo. Talvez você seja enganada, e aí logo depois ficará decepcionada. Isso é um movimento do coração. Você tem um?

Ela balançou a cabeça.

— Não sei. Eu só me lembrei da minha mãe! Não pensei em nada além disso. Só imaginei que podia acreditar.

— Acho que talvez haja algo dentro de você vinculado ao coração. Porém, isso está trancado e não pode ser posto para fora. Por isso você nunca o encontrou.

— O fato de restar um coração dentro de mim significa que, assim como minha mãe, eu também não consegui eliminar por completo minha sombra?

— Não, talvez não seja isso. Sua sombra morreu aqui e foi enterrada no pomar das macieiras. Isso consta nos registros. Mas reminiscências e fragmentos desse coração permanecem em você graças às lembranças de sua mãe, e isso talvez a abale. Se procurar bem, acredito que vai chegar a algum lugar.

Como se todos os sons tivessem sido amortecidos pela neve que caía do lado de fora, havia uma calma quase antinatural na sala. Senti que em algum lugar a muralha escutava às escondidas nossa conversa, prendendo a respiração. Tudo estava tranquilo demais.

— Vamos falar sobre os velhos sonhos — sugeri. — Os corações dos habitantes da cidade, que renascem dia após dia, são absorvidos pelos animais e se convertem em velhos sonhos?

— Sim, é isso! Quando a sombra morre, os animais recebem nossos corações e os absorvem.

— Então nos velhos sonhos eu poderia ler cada coisa que havia no seu coração?

— Não, não poderia. Meu coração não foi absorvido completo, mas foi fragmentado e absorvido por vários animais. Esses pedaços estão tão complexamente interligados ao coração de outras pessoas a ponto de serem indissociáveis. Você não conseguiria separar os meus pensamentos de outros! A prova disso é que você vem lendo há algum tempo velhos sonhos, mas não seria capaz de dizer quais eram meus, certo? Os velhos sonhos são assim mesmo. Ninguém consegue desemaranhá-los. O caos desaparece em meio ao caos.

Compreendi bem o que ela dizia. Mesmo lendo velhos sonhos todos os dias, eu não era capaz de entender o sentido deles. E me restavam agora apenas vinte e uma horas. Durante esse tempo, eu precisava chegar até o coração dela. Era estranho. Nessa cidade imortal, todas as minhas escolhas estavam concentradas nesse limite de tempo de vinte e uma horas. Fechei os olhos e respirei fundo algumas vezes. Precisava de todas as minhas forças para encontrar o fio que desenrolaria aquela situação.

— Vamos até o arquivo — falei.

— Arquivo?

— Vamos até lá para pensar enquanto olhamos os crânios. Talvez nos ocorra alguma ideia.

Peguei-a pela mão, levantei, dei a volta atrás do balcão e abri a porta que conduzia ao arquivo. Quando ela acendeu a luz, os inúmeros crânios nas prateleiras começaram a reluzir sob a dura luminosidade. Estavam cobertos por uma espessa camada de poeira, cuja brancura desbotada flutuava na penumbra. Suas mandíbulas estavam abertas no mesmo ângulo, e os buracos das órbitas contemplavam o vazio. O silêncio glacial emanado se transformava em uma névoa translúcida que caía sobre o arquivo. Encostados na parede, observamos por um tempo as fileiras de crânios. O ar frio alfinetava a minha pele e fazia meus ossos tremerem.

— Você acredita mesmo que consegue ler meu coração? — ela perguntou, enquanto observava o meu rosto.

— Acredito que sou capaz disso — respondi, com calma.

— Como?

— Isso eu ainda não sei — afirmei. — Mas com certeza vou conseguir. Sinto isso. Deve haver um método. E eu vou descobri-lo.

— Você está tentando separar as gotas de chuva que caíram num rio.

— Escute bem. O coração não é uma gota de chuva. Não cai do céu e não é algo que se confunde com outras coisas. Acredite em mim. Garanto que vou descobrir o método. Aqui há de tudo e não há nada. E eu vou conseguir encontrar o que procuro.

— Encontre meu coração — ela pediu após uma breve pausa.

35
Cortador de unha, molho de manteiga, vaso de ferro

Eram cinco e vinte quando estacionei o carro na biblioteca. Por ter ainda bastante tempo, decidi caminhar pela cidade após a chuva. Entrei numa dessas cafeterias que atendem no balcão e tomei um café enquanto assistia a uma partida de golfe ao vivo. Depois, joguei videogame em um salão de jogos. O objetivo do jogo era aniquilar a tiros de canhão a divisão de tanques inimigos que vinha do outro lado do rio. Comecei levando vantagem, mas à medida que o jogo progredia o número de tanques inimigos se multiplicava como lemingues, e por fim minha posição foi destruída. Quando isso aconteceu, a tela ficou totalmente branca, iluminada por uma luz incandescente que parecia uma explosão atômica. Em seguida, as palavras GAME OVER — INSERT COIN apareceram. Enfiei na máquina uma moeda de cem ienes. No mesmo instante tocou uma música e minha posição reapareceu intacta. Era uma batalha feita para ser perdida. Sem isso, nunca acabaria, e um jogo sem fim não faz sentido. Atrapalharia tanto o salão quanto os jogadores. No final, minha posição acabou de novo arrasada. Mais uma vez, a luz apareceu na tela e com ela as palavras GAME OVER — INSERT COIN.

Ao lado havia uma loja de ferragens, em cuja vitrine havia vários tipos de ferramentas. Junto a um jogo de chaves inglesas, de fenda e de parafusos, viam-se um martelo e uma chave de parafusos elétrica. Havia também um conjunto de ferramentas portátil de fabricação alemã em um estojo de couro. O estojo em si era pequeno como um porta-moedas feminino, mas seu interior continha, bem apertados, desde uma pequena serra até um martelo e um eletroscópio. Ao lado, havia um conjunto de trinta cinzéis que me deixou muito impressionado, uma vez que até aquele momento eu nunca tinha visto uma variedade tão grande. Cada uma das trinta lâminas era levemente diferente das demais, e algumas eu não conseguia imaginar para que seriam usadas. Ao contrário da agitação do salão de jogos, na loja de ferragens reinava a calma de um iceberg. No fundo sombrio, no balcão, um homem de meia-idade, calvo e de óculos desmontava alguma coisa.

Num impulso, entrei na loja e procurei por cortadores de unha. Estavam alinhados como espécimes de insetos ao lado dos artigos para barbear. Escolhi um que tinha um formato estranho e que eu não sabia como usar e o levei até o balcão. Era um pedaço de aço inoxidável achatado de cerca de cinco centímetros, e era impossível deduzir onde apertar para cortar as unhas.

Quando cheguei ao balcão, o dono pôs de lado a chave de parafusos e a pequena batedeira elétrica que estava desmontando e me explicou como usá-lo.

— Olhe bem, por favor. Aqui é um. E dois. Por último três. Pronto, virou um cortador de unha.

— Interessante — falei.

De fato o objeto tinha se convertido em um esplêndido cortador de unha. O vendedor o devolveu ao formato original e me entregou. Imitei os gestos dele e converti o objeto de novo em um cortador de unha.

— É um ótimo produto — ele informou como se me revelasse um segredo. — É da Henkel, dura para sempre. É muito prático durante uma viagem! Não enferruja e a lâmina é forte. Pode ser usado até para cortar unhas de cachorros.

Paguei dois mil e oitocentos ienes. Ele vinha em um estojinho de couro preto. Depois de me dar o troco, o dono voltou a desmontar a batedeira. Havia inúmeros parafusos pretos separados por tamanho sobre lindos pratos brancos — eles pareciam felizes ali.

Depois, voltei para o carro e esperei por ela ouvindo os *Concertos de Brandemburgo*. Em seguida, procurei entender por que os parafusos pareciam tão felizes naqueles pratos. Talvez por terem deixado de ser parte da batedeira e terem recuperado sua independência de parafusos. Ou quem sabe considerassem o prato branco um local magnífico, e isso os fez se sentir especiais. De todo modo, era muito agradável admirar a felicidade deles.

Tirei do bolso o cortador de unha, voltei a abri-lo e, depois de testá-lo aparando um pouquinho da extremidade de uma unha, mais uma vez o fechei e guardei no estojo. A sensação não foi ruim. Acho que lojas de ferragens são como aquários com poucos visitantes.

Perto das seis, muitas pessoas saíam do prédio, pois a biblioteca estava a ponto de fechar. A maioria eram alunos do ensino médio que aparentemente estudavam na sala de leitura. Muitos carregavam uma bolsa esportiva igual à minha. Observando bem, todos os estudantes tinham um ar um pouco antinatural. Pareciam ser demais ou de menos. Aos olhos deles, era provável que eu fosse um ser ainda mais antinatural. O mundo é assim. As pessoas chamam isso de lacuna geracional.

Vi alguns idosos misturados aos estudantes. Eles passam as tardes de domingo na sala de leitura devorando revistas ou quatro jornais diferentes. Após acumularem conhecimento, como fazem os elefantes, voltam para casa, onde o jantar os espera. Não tive deles a mesma impressão antinatural que senti com os estudantes.

Depois que saíram, ouvi o som de uma sirene. Eram seis da tarde. Nesse momento, senti pela primeira vez em algum tempo a sensação de estar com o estômago verdadeiramente vazio. Pensando bem, desde a manhã eu tinha comido apenas metade de um sanduíche de presunto e ovo, uma pequena torta e algumas ostras, e na véspera não me lembrava de ter ingerido quase nada. A sensação de estômago vazio era como ter um enorme buraco daqueles escuros e profundos que eu vira no subterrâneo, nos quais não se ouvia barulho ao atirar uma pedra. Abaixei o banco e, olhando para o teto baixo do carro, pensei em todo tipo de comida. Inclusive nos parafusos alinhados nos pratos brancos. Cobertos por um molho de manteiga e decorados com agrião, até mesmo parafusos pareciam deliciosos.

Eram seis e quinze quando a moça encarregada das consultas saiu da biblioteca.

— É seu carro? — ela perguntou.

— Não, é alugado — respondi. — Não combina comigo?

— Bem. Não muito. Parece para gente mais jovem.

— Era o único. Não o escolhi por ter gostado dele. Qualquer um serviria.

— Hum — ela murmurou e deu uma volta ao redor do carro, como se examinasse a mercadoria, abriu a porta do lado oposto e se sentou. Depois analisou o interior do veículo, abriu o cinzeiro e olhou dentro do porta-luvas. — São os *Concertos de Brandemburgo*, não?

— Gosta?

— Sim, adoro. Ouço sempre. Para mim, a melhor versão é a de Karl Richter, mas esta gravação parece recente. Quem está regendo?

— Trevor Pinnock — respondi.

— Você gosta dele?

— Não em especial — falei. — Comprei o que tinha. Mas não é ruim!

— Já ouviu os de Pablo Casals?

— Não.

— Precisa ouvir. Mesmo não sendo ortodoxo, é de arrepiar.

— Irei — prometi, mas não sabia se teria tempo para isso.

Só me restavam dezoito horas, e eu precisava também dormir um pouco nesse período. Por mais que o meu tempo de vida fosse curto, não podia passar uma noite inteira acordado.

— O que você quer comer? — perguntei.

— O que acha de comida italiana?

— Maravilha.

— Conheço um lugar aonde podemos ir. É bem perto daqui! Eles usam ingredientes frescos.

— Estou com fome — declarei. — Poderia comer até parafusos.

— Eu também! Sua camisa é bonita.

— Obrigado — agradeci.

O restaurante ficava a cerca de quinze minutos de carro. Após avançar devagar por um caminho tortuoso em meio a um bairro residencial, desviando de pedestres e ciclistas, ele surgiu de repente no meio de uma ladeira. Era uma casa branca de madeira em estilo ocidental, que trazia apenas uma placa pequena, então algum desavisado poderia não perceber que ali havia um restaurante. Ficava em uma região residencial tranquila, delimitada por cercas altas onde os galhos de ciprestes do Himalaia e de pinheiros descreviam silhuetas escuras no céu crepuscular.

— Ninguém imaginaria que há um restaurante por aqui — falei, enquanto parava o carro no estacionamento em frente ao restaurante.

O estabelecimento não era muito espaçoso e tinha apenas três mesas e quatro bancos no balcão. Um garçom de avental nos conduziu a uma mesa bem no fundo, ao lado de uma janela, pela qual se viam os ramos de uma ameixeira.

— Podemos pedir vinho? — ela perguntou.

— Deixo por sua conta! — respondi.

Entendo mais de cerveja que de vinho. Enquanto ela discutia detalhes dos vinhos com o garçom, eu contemplava a ameixeira pela janela. Era uma sensação um pouco estranha ver uma ameixeira no jardim de um restaurante italiano, mas talvez não fosse tão inusitado assim. Na Itália também devia haver ameixeiras. Afinal, na França havia lontras. Quando o vinho foi escolhido, abrimos os cardápios para traçar nossa estratégia gastronômica. Demoramos para escolher. Como entrada pedimos uma salada de camarão ao molho de morango, ostras frescas, mousse de fígado à italiana, lulas cozidas na tinta, berinjelas fritas com queijo e eperlano marinado, e de massa escolhi um tagliatelle casalinghe, e ela, espaguete ao molho basílico.

— O que me diz de dividir também um macaroni ao molho vinagrete de peixe? — ela sugeriu.

— Ótima ideia — concordei.

— Qual peixe você recomenda hoje? — ela perguntou ao garçom.

— Hoje recebemos um robalo muito fresco — foi a resposta. — O que acham de cozido ao vapor com amêndoas?

— Vou querer — disse ela.

— Eu também — completei. — E salada de espinafre e risoto de cogumelos.

— Para mim, legumes ao vapor e risoto de tomate — pediu ela.

— Nosso risoto é bem generoso — disse o garçom, preocupado.

— Não tem problema. Não como quase nada desde ontem de manhã, e ela tem dilatação gástrica — expliquei.

— Parece um buraco negro — ela acrescentou.

— Certo — disse o garçom.

— Para a sobremesa, um sorvete de uva, um suflê de limão e um expresso — ela acrescentou.

— Vou querer o mesmo — falei.

Depois de anotar o pedido, o garçom partiu, e ela olhou para mim sorridente.

— Espero que você não tenha pedido tanta comida só por minha causa.

— Estou mesmo com fome — respondi. — Há tempos não sentia tanto apetite.

— Ótimo — ela disse. — Não confio em quem come com moderação. Sempre penso que vão preencher o que deixaram de comer em outro lugar qualquer. O que você acha?

— Não sei — respondi.

Eu realmente não sabia.

— Você tem mania de falar "Não sei", não é?

— Talvez.

— "Talvez" é outra palavra que você usa bastante.

Assenti com a cabeça e fiquei calado por não ter mais nada a dizer.

— Por que será? Seria porque todas as suas ideias são incertas?

Justo quando eu murmurava para mim mesmo *Não sei, talvez*, o garçom chegou, abriu a garrafa de vinho e o serviu nas taças com a cautela que um osteopata exclusivo do Palácio Imperial teria ao cuidar de uma luxação do príncipe herdeiro.

— O personagem principal de *O estrangeiro* tinha o hábito de dizer "Não é minha culpa", não? Qual era mesmo o nome dele? Hum…

— Meursault — respondi.

— Isso, Meursault — ela repetiu. — Li quando estava no ensino médio. Mas os estudantes de hoje não leem *O estrangeiro*. Um tempo atrás fizemos uma pesquisa na biblioteca. De que escritores você gosta?

— Turguêniev.

— Turguêniev não é um grande escritor. Está fora de moda.

— Talvez — afirmei. — Mas gosto dele. Flaubert e Thomas Hardy também são bons.

— Você não lê os contemporâneos?

— Às vezes leio Somerset Maugham.

— Hoje em dia pouca gente se refere a ele como um autor contemporâneo! — ela se surpreendeu, inclinando a taça de vinho. — Assim como não se encontram mais discos de Benny Goodman em jukeboxes!

— Mas é muito bom! Li *O fio da navalha* três vezes. Não é um romance impressionante, mas é gostoso de ler. Isso é melhor do que o contrário.

— Hum — ela murmurou com uma expressão estranha. — Seja como for, essa camisa laranja fica muito bem em você.

— Muito obrigado. O seu vestido também lhe cai bem.

— Obrigada — ela agradeceu.

Era um vestido de veludo azul-escuro com uma gola estreita em renda branca. No pescoço, havia dois colares finos prateados.

— Depois do seu telefonema, voltei para casa e me troquei. É prático morar perto do trabalho.

— Interessante — falei.

Realmente interessante.

Comemos em silêncio as entradas que haviam chegado. Tinham um tempero leve, sem sofisticação. Os ingredientes também eram frescos. As ostras estavam bem fechadas e exalavam o aroma marinho, como se tivessem acabado de ser colhidas do fundo do oceano.

— Você conseguiu resolver a questão dos unicórnios? — ela perguntou, enquanto arrancava com o garfo uma ostra da concha.

— Mais ou menos — respondi, enxugando com o guardanapo a tinta preta da lula dos lábios. — Em princípio está resolvido.

— E existiam unicórnios em algum lugar?

— Aqui mesmo — respondi, encostando a ponta do dedo na testa. — Os unicórnios vivem na minha cabeça. Formam uma manada.

— Em um sentido figurado, presumo?

— Não, não é bem assim. Acho que quase não existe sentido figurado. Eles habitam de verdade minha consciência. Uma pessoa descobriu isso.

— Que interessante essa história. Quero ouvir mais.

— Não é tão interessante assim — falei, passando para ela o prato de berinjelas. Em troca, ela me passou o prato de eperlanos.

— Mas estou louca para ouvir.

— Todos temos no fundo da consciência um núcleo imperceptível. No meu caso, ele é uma cidade. A cidade é atravessada por um rio e cercada por uma muralha alta de tijolos. Os moradores não podem sair. Só os unicórnios têm permissão para fazer isso. Eles absorvem a personalidade e o ego dos moradores e os transportam para fora da cidade, como folhas de papel. Por isso, não existem ali personalidades ou egos. Eu moro nela. Como na verdade nunca a vi com meus próprios olhos, não sei muito mais do que isso.

— É uma história bastante original — ela comentou.

Depois de explicar, percebi que o velho não tinha me falado de nenhum rio. Parecia que aos poucos eu estava sendo atraído para aquele mundo.

— Mas eu não a inventei de forma consciente — acrescentei.

— Por mais inconsciente que seja, quem a criou foi você, não é?

— Mais ou menos — falei.

— Esses eperlanos não estão nada ruins, hein?

— Realmente.

— Mas você não acha essa história muito parecida com a dos unicórnios russos que li para você? — disse ela, cortando uma berinjela pela metade. — Os unicórnios da Ucrânia também viviam em uma comunidade cercada por um precipício.

— É parecido — afirmei.

— Talvez tenham pontos em comum.

— É mesmo — concordei, colocando a mão no bolso do casaco. — Tenho um presente para você.

— Adoro presentes — ela se alegrou.

Tirei do bolso o cortador de unha e o entreguei a ela. Ela o tirou do estojo e o observou com curiosidade.

— O que é isto?

— Dê aqui — pedi, pegando o objeto de volta. — Olhe bem. Aqui é um, em seguida dois, e o três.

— Um cortador de unha?

— Exato. É prático em viagens. Para guardar é só fazer o inverso. Veja.

Voltei o cortador de unha ao formato de placa metálica e o devolvi a ela. Ela o montou e depois retornou ao formato original.

— É interessante. Muito obrigada — agradeceu. — Mas você tem o hábito de presentear garotas com cortadores de unha?

— Não, é a primeira vez. Passei há pouco em uma loja de ferragens e senti vontade de comprar algo. E um conjunto de cinzéis seria grande demais.

— Ele é ótimo. Obrigada. É fácil perder cortadores de unha, mas vou deixar este sempre no compartimento interno da bolsa.

Ela o guardou no estojo e o pôs na bolsa.

O garçom recolheu a louça das entradas e trouxe as massas. Eu continuava morrendo de fome. As seis entradas quase não tinham deixado rastro no buraco vazio que havia em mim. Enviei para o estômago em um tempo relativamente curto um bom tanto do tagliatelle e depois comi metade do macaroni ao molho de peixe. Ao terminar, senti como se visse uma luzinha em meio à escuridão.

Depois das massas, continuamos a beber vinho até trazerem o robalo.

— A propósito — ela disse sem desencostar os lábios da borda da taça, o que deixou sua voz um pouco abafada. — Para seu apartamento ser destruído daquele jeito foi usada alguma máquina especial? Ou foi um grupo de pessoas?

— Nenhuma máquina. Foi uma pessoa só — respondi.

— Deve ser alguém muito forte.

— Alguém que não sabe o que é ficar cansado.

— Um conhecido seu?

— Não, foi a primeira vez que o vi.

— Parecia que tinham jogado uma partida de rugby ali.

— Tem razão — concordei.

— Isso tem algo a ver com a história dos unicórnios?

— Parece que sim.

— E o assunto já foi resolvido?

— Ainda não. Pelo menos não em relação a eles.

— Mas para você está resolvido?

— Pode-se dizer que sim, mas também pode-se dizer que não — respondi. — Como não tenho escolha, pode-se dizer que está resolvido, mas como não foi uma escolha minha, significa que não resolvi. De todo modo, a minha opinião sobre o caso foi negligenciada desde o início. Era como se um único ser humano fizesse parte de um time de polo aquático de focas.

— E por isso você vai partir amanhã para um lugar distante?

— Mais ou menos.

— Você deve estar envolvido em um caso complicado, não?

— Tão complicado que nem eu entendo direito. O mundo está se complicando cada vez mais. A energia nuclear, a derrocada do socialismo, a evolução da informática, a inseminação artificial, os satélites espiões, os órgãos artificiais, as lobotomias... Até os painéis dos carros são difíceis de entender. Porém, explicando de forma simples o meu caso, estou metido em uma guerra de informações. Ou seja, sou uma ponte até que os computadores comecem a ter personalidade própria. Um quebra-galho.

— Os computadores um dia terão personalidade própria?

— Talvez. Quando isso acontecer, eles mesmos vão decodificar dados e efetuar cálculos. E ninguém poderá roubá-los.

O garçom apareceu e serviu o robalo e os risotos.

— Não entendo bem — disse ela enquanto cortava o robalo com a faca de peixe. — Talvez porque bibliotecas sejam locais tranquilos. Há muitos livros, todo mundo vem para ler, só isso. As informações são públicas, ninguém precisa brigar por elas.

— Que bom seria se eu pudesse trabalhar numa biblioteca — afirmei.

Eu deveria ter feito isso de verdade.

Comemos o robalo e até o último grão de risoto. Enfim eu tinha chegado a um ponto em que podia ver o fundo do buraco da minha sensação de fome.

— O peixe estava uma delícia — disse ela, satisfeita.

— Existe um truque ótimo para fazer um bom molho de manteiga — falei. — Cortam-se as chalotas bem fininhas e elas são misturadas a uma boa manteiga para dourar com cuidado. Nessa hora, é preciso tomar cuidado para não perder o sabor.

— Você gosta de cozinhar, pelo visto.

— A gastronomia quase não evoluiu desde o século XIX. Pelo menos no que se refere à boa gastronomia. O frescor dos ingredientes, a dedicação, o sabor e a estética são coisas que nunca irão evoluir.

— O suflê de limão daqui também é delicioso! — informou ela.

— Ainda consegue comer?

— Lógico — respondi.

Eu poderia comer ainda uns cinco suflês.

Tomei o sorvete de uva, comi o suflê e bebi o expresso. O suflê estava mesmo espetacular. Todas as sobremesas deveriam ser como aquela. O expresso estava tão denso que poderia ser colocado na palma da mão, e tinha um sabor firme, redondo.

Quando terminamos, o chef apareceu para nos cumprimentar. Expressamos nossa extrema satisfação.

— É um prazer cozinhar para quem tem tanto apetite — afirmou o chef. — Não é todo mundo na Itália que come bem como os senhores.

— Muito obrigado — agradeci.

Depois que ele voltou para a cozinha, chamamos o garçom e pedimos mais dois expressos.

— Você é a primeira pessoa que vejo capaz de comer tanto quanto eu e ficar bem — ela declarou.

— Ainda consigo comer mais — falei.

— Em casa tenho pizza congelada e uma garrafa de Chivas Regal.

— Nada mau — respondi.

A casa dela ficava mesmo muito perto da biblioteca. Era uma pequena residência pré-fabricada, mas independente. Havia um vestíbulo e um jardim no qual caberia uma pessoa deitada. Não parecia haver nenhuma possibilidade de o sol bater ali, mas num canto crescia uma azálea. Era um sobrado.

— Comprei esta casa quando era casada — ela explicou. — Amortizei o empréstimo com o dinheiro do seguro de vida. A ideia era ter filhos. É grande demais para uma pessoa só.

— Acho que sim — disse eu do sofá da sala de estar, enquanto olhava em volta.

Ela pegou a pizza do congelador e trouxe até a mesa de centro a garrafa de Chivas Regal, dois copos e gelo. Liguei o aparelho de som e pus uma fita cassete com músicas de Jackie McLean, Miles Davis, Wynton Kelly e outras do tipo. Até a pizza ficar pronta, bebi o uísque sozinho ouvindo "Bags' groove" e "The surrey with the fringe on top". Ela abriu uma garrafa de vinho para si.

— Gosta de jazz antigo? — perguntou.

— Na época do ensino médio eu frequentava uma casa de chá onde só tocava jazz.

— Não ouve música moderna?

— The Police, Duran Duran, um pouco de tudo. Ouço as que me apresentam.

— Mas você mesmo não escuta tanto?

— Não tenho necessidade.

— Ele, o meu falecido marido, sempre ouvia músicas antigas.

— Se parecia comigo.

— Sim, um pouco. Ele foi assassinado dentro de um ônibus. Bateram nele com um vaso de ferro.

— Por quê?

— Ele reclamou com um rapaz que estava usando laquê no cabelo dentro do ônibus, e esse cara o golpeou com o vaso de ferro.

— E por que esse rapaz tinha um vaso de ferro?

— Não faço ideia — disse ela.

Eu também não fazia a menor ideia.

— Seja como for, não acha que é uma forma horrível de morrer ser golpeado dentro de um ônibus com um vaso de ferro?

— Sem dúvida. Sinto muito.

A pizza ficou pronta, comemos uma metade cada um e bebemos sentados lado a lado no sofá.

— Quer ver o crânio de um unicórnio? — perguntei.

— Opa, quero sim — ela respondeu. — Você tem mesmo um?

— É só uma réplica. Não é de verdade.

— Me mostre mesmo assim.

Fui até o carro e voltei com a bolsa que estava no banco traseiro. Era uma noite calma e agradável de início de outubro. Avistava-se a lua quase cheia por entre as nuvens que cobriam o céu. Amanhã com certeza fará tempo bom. Voltei ao sofá da sala de estar, abri o zíper da bolsa, retirei o crânio enrolado na toalha de banho e o mostrei a ela. Ela pôs a taça de vinho na mesa e examinou o objeto com atenção.

— É muito bem-feito.

— Foi produzido por um especialista em crânios — falei, bebendo o uísque.

— Parece de verdade.

Parei a fita cassete, tirei da bolsa a pinça e dei uma pancadinha no crânio. Como antes, ouvimos um som seco.

— O que é isso?

— Cada crânio emite um som particular — expliquei. — A partir disso o especialista em crânios pode trazer de volta diversas recordações.

— Que história esplêndida — disse a moça, e ela mesma deu uma pancadinha no crânio com a pinça. — Nem parece uma réplica.

— Porque um cara muito paranoico a criou.

— O crânio do meu esposo foi fraturado. Por isso, não geraria um bom som.

— Será? Não sei — disse eu.

Ela pôs o crânio sobre a mesa, pegou a taça de vinho e bebeu. Sentados no sofá com os ombros colados um ao outro, inclinamos nossas taças e ficamos observando. Sem carne, ele nos parecia olhar rindo e prestes a absorver com toda a força o ar do ambiente.

— Ponha uma música para nós — propôs ela.

Peguei de um monte uma fita cassete qualquer, inseri-a no aparelho, apertei o play e voltei ao sofá.

— Pode ser aqui? Ou vamos para a cama lá em cima? — perguntou ela.

— Aqui está bom — respondi.

Das caixas de som ouvia-se "I'll be home", de Pat Boone. Senti o tempo escorrendo na direção contrária, mas isso não importava. O tempo poderia ir para onde quisesse. Ela fechou a cortina de renda da janela que dava para o jardim e apagou a luz. Depois, se despiu sob a luz da lua. Tirou os colares, o relógio de pulso em formato de bracelete e o vestido de veludo. Eu também tirei meu relógio e o atirei para trás do encosto do sofá. Em seguida, despi meu casaco, afrouxei a gravata e acabei com o uísque que restava no copo.

No momento em que ela tirava a meia-calça, a música mudou para "Georgia on my mind", com Ray Charles. Fechei os olhos, apoiei os pés sobre a mesa e fiz o tempo voltear na minha cabeça, como se faz com o gelo em um copo de uísque. Tudo aquilo parecia já ter acontecido num passado distante. A roupa no chão, a música de fundo e o diálogo só mudavam um pouco. Mas não havia muito sentido nessa diferença. Girávamos para acabar no mesmo lugar. Era como montar em um cavalo de carrossel. Não ultrapassamos ninguém, ninguém nos ultrapassa, e chegamos sempre ao ponto de onde partimos.

— Tudo parece já ter acontecido antes — falei com os olhos fechados.

— Óbvio! — ela respondeu.

E, tirando o copo da minha mão, abriu devagar os botões da minha camisa, como quando se tira o fio de uma vagem.

— Como você sabe?

— Porque sei! — respondeu ela.

E beijou meu torso nu. Seu cabelo comprido roçava meu ventre.

— Tudo já aconteceu uma vez antes! Só está dando voltas e mais voltas. Não é?

Ainda de olhos fechados, entreguei meu corpo à sensação dos lábios e do cabelo dela. Lembrei do robalo, do cortador de unha, do caracol na prateleira em frente à lavanderia. O mundo está cheio de sugestões.

Abri os olhos, a abracei com doçura e passei a mão nas suas costas para abrir o fecho do sutiã. Não havia nenhum.

— Está na frente! — ela avisou.

O mundo está mesmo evoluindo.

Após fazermos amor três vezes, tomamos um banho e ouvimos um disco de Bing Crosby enrolados num cobertor no sofá. Era uma sensação muito agradável. Minha ereção era perfeita como uma pirâmide de Gizé, o cabelo dela exalava um perfume leve, e apesar das almofadas duras o sofá não era nada ruim. Era antigo, de fabricação sólida e tinha o cheiro ensolarado de outrora. Houve uma época magnífica em que um sofá assim era bastante comum.

— É um bom sofá — disse eu.

— É velho, está em estado lastimável e vivo pensando em trocá-lo.

— Seria melhor ficar com ele.

— Vou fazer isso, então.

Cantarolei "Danny boy", acompanhando a canção de Bing Crosby.

— Você gosta dessa música?

— Adoro! — respondi. — Na escola primária venci um concurso de gaita tocando essa música, e como prêmio ganhei uma dúzia de lápis. Eu costumava tocar gaita muito bem.

Ela sorriu.

— A vida é meio estranha, não?

— É sim — ela concordou.

Ela voltou a colocar "Danny boy" para tocar, e acompanhei de novo cantando. Na segunda vez, me senti triste por algum motivo.

— Depois de partir você vai me escrever? — ela perguntou.

— Vou! — respondi. — Se puder mandar cartas de lá.

Dividimos o vinho que tinha sobrado no fundo da garrafa e o bebemos.

— Que horas são agora? — perguntei.

— Meia-noite — foi a resposta.

36
O acordeão

— Você sente que pode ler meu coração, não? — ela perguntou.

— Sinto com intensidade! Apesar de seu coração estar ao alcance da minha mão, eu não o sinto, mas a forma de fazer isso já deve ter se apresentado diante dos meus olhos.

— Se você sente assim, então deve dar certo!

— Mas eu não consigo encontrá-lo.

Sentei no chão do arquivo e encostamos as costas na parede, um ao lado do outro, erguendo o olhar para as fileiras de crânios. Eles permaneciam calados, não diziam palavra.

— Isso que você sente com tanta intensidade não poderia ter ocorrido há pouco tempo? — questionou. — Tente se lembrar de tudo o que aconteceu desde que a sua sombra começou a definhar. Talvez a chave para descobrir o meu coração esteja escondida aí.

Sentado no chão frio de olhos fechados, por um tempo apurei os ouvidos para o silêncio dos crânios.

— Esta manhã os idosos estavam cavando um buraco em frente ao meu prédio. Não sei o que pretendiam enterrar ali, mas era bem grande. Acordei com o som das pás. Era como se estivessem cavando na minha cabeça. A neve se encarregou de cobri-lo.

— E o que mais?

— Fomos à usina elétrica. Você sabe disso, não? Me encontrei com o jovem administrador e conversamos sobre o bosque. E ele me mostrou o gerador que fica em cima do buraco do vento. O barulho lá era desagradável. O som parecia estar se elevando das profundezas do inferno. O administrador é jovem, magro e tem um temperamento calmo.

— E depois disso?

— Ele me deu um acordeão. Um instrumento pequeno e dobrável. Velho, mas produz um bom som.

Ela refletia sentada no chão. Senti que a temperatura do arquivo caía a cada instante.

— Talvez seja o acordeão! — disse ela. — Ele deve ser a chave de tudo.

— O acordeão?

— Faz todo sentido. Ele está ligado à música, que por sua vez está ligada à minha mãe, e ela está ligada aos pedaços do meu coração. Não acha?

— Você com certeza tem razão — falei. — Faz sentido. Ele deve ser a chave. Mas falta um vínculo importante. Não me lembro de nenhuma música.

— Não precisa ser necessariamente uma canção. Você não pode tocar para mim nem que seja só um pouquinho?

— Posso sim!

Saindo do arquivo, tirei o acordeão do bolso do casaco pendurado ao lado do fogareiro. Com ele, me sentei ao lado dela. Passei as mãos pelas correias e tirei alguns acordes.

— Que som lindíssimo — ela se admirou. — É parecido com o do vento?

— É o próprio vento — expliquei. — Crio vento e faço com ele várias combinações.

Ela fechou os olhos e aproximou o ouvido.

Toquei na ordem os acordes que conseguia lembrar. E com os dedos da mão direita tateei com suavidade as teclas para formar uma escala. A melodia não veio, mas não tinha importância. Eu só queria que ela ouvisse o som de vento do acordeão. Decidi não procurar mais do que isso. Para mim, bastava entregar meu coração a esse vento, como um passarinho.

Pensei que nunca poderia me desfazer do meu coração. Por mais pesado — ou, por vezes, sombrio — que pudesse ser, ele era capaz de voar ao sabor do vento como um pássaro e enxergar até o infinito. Ele podia até mesmo mergulhar no som daquele pequeno acordeão.

Senti como se o ruído do vento que soprava lá fora chegasse aos meus ouvidos. A corrente invernal bailava pela cidade. Enrolava-se na torre alta do relógio, passava por baixo das pontes, fazia tremularem os galhos dos pinheiros na margem do rio. Balançava os ramos das árvores do bosque, atravessava a pradaria, fazia estalarem os fios elétricos da zona industrial, chocava-se contra o portal. O vento congelava e fazia as pessoas prenderem a respiração em suas casas. Fechei os olhos e imaginei as diversas paisagens da cidade. Havia o banco de areia do rio, a torre de vigia da muralha oeste, a usina elétrica do bosque, o espaço ensolarado em frente às residências oficiais, onde os idosos se sentavam. Os animais se inclinavam para beber a água plácida do rio e o vento agitava a erva verde que crescia no verão nos degraus de pedra do canal. Pude recordar com clareza o lago sul aonde eu e ela tínhamos ido juntos. Também me lembrava do pequeno campo atrás da usina elétrica, da pradaria oeste com seus velhos barracões militares e das ruínas e do antigo poço que restaram ao lado da muralha no bosque leste.

Depois, pensei nas várias pessoas que tinha conhecido ali. O meu vizinho coronel, os velhos que viviam nas residências oficiais, o administrador da usina elétrica e o guardião. Naquele momento deviam estar em suas casas, escutando o vendaval e a neve que sopravam lá fora.

Eu estava prestes a perder para sempre cada uma dessas paisagens e pessoas. E, claro, ela também. No entanto, me recordaria para sempre daquele mundo e das pessoas que o habitavam, como se os tivesse conhecido no dia anterior. Mesmo que aos meus olhos esta cidade fosse artificial e distorcida, e mesmo que os moradores tivessem perdido o coração, nada disso era culpa deles. Eu sem dúvida sentiria saudade até mesmo do guardião. Ele também não passava de um elo da sólida corrente que compunha a cidade. Algo tinha criado a poderosa muralha, e as pessoas acabaram sendo engolidas por ela. Me senti capaz de amar todas as paisagens e pessoas dali. Não podia ficar, mas eu os amava.

Naquele momento algo cruzou de leve o meu coração. Um dos acordes permaneceu dentro de mim como se me demandasse algo. Abri os olhos e toquei de novo. Com a mão direita, procurei os sons que correspondiam a ele. Depois de um tempo, consegui encontrar as quatro primeiro notas, que vieram dançando devagar até adentrar meu coração, como doces raios de sol. Elas precisavam de mim e eu precisava delas.

Eu pressionava as teclas e toquei várias vezes as quatro notas na ordem. Elas pareciam querer mais sons, outro acorde. Procurei e logo os encontrei. Foi um pouco trabalhoso buscar a melodia, mas aquelas quatro notas me conduziram para as cinco seguintes, e logo para mais um acorde e outras três notas.

Era uma canção. Não estava completa, mas era a primeira estrofe. Repeti esses três acordes e doze notas inúmeras vezes. Eu conhecia bem essa música.

Era "Danny boy".

Fechei os olhos e segui tocando. Quando me lembrei do título da canção, o resto da melodia e os acordes fluíram naturalmente da ponta dos meus dedos. Toquei-a várias vezes. A melodia penetrava meu coração e eu sentia com nitidez a tensão se esvair de todo o meu corpo. Ao escutar essa música depois de tanto tempo, pude sentir no coração o quanto meu corpo necessitava dela. Como nesse período eu tinha perdido a música e a fome que nutria por isso. Ela distendia meus músculos e meu coração congelados pelo longo inverno, oferecendo uma luz cálida repleta de nostalgia.

Tive a impressão de sentir a respiração da cidade naquela música. Eu estava nela e ela estava em mim. Respirava e tremia de acordo com o tremor do meu corpo. A muralha também se movia e ondulava. Eu a sentia como se fosse minha própria pele.

Depois de tocar por um tempo, deixei o instrumento no chão e, encostado na parede, fechei os olhos. Ainda podia sentir o corpo tremer. Sentia que tudo que havia ali era eu. A muralha, o portal, os animais, o bosque, o rio, o buraco do vento, o lago. Estavam todos em mim. Até o longo inverno provavelmente era eu.

Mesmo após ter deixado de lado o acordeão, a bibliotecária continuava de olhos fechados e segurava firme o meu braço. Lágrimas escorriam de seus olhos. Pousei a mão em seu ombro e beijei suas pálpebras. Havia uma umidade agradável nelas. Uma luz cálida iluminava seu rosto, fazendo as lágrimas brilharem. Mas essa luz não vinha da lâmpada que pendia do teto. Era uma mais clara e quente do que a luz das estrelas.

Levantei e apaguei a lâmpada. Descobri de onde vinha aquela luminosidade. Os crânios brilhavam. O cômodo estava claro como se fosse meio-dia. Sua luz era doce como o sol da primavera, serena como o luar. Adormecida ali, a luz antiga agora despertava. As fileiras de crânios cintilavam em silêncio, como o mar matinal ao fracionar e espalhar a luz do sol. No entanto, não ofuscavam meus olhos. Aquela luz me trazia serenidade e preenchia meu coração com o calor de recordações antigas. Senti que meus olhos estavam curados. Nada mais podia feri-los.

Era uma visão maravilhosa. A luz cintilava por toda parte. Como joias vistas no fundo de um córrego de água cristalina, os crânios liberavam a luminosidade prometida. Peguei um crânio e acariciei a superfície. Pude sentir o coração dela. Estava ali. Flutuava minúsculo na ponta dos meus dedos. Cada partícula de luz oferecia apenas um calor e um brilho leves, mas estavam ali.

— Seu coração está aqui — falei. — É ele que brilha.

Ela assentiu com um leve gesto de cabeça e se pôs a me observar com os olhos úmidos de lágrimas.

— Posso ler seu coração. E posso juntá-lo num só. Ele deixará de ser um monte de fragmentos perdidos. Está aqui e ninguém mais poderá roubá-lo.

Beijei outra vez seus olhos.

— Gostaria de ficar um tempo sozinho aqui — pedi. — Quero terminar de ler seu coração até de manhã. Depois, vou dormir um pouco.

Ela assentiu mais uma vez, encarou os crânios cintilantes e saiu. Quando a porta se fechou atrás dela, ainda encostado na parede, continuei a contemplar durante uma pequena eternidade as inúmeras partículas de luz incrustadas nos crânios. Eram ao mesmo tempo os velhos sonhos delas e os meus velhos sonhos. Depois de percorrer um longo caminho nesta cidade cercada por uma muralha, pude enfim reencontrá-los.

Peguei um crânio, pus a mão sobre ele e devagar fechei os olhos.

37

Luz, introspecção, limpeza

Eu não saberia dizer quantas horas tinha dormido. Alguém me sacudia pelo ombro. A primeira coisa que senti foi o cheiro do sofá. Depois, comecei a ficar irritado com a pessoa que estava me acordando. Todo mundo, como uma praga de gafanhotos no outono, queria me tirar o meu precioso sono.

Apesar disso, algo dentro de mim me pressionava para me levantar. Como se dissesse: "Você não tem tempo para dormir", e me batesse com um grande vaso de ferro.

— Acorde, por favor — ela insistia.

Abri os olhos. Eu vestia um roupão laranja. Ela trajava uma camiseta masculina branca e sacudia meu ombro. Seu corpo magro, coberto apenas pela camiseta e pela calcinha brancas, era como o de uma criança pequena e frágil. Parecia bastar um vento um pouco mais forte para reduzi-la a pó. Afinal, onde teria ido parar aquela quantidade imensa de comida italiana que devoramos? E onde eu tinha deixado meu relógio? Ainda estava escuro. Se meus olhos não estivessem me pregando uma peça, não tinha amanhecido.

— Olhe para o que está em cima da mesa — ela pediu.

Parecia uma árvore de Natal em escala reduzida. Mas não tinha como ser isso, era pequena demais, sem contar que estávamos no início de outubro. Observei fixamente o objeto sobre a mesa enquanto ajeitava a gola do roupão. Era o crânio que eu tinha deixado ali. Não, talvez ela o tivesse posto sobre a mesa. Não me lembrava qual dos dois o tinha deixado ali. Mas não importava. De todo modo, o que brilhava e cintilava como uma árvore de Natal era o crânio de unicórnio que eu havia trazido.

Cada ponto de luz era minúsculo e a iluminação em si não era forte. No entanto, esses ínfimos pontos de luz pairavam sobre o crânio como um céu estrelado. A luz era branca, vaga e suave. Ao redor de cada ponto havia mais uma camada de luz que o cobria como uma auréola suave. Talvez por isso a luz parecia flutuar solitária sobre o crânio. Sentados um ao lado do outro no sofá, observamos por um tempo esse pequeno oceano de luz sem trocar uma palavra. Ela segurava com delicadeza o meu braço, e minhas mãos continuavam na gola do roupão. Já era madrugada e tudo estava em silêncio.

— Que truque é esse?

Balancei a cabeça negativamente. Eu tinha passado uma noite inteira com o crânio e ele não havia emitido nenhuma luz. Se fosse alguma tinta ou líquen fosforescente, não teria como cintilar dependendo da ocasião. Sem dúvida brilhava no escuro. Além do mais, ele não estava assim antes de adormecermos. Não era um truque. Era algo que ia além de um ato humano artificial. Nada que alguém fizesse seria capaz de produzir uma luz tão doce e suave.

Depois de soltar com cuidado as mãos dela que seguravam o meu braço direito, peguei com calma o crânio e o coloquei sobre os joelhos.

— Você não tem medo? — ela sussurrou.

— Nenhum! — respondi.

Eu não tinha medo. Aquilo sem dúvida tinha a ver comigo. Ninguém teria medo de si mesmo.

Quando cobri o crânio com as mãos, ele estava quente. Até mesmo meus dedos pareciam envoltos por uma camada pálida de luz. Fechei os olhos e senti meus dedos penetrarem naquela tepidez suave. Pude sentir recordações antigas surgirem em meu coração, como se fossem nuvens distantes.

— Não parece uma réplica — ela falou. — Não seria um crânio de verdade? Vindo de um passado remoto, trazendo antigas recordações...

Assenti, calado. Mas o que eu sabia? Fosse lá o que fosse, o crânio agora emanava uma luz que estava nas minhas mãos. Eu sabia apenas intuitivamente que aquilo queria me transmitir algo. Parecia querer dizer algo sobre o mundo no qual eu estava entrando e sobre o mundo que eu deixava para trás. Eu não conseguia entender muito bem.

Abri os olhos e contemplei outra vez a luz que tingia meus dedos de branco. Eu era incapaz de entender o significado, mas podia sentir que não tinha a intenção de me fazer mal. Ela estava dentro da minha mão e aparentava estar satisfeita por estar ali. Com a ponta do dedo, acompanhei a linha de luz flutuante. *Não há nada a temer*, pensei. Não preciso ter medo de mim mesmo.

Após pôr o crânio de volta sobre a mesa, toquei no rosto dela com a ponta dos dedos.

— Estão bem quentes — ela disse.

— A luz é quente — expliquei.

— Será que eu posso tocá-lo?

— Claro.

Ela ficou por algum tempo de olhos fechados com as mãos sobre o crânio. Assim como havia acontecido comigo, seus dedos se revestiram de uma camada de luz branca.

— Sinto algo — ela disse. — Não sei o que pode ser, mas é algo que já senti em algum lugar. O ar, a luz, o som, tudo! Não saberia explicar.

— Eu também não consigo explicar — falei. — Fiquei com sede.

— Quer cerveja ou água?

— Prefiro uma cerveja — respondi.

Peguei uma da geladeira e levei dois copos para a sala de estar. Encontrei o relógio de pulso que tinha caído atrás do sofá e chequei as horas. Quatro e dezesseis. Em mais ou menos uma hora começaria a amanhecer. Peguei o telefone e liguei para o meu apartamento. Era a primeira vez que ligava para mim mesmo e demorei para lembrar o número. Ninguém atendeu. Depois de deixar tocar quinze vezes, desliguei e repeti a ação. No final, deu no mesmo, ninguém atendeu.

Será que a moça tinha voltado ao subterrâneo onde o avô a esperava? Ou os calculadores ou alguém da System tinham ido até lá e a sequestrado? Imaginei que ela saberia se safar. Com certeza tinha dez vezes mais capacidade que eu para lidar com situações adversas. Além disso, tinha metade da minha idade. O que era incrível. Depois de desligar o telefone, me dei conta de que eu nunca mais voltaria a vê-la, e isso me entristeceu um pouco. Era como se eu estivesse assistindo a um sofá e um candelabro serem transportados para fora de um hotel prestes a encerrar suas atividades. As janelas estavam sendo fechadas e as cortinas, retiradas.

No sofá, bebíamos a cerveja enquanto contemplávamos a luz branca emanada pelo crânio.

— Você acha que ele brilha em sintonia com você? — ela perguntou.

— Não sei — respondi. — Mas tenho a impressão de que sim. Talvez não comigo, mas está em sintonia com algo.

Servi o resto da cerveja no copo e bebi devagar. O mundo antes do amanhecer era calmo e silencioso, como um bosque. As minhas roupas e as dela estavam espalhadas sobre o tapete. Meu blazer, minha camisa, minha gravata e minha calça, e o vestido, a meia-calça e a combinação dela. Senti como se fossem a culminação dos meus trinta e cinco anos de vida.

— O que você está olhando? — ela perguntou.

— As roupas — respondi.

— Por que está prestando atenção nisso?

— Até pouco tempo atrás elas eram uma parte de mim. As suas roupas também eram uma parte de você. Mas agora já não são mais. Parecem ser de outras pessoas, não minhas.

— Seria porque fizemos amor? Depois do sexo as pessoas costumam ficar introspectivas.

— Não, não é isso — falei, com o copo vazio na mão. — Não estou introspectivo, é só que muitas coisinhas que compõem o mundo andam chamando a minha atenção. Ando sensível a caracóis, pingos de chuva, vitrines de lojas de ferragens, coisas assim.

— Devo arrumar as roupas?

— Não, deixe-as assim. Estou mais tranquilo. Não precisa arrumá-las.

— Fale sobre os caracóis.

— Eu vi um caracol em frente à lavanderia. Não sabia que havia caracóis no outono.

— Há caracóis o ano todo.

— Sem dúvida.

— Na Europa, eles têm um significado místico — ela explicou. — A concha simboliza o mundo das trevas, e quando um caracol sai dali significa a chegada do sol. Por isso, quando as pessoas encontram um desses animais, de forma instintiva dão um tapinha na concha para fazê-lo sair. Já fez isso?

— Não — respondi. — Você sabe muitas coisas, não?

— Quando se trabalha em uma biblioteca, aprende-se bastante.

Peguei o maço de Seven Stars de cima da mesa e acendi um cigarro com os fósforos do bar. Voltei a observar a roupa no chão. As mangas da minha camisa estavam sobre a meia-calça azul-clara dela. O vestido de veludo estava torcido na altura da cintura, com a combinação de tecido fino ao lado, como uma bandeira desfraldada. Os colares e o relógio de pulso dela estavam jogados sobre o sofá, e a carteira de couro preto estava estirada sobre a mesinha lateral.

As roupas espalhadas assim pareciam mais com ela do que ela mesma. Ou talvez a minha roupa parecesse mais comigo do que eu mesmo.

— Por que foi trabalhar numa biblioteca? — eu quis saber.

— Porque eu gostava do ambiente. É tranquilo, cheio de livros e de conhecimento. Não queria trabalhar num banco ou numa empresa, mas também não queria ser professora.

Soprei a fumaça do cigarro para o alto e por um tempo observei sua trajetória.

— Quer saber mais sobre mim? — ela perguntou. — Onde nasci, como foi minha infância, que universidade frequentei, quando perdi minha virgindade, qual minha cor predileta, essas coisas?

— Não — respondi. — Não agora. Quero ir conhecendo aos poucos.

— Também quero saber mais sobre você aos poucos.

— Eu nasci perto do mar — contei. — Quando ia à praia na manhã seguinte à passagem de um tufão, havia um monte de objetos espalhados pela areia. Eram trazidos pelas ondas. Descobria coisas impensáveis. Desde garrafas, sandálias de madeira, chapéus e estojos de óculos até cadeiras e mesas. Não fazia ideia de como essas coisas tinham chegado à praia. Mas eu gostava de procurá-las, e por isso ansiava pela chegada dos tufões. Talvez as ondas carregassem coisas que haviam sido jogadas em uma praia para deixá-las em outra.

Apaguei o cigarro no cinzeiro e deixei o copo vazio sobre a mesa.

— Todos os objetos que vinham do mar estavam estranhamente purificados. Apesar de inutilizados, estavam limpos. Nenhum estava tão sujo a ponto de não poder ser tocado. O mar é especial. Quando penso na minha vida até agora, me recordo desses objetos na praia. Minha vida sempre foi parecida com eles. Juntei tudo, limpei como pude e deixei em outro local. Porém, sem utilidade. Só para apodrecer.

— Mas é preciso ter estilo para fazer isso, não? Para limpá-los.

— E por que teria? Um caracol tem estilo. Eu só vou de uma praia à outra. Lembro bem de várias coisas que já me aconteceram, mas são apenas recordações sem nenhum vínculo com o meu eu de agora. Memórias limpas, porém inúteis.

Ela apoiou a mão no meu ombro, levantou-se do sofá e foi até a cozinha. Tirou uma garrafa de vinho da geladeira, serviu numa taça e, numa bandeja, a trouxe para a sala junto com uma nova cerveja para mim.

— Gosto do momento de penumbra que antecede a alvorada — ela falou. — Provavelmente por ser limpo e inútil.

— Mas é um momento efêmero. O dia amanhece, e logo surgem distribuidores de jornal e de leite, e os trens começam a circular.

Ela se aninhou ao meu lado, puxou o cobertor até o peito e tomou o vinho. Servi no copo a cerveja e contemplei o crânio sobre a mesa, que ainda não perdera o brilho. Ele projetava sua luz pálida na garrafa de cerveja, no cinzeiro e nos fósforos. A cabeça dela estava apoiada no meu ombro.

— Fiquei olhando você voltar da cozinha — falei.

— E o que achou?

— Suas pernas são lindas.

— Gostou?

— Demais.

Ela pôs a taça sobre a mesa. Me deu um beijo logo abaixo da orelha.

— Quer saber de uma coisa? — ela perguntou. — Adoro um elogio.

Conforme ia amanhecendo, a luz do sol foi apagando a luz do crânio, que logo voltou a ser apenas um osso branco inexpressivo e comum. Abraçados no sofá, admirávamos a escuridão do mundo lá fora ser aos poucos usurpada pela luz da manhã. A respiração cálida dela umedecia meu ombro, seus seios eram pequenos e macios.

Quando acabou de tomar todo o vinho, ela dobrou o corpo e adormeceu serenamente. A luz do sol banhava os telhados das casas vizinhas, os pássaros vinham até o jardim para logo partir. Ouviam-se o apresentador de um noticiário na TV e o som do motor de um carro sendo ligado em algum lugar. Eu já não tinha sono. Não lembrava quantas horas teria dormido, mas estava desperto e não restava nada da bebedeira. Afastei com cuidado a cabeça dela do meu ombro, levantei, fui até a cozinha beber água e fumei um cigarro. Fechando a porta que dividia os cômodos, liguei o rádio e sintonizei uma estação FM, mantendo o volume baixo. Queria ouvir uma música de Bob Dylan, mas infelizmente não tocava nenhuma. Em vez disso, ouvi "Autumn leaves", de Roger Williams. Estávamos no outono.

A cozinha da casa dela era parecida com a minha. Havia uma pia, um exaustor, uma geladeira com congelador e um aquecedor a gás. O tamanho, as funcionalidades, a maneira de usá-la e a quantidade de utensílios eram quase os mesmos. A diferença era que ali não havia um forno a gás, mas um micro-ondas. Também havia uma cafeteira elétrica. E várias facas, uma para cada coisa, com pequenas diferenças entre os gumes. Poucas mulheres sabem afiar bem uma faca. As tigelas eram todas próprias para ir ao micro-ondas, e as frigideiras estavam lindamente curadas. A lixeira na pia também estava limpa.

Não entendi por que eu estava tão interessado na cozinha de outra pessoa. Não era minha intenção fuçar os detalhes da vida cotidiana de alguém, mas os objetos ali naturalmente chamaram a minha atenção. Quando "Autumn leaves" de Roger Williams acabou, começou a tocar a versão da orquestra de Frank Chacksfield de "Autumn in New York". Banhado pela luz de uma manhã outonal, eu observava distraído as filas de panelas, vasilhas e temperos. A cozinha era um mundo à parte. É algo que Shakespeare diria. *O mundo inteiro é uma cozinha.*

Quando a música acabou, a locutora surgiu anunciando: "Estamos no outono". Em seguida, falou do cheiro ao vestir um suéter pela primeira vez nessa estação. Comentou que há uma boa descrição disso em um romance de John Updike. A música seguinte foi "Early autumn", de Woody Herman. O timer em cima da mesa indicava sete horas e vinte minutos. Dia três de outubro, sete e vinte da manhã. Segunda-feira. O céu tinha uma claridade nítida e profunda, como se tivesse sido cortado por uma lâmina afiada. Não seria um dia ruim para pôr fim à vida.

Esquentei água numa panela e escaldei os tomates que estavam na geladeira para fazer um molho com alho e legumes, depois o juntei a uma salsicha de Estrasburgo e cozinhei em fogo brando. Enquanto isso, preparei uma salada de repolho e pimentão cortados bem fininho, liguei a cafeteira, umedeci levemente o pão e, após envolvê-lo em papel-alumínio, o deixei no forno elétrico para tostar. Quando a comida estava pronta, eu a acordei e tirei os copos e as garrafas vazias de cima da mesa.

— O cheiro está bom — ela disse.

— Posso me vestir? — perguntei.

Acho ruim me vestir antes de uma mulher. Talvez seja uma regra de cortesia de uma sociedade civilizada.

— Lógico, fique à vontade! — ela disse, tirando a camiseta.

A luz matinal formou uma sombra leve em seus seios e em seu ventre, fazendo brilhar a penugem de seu corpo.

— Nada mau, não acha? — afirmou ela.

— Nada mau — repeti.

— Nenhuma carne a mais, sem dobras na barriga e pele ainda viçosa. Pelo menos por algum tempo — ela disse, virando-se para mim e se apoiando sobre o sofá. — Mas tudo isso um belo dia desaparece, não é? Como um fio cortado não volta ao que era antes. É frustrante se sentir assim.

— Vamos comer — sugeri.

Ela foi até o cômodo ao lado, pôs um moletom e um jeans velho e desbotado. Eu vesti minha calça de sarja e a camisa. Sentamos um de frente para o outro à mesa da cozinha, comemos pão, salsicha e salada e bebemos café.

— Você se acostuma assim tão rápido à cozinha dos outros? — ela perguntou.

— A essência de uma cozinha costuma ser igual em todas as casas — afirmei. — Preparamos e comemos a comida. Não difere muito, não importa o lugar!

— Você não se cansa de viver sozinho?

— Não sei. Nunca pensei nisso. Fui casado por cinco anos, mas agora não me lembro mais. É como se eu sempre tivesse vivido só.

— Não pensa em se casar de novo?

— Tanto faz — disse eu. — Casado ou não, nada muda. É como uma casa de cachorro daquelas que têm uma portinha de entrada e outra de saída. É indiferente por qual delas você entra ou sai.

Rindo, ela limpou com um lenço de papel o molho de tomate do canto do lábio.

— Você é a primeira pessoa que vejo comparar a vida conjugal a uma casa de cachorro.

Quando a refeição terminou, esquentei o café que tinha sobrado na cafeteira e o servi.

— O molho estava delicioso — elogiou ela.

— Se tivesse louro e orégano ficaria ainda melhor — respondi. — E deveria ter deixado cozinhar uns dez minutos a mais.

— Mas estava ótimo. Fazia tempo que não tomava um café da manhã tão bem-feito. O que você pretende fazer hoje?

Olhei para o relógio. Oito e meia.

— Vamos sair às nove — informei — e ir a algum parque tomar um banho de sol e beber cerveja. Quando der dez e meia, eu a levo aonde quiser e vou embora. O que vai fazer?

— Voltar para casa e lavar roupa, fazer faxina e me entregar às recordações do sexo que fizemos. Nada mau, hein?

— Nada mau — concordei.

Nada mau mesmo.

— Olhe, não sou daquelas que se deitam com qualquer um! — ela acrescentou.

— Eu sei! — afirmei.

Enquanto eu lavava a louça, ela cantava no chuveiro. Lavei os pratos e as panelas com um detergente de gordura vegetal que quase não produzia espuma, e depois de enxugá-los com um pano de prato os alinhei sobre a mesa. Em seguida lavei as mãos, peguei emprestada uma escova de dentes que havia na cozinha e fui até o banheiro perguntar se ela não teria um aparelho de barbear.

— Abra o armário de cima, no lado direito. Acho que está lá o aparelho que meu marido costumava usar — ela disse.

Na prateleira do meio havia uma espuma de barbear Lemon Lime da Gillette e um barbeador elegante. A espuma estava quase no fim, e havia resto de produto seco no bico. Morrer é deixar para trás uma lata de espuma de barbear pela metade.

— Achou? — ela perguntou.

— Achei! — respondi.

Com o barbeador, a espuma e uma toalha nova, voltei à cozinha e esquentei água. Ao terminar de me barbear, lavei com cuidado o aparelho. Minha barba e a do falecido se misturaram na pia antes de seguirem pelo ralo.

Enquanto ela se vestia, li o jornal matutino sentado no sofá. Um taxista sofrera um ataque cardíaco enquanto dirigia e morreu ao colidir contra um viaduto. As passageiras, uma mulher de trinta e dois anos e uma menina de quatro, sofreram ferimentos graves. As ostras fritas servidas em um almoço do conselho municipal de alguma cidade estavam estragadas e duas pessoas morreram. O ministro das Relações Exteriores manifestou sua insatisfação com a política de juros altos dos Estados Unidos; numa reunião, banqueiros americanos analisaram os juros dos empréstimos a países da América Latina; o ministro da Fazenda do Peru criticou a ingerência econômica norte-americana na América do Sul; e o ministro do Exterior da Alemanha foi enfático ao pedir a correção do desequilíbrio da balança comercial do país com o Japão. A Síria criticou Israel, que por sua vez criticou a Síria. Havia também conselhos sobre como agir se um jovem de dezoito anos fosse violento com o pai. Ou seja, nada de útil às poucas horas que me restavam.

Vestindo uma calça bege de algodão e uma blusa quadriculada marrom, ela se olhou no espelho e escovou os cabelos. Eu apertei a gravata e vesti o casaco.

— O que vai fazer com o crânio de unicórnio? — indagou ela.

— Fica para você de presente! Você pode colocá-lo de enfeite em algum lugar.

— O que acha de eu deixá-lo em cima da televisão?

Peguei o crânio que já havia perdido o brilho, fui até um canto da sala e o coloquei sobre a TV.

— Que tal?

— Nada mau — falei.

— Será que vai voltar a brilhar?

— Com certeza — respondi.

Voltei a abraçá-la e gravei em minha mente o calor de seu corpo.

38
A fuga

Quando a luz acinzentada da manhã se infiltrou pela pequena janela perto do teto, clareando aos poucos a parede em frente, o brilho dos crânios começou a perder o vigor, e com isso as recordações da escuridão profunda foram sendo transferidas para outro lugar.

Até não conseguir mais vislumbrar a última luz, deslizei os dedos pelos crânios para fazer seu calor penetrar o meu corpo. Não sabia quanto do total eu havia lido durante a noite. O número de crânios era enorme, e o tempo disponível era bastante limitado. No entanto, procurei não me preocupar com isso e segui buscando com atenção e cuidado um crânio após o outro. Com a ponta dos dedos, pude sentir a cada instante o coração dela. Para mim aquilo já era suficiente. Não tinha a ver com quantidade, volume ou proporção. Por mais que me esforçasse, não seria possível ler tudo o que há no coração de alguém. O dela estava sem dúvida ali, e eu podia senti-lo. O que mais eu poderia querer?

Quando devolvi à prateleira o último crânio, sentei no chão e me encostei na parede. Pela janela logo acima da minha cabeça não era possível saber como estava o tempo lá fora. Pelo grau de luminosidade, eu sabia apenas que estava sombrio e nublado. Sombras pálidas flutuavam serenas pelo arquivo, e os crânios haviam mergulhado de novo em um sono profundo. Também fechei os olhos e relaxei a mente no ar frio da aurora. Ao tocar meu rosto, percebi que meus dedos conservavam o calor da luz.

Permaneci sentado até que meu coração, alvoroçado pelo silêncio e pelo ar frio, se acalmasse. Eu podia sentir o tempo desigual e incoerente. A cor da luz pálida que entrava pela janela não mudava. Por mais que o tempo passasse, as sombras seguiam imóveis. Senti que o coração dela percorria o meu corpo, se misturava ao que era meu e irradiava por todo o meu ser. Sem dúvida levaria um tempo para eu dar ao seu coração uma forma mais definida. E deveria levar mais tempo ainda para transmiti-lo a ela e fazer com que se instalasse em seu corpo. Porém, mesmo que demorasse ou que o resultado não fosse perfeito, eu poderia lhe oferecer um coração. E imaginei que ela talvez pudesse, por sua própria vontade, reconstruí-lo de um modo ainda mais perfeito.

Levantei-me e saí do arquivo. Ela esperava por mim sozinha, sentada a uma mesa da sala de leitura. Talvez por causa da luz difusa do amanhecer, os contornos de seu corpo pareciam estar mais pálidos e enfraquecidos. Para nós dois havia sido uma noite longa. Ao ver o meu rosto, ela se levantou sem dizer nada e pôs a chaleira sobre o fogareiro. Enquanto o café esquentava, lavei as mãos na pia do fundo e as enxuguei com a toalha. Em seguida, sentei em frente ao fogareiro para me aquecer.

— Então, está cansado? — perguntou ela.

Assenti com a cabeça. Meu corpo estava pesado como um tijolo, e eu mal conseguia erguer a mão. Havia lido velhos sonhos por doze horas ininterruptas. No entanto, o cansaço não tinha dominado o meu coração. Como ela mesma advertira no primeiro dia em que li sonhos, por mais exaurido que o corpo esteja, não se deve deixar que o cansaço penetre o coração.

— Você deveria ter ido para casa descansar — falei. — Não precisava ficar aqui.

Ela serviu café no copo e me entregou.

— Enquanto você estiver aqui, eu estarei com você.

— Isso é uma regra?

— Eu mesma decidi! — ela sorriu. — Além disso, era o meu coração que você estava lendo! Não poderia deixá-lo aqui e ir embora, não é?

Assenti com a cabeça e bebi. Os ponteiros do antigo relógio de parede marcavam oito e quinze.

— Devo preparar o café da manhã?

— Não precisa — falei.

— Mas você não comeu nada desde ontem, comeu?

— Não sinto fome. O que preciso agora é dormir profundamente. Poderia me acordar às duas e meia? Até lá, gostaria que você se sentasse ao meu lado e velasse o meu sono. Pode ser?

— Se é o que você quer… — ela disse, sempre com uma expressão sorridente.

— É o que mais quero no mundo! — afirmei.

Ela trouxe dois cobertores do cômodo dos fundos e me cobriu com eles. Como antes, seu cabelo roçou o meu rosto. Ao fechar os olhos, pude ouvir o carvão crepitar. Os dedos dela estavam sobre o meu ombro.

— Até quando durará o inverno? — perguntei.

— Não sei. Ninguém sabe quando termina! Mas com certeza não deve demorar muito. Talvez esta seja a última nevasca.

Estendi a mão e toquei o rosto dela. Ela fechou os olhos e por um tempo desfrutou do calor dos meus dedos.

— Esse calor é da minha luz, não é?

— Qual é a sensação?

— É como a luz da primavera — ela respondeu.

— Acho que consigo lhe transmitir seu coração — falei. — Talvez demore. Mas, se você acreditar nisso, não tenho dúvida de que vou conseguir.

— Estou certa disso.

E pousou com leveza a palma da mão sobre meus olhos.

— Durma — disse ela.

Adormeci.

Ela me acordou às duas e meia em ponto. Eu me levantei e, enquanto vestia o casaco, o cachecol, as luvas e o chapéu, ela bebia café sozinha em silêncio. Como eu havia deixado o casaco coberto de neve pendurado ao lado do fogareiro, ele estava completamente seco e quentinho.

— Você poderia guardar esse acordeão para mim? — pedi.

Ela assentiu com a cabeça. Depois, pegou o instrumento que estava sobre a mesa e por um tempo o segurou como se quisesse confirmar seu peso. Por fim, o devolveu para mim.

— Claro! Cuidarei muito bem dele — disse ela.

* * *

Ao sair notei que já quase não nevava e tinha parado de ventar. A nevasca que havia avançado noite adentro terminara algumas horas antes. No entanto, o céu estava coberto como sempre por nuvens baixas acinzentadas, que anunciavam que a cidade logo seria tomada por mais neve. Agora era apenas uma pequena trégua.

Ao cruzar a ponte oeste rumo ao norte, vi como de costume uma fumaça se elevando do outro lado da muralha. No começo, uma fumaça branca subiu intermitente, como se hesitasse, para logo se transformar na fumaça escura que indicava que um grande volume de carne estava sendo queimado. O guardião estava no pomar de macieiras. Corri até a sua cabana, deixando atrás de mim pegadas na neve que chegava à altura do meu joelho. Um silêncio sepulcral caíra sobre a cidade; a neve parecia absorver todos os sons. Não havia vento nem o canto dos pássaros. Apenas o eco que minhas botas faziam ao pisar na neve.

O interior da cabana do guardião estava deserto, e como sempre tinha um cheiro forte. O fogareiro estava apagado, mas havia resquícios do calor no ambiente. Pratos sujos e cachimbos se espalhavam sobre a mesa, e nas paredes estavam os machetes e as machadinhas, com suas lâminas claras e brilhantes. Enquanto observava o cômodo, senti que o guardião podia entrar a qualquer momento sem fazer nenhum barulho, se aproximar de mim por trás e pousar sua grande mão em minhas costas. Era como se a fileira de facas, a chaleira, os cachimbos, enfim, todos os objetos reprovassem em silêncio a minha deslealdade.

Com o objetivo de evitar as facas ameaçadoras, peguei sem demora o molho de chaves pendurado na parede e, segurando-o com força, saí pela porta dos fundos rumo à praça das Sombras. Não havia pegadas na neve alva que cobria a praça, e apenas se via o olmo negro solitário no centro. Por instantes senti como se o espaço fosse sagrado e que não deveria ser profanado por passos humanos. Tudo estava contido de forma hábil numa equilibrada serenidade e parecia mergulhado em um sono bom e prazeroso. Sobre a neve, havia lindos padrões traçados pelo vento, e os ramos do olmo, com pedaços brancos aqui e ali, repousavam no vazio seus braços envergados. Tudo permanecia imóvel. Já quase não nevava. Às vezes se ouvia apenas o vento, como se tivesse se lembrado de que deveria soprar. Senti que tudo ali nunca esqueceria que eu tinha pisado sobre seu breve sono pacífico.

Contudo, eu não podia hesitar. Já não havia como voltar atrás. Com o molho de chaves na mão entorpecida, tentei inserir na fechadura cada uma das quatro grandes chaves. Porém, nenhuma delas servia. Senti um suor frio brotar das minhas axilas. Tentei relembrar o momento em que o guardião abrira a porta. Daquela vez, sem dúvida havia quatro chaves. Contei. Uma delas tinha que servir.

Depois de esfregar as mãos uma na outra para aquecê-las, testei mais uma vez as chaves. A terceira entrou por completo e girou, emitindo um som alto e seco. O ruído metálico ecoou pela praça deserta tão alto que não me espantaria se tivesse sido ouvido por todos os habitantes da cidade. Mantendo a chave na fechadura, espreitei em volta, mas não havia sinais de que houvesse alguém ali. Não se ouviam vozes ou passos. Entreabri a pesada porta de ferro e deslizei o corpo para dentro, fechando-a devagar e em silêncio.

Macia como uma espuma, a neve acumulada na praça engolia os meus pés. O chão rangia com meus passos, como se um enorme animal mastigasse com cuidado uma presa. Avancei, deixando atrás de mim duas fileiras de pegadas, e passei por um banco sobre o qual a neve se acumulava bem alta. Acima da minha cabeça, os ramos do olmo pareciam espreitar de um jeito ameaçador. Em algum lugar se ouvia o trinado agudo de um pássaro.

Dentro da cabana estava mais frio do que fora. Abri a porta de correr e desci a escada.

Minha sombra me esperava sentada na cama.

— Pensei que você não viria mais! — disse ela, soltando um vapor branco pela boca.

— Eu prometi. Sempre cumpro minhas promessas — respondi.

— Vamos, precisamos sair o quanto antes. O cheiro está insuportável!

— Não consigo subir a escada — suspirou a sombra. — Tentei agora há pouco, sem sucesso. Pelo visto estou mais fraca do que imaginava. É irônico. Fingi tanto que estava doente que perdi a noção do quanto realmente estava mal. Esta noite o frio penetrou meus ossos.

— Eu carrego você lá para cima!

A sombra balançou a cabeça.

— Mesmo que você faça isso, não serei capaz de continuar. Não consigo mais correr. Não poderia chegar à saída. Parece ser o fim.

— Foi você quem começou. Nada de fazer corpo mole agora! — protestei. — Vou carregá-la nas costas. Haja o que houver, precisamos a todo custo sair daqui e sobreviver.

A sombra fitou meu rosto com seus olhos encovados.

— Se você diz isso, é lógico que eu farei! — ela disse. — Mas vai ser difícil correr pela neve comigo nas costas.

Assenti com a cabeça.

— Eu sempre soube que não seria fácil.

Arrastei minha sombra debilitada até o alto da escada e depois atravessei a praça com ela em meu ombro. A muralha fria e negra que se erguia do lado esquerdo observava calada nossas silhuetas e pegadas. Os ramos do olmo oscilavam para logo deixar caírem blocos de neve, como se não pudessem suportar seu peso.

— Quase não sinto minhas pernas — disse a sombra. — Bem que eu gostaria de ter me exercitado mais para não ficar fraca por estar de cama, mas o quarto era pequeno demais.

Deixamos para trás a praça, entramos na cabana do guardião e, por via das dúvidas, voltei a pendurar o molho de chaves na parede. Se tudo desse certo, ele demoraria para perceber que havíamos fugido.

— Para onde devemos ir agora? — perguntei enquanto tremia diante do fogareiro que já tinha perdido todo o calor.

— Vamos para o lago sul.

— O lago sul? — respondi sem pensar. — O que há ali, afinal?

— Só tem o lago sul, ora. Nós vamos mergulhar nele para fugir! Nesta época do ano talvez peguemos um resfriado, mas levando em conta nossa situação não nos resta alternativa.

— Mas lá existem correntes fortes, que nos levariam para o fundo e para a morte.

A sombra tremeu e tossiu várias vezes.

— Não, você está enganado. Lá fica a única saída. Analisei tudo, e só pode ser ali. Entendo sua apreensão, mas confie em mim. Estou apostando minha vida nessa hipótese, por isso não vou cometer nenhuma insanidade. Explicarei os detalhes durante o caminho! O guardião deve voltar em uma hora ou uma hora e meia e, assim que descobrir que fugi, virá atrás de mim. Não podemos perder tempo aqui.

Não havia ninguém do lado de fora da cabana. Sobre a neve, apenas dois tipos de pegada. O primeiro era de quando eu tinha ido até a cabana, o segundo era do guardião, ao sair em direção ao portal. Havia também os sulcos formados pela carroça. Carreguei minha sombra nos ombros. Ela estava magra e muito leve, mas mesmo assim cruzar a colina com ela nos ombros seria um esforço considerável. Meu corpo estava completamente acostumado a uma vida leve sem sombra, e eu não tinha certeza se conseguiria suportar seu peso.

— É uma boa distância até o lago sul, não? Depois de atravessar o lado leste da colina oeste, é preciso dar a volta pela colina sul e avançar pelo mato.

— Você acha que consegue?

— Já que chegamos até aqui, o jeito é seguir adiante — falei.

Seguimos rumo ao leste pelo caminho coberto de neve. Minhas pegadas de quando estava vindo continuavam bastante visíveis, o que me causou a impressão de estar cruzando com o meu eu do passado. Além delas, só se viam rastros de pequenos animais. Virei e contemplei a espessa fumaça do lado de fora da muralha, que continuava a subir. Parecia uma torre cinza lúgubre, com a ponta sendo devorada pelas nuvens. A julgar pela densidade, muitos animais estavam sendo incinerados. A nevasca que caíra durante a noite devia ter matado um número sem paralelo. Sem dúvida demoraria bastante para queimar todos os cadáveres, o que significava que ainda tínhamos tempo até que ele viesse em nosso encalço. Senti que a morte tranquila dos animais estava ajudando o nosso plano.

Por outro lado, a neve funda impedia a caminhada. Ela grudava nos grampos da bota, tornando meus pés pesados e me fazendo escorregar. Me arrependi de não ter procurado um par de raquetes ou esquis. Em uma região que neva tanto, sem dúvida devia haver algo assim em algum lugar. Talvez na cabana do guardião. Ele mantinha todo tipo de ferramenta em seu depósito. Mas não tínhamos como voltar. Perderíamos muito tempo, e eu já estava perto da ponte oeste.

Conforme caminhava, sentia meu corpo esquentar e o suor brotar em minha testa.

— Essas pegadas deixam claro onde estamos — constatou a sombra, olhando para trás.

Enquanto caminhava, tentei imaginar o guardião nos perseguindo. Talvez viesse correndo. Ele era incomparavelmente mais forte e saudável do que eu e não carregava ninguém nas costas. Além disso, devia ter o equipamento adequado para sair na neve. Eu precisava avançar o máximo possível antes de ele voltar à cabana. Caso contrário, tudo teria sido em vão.

Pensei nela esperando por mim diante do fogareiro da biblioteca. O acordeão sobre a mesa, o fogo ardendo, vapor saindo da chaleira. Lembrei-me da sensação do cabelo dela roçando meu rosto e dos seus dedos em meu ombro. Eu não podia deixar minha sombra padecer ali. Se o guardião nos apanhasse, ela seria levada de volta ao porão, onde provavelmente morreria. Reunindo forças, avancei cada vez mais, olhando às vezes para trás a fim de verificar se a fumaça cinza ainda se erguia além da muralha.

No meio do trajeto cruzamos com inúmeros animais. Eles buscavam em vão alimentos sob a neve profunda. Paravam para nos ver com seus olhos azuis, eu com a sombra nas costas e soltando um vapor branco de respiração. Pareciam saber o que significava aquilo.

Comecei a ficar sem ar ao subir a colina. Meu corpo sofria com o peso da sombra e minhas pernas cambaleavam na neve. Pensando bem, eu não fazia exercícios há um bom tempo. O vapor da respiração se tornava cada vez mais denso, e a neve que voltou a cair entrava em meus olhos.

— Está tudo bem? — perguntou a sombra. — Não quer descansar um pouco?

— Desculpe, deixe-me parar só uns cinco minutos. É o bastante para eu me recuperar.

— Claro, não se preocupe. Eu que não posso correr. Descanse o tempo que desejar. Sinto que o estou forçando a fazer tudo.

— Mas isso também é para o meu bem — falei. — Não?

— Pode acreditar que sim.

Deitei a sombra no chão e me agachei. Meu corpo estava tão quente que nem mesmo sentia a neve gelada. Minhas pernas estavam rígidas como pedra, da cintura até a ponta do pé.

— No entanto, às vezes tenho minhas dúvidas — disse a sombra. — Se eu tivesse morrido em paz sem dizer nada, você continuaria a viver aqui feliz e despreocupado.

— Talvez — respondi.

— Acabei atrapalhando você.

— Mas eu precisava saber.

A sombra abaixou a cabeça, concordando. Depois, ergueu o rosto e olhou para a fumaça cinza que saía do pomar de macieiras.

— Com uma quantidade tão grande de animais mortos, o guardião ainda deve demorar um bom tempo para terminar de incinerá-los — disse a sombra. — Mais um pouco e terminaremos a subida. Depois é só contornar a colina sul, e ao chegar lá podemos respirar aliviados. Ele não poderá nos alcançar.

Ao dizer isso, a sombra pegou um punhado de neve macia e a deixou cair no chão.

— No começo, era só minha intuição que me dizia que aqui havia uma saída. Porém, depois de um tempo, passei a ter certeza. Esta é uma cidade perfeita, e a perfeição traz em si todas as possibilidades. Desse modo, este lugar nem poderia ser chamado de cidade. É algo mais fluido, pois está sempre alterando sua forma para apresentar todo tipo de possibilidade e manter a perfeição. Em outras palavras, não é um mundo fixo e completo. Ele alcança a completude enquanto se movimenta. Por isso, se eu desejar que haja uma saída, haverá uma saída! Você entende o que digo?

— Sim! — disse eu. — Entendi isso ontem. Aqui é um mundo de possibilidades. Ao mesmo tempo, existe tudo e nada.

A sombra me encarou, sentada na neve. Depois, calada, balançou a cabeça várias vezes. A neve foi aos poucos se intensificando. Ao que parecia, uma nova nevasca se aproximava.

— Se supusermos que com certeza há uma saída em algum lugar, o resto é um exercício de eliminação — prosseguiu a sombra. — Vamos eliminar primeiro o portal. Mesmo que pudéssemos fugir por ele, o guardião nos apanharia num piscar de olhos. Ele conhece toda aquela área como a palma da mão. Além disso, o portal é o primeiro lugar que alguém que quisesse fugir cogitaria. A saída não pode ser tão óbvia. A muralha também deve ser eliminada. E o portal leste. Além de estar completamente lacrado, há grades grossas na entrada do rio. Seria impossível escapar por ali. Sendo assim, só resta o lago sul. É possível fugir pelo rio.

— Tem certeza?

— Sim, sei por intuição! Embora todas as outras saídas estejam fechadas, apenas o lago sul é deixado livre, intocável. Não há cercas. Não acha isso estranho? Eles cercam o lago com medo. Se conseguirmos perdê-lo, poderemos vencer a cidade.

— Quando você percebeu isso?

— Quando vi o rio pela primeira vez. O guardião me levou uma única vez até perto da ponte oeste. Ao olhar o rio, pensei: *Não sinto nada de ruim neste rio. E estas águas estão repletas de vitalidade. Se as acompanharmos e entregarmos nossos corpos à corrente, sairemos desta cidade e poderemos voltar ao local onde nossa vida de verdade vive em sua forma original.* Acredita no que estou dizendo?

— Consigo acreditar! — falei. — Talvez o rio se comunique com o mundo que deixamos para trás. Agora eu também estou aos poucos recordando coisas desse mundo. O ar, os sons, as luzes… Uma música me permitiu evocar isso.

— Não sei se é um mundo maravilhoso ou não — disse a sombra. — Contudo, pelo menos é onde nós devemos viver. Nele há coisas boas e ruins. E há aquelas que não são nem boas, nem ruins. Foi onde você nasceu e onde irá morrer. E se você morrer, eu também desapareço. Não existe nada mais natural.

— Talvez você tenha razão — respondi.

Depois, contemplamos mais uma vez a cidade abaixo de nós. A torre do relógio, o rio, a ponte, a muralha, a fumaça, tudo estava totalmente coberto pela neve violenta. Ela se compactava em uma gigantesca coluna que caía como uma catarata sobre a terra.

— Se você estiver melhor, podemos avançar? — perguntou a sombra. — Com tanta neve, o guardião talvez desista de incinerar os animais e volte mais cedo.

Assenti com a cabeça, me levantei e sacudi a neve acumulada na aba do chapéu.

39
Pipocas, Lord Jim, desaparecimento

A caminho do parque, passei por uma loja de bebidas e comprei algumas latas de cerveja. Perguntei qual a marca preferida dela, e ela respondeu que poderia ser qualquer uma, desde que tivesse espuma e gosto de cerveja. Eu pensava o mesmo. Era início de outubro, e o céu estava ensolarado, sem manchas, parecia ter sido criado naquela manhã. Desde que a bebida tivesse espuma e gosto de cerveja, nada mais era necessário.

Como eu tinha dinheiro de sobra, comprei um pacote com seis cervejas importadas. As latas douradas da Miller High Life reluziam como se banhadas pelo sol outonal. A música de Duke Ellington combinava perfeitamente com uma manhã ensolarada de outubro. Na verdade, talvez combinasse com uma noite de Réveillon em uma base no polo Sul.

Enquanto dirigia, eu assobiava o maravilhoso solo de trombone de Lawrence Brown em "Do nothing till you hear from me". Depois, foi a vez do solo de Johnny Hodges em "Sophisticated lady".

Estacionei o carro perto do parque Hibiya e bebemos cerveja estirados na grama. Era segunda-feira de manhã, e o parque estava deserto e calmo como o convés de um porta-aviões após a decolagem das aeronaves. Um bando de pombos andava pela relva, como se estivesse fazendo exercícios de aquecimento.

— Não tem uma nuvem sequer — falei.

— Tem uma ali — disse ela, apontando para um ponto um pouco acima do auditório de Hibiya.

Havia mesmo uma nuvem. Uma nuvem branca como um tufo de algodão preso na ponta do galho de uma canforeira.

— É uma nuvenzinha de nada — objetei. — Nem se enquadra na categoria nuvem.

Protegendo os olhos com a mão, ela a observou com atenção.

— Tem razão, é mesmo bem pequena — concordou.

Durante um longo tempo permanecemos calados contemplando o fragmento de nuvem, então bebemos a segunda cerveja.

— Por que se divorciou? — ela perguntou.

— Porque eu não podia me sentar na janela do trem quando viajávamos.

— Fala sério.

— Em um romance de J. D. Salinger tem uma passagem assim. Li quando estava no ensino médio.

— Qual o motivo de verdade?

— Simples! Ela partiu no verão, cinco ou seis anos atrás. Foi embora e nunca mais voltou.

— E desde então não a viu?

— Exato — falei, enchendo a boca de cerveja e a bebendo devagar. — Não tive nenhum bom motivo para vê-la.

— A vida de casado não ia bem?

— Ia maravilhosamente bem — respondi, enquanto contemplava a lata de cerveja na mão. — Mas isso não tem muito a ver. Mesmo dormindo os dois na mesma cama, apenas um fechava os olhos. Entende o que eu digo?

— Creio que sim.

— Não dá para generalizar as pessoas, mas grosso modo é possível enquadrar a visão que elas têm da vida em duas categorias: uma completa e outra restrita. Sou do tipo que tem uma visão restrita da vida. Justificar essa limitação não importa. Há uma linha porque é preciso traçá-la em algum lugar. No entanto, nem todo mundo pensa assim.

— Mas até quem pensa assim não se esforçaria para ampliar esses limites?

— É provável. Mas não é o meu caso. Não há motivo para todo mundo escutar música em um aparelho de som hi-fi. Seu senso musical não ficará mais profundo se você ouvir o violino do lado esquerdo e o contrabaixo do lado direito. Isso só torna mais difícil evocar imagens.

— Não está sendo dogmático demais?

— Ela também me dizia isso!

— Sua mulher?

— Sim — respondi. — Quando o tema está claro demais, falta flexibilidade. Quer cerveja?

— Obrigada.

Tirei o anel da quarta lata de Miller High Life e a entreguei a ela.

— Como você avalia sua vida? — perguntou.

Sem tocar na cerveja, ela observava o orifício na parte superior da lata.

— Você já leu *Os irmãos Karamázov*? — repliquei.

— Sim. Uma vez, tempos atrás.

— Deveria relê-lo. Há muita coisa naquele livro. Mais para o fim, Aliócha diz o seguinte para o jovem estudante Kólia Krassótkin: "Ouve, Kólia: a propósito, você será uma pessoa muito infeliz na vida. Mas há de bendizer a vida em seu todo, apesar de tudo".[*]

Terminei a segunda cerveja e, depois de hesitar um pouco, abri a terceira.

— Aliócha sabia muitas coisas — continuei. — Mas quando li essa passagem, tive dúvidas. Seria possível bendizer no todo uma vida muito infeliz?

— E por isso você restringe sua vida?

— Talvez. Eu devia ter morrido com uma pancada de um vaso de ferro em um ônibus, em vez do seu marido. Sinto que morrer assim tem mais a ver comigo. Uma imagem direta e fracionada que se mostra completa. Sem tempo para pensar em nada.

Ainda estirado sobre a relva, ergui a cabeça e olhei para onde até pouco antes a nuvem estava. Tinha desaparecido. Se escondera atrás das folhas da canforeira.

— Você acha que eu poderia entrar na sua visão restrita? — ela perguntou.

— Qualquer um pode entrar ou sair dela. Essa é a incrível vantagem de uma visão restrita. Basta limpar bem os sapatos ao entrar e fechar a porta ao sair. É o que todos fazem.

Ela se levantou rindo e limpou a grama que tinha grudado na calça de algodão.

---

[*] Fiódor Dostoiévski, *Os irmãos Karamázov*. Trad. de Paulo Bezerra. São Paulo: Ed. 34, p. 726. (N. T.)

— Preciso ir. Afinal, já está na hora, não?

Olhei o relógio. Eram dez e vinte e dois.

— Acompanho você até em casa — falei.

— Não precisa. Vou a uma loja de departamentos aqui perto e depois volto sozinha de trem. É melhor assim.

— Então nos despedimos aqui. Vou ficar mais um pouco, está muito agradável.

— Obrigada pelo cortador de unha.

— Imagina.

— Você me liga quando voltar?

— Irei à biblioteca! — prometi. — Gosto de ver as pessoas trabalhando.

— Adeus — ela disse.

Eu a observei se afastar pelo caminho que atravessava o parque, como Joseph Cotten em *O terceiro homem*. Quando ela desapareceu atrás de algumas árvores, passei a contemplar os pombos. Cada um tinha uma maneira de andar um pouco diferente dos demais. Logo uma mulher bem-vestida acompanhada de uma menina apareceu e, atirando pipoca no chão, fez todas as aves perto de mim voarem para se aproximar dela. A menina devia ter três ou quatro anos e, como é comum a todas as crianças dessa idade, corria com os braços abertos atrás dos pombos. Mas eles não se deixavam apanhar. Essas aves têm um jeito simples de viver. A mãe bem-vestida me viu de relance e depois não olhou mais para mim. Alguém deitado na grama em plena manhã de uma segunda-feira com cinco latas de cerveja vazias não é decente.

Fechei os olhos e tentei lembrar o nome dos irmãos Karamázov. Mítia, Ivan, Aliócha e o meio-irmão Smierdiákov. Quantas pessoas no mundo são capazes de citar todos os irmãos Karamázov?

Ao olhar o céu, me senti como se estivesse flutuando num barquinho em um oceano sem fim. Sem vento nem ondas, apenas eu ali, imóvel. "Há algo muito especial em um bote que flutua no oceano", disse Joseph Conrad na passagem do naufrágio em *Lord Jim*.

O céu estava profundo e reluzia como ideias humanas irrefutáveis. Quando se olha o céu a partir da terra, sente-se que ele sintetiza todas as existências. O mesmo ocorre com o mar. Quando se contempla um oceano por dias a fio, começa-se a acreditar que só existe isso no mundo. Joseph Conrad provavelmente pensava como eu. Uma pequena embarcação à deriva em alto-mar tem algo de especial, e não é possível escapar disso.

Ainda estirado na relva, bebi a última cerveja, fumei um cigarro e espantei da mente reflexões literárias. Eu precisava ser mais realista. Restava-me pouco mais de uma hora.

Levantei e joguei as latas vazias no lixo. Depois, tirei da carteira meus cartões de crédito e os queimei no cinzeiro. A mãe bem-vestida voltou a me olhar de relance. Uma pessoa decente não queima cartões de crédito no parque numa manhã de segunda-feira. Comecei pelo American Express, em seguida foi o Visa. Ambos pareciam muito contentes por serem queimados no cinzeiro. Até pensei em fazer o mesmo com a minha gravata Paul Stuart, mas acabei desistindo da ideia. Chamaria muita atenção, e não havia motivo para queimá-la.

Em seguida, comprei dez sacos de pipoca em um quiosque e espalhei o conteúdo de nove deles pelo chão, depois comi o último sentado num banco. Como em um documentário sobre a Revolução de Outubro, uma grande quantidade de pombos se reuniu para apreciar as pipocas. Eu comi as minhas junto deles. Estavam muito gostosas. Fazia tempo que eu não comia pipoca.

A mãe bem-vestida e sua filhinha contemplavam a fonte. A mãe devia ter a mesma idade que eu. Conforme a olhava, lembrei-me de novo da minha antiga colega de escola que tinha se casado com um membro de um movimento revolucionário, tido dois filhos e evaporado por completo. Ela não devia conseguir nem mesmo levar as crianças a um parque. Claro que eu não era capaz de imaginar como ela se sentia em relação a isso, mas percebi que o fato de que minha vida iria desaparecer era algo que nos conectava. No entanto — e isso é possível —, ela talvez não aceitasse ter isso em comum comigo. Havia uns vinte anos que não nos víamos, e muita coisa acontecera nesse período. Nossas situações eram distintas e pensávamos de maneira diferente. Além disso, mesmo que os dois tenham abandonado a vida, ela fez isso por vontade própria, mas eu não. No meu caso, alguém apenas arrancou o lençol enquanto eu dormia e o levou embora.

Eu tinha a sensação de que talvez ela me repreendesse por isso. Talvez dissesse: "Afinal, o que foi escolha sua nisso tudo?". Ela teria razão. Eu não tinha escolhido nada. A única coisa pela qual pude optar foi perdoar o professor e não dormir com a neta dele. Mas de que isso me serviu? Será que ela valorizaria o papel que exerci na extinção da minha existência?

Eu não sabia. Cerca de vinte anos nos separavam. Estava muito além dos limites da minha imaginação saber os critérios que ela usava para valorizar algo ou não.

Dentro dos meus limites, quase nada mais restava. As únicas coisas que eu via eram os pombos, a fonte, o gramado e a mãe acompanhada da filha. Contudo, à medida que contemplava essa paisagem, senti pela primeira vez nos últimos dias que não queria desaparecer deste mundo. Não me importava para onde iria em seguida. Não me importava se tinha gastado noventa e três por cento do esplendor da minha vida nos trinta e cinco anos da primeira metade dela. Desejava continuar a assistir à evolução deste mundo, dando a devida atenção aos sete por cento restantes. Não sabia o motivo, mas sentia que era minha responsabilidade. Sem dúvida, a partir de determinado momento, minha vida e a maneira como eu a conduzia acabaram distorcidas. Havia boas razões para isso. Mesmo que algumas pessoas não conseguissem entender, eu não poderia ter vivido de outra forma.

Mas eu não queria simplesmente desaparecer e deixar para trás essa vida distorcida. Era minha obrigação zelar por ela até o fim. Do contrário, eu não estaria sendo justo comigo mesmo. Não poderia partir deixando minha vida naquele estado.

Por mais que meu desaparecimento não fosse entristecer ninguém, não fosse causar vazios nos corações ou quase não houvesse quem fosse sentir minha falta, era uma questão pessoal. Sem dúvida eu tinha perdido muita coisa ao longo da vida. E não havia quase mais nada a perder além de mim mesmo. No entanto, dentro de mim restava, como um sedimento, o brilho das coisas perdidas, e isso havia me servido de alento.

Eu não queria desaparecer deste mundo. Ao fechar os olhos, podia sentir com clareza o ritmo do meu coração. De tão grandes e profundas, as oscilações eram capazes de fazer estremecer os alicerces da minha existência, ultrapassando a tristeza e a solidão. Elas não paravam. Apoiei os cotovelos no encosto do banco para poder suportá-las. Ninguém apareceu para me socorrer. Ninguém poderia me salvar. Assim como eu também não poderia salvar ninguém.

Queria chorar, mas não conseguia. Estava velho demais para isso, tivera experiências demais. Há no mundo uma tristeza que não permite derramar lágrimas. É impossível explicar isso a quem quer que seja e, mesmo se pudesse, é o tipo de coisa que ninguém compreenderia. Essa tristeza não pode mudar de formato, apenas se acumula de forma silenciosa no coração, como a neve em uma noite sem vento.

Quando eu era mais jovem, tentei converter esse tipo de tristeza em palavras. Contudo, por mais que me esforçasse, não conseguia comunicar isso a ninguém, nem a mim mesmo, e acabei desistindo. Assim, bloqueei as palavras e o meu coração. Uma tristeza profunda não permite nem mesmo ser metamorfoseada em lágrimas.

Senti vontade de fumar, mas os cigarros tinham acabado. Sobrara apenas a caixa de fósforos no bolso. Só restavam três. Eu os acendi um por um e os joguei no chão.

Quando fechei de novo os olhos, as oscilações haviam sumido. Em minha cabeça apenas um calmo silêncio flutuava como pó. Passei um tempo contemplando isso. Suspenso no ar, ele permanecia imóvel, sem subir ou descer. Contraí os lábios e assoprei, mas mesmo assim não se moveu. Nem mesmo um vento violento poderia fazê-lo dispersar.

Depois, pensei na moça da biblioteca de quem tinha acabado de me despedir. Pensei em seu vestido de veludo, na meia-calça e na combinação amontoados sobre o tapete. Como se fossem ela mesma, será que estariam largados no chão à espera de alguém que os recolhesse? E eu teria sido justo com ela? *Não, nada disso*, pensei. Quem afinal buscava justiça? Ninguém. Apenas eu precisava de algo parecido. Entretanto, qual o sentido de uma vida sem justiça? Assim como eu gostava dela, também gostava do vestido e da calcinha que ela havia tirado e abandonado no chão. Seria esse também um dos formatos da minha justiça?

Justiça é um conceito que só é aceito em um mundo extremamente restrito. No entanto, abrange todos os aspectos da vida. Desde caracóis e balcões de lojas de ferragens até a vida conjugal. Mesmo que ninguém buscasse justiça, era tudo o que eu tinha a oferecer. Nesse sentido, era como o amor. O que queremos oferecer não é necessariamente o que buscamos. Justamente por isso, muitas coisas passaram por mim.

Talvez eu devesse estar arrependido da minha vida. Seria também uma forma de justiça. Mas eu não conseguia me arrepender de nada. Mesmo que tudo fosse levado com o vento e apenas eu ficasse para trás, porque isso também era meu próprio desejo. E em mim restara apenas o pó branco flutuando na minha cabeça.

Comprei cigarros e fósforos em um quiosque no parque e por via das dúvidas aproveitei para ligar mais uma vez para o meu apartamento de um telefone público. Não esperava que alguém atendesse, mas imaginei que não seria ruim fazer isso no final da vida. Podia imaginar o som do telefone ecoando pela casa.

Porém, ao contrário do que eu tinha imaginado, no terceiro toque alguém atendeu. Ouvi um "Alô". Era a moça obesa de terninho rosa.

— Você esteve todo esse tempo aí? — perguntei, admirado.

— De jeito nenhum — ela disse. — Saí uma vez e voltei. Não posso relaxar. Voltei porque queria ler o resto do livro.

— Do Balzac?

— Sim, isso mesmo! Que livro interessantíssimo. Sinto nele o poder do destino.

— E você conseguiu ajudar seu avô a sair do subterrâneo? — perguntei.

— Lógico. Foi muito fácil! A água havia baixado por completo e era a segunda vez que eu fazia o trajeto. Comprei os dois bilhetes de metrô. Meu avô estava muito animado! Ele mandou lembranças.

— Obrigado — agradeci. — E o que aconteceu com ele?

— Ele partiu para a Finlândia. Disse que no Japão tem problemas demais e não consegue se concentrar nas pesquisas, por isso vai construir um laboratório lá. Parece ser um local muito bom e tranquilo. Tem até renas!

— E você não foi com ele?

— Decidi ficar e morar no seu apartamento.

— No meu apartamento?

— Sim, isso mesmo. É muito agradável. Vou arrumar a porta e comprar uma geladeira e um videocassete! Alguém destruiu os que você tinha, não foi? Posso colocar um edredom, lençóis e cortinas rosa?

— Claro.

— Posso assinar um jornal? Quero ver o que está passando na TV.

— Sem problema! — concordei. — Mas é perigoso ficar aí. Os caras da System e os calculadores podem aparecer.

— E você acha que eles me assustam? — disse ela. — Estão atrás do meu avô e de você; eu não tenho nada a ver com isso. Uma dupla estranha, um grandalhão e um tampinha, apareceu aqui, mas eu os pus para correr.

— Como fez isso?

— Disparei um tiro na orelha do grandão. Devo ter perfurado o tímpano dele.

— Mas se deu um tiro dentro do apartamento, o pessoal do prédio deve ter ficado em polvorosa, não?

— Nem um pouco. Quem ouve um único tiro logo pensa que foi o escapamento de um carro! Se tivesse dado mais, seria um problema, mas como atiro bem bastou um.

— Caramba! — exclamei.

— Ah, sim, se você perder a consciência eu pretendo congelar você. O que acha da ideia?

— Faça o que achar melhor. Eu não sentirei mais nada mesmo — afirmei. — Vou agora ao píer de Harumi e você pode ir até lá me buscar. Estou em um Carina 1800 GT Twin Cam Turbo branco. Não saberia explicar bem o modelo do carro, mas vai estar tocando uma fita de Bob Dylan.

— Quem é esse Bob Dylan?

— Nos dias chuvosos… — comecei a dizer, mas a explicação seria complexa e acabei desistindo. — É um cantor de voz rouca!

— Se eu congelar você, meu avô talvez possa descobrir uma técnica nova e fazer você voltar ao estado original, não? É melhor não ter muitas esperanças, mas existe a possibilidade!

— Sem consciência não posso ter esperanças — frisei. — Então, vai mesmo me congelar?

— Vai dar certo, não se preocupe. Sou boa nisso. Em experimentos com animais, congelei muitos cães e gatos vivos. Vou congelar você direitinho e escondê-lo em um local onde ninguém o descobrirá. Então, se tudo correr bem e você voltar à consciência, você transa comigo?

— Claro — afirmei. — Se você ainda quiser transar comigo.

— Vai mesmo?

— No tanto que minha capacidade técnica permitir — respondi. — Não sei em quantos anos será.

— Seja como for, já não terei mais dezessete anos — constatou ela.

— As pessoas envelhecem mesmo congeladas, não?

— Bem, cuide-se — ela falou.

— Você também — retribuí. — Sinto-me mais aliviado depois de conversar com você!

— Por causa da possibilidade de você voltar a este mundo? Mas não sabemos se será possível ou não...

— Não, não é por isso. Claro, fico feliz por existir a possibilidade. O que eu quis dizer é que fiquei muito contente por conversar com você. Pude ouvir sua voz e saber o que está fazendo agora.

— Quer conversar mais?

— Não, é o suficiente! Meu tempo está se esgotando.

— Olhe. Não tenha medo. Mesmo se eu perdê-lo para sempre, me lembrarei de você até o fim dos meus dias. Você nunca desaparecerá do meu coração! Não se esqueça disso.

— Não vou esquecer! — respondi e desliguei.

Quando deu onze horas fui urinar num banheiro próximo e depois deixei o parque. Liguei o carro e dirigi em direção ao porto pensando na ideia de ser congelado. A avenida Ginza estava repleta de homens de terno e gravata. Enquanto esperava o sinal abrir, procurei no meio das pessoas a moça da biblioteca, que devia estar fazendo compras por ali, mas infelizmente não a vi em lugar algum. Só avistei pessoas desconhecidas.

Ao chegar ao porto, estacionei o carro ao lado de um armazém deserto, fumei um cigarro e botei a fita cassete de Bob Dylan no repeat. Abaixei o banco, estirei as pernas por cima do volante e respirei com calma. Beberia mais cerveja, mas tinha acabado. Eu e ela tomamos todas no parque. O sol se infiltrava pelo para-brisa e me envolvia com a sua luz. Ao fechar os olhos, senti minhas pálpebras esquentarem. A luz solar percorreu um longo caminho até chegar a este pequeno planeta, e uma estranha emoção me invadiu ao me dar conta de que ela tinha despendido um pouco da sua força para aquecer minhas pálpebras. O universo não negligenciava nem mesmo isso. Tive a impressão de compreender um pouco os sentimentos de Aliócha Karamázov. Talvez uma vida limitada recebesse bênçãos limitadas.

À minha maneira, eu havia ofertado bênçãos ao professor, à sua neta e à moça da biblioteca. Eu não sabia se tinha o poder de distribuir bênçãos a outras pessoas, mas de todo modo eu iria desaparecer, e portanto não havia perigo de alguém me cobrar qualquer responsabilidade dali em diante. Acrescentei a essa lista de bênçãos o taxista doido por The Police e reggae. Ele nos aceitara no seu carro mesmo enlameados dos pés à cabeça. Não havia motivo para ficar de fora. Provavelmente agora mesmo estaria rodando em busca de passageiros jovens enquanto ouvia rock no rádio.

À minha frente se via o mar. Havia um velho cargueiro flutuando na linha da água depois de descarregar. Aqui e ali gaivotas descansavam como manchas brancas. Bob Dylan cantava "Blowin' in the wind". Enquanto isso, eu pensava no caracol, no cortador de unha, no robalo cozido ao molho de manteiga e na espuma de barbear. O mundo está repleto de revelações.

O sol do início do outono reluzia suave sobre o mar, como se tremulasse nas ondas. Parecia que alguém tinha despedaçado um grande espelho. Os fragmentos eram tão pequenos que ninguém conseguiria devolvê-lo ao formato original.

A canção de Bob Dylan me fez lembrar automaticamente da moça da agência de locação de veículos. Sim, eu precisava abençoá-la também. Ela havia me causado uma ótima impressão. Não poderia deixá-la fora da lista.

Procurei formar a imagem dela na mente. Ela vestia um blazer verde como a grama de um campo de beisebol no início da temporada e uma blusa branca com um laço preto no pescoço. Talvez fosse o uniforme da agência. Afinal, ninguém pensaria em vestir um blazer verde com um laço preto. E ela tinha se lembrado da chuva ao ouvir uma música antiga de Bob Dylan.

Também pensei na chuva. A que me veio à mente foi uma chuva tão fina que não dava para saber se caía ou não. Mas com certeza chovia. A chuva molhava os caracóis, as cercas vivas, os bois. Ninguém poderia fazê-la parar. Ninguém poderia escapar dela. A chuva continuava a cair impassível.

Por fim, ela se converteu em uma cortina opaca de cores indistintas, que encobria a minha consciência.

O sono tinha chegado.

Dessa forma eu poderei recuperar as coisas que perdi, pensei. Mesmo perdidas, elas não estavam estragadas. Fechei os olhos e me entreguei aos braços de Morfeu. Bob Dylan continuava a cantar "A hard rain's a-gonna fall".

40

O pássaro

Quando chegamos ao lago sul, a neve caía com uma violência sufocante. Era como se o céu tivesse se despedaçado e desabasse sobre a terra. A neve caía também no lago e era absorvida em silêncio pelas sinistras águas de um azul profundo. No solo tingido de branco, o lago se abria como uma gigantesca pupila.

Durante um bom tempo, eu e minha sombra ficamos petrificados, contemplando em completo silêncio a paisagem. O fragor terrível da água ecoava no ambiente como da outra vez, mas talvez devido à neve o som era bem mais abafado, e eu o sentia como se a terra retumbasse de algum lugar longínquo. Ergui os olhos e vi o céu baixo demais para merecer esse nome, então encarei a muralha sul, cuja silhueta negra indistinta flutuava para além da neve violenta. A muralha não parecia ter mais nada para me dizer. Era uma paisagem desolada e fria, bem condizente com o Fim do Mundo.

Enquanto permanecia imóvel, a neve se acumulava sem cessar sobre meus ombros e sobre a aba do meu chapéu. Aquela nevasca devia ter apagado por completo as nossas pegadas. Olhei para minha sombra, que estava em pé um pouco afastada de mim. Às vezes ela sacudia a neve acumulada no corpo e, de olhos franzidos, fitava o lago.

— A saída é aqui! Tenho certeza — afirmou. — Então esta cidade não vai poder mais nos enclausurar. Estaremos livres como pássaros.

E a sombra levantou o rosto para o céu, fechou os olhos e recebeu a neve como se fosse uma chuva abençoada.

— Que tempo maravilhoso. O céu está claro, o vento está morno — disse, sorrindo.

Como se tivesse se libertado de grilhões pesados, o corpo da sombra parecia recobrar cada vez mais sua força original. Caminhou sozinha em minha direção, arrastando de leve as pernas.

— Eu posso sentir! — disse ela. — O mundo exterior está do outro lado do lago. E você? Ainda está com medo de pular?

Fiz que não com a cabeça.

A sombra se agachou e desamarrou o cadarço da bota.

— Se ficarmos parados aqui, vamos acabar congelados. É hora de nos jogarmos na água. Tire os sapatos e vamos atar nossos cintos. Se nos perdermos ao sair, todo o esforço terá sido em vão.

Tirei o chapéu que pegara emprestado do coronel, sacudi a neve acumulada e, com ele na mão, o contemplei. Era um boné militar de tempos antigos. O tecido estava esgarçado em alguns pontos, desbotado e esbranquiçado. O coronel o devia ter usado com carinho durante décadas. Sacudi mais uma vez a neve do boné e o enfiei na cabeça.

— Acho que vou ficar por aqui — informei.

A sombra me lançou um olhar vago e desfocado.

— Pensei bem sobre isso — continuei. — Sinto muito, mas refleti do meu jeito. Entendo o que significa ficar sozinho aqui. Também entendo, como você disse, que o mais lógico seria voltarmos os dois para o velho mundo. É a minha realidade de verdade, e também sei que fugir dela é errado. Porém, não posso abandonar este lugar.

A sombra enfiou as mãos no bolso e balançou a cabeça várias vezes devagar.

— Por quê? Você prometeu que fugiríamos. Por isso tracei um plano, e você me carregou até aqui, não foi? O que fez seu coração mudar? A mulher?

— Claro, ela também — confessei. — Mas não só. Eu descobri algo. Por causa disso, decidi ficar aqui.

A sombra suspirou. E voltou a elevar os olhos para o céu.

— Você descobriu o coração dela, não foi? Decidiu então viver com ela no bosque e se ver livre de mim?

— Repito que não é só isso — afirmei. — Descobri o que criou esta cidade. Por isso tenho a obrigação e a responsabilidade de ficar aqui. Você não quer saber o que foi?

— Não quero — disse a sombra. — Porque eu já sei. Sei disso há muito tempo. Foi *você mesmo* quem construiu esta cidade! Você construiu tudo o que há nela: a muralha, o rio, o bosque, a biblioteca, o portal, tudo, do começo ao fim. Este lago também, esta neve também. Não é algo tão difícil que eu não possa compreender.

— Então por que não me disse antes?

— Se eu lhe dissesse você teria ficado aqui, como está fazendo agora. Eu queria a todo custo tirá-lo daqui. O mundo onde você deve viver está lá fora.

A sombra sentou na neve e balançou a cabeça várias vezes.

— Se descobrisse isso, você não me ouviria mais.

— Tenho minha responsabilidade — expliquei. — Não posso simplesmente ir embora e abandonar as pessoas e o mundo que criei de forma arbitrária. Sei que não é justo com você! Sinto muito de verdade e sofro por termos de nos separar. Mas preciso assumir a responsabilidade pelos meus atos. Aqui é o meu mundo. A muralha é a muralha que me cerca, o rio é o rio que flui dentro de mim, a fumaça é a fumaça que me incinera.

A sombra se levantou e contemplou a superfície serena das águas do lago. De pé e sem se mover em meio à neve que caía sem parar, dava a impressão de ir aos poucos perdendo a profundidade e recuperando sua forma plana original. Continuamos calados por um longo tempo. Apenas o vapor claro exalado por nossas bocas flutuava no ar para em seguida se esvaecer.

— Sabia que seria inútil segurá-lo — disse a sombra. — Mas a vida no bosque é muito mais árdua do que você imagina! É completamente diferente da cidade. O trabalho para sobreviver é duro, os invernos são longos e rigorosos. Uma vez lá, você nunca mais poderá sair. Será obrigado a continuar ali para sempre.

— Refleti bastante sobre isso também.

— Mas não mudará de ideia, não é mesmo?

— Não — respondi. — Não me esquecerei de você! No bosque, me lembrarei aos poucos do velho mundo. Deve ter muita coisa para recordar. Pessoas, lugares, luzes, canções.

A sombra cruzava e descruzava as mãos em frente ao corpo. A neve acumulada nela formava uma sombra estranha, que parecia se expandir e retrair devagar. Enquanto esfregava as mãos, ela inclinava de leve a cabeça, como se quisesse ouvir melhor o som ao redor.

— Preciso ir — ela falou. — É estranho saber que nunca mais nos veremos. Não sei o que dizer antes de nos separarmos. Não me ocorrem as palavras apropriadas.

Tirei outra vez o chapéu, sacudi a neve e voltei a vesti-lo.

— Torço pela sua felicidade! — disse a sombra. — Eu gostava de você! E não é por ter sido sua sombra que digo isso.

— Obrigado — agradeci.

Continuei por um tempo a contemplar a superfície do lago mesmo depois de suas águas terem engolido minha sombra. Não havia mais nenhuma ondulação. As águas eram azuis e tranquilas, como os olhos dos animais. Ao perder minha sombra, senti como se tivesse sido deixado sozinho nos rincões do universo. Não poderia ir a lugar nenhum e não tinha para onde voltar. Ali era o Fim do Mundo, e o Fim do Mundo não se vinculava a nada. O mundo acabava ali, onde eu estava serenamente parado.

Dei as costas para o lago e comecei a caminhar debaixo da chuva na direção da colina oeste. Para além dela havia a cidade, o rio fluía, e com certeza ela e o acordeão esperavam por mim na biblioteca.

Vi um pássaro branco voando em direção ao sul sob a chuva incessante. Ele cruzou a muralha e foi engolido pelo céu. Então restou apenas o som da neve sob os meus pés.

Referências bibliográficas

BORGES, Jorge Luis. *Genju Jiten*. Trad. de Naoki Yanase. Editora Shobunsha. [Ed. bras.: *O livro dos seres imaginários*. Trad. de Heloisa Jahn. São Paulo: Companhia das Letras, 2007.]

COOPER, Burtland. *Dobutsutachi no Kokogaku* [*Arqueologia animal*]. Trad. de Hiraku Makimura. Editora Sanyukan Shobo.[*]

---

[*] O título, a editora e o tradutor são uma invenção de Haruki Murakami. O nome do tradutor é um anagrama do nome do autor e também batiza um dos personagens de *Dance, dance, dance* (Rio de Janeiro: Alfaguara, 2015). (N. T.)

ESTA OBRA FOI COMPOSTA PELA ABREU'S SYSTEM EM ADOBE GARAMOND E IMPRESSA EM OFSETE PELA GRÁFICA BARTIRA SOBRE PAPEL PÓLEN NATURAL DA SUZANO S.A. PARA A EDITORA SCHWARCZ EM ABRIL DE 2024

A marca FSC® é a garantia de que a madeira utilizada na fabricação do papel deste livro provém de florestas que foram gerenciadas de maneira ambientalmente correta, socialmente justa e economicamente viável, além de outras fontes de origem controlada.